Die Religionen der Menschheit

Herausgegeben von
CHRISTEL MATTHIAS SCHRÖDER
Band 21

VERLAG W. KOHLHAMMER
STUTTGART BERLIN KÖLN MAINZ

Die Religionen Chinas

von

WERNER EICHHORN

VERLAG W. KOHLHAMMER
STUTTGART BERLIN KÖLN MAINZ

Umschlagbild: Drachenmotiv nach einer Steinabreibung
aus der Zeit der T'ang-Dynastie

INHALT

Inhalt

Inhalt

Inhalt

VORWORT

Wahrscheinlich sollte ein Werk dieser Art mit einer Definition dessen beginnen, was man unter Religion zu verstehen hat. Wenn ich mir jedoch überlege, was im Beginn dieser Arbeit und was am Ende als „Religion" dasteht, dann bin ich in Verlegenheit, beides unter einer Definition zu vereinigen. Vielleicht aber sollte man den „Glauben", in und aus dem die religiösen Gegenstände entstehen, als eine schöpferische Funktion sui generis so fassen, daß er klar vom „Wissen" unterschieden wäre und damit der Bereich des Religiösen nicht mehr durch die „fortschreitende Wissenschaft" mehr und mehr eingeengt oder zurückgedrängt werden könnte. Tatsächlich beginnt es sich doch immer deutlicher zu zeigen, daß die Religion, der gegenwärtigen Vorherrschaft der Wissenschaften und allen Voraussagen zum Trotz, weiter besteht und wohl auch weiter bestehen wird. Allerdings ist die Frage, in welcher Form?

Noch tiefer als die Wissenschaft ist die Religion mit dem Wesen „Mensch" verknüpft, und das Resultat des Studiums der Religionen sind Einsichten in eben dieses Wesen. Nun ist dies aber ein Gesichtspunkt, von dem ich mich bei der Abfassung meiner Darstellung nicht so sehr habe leiten lassen als von Fragen solcher Art: Was ist eigentlich die Funktion der Religion und welchen Zweck erfüllt sie in der Gesellschaft?

Ich habe außerdem versucht, meine Darstellung unter den Gesichtspunkt des „Historizismus" zu stellen. Man wird deshalb bemerken, daß zum Beispiel die sogenannte „Staatsreligion" (oder der „Staatskult"), die im allgemeinen sehr kurz als ein einheitliches, sich kaum veränderndes Gebilde beschrieben wird, auch dem historischen Wandel unterworfen ist, selbst wenn die im Chinesischen verwandte Terminologie das manchmal nicht erkennen läßt.

Was meine Arbeitsweise betrifft, so habe ich mich bemüht, soweit es irgend möglich war, auf primäre oder sekundäre chinesische Quellen zurückzugreifen. Nur beim letzten Kapitel war ich fast ausschließlich auf Werke in europäischen Sprachen angewiesen.

Daß das Unternehmen angesichts des gigantischen Umfangs der chinesischen Materialien beim derzeitigen Stand unserer Quellenkenntnis ein Wagnis ist, braucht keinem Sinologen klargemacht zu werden — um so mehr, als es sich um eine „Einmannarbeit" handelt. Andererseits bin ich deshalb auch nur wenigen Personen zu Dank verpflichtet, so Herrn John Lust von der SOAS (London) für seine immer bereitwillige Beschaffung von Texten und Frau Annemarie Boll dafür, daß sie während der Abfassung der Arbeit die Alltagssorgen von mir fernhielt.

August 1972 *W. Eichhorn*

HINWEISE ZUR AUSSPRACHE DER UMSCHRIFT

Verwandt wurde im allgemeinen die Transkription *Wade,* manche geographische Namen werden aber in eingebürgerter Umschreibung (Szechuan, etwa = Sötschuan) gegeben.

Ch oft = Dsch (Dschuang, Dschou)   Ch' oft = Tsch.

Aber   Ch'i etwa = Tji (Tchi), Ch'ing etwa = Tjing (Tching).
Ch'in = Tjin (Tchin) mit langem i; Chinn = Djin (Dchin) mit kurzem i, Doppel-n zur Bezeichnung des chinesischen 4. Tones.
Shāng = Schang mit langem a zum Unterschied von Shang = Schang („oben") mit kurzem a.
Hs ist spezifisch chinesischer, dentaler Sch-Laut, dem die Transkription Hs einigermaßen nahe kommt.
Tzû ist vokalloses, stark stimmhaftes Dz, Tz'û = Tz.
Szû ist vokalloses, stark stimmhaftes Sz.
Aspirierte Anlaute wie T' oder K' werden wie deutsches Th oder Kh, unaspirierte wie D oder G gesprochen.
ê etwa = ö (offen gesprochen), êrh etwa = örl.
chih etwa = dsch (stimmhaft); ch'ih = tsch (stimmhaft).
Vokalverbindungen wie ao, ou, ui, iu, ai, ia, ei, ua sind getrennt zu sprechen.
j wie kurzes, kehliges r, jan etwa = ran.
y wie deutsches j in jung.

Man beachte auch:
shan = Berg; ho und chiang = Fluß, Strom; hai = Meer.
ching = klassisches Werk, Sutra; shih[3] = Geschichte; shih[4] = Lehrer u. a. m.

13

ZEITTAFEL

(zur groben Orientierung)

Shāng- oder Yin-Dynastie 1766–1123
Chou-Dynastie 1122–247
        Westliche Chou   1122–771
        Östliche Chou   770–247
                Ch'un-Ch'iu-Periode 722–481
                Chan-kou-Periode 453–221
Ch'in-Dynastie 221–207
Han-Dynastie 206 v. Chr. bis 8 n. Chr. und 25–220
Teilung in drei Reiche (San-kuo) 221–279
Einigung unter Westlicher Chinn-Dynastie 265–316
Nord-Süd-Trennung 386–581
   Toba-Wei-Dynastie 386–534. Östliche Chinn-Dynastie 317–419
Sui-Dynastie 581–618
T'ang-Dynastie 618–906
Wu-tai-Periode 907–960
Sung-Dynastie 960–1279, Nord-Sung 960–1126, Süd-Sung 1127–1279
Yüan-Dynastie 1260–1367
Ming-Dynastie 1368–1643
Ch'ing-Dynastie 1644–1912
Republik 1912
Volksrepublik 1949

I. DIE RELIGION DER SHĀNG-DYNASTIE

Im 2. Jahrtausend v. Chr. tauchen die Bewohner des nordchinesischen Raumes aus dem Stadium einer mehr oder weniger nebelhaften Vorgeschichte auf: sie vollziehen den Übergang vom Neolithikum zur Bronzezeit.

Als erstem Träger der Geschichte Chinas begegnen wir jetzt der *Shāng*- oder *Yin*-Dynastie (von Tung Tso-pin neuerdings auf 1751–1111 v. Chr. datiert), die sich mit Hilfe überlegener Organisation und durch den Gebrauch von Bronzewaffen über andere Stammesgruppen, die auf der Stufe der Steinzeit stehengeblieben waren, erhoben hatte.

Schon das deutet an, daß die Bevölkerung des Shāng-Staates aus zwei Schichten bestand, den Herren, d. h. der Shāng-Sippe, deren Anhang und Verbündete, auf der einen Seite und den Unterworfenen auf der anderen, was wiederum bedeuten könnte, daß wir auch mit zwei religiösen Schichten zu rechnen hätten.

Die Shāng, deren Kultur auf einer Mischung der bis dahin erreichten Kulturstufen beruhte, unterschieden sich von ihrer Umgebung nicht nur durch überlegene Technik, sondern vor allem auch durch den Gebrauch einer Schrift, deren Ausbildung sich über den Verlauf ihrer Dynastie hin verfolgen läßt. Dank dieser Schrift haben wir heute einen umfangreichen Schatz von Inschriften auf Bronzegefäßen und Orakelknochen vorliegen, der uns die Möglichkeit gibt, ein einigermaßen zuverlässiges Bild von der Lebensweise dieser längst vergangenen Zeit zu gewinnen.

Durch das Eintreten in historische Greifbarkeit unterscheidet sich der von den Shāng begründete Staat von seinem mehr vermuteten als nachweisbaren Vorgänger, dem Staat der *Hsia*. Dieser bestand, so wird angenommen, aus nichts anderem als einer vage dominierenden Stammesgruppe, die bei der Entwicklung des Ackerbaus in der nordchinesischen Ebene eine Rolle spielte. Angeblich wurde der Hsia-Staat begründet von dem heiligen *Yü*, dessen Hauptverdienst gewesen sein soll, daß er die „große Flut" bezwang und die Gewässer Chinas in Ordnung brachte. Man könnte deshalb annehmen, daß durch ihn der chinesische Raum an die damals bereits bestehenden mittel- und vorderasiatischen Bewässerungskulturen angeschlossen wurde. Leider ließ sich

17

jedoch im nordchinesischen Bereich, in dem sicherlich schon weit zurück in vorhistorischer Zeit eine ausgedehnte, primitive Agrarwirtschaft entstanden war, bisher keine Spur eines alten Irrigationssystems entdecken.

Auch der Ackerbau der Shāng blieb auf der Stufe der ausgehenden Steinzeit stehen. Daraus, daß er, wie auch die Viehzucht, ausschließlich von den Unterworfenen ausgeübt wurde, ist zu folgern, daß diese vielleicht abweichend von ihren Unterwerfern eben Landbearbeiter und Viehzüchter waren. Dafür aber bewirkte die Herrenschicht mittels straffer Arbeitsorganisation und ständiger Vermehrung der Arbeitskräfte durch Kriegsgefangene, daß wachsende Ernteerträge erzielt wurden, was in Verbindung mit der ausgedehnten Viehwirtschaft den Unterhalt der Bevölkerung in den Städten der Shāng sicherte. Die Wichtigkeit dieser Ernten ist besonders daraus zu verstehen, daß damals anscheinend eine Vorratswirtschaft größeren Stiles nicht bestand.

Die Städte nun, und unter diesen vornehmlich wieder die Hauptstadt, die „große Stadt Shāng", waren es, worauf die Macht der Dynastie recht eigentlich beruhte. In ihnen lebten die Scharen der Krieger und auch die Handwerker, die für diese die Waffen herstellten.

So wie auch später wurden die Städte damals schon in einer von Norden nach Süden orientierten Vierecksform angelegt. Sie bedeckten Flächen bis zu vier Quadratkilometern, waren umgeben von Mauern, die aus aufeinandergeschichteten Lagen von festgestampfter Erde bis zur Höhe von vier Metern errichtet wurden, und besaßen, so scheint es, auch bereits eine Art Kanalisation.

Die Einwohnerschaft bestand aus der königlichen Sippe, umgeben vom Kriegeradel und von Amtsträgern aller Art, Handwerkern, Händlern und Sklaven. Sie quoll bald über die Stadtmauern hinaus, wie durch aufgefundene Reste handwerklicher Betätigungen, die in das Vorgelände verlegt wurden, bewiesen wird.

Als Behausung mögen im Beginn der Shāng-Zeit im allgemeinen in die Erde gegrabene Wohngruben gedient haben. Doch ging man in den Städten bald zu oberirdischen Gebäuden über, die mit zahlreichen Säulen auf Fundamenten von gestampfter Erde errichtet wurden.

Zum Hausbau gehörten kultische Gebräuche, die zum Zweck hatten, das Haus vor Unheil und bösen Einflüssen zu schützen. So fanden sich unter fast allen Häusern eine oder mehrere Gruben mit Hunde- oder Kinderskeletten. Man kann annehmen, daß dahinter die Anschauung steht, auf diese Art blieben die Geister der so Geopferten als Schutzgeister dem Hause verbunden. Beispiele dieses Brauches finden sich auch noch in späterer Zeit.

Die Zahl solcher Opfer nimmt zu mit der Größe und Wichtigkeit des betreffenden Bauwerkes. So fanden sich bei den Toren der großen Gebäude oft mehrere menschliche Skelette mit Schlagdolchen in kniender Stellung.

Die Hauptrolle aber spielte in diesem Zusammenhang der Hund, das klassische Wachtier. Unter den Mauern der Shāng-Hauptstadt wurden deren etwa 130 eingegraben.

Auch nach Vollendung der großen Baulichkeiten wie der königlichen Paläste usw. wurden weiter Hunderte von Menschen geopfert und vor dem Tor zusammen mit Wagen und Pferden begraben. Diese bildeten wahrscheinlich eine Art magischer Schutzwache für die herrschende Sippe.

Auch die wichtigen Tragsäulen der Gebäude scheint man auf diese Weise gesichert zu haben. Als Opfertiere nahm man dabei in der Hauptsache wohl Ochsen, ab und zu aber auch Schafe.

Was für die Wohnung der Lebenden galt, galt auch für die der Toten. Deshalb wurden die Gräber mit allem ausgestattet, was zum Unterhalt gebraucht wurde, mit Hausgerät, Dienern, Wagen samt Pferden usw. Auch um diese Grabstätten grub man Hunde ein, die hier aber oft wohl nicht eigentlich zur Bewachung dienen sollten, sondern wahrscheinlich jene Tiere waren, die den Toten bei Lebzeiten auf seinen Jagdzügen begleitet hatten.

Denn die Hauptbetätigung der herrschenden Schicht war neben den religiösen Opferzeremonien der Krieg und die Jagd, die beide in ihrer Ausübung viel miteinander gemeinsam hatten.

Diese mit großem Arbeitsaufwand angelegten Grabstätten stellten ebenfalls eine Errungenschaft der Shāng-Kultur dar. Ihre Entwicklung läßt sich von einem Stadium an verfolgen, in dem man die Toten einfach in eine verlassene Wohngrube legte, über viereckige Gräber mit kleiner Opfertiergrube bis zu den komfortablen Grabkammern der königlichen Sippe, die, mit zwei bis vier Zugängen und Seitenkammern versehen, den Abgeschiedenen im eigentlichen Sinne als Wohnung dienten.

Schon das läßt einige Schlüsse auf die religiöse Mentalität der Shāng zu.

A. Ahnendienst

Im Mittelpunkt stand der Ahnendienst. Dieser bildete den Hauptgrund für den Zusammenhalt der Sippe und damit wiederum für deren Schlagkraft. Wir können deshalb mit Recht annehmen, daß er im Verlauf der Dynastie immer mehr ausgebaut und durchorganisiert wurde.

Den Ahnendienst vollzog man im Ahnentempel, der das Symbol des Zusammenhangs und der Macht der herrschenden Sippe darstellte. Daneben hatten jedoch auch noch andere mächtige Sippen ihre Tempel, wenn auch nicht gerade in der Shāng-Hauptstadt.

Der Ahnentempel diente zugleich zur Aufbewahrung der Waffen; in ihm wurden auch die Feinde der Sippe angesichts der Ahnen bestraft. Zu diesen Feinden gehörten natürlich in erster Linie die Kriegsgefangenen, die man, sofern sie nicht als Arbeitssklaven Verwendung fanden, den Ahnen als Opfer darbrachte, was wahrscheinlich deren magische Macht erhöhte. Aus den Reihen dieser Gefangenen rekrutierten sich wohl in der Hauptsache die geopferten Menschen, deren Skelette bei den Palasttoren und in den Grabgewölben gefunden wurden.

Hauptgegenstände im Ahnentempel waren die dort aufgestellten Ahnenbilder, vor denen die Verehrung der abgeschiedenen Sippenmitglieder seitens der Lebenden erfolgte. Diese bestand in Opfern verschiedener Art, die nach einem höchst komplizierten System unter Leitung einer Sippen-Priesterschaft vollzogen wurden.

In der Opferordnung stand natürlich der Begründer der Dynastie, *Ch'êng T'ang*, an wichtiger Stelle. Vor ihm rangierten die Vertreter von sechs Generationen nach rückwärts, angeführt von dem Ahnherrn *Shang-chia (Wei)*, und auf ihn folgten seine Nachfahren, ebenfalls nach Generationen geordnet. Sie erreichten bis zum Ende der Dynastie insgesamt 17 Generationen.

In die Verehrung mit hineingenommen wurden schließlich auch die Ahnen vor Shang-chia, deren magische Kraft ja zur Errichtung der Dynastie wesentlich mit beigetragen hatte. Ihr Charakter als Sippengottheiten aber verliert sich im Dunkeln, und es scheint, daß sich in ihnen die Grenze gegenüber ebenfalls verehrten Naturgottheiten verwischt, was daraus geschlossen werden kann, daß beide in derselben Weise beopfert wurden[1]. An ihrer Spitze stand der geheimnisvolle *K'uei* (das Schriftzeichen ist das Bild eines drachenartigen Fabelwesens), der mit dem legendären *Ti K'u* (Kaiser *K'u*) und dem konfuzianischen heiligen Kaiser *Shun* identifiziert wird. Aus mehreren Orakelknocheninschriften geht hervor, daß ihm Schafe oder Rinder in einem Brandopfer *(Liao)* dargebracht wurden.

Die in den Dienst für die zeitlich näheren Ahnen einbezogenen Vorfahren der Shāng-Sippe wurden belegt mit Zeichen aus dem Zehnerzyklus, der bekanntlich mit denen des Zwölferzyklus kombiniert in der Kalenderordnung der Shāng zur Bezeichnung der Tage diente. So bedeutet beispielsweise *Shang-chia* „oberer Chia(-Tag)", d. h. wohl der erste Chia-Tag im Jahre. Diese zyklischen Benennungen geben, wie man neuerdings festgestellt hat, den Tag an, an welchem dem betreffenden Ahn geopfert wurde.

Die im Ahnendienst verehrten Vorfahren waren ferner in zwei Linien eingeteilt, die Hauptlinie und die Nebenlinie. In der ersteren befanden sich alle Vorfahren vom sechsten Vorahn des Dynastiegründers an abwärts bis zum Letztausgeschiedenen. Jede Generation wurde dabei durch ihren ältesten Ver-

---

1 *Chêng Tê-k'un*, Bd. II (1960).

treter repräsentiert, dem jährlich zusammen mit seiner Königin im Ahnentempel geopfert wurde. Zur Nebenlinie gehörten alle Könige und Kronprinzen, die nicht in direkter Linie von ihm abstammten. Dies wurde dadurch ermöglicht, daß in jener Zeit nicht der Sohn auf den Vater, sondern der jüngere Bruder auf den älteren in der Erblinie folgte. Diese Nebenlinie wurde
in einem mehr summarischen Verfahren verehrt. Mit den Königen zusammen
erhielten auch oft deren Minister ein Opfer.

Unter dem 24. Shāng-König wurde übrigens dies System im Sinne einer
Vereinfachung reformiert sowie eine Trennung der männlichen und weiblichen
Ahnen durchgeführt.

Von da an folgte man bei den Opfern bald der einen, bald der anderen Ordnung, so daß gegen Ende der Dynastie die Dinge weitgehend in Verwirrung
und Ungewißheit waren.

Es ist wohl anzunehmen, daß die Gruppierung der Ahnen der Ordnung der
im gewöhnlichen Leben stehenden Sippenmitglieder entsprach. Ja, beide Teile,
der in den Palästen und der in den Gräbern, machten eigentlich erst zusammen die ganze Sippe aus.

Die abgeschiedenen Ahnen wurden nun, jedenfalls ihrer Sippenrang-
ordnung entsprechend, mit göttlicher Macht in verschiedener Abstufung und
Qualität ausgestattet. Dabei fiel den weiblichen Ahnen die Fürsorge für die
Nachkommenschaft und auch die Abwehr von Krankheiten zu.[2]

B. Obergott Shang-ti und andere Götter

An der Spitze dieser Shāng-Ahnenschaft aber stand höchstwahrscheinlich
ein Obergott, der von Kuo Mo-jo zumindest auf einer Orakelinschrift fest-
gestellte *Shang-ti*[3], unter dem wir uns wohl den magisch-mächtigsten aller
Ahnengötter der Shāng, vielleicht den oben genannten *K'uei*, vorstellen dür-

2 Vgl. z. B. den einschlägigen Aufsatz in der Sammlung von *Hu Hou-hsüan*
(1944/45).
3 Da diese Inschrift nur als ein aus vier, teilweise unzusammenhängenden Zeichen
bestehendes Fragment erhalten ist und die Zeichen vor und nach Shang-ti fehlen,
ist die Beziehung der Zeichen Shang und Ti wenn auch sehr wahrscheinlich, so
doch nicht völlig gesichert. Möglicherweise ist aber inzwischen die Kombination
Shang-ti aus anderen Texten der Shāng-Zeit belegt worden. Es steht auch nicht
fest, ob das Zeichen Shang einfach „oben" bedeutet oder übertragen „allen anderen übergeordnet", was beides bei weitem noch nicht dasselbe ist wie „im Himmel". Dazu kommt, daß das Zeichen Ti der Orakeltexte oft auch ein bestimmtes
Opfer und dessen Darbringung bezeichnet sowie auch (z. B. *Kuo Mo-jo*, 1933, I.
Nr. 150) den Namen der zu Ti gewordenen Shāng-Könige vorgesetzt wird, was
indizieren könnte, daß mit Ti ohne nachfolgenden Namen doch ein unbestimmter
Shāng-Ahn oder auch „die Shāng-Ahnen" gemeint sein könnte.

fen, obgleich mehrere der Orakelknochenspezialisten in ihm einen „Naturgott" zu erkennen glauben. Man kann aber wohl annehmen, daß die königliche Sippe der Shāng nicht geneigt war, einen noch mächtigeren Gott über ihrem hervorragenden göttlichen Ahnherrn zu dulden.[4] Da die Verhältnisse in den Gefilden, in die sich die Shāng-Ahnen nach ihrem Tode begaben, denen des lebenden Volkes entsprachen, mußte eigentlich auch dort ein Mitglied der Shāng-Sippe das Ganze regieren. So wie der lebende Shāng-König über seine Untertanen, so herrschte wahrscheinlich einer der Shāng-Ahnen über die Gesamtheit der Welt, das heißt über den „grenzenlosen" (s. Shih-ching, Übers. Karlgren, Nr. 303) Machtbereich der bereits zu Wesen anderer (höherer) Art gewordenen oder diesem Zustand entgegengehenden Shāng-Sippenmitglieder.

Diese Welt der Shāng nun bestand aus einer (himmlischen) Oberwelt, der Mittelwelt der Lebenden und einer Erdunterwelt, eine Dreiteilung, die zum festen Bestand des chinesischen Weltbildes wurde.

Gemäß dieser Dreiteilung lassen sich die von dem Shāngvolk neben den Ahnengöttern verehrten Gottheiten, die man im allgemeinen als Naturgötter auffaßt, in drei Sphären einordnen.

Im Bereich über der Erde befanden sich zum Beispiel die Gottheiten der Sonne (d. h. die *Tung-mu*, „Ost-Mutter", der Orakeltexte), des Mondes (d. h. die *Hsi-mu*, „West-Mutter", der Orakeltexte), der Sterne, des Windes[5], der Wolken (d. h. die Beherrscher des Wetters) usw. Und schon daraus ließe sich etwa entnehmen, daß man sie sich unter Vogelgestalt oder zumindest mit Flügeln versehen vorstellte. Laut Chêng Tê-k'un (Bd. II, 1960) soll man ihnen

---

4 Die Ansicht, daß dieser Ti oder Shang-ti ein den „Naturgottheiten" entstammender, allen anderen, auch den Shāng-Ahnen, vorgesetzter Weltobergott sei, beruht auf meiner Ansicht nach auf der Annahme, daß die vorausgehende, historisch höchst unsichere Hsia-Dynastie eine zentralisierte Staatsmacht besessen habe und daß damals bereits ein westasiatischer (babylonischer) Gottesbegriff nach China eingedrungen sei, Fuß gefaßt habe und anerkannt wurde (vgl. z. B. *Kuo Mo-jo*, 1945a, S. 15 u. a.). Es gibt aber auch, ganz abgesehen von der Arbeit von *B. Schindler:* Das Priestertum im alten China, die zwar schon 1919 erschienen, aber keineswegs als „veraltet" anzusehen ist, doch Äußerungen, die meiner Auffassung beistimmen. So lese ich z. B., daß sogar *Kuo Mo-jo* (1933), Teil II, S. 77 v, selbst nach Voraussetzungen, die hier anzuführen zu weit gehen würde, zu dem Schluß kommt: „... dann ist Ti (oder Shang-ti) und K'uei eine einzige Person, nicht zwei." In seinen Kompilationsrichtlinien sagt er allerdings, daß K'uei zur Shāng-Zeit bereits in einen mythologischen Bereich und damit unter die Kategorie Himmelsgötter gehörte und nicht mehr unter die Shāng-Genealogie fiel. Trotzdem wird K'uei jedoch (II, S. 73 v) an die Spitze dieser gestellt. Damit aber wird K'uei, alias Ti oder Shang-ti, zum mythischen Sippenahnengott der Shāng (vgl. auch aaO, S. 55r–57r und 72r). Seine Funktionen werden wie folgt angegeben: er sendet Wind und Regen, Glück oder Unglück, gute oder schlechte Ernte, Krankheit und Heilung, Sieg oder Niederlage, gibt Zustimmung zu Städtebau und anderes mehr.

5 Der Wind wird repräsentiert durch den Vogel Fêng, „Phönix". Er ist der Sendbote des Ti. Besonders bei der „Ost-Mutter" könnte er sich um eine Urstammesmutter der Shāng handeln.

keine Blutopfer, d. h. Opfer, bei denen es besonders auf das zur Reinigung oder Erteilung magischer Kräfte benutzte Blut ankam, gebracht haben. Dies wird als Beweis dafür angesehen, daß sie nicht in die Reihe der Ahnengötter gehörten.

Was aber die Opfer überhaupt betrifft, so gab es neben dem bereits erwähnten Brandopfer (Liao) ein Zerstückelungsopfer, meistens ein Hund, für die Windgötter. Die Opfer für den Huangho wurden im Wasser versenkt oder auch nahe am Ufer in der Erde vergraben. Es sind wohl die ältesten Wassergottheiten der Chinesen, die mit diesem Strom in Verbindung stehen. Man opferte ihnen Kleinodien, Sklaven und Tiere. Wenn also der Shāng-Urahn als Obergott nach „oben" versetzt worden war, mußte auch dafür gesorgt werden, daß ihn die Opfer dort erreichten.[6]

Auf und in der Erde gab es ferner eine Anzahl von Gottheiten, nämlich die Beherrscher der Flüsse, der Berge, der Kulturböden[7] usw. Eine der bedeutendsten unter ihnen war, so scheint es, die Erdgottheit, Sheh oder T'u genannt, die man sich vielleicht als Baum (oder Hain) vorstellen kann. So lesen wir über sie im Kapitel Ming kuei des der Schule des Mo Ti entstammenden Sammelwerkes: „Man wählte die ausgeputzte Stärke eines Baumes und stellte ihn auf als Stengel-Sheh." Dieser Stengel oder Stamm bildete wohl den aus dem Erdinnern herausragenden Teil der Erdgottheit.[8] Sie war wahrscheinlich auch die Gottheit der Toten, die, sofern sie nicht zu Wesen höherer Art (Ti) wurden, zu ihr zurückkehrten.

Alle diese Gottheiten aber unterstanden den königlichen Gottahnen, wenn sie nicht sogar aus deren Reihen oder denen ihrer Diener hervorgegangen waren. Jedenfalls fällt die Art, wie man sie verehrte, in keiner Weise aus dem Rahmen des im Ahnendienst Üblichen heraus (Chêng Tê-k'un, Bd. II, 1960).

---

6 Die Ansicht, daß die „Verehrung" (d. h. doch wohl die Opfer) für die „Himmelsgötter" eine besondere Form hatte, entnehme ich den Ausführungen von Chêng Tê-k'un, Bd. II (1960). Aus den übrigen von mir benutzten Werken ist das aber nicht recht ersichtlich. In der großen Arbeit von Ch'ên Mêng-chia (1935) wird eigentlich gezeigt, daß die königlichen Ahnen, Shang-ti, der Erdgott T'u, Sonne, Mond, Wind usw. alle mit einem gleichen Opfer, das etwa Liao auszusprechen wäre, bedacht wurden. Eine andere Art von Opfer, etwa Yü genannt, erhielten z. B. die Ahnfrauen der Shāng, wenn es sich um die Abwehr von Krankheiten handelte (s. Hu Hou-hsüan, 1944/45). Der Wind wurde übrigens auch mit einem Opfer, das Ti hieß, bedacht. Jedenfalls scheint mir die Klassifizierung der Götter nach der Art der Opfer doch nicht völlig sicher zu sein.

7 Opfer, und zwar auch wieder Liao-Opfer, für diese werden erwähnt in mehreren Orakeltexten. Vgl. Yin-tai ch'ên-pu jên-wu t'ung-k'ao („Orakelausleger der Yin-Dynastie") von Jao Tsung-i, Hong Kong 1959, S. 118—120 u. ö.

8 Dazu würde die von Ch'ên Mêng-chia (1936), S. 502, gegebene alte Form des Zeichens Sheh passen, die aus „Verehrung", „Baum" und „Erde" zusammengesetzt ist. Das Zeichen T'u hat seiner Ansicht nach (Ch'ên Mêng-chia, 1935) auf den Orakelknochen drei Bedeutungen: Name eines Landes, Erde und Erdgott (Sheh). Dieser Sheh wird um Regen und gute Ernte angegangen.

Man könnte also zusammenfassend die gesamte Götterwelt der Shāng etwa nach folgendem Schema lokalisieren: zu alleroberst befand sich der Shang-ti, umgeben von den Ti aus der königlichen Sippe, unter diesem die Sphäre, in der sich die Ost-Mutter (Sonne) und die West-Mutter (Mond) bewegten, darunter die Sphäre der Winde, Wolken usw.; dann kam die Zone der Berge und Gewässer und schließlich die der Erd- oder Bodengötter im Innern der Erde.

Was man sich aber unter diesen „Naturgöttern" eigentlich vorstellen soll, bleibt letzten Endes unklar. Sind es personifizierte Naturkräfte, von denen die Ernte abhing, sind es Götter, die aus einer alten, totemistischen oder animistischen Periode übernommen wurden?

Es wäre durchaus naheliegend anzunehmen, daß die Shāng, als sie ihre Dynastie begründeten, unter ihrer Ackerbau und Viehzucht treibenden Untertanenschaft eine Reihe von Boden- und Fruchtbarkeitsgöttern vorfanden[9], die eine vielleicht gefährliche Unterströmung gegenüber ihren Ahnengöttern bildeten[10]. Anderseits auch könnten sie selber aus ihrer Vergangenheit noch mit allerlei Kultgottheiten behaftet gewesen sein. Sicher scheint, daß sie ihren Ursprung letzthin auf totemistische Abstammung, nämlich den dunklen Vogel, die Schwalbe (?), zurückführten. Schon das legt übrigens nahe, daß die von der Stammesmutter nach Aufnahme des Eies dieses Vogels erzeugte Nachkommenschaft eine Tendenz nach oben in die Sphäre, die man fliegend erreichen konnte, hatte.

Wenn man außerdem bedenkt, welch große Rolle bei der herrschenden Schicht Jagd und Krieg spielten, könnte man leicht dazu neigen, sich die Shāng als einem alten Jäger- und Kriegervolk entstammend vorzustellen. Und in einem solchen wären ja wohl aus Mensch- und Tiergestalt kombinierte Gottheiten (sog. Eigner der Natur?) nichts Ungewöhnliches.

Nachdem jedoch die Shāng ihren Staat immer fester in die Hand bekommen und den Kult ihrer nach göttlich-magischer Wirkungskraft gestaffelten Ahnen als „Staatsreligion" durchgesetzt hatten, waren sie auch in der Lage, sämtliche wichtigen Götter, deren Funktions- und Wirkungsbereiche doch nur Teile der von ihnen beherrschten Welt darstellten, aus den Reihen ihrer Vorfahren oder deren Anhang und Diener zu besetzen, ohne daß dadurch die betreffenden Kulte wesentlich verändert zu werden brauchten.

9 Man vergleiche dazu die Ausführungen im Shih-chi, Kap. III (Mem. Hist. S. 184/85), daß die Shāng nach Besiegung der Hsia deren Erdgott Sheh nicht beseitigen konnten. Das bedeutet aber, wie *E. Chavannes*, der Übersetzer, annimmt, daß damals die Shāng unter ihren Ahnen keinen fanden, den sie auf den Platz dieses Sheh setzen konnten. Leider ist diese Stelle des Shih-chi nicht als historische Quelle anzusprechen.

10 Man könnte eine Demonstration dieses alten Sheh-Gottes der Hsia darin erblicken, daß eines Tages im Palasthof der Shāng zwei Maulbeerbäume von unnatürlicher Übergröße emporwuchsen, die erst durch Besserung des Lebenswandels des Königs zum Verwelken gebracht werden konnten (Mem. Hist. I, S. 190/91).

Zumindest stellten die Shāng-Ahnen im Bereich der damaligen Götterwelt, wie diese auch immer gewesen sein mag, einen sehr wesentlichen und ständig anwachsenden Machtfaktor dar, dem schwer zu widerstehen war. Man kann sich sehr gut vorstellen, daß zum Beispiel der Shāng-Ahn, dem die Bitte um gute Ernte vorgetragen wurde, daraufhin seine Anordnungen an die betreffenden lokalen Untergottheiten erteilte und daß der Ernteausfall schließlich davon abhing, ob er diese Befehle tatsächlich erließ und für ihre Durchführung Sorge trug.

Durch den festen Zusammenhang der toten und lebenden Sippenmitglieder war die Machtstellung der Shāng in dieser und der anderen Welt so stark, daß sie nur durch den gewaltsamen Sturz der Dynastie erschüttert werden konnte. Und dieser mußte dann wohl auch die Freisetzung etwa beherrschter Gottheiten mit sich bringen.

C. *Wuismus und Knochenorakel*

Es gab nun zwei Methoden, durch welche die lebenden Mitglieder der Shāng-Sippe sich mit ihren Gottahnen in Verbindung setzten.

Einmal war dies die Methode der *Wu*. Dabei wurde durch ekstatisches Tanzen zu aufregendem Getrommel der Geist eines Gottahnen bewogen, in einen lebenden Menschen einzutreten und durch dessen Mund zu reden(?). Das Schriftzeichen Wu stellt eine tanzende und Tierschweife schwingende Figur dar. Die andere Methode war die für die Shāng-Zeit charakteristische Orakelbefragung, bei der auf Schulterknochen oder Schildkrötenschalen durch Berührung mit einem erhitzten Bronzestab Risse erzeugt wurden, aus denen man die Antwort der Gottahnen herauslas.

Die Methode der Wu ist wahrscheinlich die ältere. Sie erinnert in vieler Hinsicht an die des oft beschriebenen Schamanismus der sibirischen Völker. Und so könnte man wohl dahin kommen, die Wu-Praktiken der Shāng als eine erste dokumentierte Form des späteren nordostasiatischen Schamanismus aufzufassen, die sich auf einer durch den allgemein herrschenden Animismus geschaffenen Grundlage erhebt.

Zu den hervorstechendsten Charakteristika des Schamanismus gehört, daß der Schamane gewissermaßen die konzentrierte, magische Macht seiner Sippe auf sich vereinigt, und die in den drei Schichten des Universums befindlichen Glieder seiner Sippe sind es wohl, mit denen er sich hauptsächlich in Verbindung setzt.

Dies erinnert natürlich sehr daran, daß auch im Shāng-Staate der lebende Shāng-König durch den Auftrag und mit Hilfe seiner Gottahnen seine Herrschaft ausübte. Mit diesen Ahnen trat er ständig auf diese oder jene Weise in Beziehung.

Ja, es gibt Orakelknochentexte, aus denen hervorgeht, daß der König persönlich Beschwörungen vornahm, um Regen tanzte, Träume deutete und die Risse auf den Knochen und Schildkrötenschalen auslegte. Er wäre demnach ursprünglich vielleicht eine Art Direktor der Wu oder ein Oberwu mit besonders starken wuistischen Fähigkeiten gewesen. Dies legt es natürlich nahe, die führende Schicht der Shāng-Gesellschaft zu verstehen als zusammengeschlossen aus Wu-Sippen unter einer durch magische und politische Macht dominierenden Sippe.

Wie bereits angedeutet, ist anzunehmen, daß wir in diesem Wuismus der Shāng eine Religionsform vor uns haben, die später durch Aufnahme weiterer Elemente zu dem wurde, was wir heute noch als Schamanismus vornehmlich bei den sibirischen Völkern vorfinden.[11]

Auch die Befragung der Götter mittels Erhitzung flacher Knochen ist nicht eigentlich eine Erfindung der Shāng. Wohl aber wurde sie von ihnen höchlichst verbessert und zu einer staatlichen Institution gemacht.

Die Orakelknochen mit ihrer Beschriftung stellen sozusagen den amtlichen Schriftverkehr mit den Gottahnen der Shāng-Sippe dar. Außer den regelmäßigen Befragungen betreffend das Wetter, den Ernteausfall usw. wurde dies Orakel für alle Angelegenheiten des täglichen Lebens in Anspruch genommen, sei es nun wegen eines Feldzuges, eines Jagd- oder Fischfangunternehmens, der Veranstaltung eines Opfers, einer Traumdeutung u. a. m.

Gegenüber der Wu-Methode war dies natürlich ein mehr indirekter Weg des Verkehrs mit der Geister- und Götterwelt. Seit jedoch die Fragen an diese sowie deren Beantwortungen besonders in der zweiten Hälfte der Dynastie schriftlich aufgezeichnet und sorgfältig aufbewahrt wurden, war dies Orakel doch auch wesentlich verbindlicher. Die Risse auf den Knochen und Schildkrötenschalen waren schriftliche Mitteilungen der Geister an ihre Nachfahren.

Die Ausdeutung der Risse lag, im allgemeinen wenigstens, in den Händen von Priesterschreibern, von denen etwa 117 namentlich auf den gefundenen Orakelknochen genannt sind. Sie müssen im Shāng-Staat eine außerordentlich wichtige Rolle gespielt haben. Es ist bekannt, daß einige von ihnen die politischen Verhandlungen mit Grenzvölkerschaften führten. Ebenso hatten aber auch die Wu ihre feste Stellung am Königshof. Es scheint, daß aus ihren Reihen mehrfach die Hauptberater des Königs hervorgingen (s. Mem. Hist.). Überhaupt gewinnt man den Eindruck, daß zur Shāng-Zeit keine scharfe Grenze zwischen religiösen und weltlichen Funktionen bestanden hat.

---

11 Wie dem aber auch sein möge, ich bin der Ansicht, daß man der Geisteshaltung der Shāng unter dem Gesichtswinkel des Wuismus wesentlich näher kommen würde als unter der Perspektive abendländischer Gottesideen späterer Zeiten. Vgl. dazu auch *Ch'ên Mêng-chia* (1936).

Aus der ungleichen Verteilung der Orakelknochenfunde auf die Regierungszeiten der einzelnen Shāng-Könige könnte man vielleicht auch schließen, daß diese bald dem einen, bald dem anderen Befragungsverfahren den Vorzug gaben.

Ganz allgemein läßt sich nach dem bisher Ausgeführten aber wohl sagen, daß die Shāng-Leute in einer Welt lebten, die erfüllt war mit Göttern und Geistern, vor allem eben mit den Geistern der abgeschiedenen Ahnen, die je nach ihrer alten Stellung unter den Lebenden mit größerer oder kleinerer magischer Macht begabt waren. Manche dieser Geisterwesen waren jedoch auch nicht-menschlichen Ursprungs und mögen totemistischen oder wuistischen Vorstellungen entstammen. Allen war freilich gemeinsam, daß sie in irgendeiner direkten oder indirekten Weise die Urväter (oder auch nur Beherrscher) größerer oder kleinerer, wichtigerer oder unwichtigerer Gruppen des Volkes oder, wenn man so will, Schöpfer und Erhalter eines engeren oder weiteren Lebenskreises dieser oder jener Art waren.

In ihrem jeweiligen Bereich herrschten sie in verschiedener Weise über Gedeih und Verderb, und das Leben der betreffenden Gruppe hing weitgehend von ihnen ab.

Diese Wesen aber, die ich hier als „Götter" und „Geister" bezeichnet habe, waren keineswegs durch eine unüberwindliche, genaue Grenze von der Bevölkerung geschieden. Die oben gebrauchten, dem uns geläufigen Begriffssystem entnommenen Worte wie „Diesseits" und „Jenseits", „Göttliches" und „Menschliches", „Leben" und „Tod" sind wegen des scharfen Trennungsstriches, der durch sie gezogen wird, unzutreffend. Der Shāng-Mensch konnte, sooft ihm das nötig erschien, durch das Medium eines Wu, durch Orakel oder durch Traum mit diesen Wesen in Beziehung treten. Ja, er durfte sogar erwarten, ihnen jederzeit von Angesicht zu Angesicht zu begegnen. Es sind dies Eigentümlichkeiten der wuistischen Weltauffassung, die später durch „Aufklärung" mehr und mehr verlorengehen.

Die aktiv im Leben stehende Menschheit war dabei nur der Teil eines größeren Ganzen, der vom anderen, nämlich dem in ein magisch wirksames Dasein übergegangenen, gelenkt und überwacht wurde. Das Verhältnis der Lebenden zu diesen „Geistern" und dem sie beherrschenden „Obergott" (Shang-Ti) war auch nicht das zu unnahbaren, wesensverschiedenen „Göttern", sondern etwa wie zu hochehrwürdigen Verwandten, die sich zwar in eine andere Form des Daseins begeben hatten, im übrigen aber das blieben, was sie vordem gewesen waren. Man unterwarf sich willig ihrer Führung, da sie ja naturgemäß letzten Endes vom guten Willen, das Leben der Nachfahren zu erhalten, in ihrem Handeln bestimmt sein mußten.

Die religiöse Aktivität der Shāng-Leute bestand deshalb darin, sich ständig über die Wünsche dieser Sippenahnen zu informieren und sie durch Opfer bei guter Laune zu erhalten.

Doch gab es neben dieser dominierenden Ahnengöttersphäre sicherlich noch eine andere, in der die Götter der von den Shāng unterworfenen Ackerbauer weiter verehrt wurden und wohl auch von ihnen selber verehrte Naturgötter weiterlebten. Es ist anzunehmen, daß aus der Sphäre dieser Gottheiten ab und zu Vorstöße in die Ahnengöttersphäre, die eigentliche religiöse Domäne der Shāng, unternommen wurden.

II. DIE RELIGION DER WESTLICHEN CHOU-DYNASTIE

Die Chou-Dynastie (1027–222 v. Chr.), die die Nachfolge der Shāng antrat, besaß bald einen wesentlich größeren Herrschaftsbereich als ihre Vorgängerin, nämlich den gesamten Mittel- und Unterlauf des Huangho und des Yangtse sowie das dazwischenliegende Gebiet. Dies brachte es jedoch mit sich, daß außer der Sippengruppe der Chou und den weiterbestehenden Resten der Shāng viele andere Volksgruppen mit verschiedenartigem ethnischen Charakter einbezogen wurden. Alle diese wirkten in größerem oder kleinerem Maße mit an der allmählich entstehenden Chou-Kultur, deren Endstadium mit Recht als die klassische Kultur Chinas angesprochen werden kann.

Ihrem Verlauf nach läßt sich die Chou-Epoche in zwei Perioden einteilen, die sogenannte Westliche Chou-Dynastie (1027–771 v. Chr.) und die Östliche Chou-Dynastie, die ihrerseits wieder in zwei Untergruppen zerfällt, die Periode *Ch'un-ch'iu,* d. h. „Frühling–Herbst" (722–481), und *Chan-kuo,* d. h. „die kämpfenden Reiche" (453–222).

A. Die Götter Shang-ti und T'ien

Die erste Periode, die der Westlichen Chou, stellt im großen und ganzen nur die Fortsetzung der unter der Shāng-Dynastie begonnenen Entwicklungslinie dar und ist in staatspolitischer, kultureller und natürlich auch in religiöser Hinsicht nur wenig von dieser unterschieden.[1]

So wird von Ch'ên Mêng-chia (1935) mitgeteilt, daß sich nicht weniger als achtzehn identische Bezeichnungen für Opferhandlungen auf Bronzeinschriften der West-Chou sowie auf den Orakelknochen der Shāng finden lassen.

---

1 Vgl. auch *N. Bernard,* in: Mon. Ser., XVII (1958), S. 36. Danach standen die Chou mindestens auf derselben Kulturhöhe wie die Shāng. Aus den zutage gekommenen Inschriften ergibt sich nur, daß unter den Shāng die Schrift hauptsächlich zu Divinationsmitteilungen benutzt wurde, wogegen die Chou-Inschriften oft auch nicht-religiöse Angelegenheiten des Feudalsystems aufzeichneten.

Von einem abrupten Bruch in der religiösen Entwicklung beim Übergang von den Shāng zu den Chou kann also wohl nicht die Rede sein. Abweichende Neuerungen kamen erst allmählich auf und brauchten längere Zeit, um sich bemerkbar zu machen oder durchzusetzen.

Am auffälligsten war wohl die Veränderung in der dominierenden Stellung der Shāng-Ahnengötter und damit – dies wird sich später ergeben – in der Auffassung der Sippenahnen überhaupt.

Die Opposition gegen diese Sippengötter regte sich höchstwahrscheinlich bereits, als die Shāng noch an der Macht waren. Sie zeigte sich im Aufkommen eines neuen Gottes, der nach der heutigen Aussprache seines Schriftzeichens *T'ien* genannt wurde.

Das Schriftzeichen bezeichnet nach Deutung der Spezialsachkenner eine menschliche Figur von so gigantischen Ausmaßen, daß sie von nichts anderem überragt werden konnte. Unter dem Eindruck der Himmel-Mensch-Erde-Anschauung wurde sie deshalb schließlich mit dem Alleroбersten, dem Himmel, identifiziert.

Wenn wir dem Shih-chi Glauben schenken dürften, dann träte dieser T'ien erstmalig unter dem neuntletzten Shāng-König in den Hofkreisen auf. Bezeichnenderweise wird er empfohlen von einem Minister, den der König aus den untersten Schichten der Bevölkerung an sich gezogen hatte. Dies könnte durchaus darauf hinweisen, daß er diese beruhigen oder gegen ihm gefährlich gewordene Sippenmitglieder ausspielen wollte. Mit diesem „proletarischen" Minister tritt, so möchte ich annehmen, erstmalig der neue Gott auf die religiös-politische Bühne. Er könnte vielleicht als eine in die oberen Regionen hinein vergrößerte Ausgabe des *Sheh* (oder *T'u*) oder dessen Gegenstück hoch über der Erde verstanden werden.[2]

Jedenfalls wurde diese göttliche Konkurrenz des T'ien im Shāng-Staat bald unangenehm spürbar, und der viertletzte König sah sich veranlaßt, seiner wachsenden Bedeutung entgegenzutreten, indem er einen Schlauch mit Blut, der wohl das Herz des T'ien darstellen sollte, hoch aufhängen ließ und danach schoß. Er wird darauf prompt auf der Jagd vom „Donner" erschlagen.

Daraus wäre wohl zu entnehmen, daß sich dieser Gott bereits nach Vorstellung gewisser Volkskreise der Herrschaft über die Götter, die wir oben „Naturgottheiten" genannt haben, bemächtigt hatte. Ich möchte fast annehmen, daß der *Shang-ti,* der ja auf den Orakeltexten erst ziemlich spät auftreten soll, als Gegengott gegen diesen T'ien aus den Gottahnen (Ti) der Shāng ausgewählt wurde.

Ferner scheint es, daß sich dieser T'ien-Gott infolge seiner unmeßbaren

---

2 Möglicherweise ist aber auch an einen alten, den Himmel beherrschenden Sonnengott zu denken, dessen Kult auf den Himmel als Ganzes überging. Vgl. *B. Schindler* (1919).

Übergröße[3] doch den Shāng-Ahnen gegenüber, deren Größe sich ja in menschlichen Maßen hielt, mehr und mehr durchsetzte. Jedenfalls könnte man dies einer Äußerung des letzten Shāng-Königs entnehmen, die, wenn man statt des Zeichens *Shêng* („Leben") das ähnliche Zeichen *Hsing* („Sippe") einsetzt, bedeuten würde: „Was unsere Sippe betrifft, beruht denn, daß sie den (Herrschafts)auftrag hat, etwa nicht auf dem T'ien?"[4]

Die Sippe oder der Sippenverband, der unter der Dynastiebezeichnung Chou die Nachfolge der Shāng antrat, war eng mit dem Ackerbau verbunden. Dies zeigen schon der Name ihres Ahnen, *Hou-chi* („Fürst Hirse")[5], und das Zeichen Chou, das vier bepflanzte rechteckige Felder darstellt. Man darf deshalb wohl annehmen, daß der schließlich von ihnen begünstigte Gott T'ien mit wesentlich größerem Recht als ein Herr über die wachstumsfördernden Naturgötter anzusehen ist als der Shang-ti der Shāng, den wir eben mit der dominierenden Adelsklasse in Verbindung bringen müssen.

Dem Nebeneinander dieser beiden Hochgötter wurde schließlich ein Ende bereitet, indem man sie zu einer Einheit kombinierte. Diese erhielt den Namen *Hao-t'ien Shang-ti,* „Groß-Himmel und Obergott".

B. Die religiöse Politik der Chou

Diese Vereinigung ging nun nicht sofort nach Begründung der neuen Dynastie vor sich. Es ist vielmehr zu unterstellen, daß beide Götter noch lange Zeit nebeneinander und wohl auch gegeneinander bestanden.

Sofern man das „Buch der Lieder" (Shih-ching), dessen Inhalt sich etwa über die Zeit von 1000 bis 700 v. Chr. erstreckt und aller Wahrscheinlichkeit nach mehrere Überarbeitungen erfahren hat, als Quelle ansprechen darf, lassen sich daraus einige Züge der religiösen Politik der Chou entnehmen.

So wird in einer Ode[6], die Geburt und Wirken des legendären Gründerahns der Chou, *Hou-chi,* beschreibt, der Himmelsgott T'ien überhaupt nicht erwähnt. Wohl aber *Shang-ti,* der Obergott der Shāng. Dieser war es, der

---

3 Daß dieser Gott als Mensch von gigantischen Ausmaßen vorgestellt wurde, geht hervor aus den Fußspuren, die er hinterläßt. Vgl. Mem. Hist. I. Nach anderer Quelle (Shih-ching) handelt es sich allerdings um die Spuren des Shang-ti.

4 Shih-chi, Kap. 3. Wenn zu Recht angenommen wird, daß das Shih-chi auf alten Quellen beruht, dann ist diese Äußerung sicherlich im Sinne der Chou redigiert worden. Ob der letzte Shāng-Herrscher diesen Ausspruch tat und ob er den T'ien oder Ti dabei nannte, bleibt letztlich ungewiß.

5 Er kann verstanden werden als interner Wachstumsförderer und Erzeuger guter Ernten auf dem von den Chou beherrschten Boden. Wahrscheinlich haben die Chou hier einen alten Fruchtbarkeitsdämon für sich beschlagnahmt.

6 A. *Waley:* The Book of Songs, 1960, Nr. 238.

bei der Geburt des Hou-chi seine Hand im Spiel hatte. Für ihn richtete Hou-chi Opfer ein.

„Auf steigt der Opferduft und Shang-ti ist erfreut.
Was für ein Ruch, so stark und gut!
Das sind die Opfer, die Hou-chi begann."

Daraus könnte man schließen, daß die Chou ursprünglich planten, diesen Shang-ti für ihre Sippe mit Beschlag zu belegen, ihn sozusagen auf ihre Seite herüberzuziehen.[7]

Allem Anschein nach machten sie auch den Versuch, diesen Obergott mit ihren vergöttlichten Ahnen zu umstellen. Hauptvertreter der Chou war dabei der König *Wên (Wên-wang)*, von dem es in einer Ode heißt, daß er zur Umgebung des Shang-ti gehöre und von dort nieder- und hinaufsteige[8]. Ihm werden zwei seiner Vorfahren beigegeben, so daß

„drei Fürsten sind im Himmel wie der König in der Landesstadt".[9]

In diesem letzten Zitat bezeichnet T'ien, Himmel, ganz offenbar nicht den T'ien-Gott, sondern den Himmel als Aufenthalt der Gottahnen[10] als Gegenstück zur irdischen Residenz des regierenden Königs.

Es hat also wohl ein Bedeutungswandel stattgefunden im Sinne der bereits oben angedeuteten Ausweitung des T'ien-Gottes ins Unbestimmte und Umfassende. Diese Veränderung in ihrem Verlauf und im einzelnen klarzulegen, wird jedoch bei der Spärlichkeit des vorliegenden Materials und der Unsicherheit seiner chronologischen Anordnung nur sehr schwer oder überhaupt nicht möglich sein. Es scheint, daß das Zeichen T'ien bald in dem einen, bald in dem anderen Sinn zu verstehen ist.

Im Shih-ching, das in erster Linie als Quelle in Frage kommt[11], tritt *T'ien*, Himmel, mit zwei Beiworten auf. Im ersten Teil *(Kuo-fêng)*, einer Sammlung von Liedern aus verschiedenen Ländern, ist oft die Rede vom „blauen Himmel". Dies deutet natürlich auf das Firmament hin. In den folgenden Teilen

---

7 Bezeichnend ist auch, daß dem letzten (unfähigen) Shāng-König von den Chou vorgeworfen wird, die Ahnenopfer vernachlässigt und die königliche Sippe benachteiligt zu haben. Vgl. *Couvreur:* Chou King, 1916, S. 152/56.
8 *Waley*, aaO, Nr. 241.
9 Es scheint mir bezeichnend, daß der regierende König immer dem Himmel (T'ien) gegenübergestellt wird und nicht dem Shang-ti, dem er ja unterstand. Das Gegenstück des Shang-ti war der legendäre Gründerahn (Hou-chi) oder der erfolgreichste Ahn (Wên-wang).
10 Vgl. dazu die Bemerkung von *Kuo Ting-t'ang* (1936) zu obiger Shih-ching-Stelle: „Dies zeigt, daß den Chinesen gegen Ende der Yin und Anfang der Chou die Idee einer ‚Himmelshalle' (als Wohnung der Götter) bekannt war."
11 Ebenso wichtig wären natürlich auch die echten Teile des Shu-ching. Doch scheint mir nach einem allerdings nur oberflächlichen Überblick über diese Quelle das Bild auch nicht wesentlich klarer zu werden.

wird aber fast durchgehend vom *Hao*[12]-*t'ien*, dem „weiten Himmel", ge-sprochen. Im Shu-ching (Buch der Urkunden) dagegen hat T'ien meistens das auf Personen angewandte Beiwort *Huang* („erhaben, majestätisch"). Das könnte darauf schließen lassen, daß hier die Vorstellung des oben beschrie-benen, menschgestalteten T'ien-Gottes ausschlaggebend war.

Dieser scheint in der damaligen chinesischen Welt die schöpferisch-produk-tive Kraft überhaupt zu repräsentieren. So heißt es: „Der Himmel schuf dies zahllose Volk, es hat (Totem)wesen, es hat Ordnungsregeln."[13] An anderer Stelle lesen wir: „Der Himmel machte den hohen Berg, der große König kultivierte ihn."[14] Andererseits sendet er Heil und Unheil, gute Ernte oder Krankheiten hernieder.

Auch Shang-ti tritt auf mit dem Beiwort *Huang* („erhaben, majestätisch"), dessen chinesisches Schriftzeichen mit dem Zeichen Hao eine gewisse Ähnlich-keit hat. Es ist das spezielle Beiwort für den König und den Vater, d. h. für Personen in hervorragender gesellschaftlicher Stellung.

Der Machtbereich des Ti oder Shang-ti kann in den Shih-ching-Oden von dem des T'ien nicht deutlich abgegrenzt werden. Auch Stellen, wo die beiden sich gegenüberstehen, machen ihren Unterschied nicht klarer. So heißt es z. B.: „Der Ti (Gott) bewirkte die Standortverlegung der leuchtenden Macht (oder der lichten Tugend, d. h. des Chou-Ahnherrn), er machte den Weg frei für feste Gebräuche und Regeln. Der Himmel errichtete sein Gegenstück (auf Erden) und die Erteilung des großen Auftrags war fest begründet."[15]

Aus einem der echten Kapitel des Shu-ching (Kap. K'ang kao) erhält man allerdings den Eindruck, daß im Beginn der Chou-Zeit der Himmel als aus-führendes Organ des Shang-ti angesehen wurde. „Dies wurde gesehen und gehört von Shang-ti. Er war uns gnädig und der Himmel erteilte den Auf-trag an den König Wên . . ."[16]

Man könnte schließlich dahin kommen, einer philosophischen Erklärung viel späteren Datums, nämlich aus der Sung-Zeit, einen gewissen Wert bei-zumessen: „Hat man bei der Benennung die Gestalt im Auge, dann spricht man von T'ien (Himmel). Hat man das Beherrschen (d. h. die Allmacht) im Auge, dann spricht man vom Ti (Gott)."[17]

In sehr gezwungener Weise würde sich das mit dem von mir Angenom-

---

12 Das heutige Schriftzeichen zeigt den Himmel und darüber die Sonne. Es bedeutet „klarer Himmel" oder „Sommerhimmel". An seine Stelle tritt manchmal ein anderes, ähnliches Zeichen, Min, das „bewölkter Himmel" oder „Herbsthimmel" bedeutet.
13 *Waley*, aaO, S. 141. Die Ode, die mit dieser Stelle beginnt, könnte etwa in der Zeit um 878—842 entstanden sein. Zur Übersetzung vgl. *Liu Chieh:* Ku-shih K'ao-ts'un (1958), S. 163—173.
14 AaO, S. 228.
15 AaO, S. 256.
16 Vgl. *Dobson:* EAC, S. 137.
17 Kommentar zu Shih-ching, Kap. 5 der Chu-Hsi-Ausg. (1178).

menen in Einklang bringen lassen. Wir haben es aber sicher mit Göttern zu tun, die aus zwei verschiedenen Sphären herkommen. Shang-ti entstammt, wie bereits gesagt, der Ahnendienstsphäre des Hochadels; es fällt ihm deshalb verständlicherweise die Rolle eines übernatürlichen Lenkers und Dirigenten zu.[18] Er war ein vorwiegend politischer Gott. T'ien dagegen ist der Ackerbausphäre verhaftet und erhält somit den Charakter des Hervorbringenden und Schaffenden.[19]

Es ist anzunehmen, auch wenn dies aus den Quellen nicht völlig klar zu ersehen ist, daß zwischen beiden Göttern ein Streit um die Oberherrschaft stattfand, den wir als Kampf um die geistig-religiöse Führung zwischen den Shāng und den Chou ansprechen können.

Im Zentrum dieser Auseinandersetzung muß die Frage gestanden haben, welcher der beiden Götter den Herrschaftsauftrag an den regierenden König des Reiches erteilte. Nach dem, was aus dem Shih-ching zu ersehen ist, war dies ganz eindeutig der *T'ien.* In der sechsten Ode über die Opfer der Chou (Chou sung), die sich etwa auf die Zeit 1024–1005 v. Chr. beziehen könnte, heißt es z. B.: „Der weite Himmel (Hao-t'ien) hat den Vollendungsauftrag. Die (Chou)könige Wên und Wu erhielten ihn."[20] Wo immer von diesem Auftrag *(Ming)* die Rede ist, finden wir ihm in der überwiegenden Mehrzahl der Fälle das Zeichen T'ien (Himmel) vorgesetzt.

Dies ist eine der Tatsachen, die ich als Stütze meiner oben geäußerten Ansicht, daß die Chou schließlich den T'ien-Gott favorisierten, betrachten möchte. Da der „Himmel" den politischen Ereignissen gegenüber eine wesentlich außenseitigere und objektivere Stellung einnahm als der Ti, folgt daraus weiter, daß er „den Auftrag nicht für immer vergab".[21]

Es kommen aber auch, soweit ich es übersehe, im Shih-ching Fälle vor, in denen der *Ti* den Herrschaftsauftrag erteilt. Der eine findet sich in der bereits oben zitierten Ode über die Deifizierung des Chou-Königs Wên und lautet: „Kam etwa Gottes Auftrag (Ti-ming) nicht zur rechten Zeit!"[22]

Bezeichnenderweise steht der andere in den Oden der Shāng-Dynastie, die aber, wie wir heute wissen, erst zur Chou-Zeit im Staat Sung[23] entstanden sind. Dort heißt es:

18 Dies könnte auch bestätigt werden durch ein Kapitel des Shu-ching, das die Überschrift trägt „Einrichtung der Regierung" *(Couvreur:* Chou King, S. 265). In diesem wird überhaupt nur Shang-ti und der „Auftrag des Shang-ti" erwähnt. Er war also der Gott der regierenden Schicht und sein Machtbereich der der staatlich organisierten Menschheit.
19 Dies würde natürlich seine Machtregion über die Regierungssphäre hinaus verlegen und somit erlauben, von seinem Bereich aus die jeweilige Regierung einer objektiven Kritik zu unterziehen, was dem ahnengebundenen Shang-ti nicht so leicht möglich war.
20 D. h. die beiden Begründer der politischen Macht der Chou.
21 *Couvreur,* aaO, S. 203.
22 *Waley,* aaO, S. 250: „. . . blessed by God's charge".
23 Als Autor wird der Fürst Hsiang (630—637 v. Chr.) angenommen.

„Und Gottes (Ti) Auftrag blieb nicht aus.
An T'ang, dem Großen,[24] hat er sich erfüllt..."
„Und Auftrag gab ihm Gott,
Daß er ein Vorbild allen Ländern sei".[25]

Daraus ist zu entnehmen, daß es durchaus nicht von allem Anfang an feststand, wer den Regierungsauftrag erteilte, Shang-ti oder T'ien. Und ich könnte mir gut vorstellen, daß letzterer erst nach dem Sieg der Chou endgültig diese wichtige Funktion zugeteilt bekam[26], wogegen die Shāng vordem eben ihren Auftrag vom Ti (oder von den Ti) erhielten.

Was nun die oben erwähnte Kombination *Hao-t'ien Shang-ti* angeht, so findet sie sich sowohl in einer Ode des Shih-ching, von der noch später die Rede sein wird, als auch unter der Version *Huang-t'ien Shang-ti* in einer Urkunde des Shu-ching[27]. Der weitere Kontext legt es nahe, diese Stellen zu verstehen als „Weiter (oder erhabener) Himmel und Obergott".

Hao-t'ien Shang-ti kommt aber auch unter dem Jahr 577 v. Chr. im *Tso-chuan*, dem historisch-chronologischen Kommentar zum *Ch'un-ch'iu*, der dem Konfuzius zugeschriebenen Chronik des Staates *Lu*, vor. Aus dieser Stelle geht hervor, daß damals zwischenstaatliche Verträge unter Berufung auf die kombinierten Gottheiten Hao-t'ien Shang-ti abgeschlossen wurden.

Dies war jedoch nicht die einzige Hochgottkombination jener Epoche. Sowohl in einer Urkunde des Shu-ching als auch im Tso-chuan unter dem Jahr 644 v. Chr. findet sich die Verbindung *Huang-t'ien Hou-t'u*, „hehrer Himmel und Fürstin Erde"[28], d. h. eine Verbindung, die den Chou ihrer Herkunft nach wahrscheinlich besser gelegen hätte. Der Textzusammenhang zeigt, daß auch bei der Kombination Huang-t'ien Hou-t'u Eide geschworen wurden.

Daß sich schließlich die Kombination Huang-t'ien Shang-ti durchsetzte, könnte ein Hinweis darauf sein, daß die ackerbauinteressierten Chou gezwungen waren, mit dem von den Shāng überkommenen, aristokratischen Sippenwesen einen Vergleich zu schließen.

Im Laufe der weiteren Entwicklung verfestigte sich diese Kombination Huang-t'ien Shang-ti immer mehr zu einem einzigen Gottesbegriff, in dem die umfassende Herrschaft über Natur und Menschenwelt zum Ausdruck kam. Huang-t'ien-shang-ti wird schließlich auf einigen Umwegen zur Bezeichnung der höchsten Gottheit der chinesischen Staatsreligion.

24 D. h. dem Begründer der Dynastie Shāng.
25 *Waley*, aaO, S. 277.
26 In den Chou-Urkunden im Shu-ching finden sich wesentlich mehr Stellen, in denen der Auftrag vom Shang-ti erteilt wird, als im Shih-ching.
27 *Couvreur*, aaO, S. 216.
28 Daß es sich hier im Gegensatz zu dem männlichen Sheh (Bodengott) um eine weibliche Gottheit handelt, wird dargelegt von *B. Schindler* (1923, S. 312 f.).

C. Der Ahnenkult zur Zeit der Chou

Aus dem bisher Gesagten geht hervor, daß die chinesische Staatsreligion auf einer zweifachen Grundlage ruht, der Verehrung der Ahnen des regierenden Hauses und der der produktiven Naturgottheiten.

Wenn wir nun das für die erste Chou-Zeit vorliegende Material im großen Überblick betrachten, so ergibt sich der Eindruck, daß zunächst der Ahnendienst merklich das Übergewicht hatte.

Dies ist zurückzuführen auf das damals in Hochblüte stehende chinesische Feudalsippenwesen und den Umstand, daß sich die Quellen, wenn man von den *Fêng*(Stimmungs)-Liedern des Shih-ching absieht, fast ausschließlich mit den Vorgängen und Zuständen in diesen Kreisen befassen.

1. Sippenwesen

Wie auch anderswo ist das chinesische Sippenwesen dadurch gekennzeichnet, daß sich von einer anwachsenden Sippe Gruppen absondern, die – vom Sippenhaupt mit der nötigen Ausrüstung und entsprechendem Personal versehen – in anderen Teilen des weiten Landes Siedlungen errichten und so zum Ausgangspunkt neuer Sippen werden. Unter den Shāng erreichte das Sippenwesen, wie wir oben gesehen haben, bereits eine hohe Ausbildung. Unter den Chou wird es zu einem politischen Kolonisations- und Herrschaftsinstrument durchorganisiert.

Aufschlußreich in der Hinsicht ist, daß von den 14 wichtigsten Staaten der Ch'un-ch'iu-Periode nicht weniger als neun der Sippe *Chī*, d. h. der Gründersippe der Chou-Dynastie, entstammten[29].

Wie groß aber nun auch die ethnische Verschiedenheit der übrigen Herrensippen von der Sippe Chī gewesen sein mag, sie wurden bald nach dem Entstehen der neuen Dynastie mit der regierenden Sippe zusammen in einem künstlich ausgeweiteten Stammbaum vereinigt. In diesem fanden auch die Shāng ihren Platz, so daß der Dynastiewechsel sozusagen innerhalb der Verwandtschaft völlig legal vor sich gegangen war und somit die Billigung des Obergottes, ob dies nun Shang-ti oder T'ien war, finden konnte.

An die Spitze dieses Stammbaumes trat schließlich in der späteren Chou-Zeit der mythische Kulturschöpfer *Huang-ti* („Gelb-Kaiser"), der natürlich den Sippennamen der Chou, nämlich *Chī*, erhielt. Er wäre also als der Stammvater des chinesischen Volkes zu betrachten; von ihm aus weiter rückwärts

29 *Legge* V, Tl. 1, Proleg., S. 102–111.

ging es hinauf in die Gottsphäre, genauer gesagt in die Sphäre des Himmelsgottes oder der Himmelshalle *T'ien*[30].

Die Zugehörigkeit zu diesem immer weiter in Seitenzweige und Unterzweige verästelten genealogischen System bedeutete die Zugehörigkeit zur herrschenden Adelsschicht, den sogenannten „Hundert Geschlechtern" *(po hsing)*. Darunter gab es das „Schwarzhaarvolk" *(li-min)*, d. h. die durch den eben erwähnten, weitausgedehnten Kolonialisationsprozeß unterworfenen Eingeborenen, die sich von der Oberschicht höchstwahrscheinlich in ethnischer und sprachlicher Hinsicht unterschieden. Auf die religiösen Verhältnisse in dieser Unterschicht werden wir später zu sprechen kommen.

Der Ahnendienst war in der ältesten Epoche der chinesischen Geschichte ein Vorrecht der Feudalherren und hing eng mit dem vom Chou-König verliehenen Feudalbesitz zusammen. Erst als im Laufe der Zeit die großen Sippen durch zahlreiche Nebenlinien und Besitzunterteilung in Schwierigkeiten gerieten, wurde auch der Ahnendienst, wenn man so sagen darf, „demokratisiert".

Zentrum des allgemeinen Ahnendienstes war natürlich das Chou-Haus, das damit in religiöser Hinsicht allen anderen verwandten oder angeschlossenen Sippen vorgesetzt war. An dieser Stellung, die anfänglich mit der politischen Machtstellung identisch war, änderte sich auch dann nichts, als letztere mehr und mehr verlorenging. Bereits zu Beginn der „Östlichen Chou" treffen wir auf Zustände, die den Verhältnissen im mittelalterlichen Europa ähnlich waren. Die politische Macht befand sich in den Händen von Hegemonen, von denen einer den anderen ablöste und die die religiöse Vorrangstellung des Chou-Königs nur insofern berücksichtigten, als dies in ihre Pläne paßte. Die religiöse Stellung selbst aber, zumal die Zentralstellung im allgemeinen Ahnenkult, blieb dem Chou-Haus erhalten. Wir wissen, daß Konfuzius später den Versuch machte, dies als Ausgangspunkt für eine „geistig-religiöse" Reichseinigung zu benutzen.

Wahrscheinlich waren die Verhältnisse in den Ahnenkulten der Adelssippen dem ähnlich. Es war nämlich nicht immer der Fall, daß das Familienmitglied, das dem Ahnendienst präsidierte, auch Träger der politischen Macht der Sippe war. Es gab Fälle, in denen ein Fürst die Staatsmacht nicht dem ältesten Sohn, wie es vorgeschrieben war, überließ, sondern dem „Tüchtigsten" seiner Nachkommen.

Auch unter solchen Umständen blieb der älteste Sohn ungeachtet seiner untergeordneten Stellung im Staate Chef des Familienahnenkultes. Aus den Rechtsverhältnissen späterer Zeiten geht hervor, daß ihm die Aufsicht über

---

30 Dieses genealogische System des chinesischen Feudalismus wird später weiter verfälscht dadurch, daß es mit dem aufkommenden kalendarisch-kosmologischen System vermischt wird. Vgl. die Analyse von *G. Haloun* in „Contributions to the History of Clan Settlement in Ancient China" (Asia Major, Bd. I, 1924).

den Gräbergrund der Sippe, die Verwaltung des gemeinsamen Sippenbesitzes und anderes mehr übertragen war. Innerhalb der Sippe genoß er eine gewisse Autorität über die anderen Sippenmitglieder.

Ebenso wurden von ihm Streitigkeiten und Verstöße innerhalb der Sippe entschieden. Die verhängten Strafen wurden im Ahnentempel vollzogen. Sie reichten im Altertum bis zur Todesstrafe.

Diese Rechtsprechung innerhalb der Sippe, die unter den Shāng üblichen Gottesurteile und die brutalen Strafen für die untersten Volksschichten bilden das älteste Stadium des chinesischen Rechtswesens.

2. Organisation und Zeremonial

Eine andere Frage ist: wer wurde eigentlich bei diesem Ahnendienst verehrt? Wir erfahren aus verschiedenen Quellen, daß unter den Chou ein respektive zwei Gründerahnen und dazu sechs weitere Generationen religiöse Huldigung empfingen.

Wenn wir unter Gründerahn die Begründer der politischen Macht, d. h. *Wên-wang* bzw. Wên-wang und *Wu-wang*, zu verstehen haben, dann würde diese Form des Ahnendienstes frühestens mit dem siebten oder achten Chou-König begonnen haben. Es ist jedoch sicher, daß ein Ahnendienst bereits mit der Begründung der Dynastie und schon vordem – sobald sich die Chou den Shāng einigermaßen ebenbürtig fühlten – bestand. Wie aber dieser alte Ahnenkult im einzelnen aussah, bleibt ungewiß.[31]

Es dürfte auch keine sichere Aussage darüber möglich sein, welche Verehrung dem legendären Urahn *Hou-chi* (Fürst Hirse) oder gar dem nun allerdings jüngsten „Urahn" *Huang-ti* (Gelb-Kaiser) in diesem Rahmen zuteil wurde. Es wäre jedoch durchaus möglich, daß letzterem, abgesehen von seiner dominierenden Stellung im Stammbaum des altchinesischen Feudalismus, keine weitere Bedeutung zukam. Hou-chi dagegen scheint im Laufe der Zeit mehr und mehr ins Lager der noch ausführlicher zu behandelnden Bodengötter übergegangen zu sein.[32]

---

31 Aus dem Kapitel Chin-t'êng („die goldene Schnur") im Shu-ching könnte man den Eindruck gewinnen, daß zunächst nur die Repräsentanten der drei unmittelbar vorausgehenden Generationen verehrt wurden, da diese „vom Himmel beauftragt waren, über das Wohlergehen des bedeutendsten ihrer Nachkommen zu wachen" *(Couvreur*, aaO, S. 179). Man vgl. aber dazu auch die von *Couvreur* (Li-ki, I, S. 288) rekonstruierte Ordnung mit Hou-chi an der Spitze.
32 Aus einer Shih-ching-Ode *(Waley*, aaO, S. 270) läßt sich jedoch entnehmen, daß im Lande Lu, das den Nachkommen des berühmten Chou-kung als Lehen gegeben worden war, im Frühling und Herbst dem Obergott zusammen mit dem legendären Urahn Hou-chi Opfer gebracht wurden. Es gibt auch eine Ode, in der es heißt: „Dieser mächtige Hou-chi, er vermag sich dem Himmel zu gesellen, der uns, das zahlreiche Volk, erschuf" (Shih-ching, Kap. 8). Es könnte also so sein,

Aber wie dies auch im einzelnen gewesen sein mag, sicher ist, daß der innere Zusammenhalt des alten Chou-Staates weitgehend auf diesem ausgedehnten Ahnenkultsystem beruhte, dessen Hauptlinien im Hause der Chou zusammenliefen.

Ursprünglich war es auch aller Wahrscheinlichkeit nach so, daß das Recht, Ahnentempel in einem genau festgelegten Umfang einzurichten, vom Chou-König erteilt wurde. Die Beherrscher der einzelnen Landesteile verliehen dies Recht dann ihrerseits mit entsprechenden Einschränkungen weiter nach unten.

Die Anzahl der zu verehrenden Ahnen war dabei gemäß der sozialen Schichtung gestaffelt. Wir haben gesehen, daß am Chou-Königshof sieben Ahnengenerationen berücksichtigt wurden. Dagegen standen einem Feudalherrn in seinem Ahnentempel fünf Ahnen zu, einem Großwürdenträger *(Ta-fu)* drei und einem Vertreter des Kleinadels *(Shih)* deren zwei, d. h. Großvater und Vater.[33]

Dieser sozialen Staffelung entsprach natürlich auch die Größe der betreffenden Ahnentempel sowie die weitere Ausgestaltung des Kultes hinsichtlich der Tempelhelfer, der Geräte, der Größe und Art der Opfer usw.

In den Ahnentempeln selbst waren die Tafeln für die zu verehrenden Ahnen in zwei sich gegenüberstehende Reihen angeordnet. Den höheren Rang hatten dabei die *Chao,* „die Leuchtenden", d. h. die Vaterreihe, beginnend mit dem Gründerahn, den niedrigeren die *Mu,* „die Ehrfürchtigen", d. h. die Sohnreihe, beginnend mit dem Sohn des Gründerahns.

Die großen Ahnentempel unterstanden einem Vorstand, der *Tsung* genannt wurde und für die Anordnung der Ahnen und alle Vorgänge in den Ahnentempeln verantwortlich war.[34]

Wie es nun bei den Kulthandlungen für die Ahnen zuging, davon erhalten wir aus den Festliedern im Shih-ching einen gewissen Eindruck.[35] Das Opfer selbst war eine Mahlzeit, die man den Ahnengeistern darbrachte. Diese waren leibhaftig bei den Feiern vertreten durch einen Repräsentanten, an dessen Verhalten man die Stimmung der Geister ablesen konnte. Dieser Repräsentant (das Schriftzeichen dafür bedeutet eigentlich „Leichnam") war gewöhnlich ein Knabe aus der Generation, die dem, der das Opfer darbrachte, als nächste

---

daß man im Laufe der Zeit die eigentliche Ahnenverehrung immer mehr auf die gegenwartsnahen Ahnen verlegte.

33 Vgl. z. B. *T'ung-tsu Ch'ü* (1965), S. 168. Erst mit dem Verfall der Macht der Feudalherren wurde auch das gemeine Volk in den Ahnenkult einbezogen. Doch beschränkte dieser sich im allgemeinen darauf, daß man in einem Winkel des Hauses dem verstorbenen Vater zu gewissen Zeiten seine Verehrung bezeugte.

34 Z. B. Kuo-yü, IV, Lu-yü, 11.

35 *Waley,* aaO, S. 209—17. Die Schilderung einer Siegesfeier im Ahnentempel besitzen wir auf einer Inschrift des Hsiao Yü-Dreifußes, übersetzt von *Dobson,* EAC, S. 226—33.

folgte, also der Enkel des letztverstorbenen Vorfahren[36]. Er wurde bei der Feier von seinem Vater so bedient, als ob dieser seinen Vater vor sich hätte. Natürlich hatten sich alle Teilnehmer durch eine physische und moralische Reinigung auf die heilige Handlung vorzubereiten. Der Repräsentant nahm Speise und Trank in ruhig-würdevoller Weise entgegen. Seine Sättigung zeigte auch die Sättigung der „Ahnengeister und Beschützer" an. Seine Aussagen deuteten auf das zukünftige Schicksal des Hauses hin. Sie wurden bei den Ahnenopferfeiern am Königshof und bei den Fürsten durch einen Ansager (oder Anrufer, *Chu*) laut wiederholt.

Aber auch die teilnehmenden Geister waren nicht völlig unsichtbar. Sie waren, so glaubte man jedenfalls, blendende Lichtgebilde oder so in Glanz gehüllt, daß man sie nicht klar erkennen konnte.

Das Opfer begann mit einer Weinlibation; darauf folgte dann das Speiseopfer. Alles, was dargebracht wurde, stand unter Benennungstabu und wurde deshalb mit anderen, andeutenden Namen belegt. So nannte man das geopferte Rind „rotes Männchen" oder „breites Männchen", den Wein „reines Getränk" usw.[37] Wenn der Repräsentant und mit ihm die Geister von Trank und Speise genug hatten, verließen sie, begleitet vom Lärm der Trommeln und Glocken, die Feier, und diese nahm dann mehr den Charakter eines Familienfestes an.

Von der feierlichen Stimmung, die bei solchen Gelegenheiten herrschte, mag uns die Hymne auf eine Opferfeier am Chou-Hofe, der natürlich die „verwandten" Lehensfürsten beiwohnten, einen Begriff geben:

„Wie weihevoll entrückt die Tempelhalle!
Als Helfer steh'n die Fürsten feierlich und still.
In Gliedern aufgereiht die Ritterschaft
hält aufrecht König Wêns bewährte Tugendkraft.
Und sieh', vom Himmel kommt ein Widerhall!
Der Ahnen heil'ge Geister schwirren durch den Raum,
als Strahlenglanz, als ehrfurchtsvolle Schauer,
und zeigen sich den Männern ohne Scheu."[38]

Anderseits macht sich aber auch jetzt schon ein Element bemerkbar, das später diesen Ahnenkult völlig beherrschen sollte. So lesen wir in einer Ode: „Wenn der Ritus korrekt ausgeführt wird, dann gewähren die Ahnengeister gutes Gedeihen."[39] Wir erfahren auch, daß es König Wên war, der diesen Ritus einführte.[40]

---

36 Diese enge Beziehung zwischen Großvater und Enkel ist vielleicht das Überbleibsel eines matrilinearen Zeitalters. So wie unter patrilinearen Verhältnissen die angeheiratete Schwiegertochter die direkte Verwandtschaftsfolge der mütterlichen Linie unterbricht, geschah dies bei ersteren durch den „angeheirateten Schwiegersohn".
37 Z. B. *M. Granet* (1922), S. 82.
38 Shih-ching, Kap. 8, S. 1r.
39 *Waley*, aaO, S. 295.
40 *Waley*, aaO, Nr. 220.

D. Erdgottkult

Aus dem Gesagten geht hervor, daß jede große Sippe des Chou-Adels ihre eigenen Ahnengötter hatte, die nur von den Mitgliedern der betreffenden Sippe, insbesondere von deren Oberhaupt, verehrt und beopfert werden durften. Es ist anzunehmen, daß diese Ahnengötter gemäß dem oben erwähnten Stammbaum in einer Abfolge standen. Aus diesen Verhältnissen schon erwuchs, wie leicht einzusehen, die Notwendigkeit einer alleralleroberesten Gottesinstanz, die diesen Sippengöttern objektiv gegenüberstand.

D. Erdgottkult

Eine andere Linie, die zur chinesischen Staatsreligion hinführt, ist die der Erdgottheit, über die bereits oben einige Bemerkungen gemacht wurden. Auch hier sehen wir uns wieder einem Material gegenüber, aus dem wegen der Unsicherheit der Datierung nur sehr schwer definitive Schlüsse gezogen werden können.

Eine der ältesten Stellen ist vielleicht die im ersten Chou-Dokument des Shu-ching[41], wo es heißt: „Ich bringe das Lei-Opfer dem Shang-ti und das I-Opfer dem Erdhügel." Die Namen der Opfer, die später anderen Benennungen weichen, könnten wohl die Altertümlichkeit der Stelle bezeugen.

In dem als echt angesehenen Kapitel Shao-kao des Shu-ching findet sich ein weiterer Hinweis, nämlich daß man bei der Gründung der neuen Hauptstadt im Osten des Chou-Reiches dem Erdgott Sheh ein Opfer in Gestalt eines Rindes, eines Schafes und eines Schweines brachte[42]. Zugleich aber lesen wir hier, daß auch ein Stadtvorgeländeopfer, Chiao, mit zwei Rindern vollzogen wurde. Damit aber taucht ein Problem auf. Aus sehr viel späteren Quellen wissen wir, daß dies schließlich ein Doppelopfer (an den Himmel und an die Erde) war. Da zwei Tiere geopfert wurden, kann man mit Recht annehmen, daß auch damals zwei Gottheiten dabei bedient wurden. Wenn aber eine dieser eine Erdgottheit war, wie ist diese dann von der Sheh-Gottheit unterschieden? Es ist zu vermuten, daß es sich um die bereits oben erwähnte Hou-t'u handelt.

Des weiteren lesen wir in einer Shih-ching-Ode folgendes:

„Gereinigt und geklärt
mit unser'n Rindern, Schafen
verehren wir den Erdgott
und die vier Gegendgeister . . .".[43]

41 Shu-ching, V, 1; *Legge* III, S. 287.
42 Shu-ching, V, 12; *Legge* III, S. 423.
43 *Waley,* aaO, Nr. 161.

Dies bringt einen anderen Gesichtspunkt in die Sache, nämlich eine zentrale Erdgottheit – oder einen zentralen Erdgottaltar – in der Mitte und vier Altäre für die Geister der vier Richtungen. So wie die Geister der Winde dem Himmelsgott untertan sind, so sind die Geister der Weltgegenden der Zentralerdgottheit unterstellt. Damit ergibt sich für die Reichserdgottheit die Vorstellung eines viereckigen Hügels, der in der Mitte Gelb, an den Seiten die der jeweiligen Weltgegend entsprechende Farbe zeigte.[44] Leider ist diese Form des Erdaltars aber erst für das Jahr 117 v. Chr. bezeugt und kann also nicht ohne weiteres auch für die erste Chou-Zeit angenommen werden.[45]

In derselben und der folgenden Shih-ching-Ode wird uns außerdem von einem „Feld-Ahn" (T'ien-tsu)[46] berichtet, der die Macht hatte, Unkraut und Ungeziefer abzuwehren, und durch Anschlagen von Trommeln und Saiteninstrumenten dazu bewegt wurde, Regen zu senden. Dies wiederum führt uns zu einer Stelle im Chou-li, einem Werk von unsicherer Datierung, das eine ausführliche Beschreibung der Amtsträger und deren Funktionen am Chou-Hof gibt. Dort heißt es: „Man errichtet solche Altäre mit Erdumrandung für den Gott des Erdbodens (Sheh) und den der Ernten (Chi) und bepflanzt sie dann mit Feld(geist)tafeln (T'ien-chu)." Ein freilich aus nachchristlicher Zeit stammender Kommentator erklärt diesen letzten Ausdruck folgendermaßen: „T'ien-chu oder T'ien-shên (Feldgeist) ist das, was von Hou-t'u (Fürstin Erdboden) oder dem Feldchef (T'ien-chêng = T'ien-tsu) als (Manifestations-)stütze benutzt wird", um dadurch ihre Wirksamkeit zu offenbaren. Der Kommentator läßt uns ferner wissen, daß man unter dem Ausdruck T'ien-tsu im Shih-ching einen Baum (oder eine Stange) aus einer lokalen Holzart verstanden habe. Wenn man z. B. „eine Fichte oder Kiefer zur Sheh(-Erdgottheit) gemacht hatte, wurde die Umgegend nach dieser benannt".[47]

Aus diesen angeführten Stellen geht hervor, daß wir bei der Erdgottheit an recht verschiedenartige Gottheiten zu denken haben.

Das letzte Zitat zeigt klar, daß es sich dabei um eine Vielheit lokaler Agrargottheiten handelt, die von den Landbearbeitern zwecks Gewinnung guter Ernten angegangen wurden. Sie wurden repräsentiert durch eine Baumgruppe, einen einzelnen Baum (oder eine Stange?), eine Holztafel oder Holzfigur und bildeten jedenfalls einen zentralen Punkt der alten chinesischen Landgemeinde.

Von ihrer Anzahl kann man sich in etwa einen Begriff machen, wenn man im Tso-chuan liest, daß ein Staat einem anderen 500 Sheh (Erdaltäre) ab-

---

44 *M. Granet*, S. 70.
45 *Chavannes* (1901), S. 142.
46 *Waley*, aaO, S. 170 und 171 (Field Grandad).
47 Vgl. dazu auch Lun-yü, III, 21, wonach die Hsia eine Kiefer, die Yin eine Zypresse und die Chou eine Kastanie als Sheh (Erdgott) pflanzten.

trat.[48] Wir erfahren dazu, daß ein Sheh die Anzahl von 25 Familien repräsentierte.

Zugleich ersehen wir daraus, daß im chinesischen Altertum Sheh auch eine Bodeneinheit war und die älteste Landbemessung also auf religiöser Grundlage beruhte.[49]

Wie weit dieser Sheh-Kult in die Vergangenheit zurückgeht, läßt sich nur vermuten. Wahrscheinlich haben wir hier die älteste Form der Bodenverehrung vor uns. Der Sheh, was auch immer man sich darunter vorstellen mag, diente jedoch nicht nur als religiöses Zentrum der Gemeinde. Er war jedenfalls auch der Ort, wo Streitigkeiten entschieden und Gericht abgehalten wurde. Ich möchte weiter annehmen, daß er ursprünglich den Bebauungs- oder Besitzanspruch der Gemeinde auf den bearbeiteten Boden repräsentierte.

Mit dem Aufkommen des Feudalismus, also etwa in der Shāng-Zeit, griff, so scheint mir, eine Reihe von Änderungen in diesem System der Bodengötter Platz. Zunächst entstanden in den Städten, wo sich die Bevölkerung zusammenballte, Machtzentren, von denen her das Land unterworfen und abgabepflichtig gemacht wurde. Damit aber begann die Errichtung von Sheh-Altären in den Städten. Und zwar standen diese ganz in der Nähe des Ahnentempels der landbeherrschenden Sippe. Sie wurden zum Symbol der Herrschaft über das umliegende Landvolk.

Von hier aus führt ein weiterer Schritt hinauf zum Erdgottaltar des Königs, in dem gewissermaßen die Macht über den gesamten Feldboden des Reiches zusammengefaßt wurde.

Ob diese Reichsbodengottheit von allem Anfang an auch mit dem Schicksal der Dynastie verknüpft war, ist zweifelhaft. Einer Bemerkung im Shih-chi zufolge gelang es den Shāng nicht, den Sheh-Gott der Hsia zu beseitigen.[50]

Unter den Chou taucht nun die mehrfach genannte Erdgöttin *Hou-t'u*, Fürstin Erde, auf. Wir können in dieser vielleicht eine weibliche Personifizierung des von den Chou beherrschten Bodens und ein Gegenstück zum männlichen Himmel, der den Chou den Auftrag gab, erblicken. Jedenfalls steht der Vielzahl der Sheh-Götter nur eine Hou-t'u gegenüber.[51] Zugleich tritt dieser jetzt auch der legendäre Stammahn des Chou-Hauses, der „Fürst Hirse" *(Hou-chi)*, zur Seite. Dies aber war, wie bereits angemerkt, der Gott der Ern-

---

48 480 v. Chr., *Legge* V, S. 843.
49 Es wäre natürlich interessant zu verfolgen, wie allmählich dieses Landmeßsystem durch das dem unsrigen verwandte Mou-Maß (etwa 540 m²) verdrängt wurde.
50 Anm. 9, S. 32.
51 Vgl. *B. Schindler* (1923), S. 1316. Im Tso-chuan *(Legge* V, S. 729 und 731) wird Hou-t'u allerdings als Sohn des legendären Urverbrechers Kung-kung, also als männlich, beschrieben. Dort heißt es weiter: „Hou-t'u wurde zum Sheh-chi (s. u.) und T'ien-chêng (d. h. Erd- und Erntegott und Feldchef)". Eine Erklärung dieses Widerspruchs kann ich vorläufig nicht geben.

ten[52] und als solcher für die Existenz des Staatsvolkes von größter Wichtigkeit.

Bald gehen die Erdgottheit Sheh und Hou-chi eine feste Verbindung ein, die in den Texten als *Sheh-chi,* d. h. Erdgottheit und Erntegott, erscheint. Sheh-chi wurde gemäß dem Grundsatz, daß alles Land Eigentum des Königs sei, das Symbol für die Souveränität des Herrschers. Ihm mußte deshalb jede Weiterbelehnung der Fürsten mit Land angezeigt werden.[53] Bei dieser Gelegenheit wurde dem Belehnten eine Erdscholle vom königlichen Erdaltarhügel überreicht, die als Grundstock seines eigenen Erdaltars diente. Deshalb war das Sheh-Opfer zunächst auch das wichtigste Opfer der Lehensfürsten.

Mit diesem Erdaltar übernahm der Herrscher nun auch die Gerichtsbarkeit über seine Untertanen, d. h. über alle die, die nicht unter das Ahnentempelgericht fielen. So lesen wir, daß die Krieger, die den Befehlen Folge leisteten, im Ahnentempel belohnt, im anderen Fall aber vor dem Erdgottaltar bestraft wurden.[54] Vor diesem wurden auch diejenigen gerichtet, die dem König oder Feudalherrn in anderer Weise die Treue gebrochen hatten.[55]

Die Gerichtsbarkeit reichte auch in die Intimsphäre der Familien. So lesen wir im Chou-li[56], daß Ehebrecher vor dem „Erdaltar eines vernichteten Staates" dem Verhör unterzogen wurden. Ein Altar dieser Art war nach oben verdeckt und ringsherum eingezäunt, d. h. von jedem guten Einfluß durch Licht, Sonne, Regen und Tau abgeschnitten. Dies zeigt, wie man in alten Zeiten mit dem Erdgottaltar eines besiegten Staates verfuhr. Auch wenn bei dem Altar nicht mehr geopfert wurde, hörte er deshalb nicht völlig auf zu existieren.

Wir erfahren zumindest von einem Erdaltar dieser Art, der durch die ganze Chou-Zeit hindurch bestanden zu haben scheint. Dies war der alte Erdaltar der Shāng, der im Text des Tso-chuan als *Po-sheh*[57] auftaucht. So lesen wir noch unter dem Jahre 488 v. Chr., daß der gefangene Beherrscher eines kleinen Staates vor diesem Altar abgeurteilt und gefangengesetzt wird.[58] Aber auch schon früher (unter dem Jahr 659 v. Chr.) findet sich eine Notiz darüber, daß im Staate Lu zwei Erdaltäre bestanden, ein Po-sheh, d. h. Shāng-Altar, im Osten und ein Landeserdgottaltar, d. h. Chou-Altar, im Westen. Anderseits wird aus einer späteren Quelle eine andere Teilung der Erdaltäre, nämlich in einen zum persönlichen Gebrauch des Herrschers und einen für das Volk, berichtet.[59] Jedem dieser Altäre war ein Erntegottaltar beigegeben.[60]

52 Vgl. z. B. *Waley,* aaO, Nr. 153.
53 Chou-li, V, S. 126.
54 *Couvreur,* S. 78/79.
55 *M. Granet,* S. 74.
56 Chou-li, IV, S. 90.
57 Po war die älteste Hauptstadt der Shāng.
58 *Legge* V, S. 814.
59 *Chavannes* (1901), S. 129.
60 *M. Granet,* S. 68/69.

Schon daraus, wie man mit dem Altar eines besiegten Landes verfuhr, kann man erkennen, daß es sich hier nicht mehr um einen Baum als Repräsentanten der Erdgottheit, sondern eher um eine Figur oder beschriftete Tafel aus verschiedenen Holzarten handelt. Andernfalls hätte man auch diese Sheh-Gottheit nicht im Arm tragen [61] oder auf Feldzügen zusammen mit den Ahnentafeln mitführen können [62].

Alle militärischen Unternehmungen nahmen ihren Ausgang vom Ahnentempel, wo der Marschbefehl und wohl auch die Waffen, und vom Erdgottaltar, wo rohe Fleischportionen als Proviant in Empfang genommen wurden.[63] Es war jedenfalls die Rolle, die der Erdgottaltar im alten Strafwesen spielte, die bewirkte, daß der Sheh-Gott eine der wenigen chinesischen Gottheiten war, denen Blutopfer und in alter Zeit auch Menschenopfer dargebracht wurden.[64]

Ein weiteres Problem, das sich an diese reichlich unklare Entwicklungslinie der Erdgottheit knüpft, ist das, wie und wann sie zu der alles tragenden Mutter Erde wurde, die schließlich in der Staatsreligion als Gegenstück des männlich gedachten Himmels verehrt wird. Wahrscheinlich gab es aber eine alte chinesische Ansicht, nach der die Erde als ein weibliches Tier aufgefaßt wurde, aus dessen Zeugungsorgan Himmel und Erde hervorgegangen waren.[65] Auch im späteren Taoismus wird die Erde als ein weibliches Lebewesen verstanden, dessen Knochen die Steine sind und dessen Blut das Wasser ist.

Dieser erntefördernden Erdgottheit standen übrigens eine Reihe von Hilfskräften in Gestalt von vegetativen Untergöttern zur Seite. Am häufigsten trifft man hier auf den Windgrafen *(Fêng-po)* und den Regenmeister *(Yü-shih)*, die beide in die spätere Staatsreligion übernommen wurden. Anderseits gehört hierher aber auch die Dürregöttin *(Pa)*.[66] Gottheiten ähnlicher Art gab es bereits unter den Shäng, auch wenn sich darüber nichts Bestimmtes ausmachen läßt.

E. *Gottheiten der Berge und Gewässer*

Während die Sheh-Gottheit den bebauten Boden des Reiches repräsentiert, haben wir es nun auch mit Geistern zu tun, die in den unbebauten Teilen des Landes, d. h. den Bergen, Wäldern und Marschen, vor allem aber in den Gewässern, ihren Wohnsitz hatten.

61 *Legge* V, S. 515.
62 *Legge* V, S. 754.
63 *Legge* V, S. 130.
64 *M. Granet*, S. 73/74.
65 Tao-tê ching, Kap. 6.
66 *B. Schindler* (1923), S. 321/22.

Es handelt sich hier um Wesen, die keineswegs auf China beschränkt sind, sondern in dieser oder jener Form bei allen Völkern der alten Welt auftreten. Schon B. Schindler[67] bemerkt, daß sie mit dem Wasser in enger Verbindung stehen. Auch in der alten chinesischen Naturphilosophie nimmt ja das Wasser eine höchst wichtige Stellung ein. Die Lebewesen entstammen zwar der Erde, aber mittels deren Blut, nämlich des Wassers, bauen sie sich auf.[68] Die Bedeutung der Berge liegt in diesem Zusammenhang darin, daß sie Wolken hervorbringen, um sich sammeln und somit Regen erzeugen. Natürlich gehören hierher auch die Wälder und besonders wieder tief eingeschnittene Waldtäler, in denen sich die Talgeister *(Ku-shên)* aufhielten.

Es ist anzunehmen, daß auch in der ersten Chou-Zeit, wie schon unter den Shāng, der Geist des Huangho, des gelben Flusses, unter den Wassergottheiten besonders hervorragte.[69] Sonderbarerweise wird er als männliches Wesen, als Graf Ho *(Ho-po)*, vorgestellt, während Wassergeister nach alter, matriarchalischer Auffassung der Natur des Wassers entsprechend eigentlich weiblich sein sollten, wie z. B. die „Rotwassermaid"[70] u. a. Er wird, soweit ich feststellen kann, erstmalig genannt in den recht zweifelhaften „Reisen des Chou-Königs Mu" (etwa 1001–947 v. Chr.)[71]; es wäre also keineswegs ausgeschlossen, daß er als männlicher Gott erst im späteren Verlauf der Chou-Dynastie in Erscheinung trat (?).

Er kommt auch vor im Kommentar der ebenfalls sehr umstrittenen Bambusannalen[72] als großer Mann mit weißem Gesicht und Fischleib, der sich als „Essenz[73] des Ho" vorstellt und dem heiligen Yü einen Plan über die Regulierung des Huangho übergibt. Dies könnte darauf hinweisen, daß der Ho-po erst in Mode kam, als man begann, den Huangho, den „Kummer Chinas", mit einem Deichsystem zu umgeben. Und tatsächlich findet sich im Kommentar zum Shan-hai ching[74] ein Hinweis, daß ein ehemaliger Deichhauptmann aus dem Dorf T'ung bei Hua-yin (in Shensi außerhalb des Huangho-Knies) namens Ping I durch Einnehmen einer aus acht Steinarten hergestellten taoisti-

---

67 *B. Schindler* (1923), S. 323.
68 Vgl. Kap. 39 in dem allerdings einer späteren Epoche, der Chan-kuo-Zeit, zugeschriebenen Werke Kuan-tzû.
69 In einem Zitat aus dem Li-chi im T'ai-p'ing yü-lan, I, S. 287a, lesen wir: „Wenn die drei Gründerkönige (der Dynastien Hsia, Shāng, Chou) den Gewässern opferten, dann rangierte der Huangho vor dem Meer." Der Huangho war nach chinesischer Ansicht das irdische Gegenstück zur himmlischen Milchstraße.
70 Shan-hai ching, Kap. 17. Es gibt aber auch eine Stelle, die zeigt, daß der Ho-po vielleicht doch ebenfalls als weibliches Wesen, nämlich als die Frau eines gewissen Lü Kung-tzû, vorgestellt wurde. Vgl. den Kommentar im Chuang-tzû pu-chêng, Kap. 17.
71 Mu t'ien-tzû chuan, Kap. 4.
72 *Legge* III, Proleg., S. 117.
73 Allein schon der Gebrauch des Zeichens Ching, „Essenz, Feinstteil", das eine große Rolle in der späteren taoistischen Naturphilosophie spielt, könnte bezeugen, daß dieser Ho-po einer späteren Zeit angehört.
74 Kap. 12.

schen Medizin, nach anderer Lesart einfach infolge Ertrinkens, zum Wasser-
heiligen und zum Ho-po wurde.

Dies jedoch führt uns nun in eine ganz andere Atmosphäre, nämlich in die
Zeit, in der diese alten Naturgeister durch die Geister verstorbener Menschen
ersetzt wurden. Da aber die Literatur, in der sie auftauchen, fast ausschließlich
aus dieser späteren Epoche stammt, ist es schwer, sichere Aussagen über ihren
eigentlichen, alten Habitus zu machen.

Die alten Opfer für den Huangho wurden auf der anderen Seite des Flusses
bei einem Ort Lin-chin (in Shansi innerhalb des Huangho-Knies) dargebracht,
und zwar von einer Fluß(Ho)-Wu.[75] Daraus ergibt sich, daß zwischen diesen
Geistern und dem alten Wuismus ein Zusammenhang bestand.

Dieses Opfer wich wesentlich ab von dem Opfer für den Ho-po, das in die
Geschichte als die „Heirat mit dem Flußgott" eingegangen ist. Bei dieser wurde
von weiblichen Wu, die auch hier wieder eine Rolle spielten, ein hübsches
Mädchen aus der Bevölkerung ausgewählt und im Brautschmuck zum Ertrin-
ken auf dem Fluß ausgesetzt. Diesem Brauch, der wohl so oder ähnlich auch
für andere Flüsse bestand, machte ein aufgeklärter Kreisvorstand um die
Wende des 5. und 4. vorchristlichen Jhs. ein Ende. Wahrscheinlich wurden
früher auch schmuckbehangene weibliche Kleinkinder als Opfer für Berggottheiten ausgesetzt.

Dem Huangho könnte man vielleicht den *T'ai-shan* (in Shantung) gegen-
überstellen, „von dem alle Wesen ihren Ursprung nahmen".[76]

Sicherlich spielt dieser Berg in der alten chinesischen Kultur eine große
Rolle und kann wohl als Prototyp der späteren heiligen Berge angesehen wer-
den. Es gab auch eine Ansicht, nach der die *Hun*-Seele (Hauchseele)[77] der
Chinesen nach dem Tode zum T'ai-shan zurückkehrte.

Was die Götterwelt betrifft, so ist in der späteren, volkstümlichen Literatur
sowohl von einem T'ai-shan-Gott als auch von einer T'ai-shan-Göttin, der
„Prinzessin der farbigen Wolken", die Rede.

T'ai-shan-Opfer werden erstmalig erwähnt im Tso-chuan unter dem Jahr
715 v. Chr. Damals brachte noch der Landesherr, in dessen Gebiet der T'ai-
shan lag, dieses Opfer. Aber schon im Lun-yü („Diskussionen und Gespräche
des Konfuzius", III, 6) und in dem sehr zweifelhaften Kapitel Yü-kung („Tri-
bute des Yü") im Shu-ching wird für diesen Berg ein *Lü*-Opfer erwähnt. Dies
war eines der Opfer, die dem Chou-König vorbehalten sein sollten. Es ist also
anzunehmen, daß man damals bereits dem T'ai-shan eine Sonderstellung
unter den Bergen zuerteilte, was später in den großen *Fêng-shan*-Opfern noch
deutlicher zum Ausdruck kommt.

Somit scheint sich dieses Lü-Opfer von jenen Opfern für die großen Ge-

75 Shih-chi, Kap. 28 (Fêng-shan).
76 *Tjan Tjoe Som:* Po Hu T'ung, 1949, S. 239.
77 Zu diesem Begriff vgl. *H. Steininger* (1953).

wässer und Berge abgehoben zu haben, die unter der Bezeichnung *Wang* bekannt sind. Das Schriftzeichen dafür bedeutet „in die Ferne gerichtet"; daraus läßt sich schließen, daß sie wie das oben genannte Linchin-Opfer in einigem Abstand vom eigentlichen Sitz der beopferten Gottheit durchgeführt wurden.

Soweit ich sehe, treten diese Opfer erstmalig auf im Tso-chuan, wo unter dem Jahre 628 v. Chr. die Rede ist von den San(drei)-Wang des Staates Lu (etwa Süd-Shantung), die dem Huai-Fluß, dem T'ai-shan und dem Meer dargebracht wurden.

Opfer dieser Art waren dem Landesherrn für die Gottheiten innerhalb seines Hoheitsgebietes vorbehalten, was besonders anschaulich wird aus der ebenfalls im Tso-chuan, Jahr 489 v. Chr., mitgeteilten Weigerung des Königs von Ch'u (im damaligen Süd-China), dem Huangho zur Erhaltung seiner Gesundheit zu opfern, da er nicht durch sein Land fließe und er ihn also auch nichts angehe.

Es kann mit Sicherheit angenommen werden, daß solche Opfer viel weiter in das chinesische Altertum zurückgehen, was schon dadurch bestätigt werden könnte, daß sie (laut Chou-li, Kap. 3) von Tänzen der Wu (Schamaninnen) begleitet waren.

Jedenfalls waren diese Wang-Opfer die Fortsetzung älterer Grenzopfer, die den markantesten Bergen und Strömen, welche mit dem Schutz des Landes und der regierenden Familie betraut waren, galten. Und diese wiederum könnten mit den oben erwähnten Opfern an die Windrichtungen in Verbindung stehen. Sie gehen später als Opfer für die großen Berge und Gewässer Chinas in die Staatsreligion ein. Zugleich führt von ihnen eine Linie zu den verschiedenen Systemen der heiligen Berge, von denen später die Rede sein wird.

Von diesen offiziellen Opfern sind zu unterscheiden die zahllosen kleinen Lokalkulte für die sonderbaren Wesen, die im Tso-chuan unter dem Jahr 604 v. Chr. als *Ch'ih-mei wang-liang* auftauchen. Dies ist eine zusammenfassende Bezeichnung für alle wunderbaren Erscheinungen, Geister und Dämonen, mit denen die Natur überall bevölkert war. Man kann annehmen, daß viele die Gehilfen und Untertanen der im Wang-Opfer bedachten Gottheiten waren. In ihrer Gestalt stellen sie wohl immer Kombinationen von menschlichen Gesichtern mit tierischen Körpern dar. Viele von ihnen sind wahrscheinlich Reste eines uralten Totemismus.

Schließlich wären in diesem Zusammenhang vielleicht auch die geheimnisvollen „gelben Quellen" zu nennen, auf die wir ab und zu in den alten Texten stoßen. Erstmalig liest man von ihnen wieder im Tso-chuan unter dem Jahr 721 v. Chr. Anscheinend waren sie in gewisser Weise das Gegenstück des T'ai-shan, nämlich der Ort, zu dem sich nach dem Tode die *P'o*-Seele (Körperseele) begab. Anderseits aber waren sie die unterirdische Stelle, an die sich im Winter die Gewässer zurückzogen, um im Frühjahr von dort wieder emporzusteigen. Obwohl also nicht gerade unwichtig, scheinen sie jedoch nicht Gegenstand eines besonderen Kultes gewesen zu sein.[78]

F. Wandel in der religiösen Einstellung

In Kapitel 29 des Li-chi[79] wird ein summarisches Urteil über den Unterschied der *Yin(Shāng)*- und der *Chou*-Religion gefällt. Es lautet etwa: „Die Yin-Leute verehrten die Geister, anführend ihr Volk dienten sie den Göttern. Die Chou-Leute verehrten die Riten und schätzten es, sie zur Schau zu stellen. Sie dienten den Geistern und ehrten die Götter, aber hielten sich von ihnen fern."

Dies zeigt, daß die Chou die engen und direkten Beziehungen zu den Göttern, wie sie für den Wuismus charakteristisch sind, aufgaben, die Götter in eine von den Menschen abgesonderte Sphäre verwiesen und die Exaktheit der Ausführung gottesdienstlicher Riten in den Vordergrund rückten. Mit dieser Entfernung von den Göttern geht aber eine kritische Einstellung ihnen gegenüber Hand in Hand.

Die Tatsache, daß eine auf göttlicher Macht und Billigung beruhende Dynastie beseitigt und durch eine andere ersetzt werden konnte, mußte früher oder später zu Zweifeln an dieser göttlichen Macht oder zumindest an ihrem guten Willen führen. Und so lesen wir denn auch bald im Shu-ching sowohl als im Shih-ching, daß auf den Himmel kein Verlaß, ja daß er unaufrichtig sei und daß man nicht die Königsherrschaft auf ihn gründen könne. Sein Auftrag sei unsicher und nicht für alle Zeit.[80] Auch die Geister und Götter seien nicht immer durch Opfer günstig zu stimmen. Und sogar Shang-ti zeige sich wankelmütig.[81]

Solche Gedanken waren den Shāng völlig fremd. Es scheint, daß eine ungeheuer große Dürrekatastrophe, die im Shih-ching (Ta-ya, III, 4.) sehr lebendig geschildert wird, den unmittelbaren Anlaß zu diesem religiösen Stimmungsumschwung gab. Dieser führte jedoch nun nicht zu der Konsequenz, daß die Existenz der höheren Wesen selbst bezweifelt, wohl aber zu der, daß die Einstellung und die Haltung ihnen gegenüber korrigiert wurde. So kommt im Verlauf der Chou-Dynastie das vorher unbekannte Zeichen *Tê* auf, das in den Übersetzungen gewöhnlich mit „Tugend" wiedergegeben wird. Faktisch bezeichnet es die Eigenschaft oder die Kraft in einem Menschen, die die höheren

---

78 Vgl. *M. Granet*, S. 23/24.
79 Kap. Piao-chi. Das folgende Zitat ist eine Verkürzung des Textes.
80 *Kuo Ting-t'ang* (1936), S. 23.
81 *B. Schindler* (1923), S. 339.

Mächte veranlaßt, sich ihm in besonderem Maß zuzuwenden (Charisma), um ihn schließlich mit dem göttlichen Auftrag *(Ming)* zu betrauen. Tê bedeutet also nicht unbedingt hohe moralische Qualifizierung im Sinne von Menschlichkeit und Güte, sondern nur, daß die höheren Mächte diesen Menschen für geeignet halten, sie auf Erden zu vertreten. Somit versteht es sich von selbst, daß Tê im Begründer einer Dynastie am stärksten und im Verlierer einer solchen am schwächsten vertreten ist. Der Inhaber von Tê hat es auch nicht nötig, eine große Aktivität zu entfalten. Im Gegenteil, er steht unbeweglich wie der Polarstern, und alle kehren sich ihm respektvoll grüßend zu.[82]

Zugleich kommt nun ein anderer, für die gesamte Geschichte des Chinesentums höchst wichtiger Begriff auf, nämlich *Li*. Li bezeichnet die korrekte Haltung den Ahnen gegenüber im Ahnentempel. Jede ekstatische Begegnung oder gar Vereinigung mit den Wesen anderer oder göttlicher Art, zu denen ja auch, wie wir oben gesehen haben, die Ahnen – zumindest die der mächtigen und herrschenden Familien – gehörten, wurde jetzt verpönt. Einzig der oben erwähnte Totenrepräsentant erhielt sich noch bis zur Han-Zeit als ein letzter Rest aus einer anderen Zeit und anderen Einstellung den Göttern gegenüber.

Im übrigen trat an die Stelle der früheren, aufgeregten und aufregenden Kulthandlungen ein strenger, bis ins kleinste vorgeschriebener Formalismus, für den es schließlich überhaupt keine Rolle mehr spielte, ob die, für die diese Riten vollzogen wurden, existierten oder nicht.

Die Ahnengötter wurden damit mehr und mehr zu den auch bei unserem Adel üblichen Familienahnen ohne jene Eigenschaften, die sie vordem in die höheren Sphären hinaufhoben.

---

82 Vgl. Lun-yü, II, 1.

III. CH'UN-CH'IU- UND CHAN-KUO-PERIODE

A. Unbestimmte religiöse Haltung des Konfuzius

Die Riten *(Li)* sind eines der wichtigsten Themen in dem Werk *Lun-yü,* den „Aussprüchen und Gesprächen" des Konfuzius (551–479 v. Chr.), die wohl von seinen Schülern in der zweiten Generation aufgezeichnet wurden. Die Riten sind das, was die Geschichte von Anfang an durchwaltet[1] und das Verhalten und Handeln der Menschen prinzipiell von dem der Tiere unterscheidet[2]. Dies führt natürlich zu der Folgerung, daß der, der sich mehr vom Li aneignet, einen entsprechend weiteren Abstand vom Tier hat. Wer überhaupt nichts vom Li versteht, steht dagegen mit den Tieren auf einer Stufe.

Daraus erklärt sich ferner die politische Wichtigkeit des Li und die Ansicht, daß es am Königshof der Chou, dem Zentrum der Kultur, am stärksten konzentriert sein müsse. Die Riten am Chou-Hof sollten deshalb maßgebend für alle Reichsfürsten sein, deren Höfe in der Grundanlage ja nur verkleinerte Nachbildungen des Königshofes vorstellten. Die Riten (oder der Ahnentempelritus) erweisen sich damit als ein kulturell-religiöses Bindemittel für den Zusammenhalt des Reiches. Da sie bald jede nur mögliche Lebensäußerung der Chou-Gesellschaft erfassen, werden sie zum wichtigsten nationalen Merkmal, das das Chou-Volk von den anderen Völkern (Barbaren) unterscheidet. Annahme der Chou-Riten bedeutet Eintritt in den chinesischen Kulturverband.

Wenn nun auch an vielen Stellen im Lun-yü immer wieder betont wird, daß bei der Ausübung der Riten die äußere Haltung von einem inneren Ethos erfüllt sein müsse und nur als Äußerung der Humanität (*Jên,* etwa „Beziehung von Mensch zu Mensch") und der Frömmigkeit (*Hsiao,* d. h. das Verhalten der Kinder gegenüber den Eltern) im Inneren anzusehen sei, so gibt es doch auch andere Stellen, die zeigen, daß das Hauptgewicht auf die Form und nicht auf den Inhalt gelegt wird. So antwortet Konfuzius zum Beispiel auf die Frage, worin Frömmigkeit eigentlich bestehe: „Die äußere Haltung (oder das

---

1 Lun-yü, II, 23.
2 Vgl. Lun-yü, II, 7.

Aussehen) ist dabei am schwierigsten[3]." Das zeigt, daß die innere Haltung nur insofern Geltung hatte, als sie nach außen hin in Erscheinung trat.

Li, als alles durchwaltendes Hauptprinzip des Menschenwesens, nimmt damit in der obersten Schicht der Gebildeten in China mehr und mehr den Platz der Religion im eigentlichen Sinn ein. Das korrekte Verhalten, das für jeden nur denkbaren Einzelfall genau festgelegt war, tritt an die Stelle einer inneren Beziehung zur Gottheit.

Die Frage nach der Existenz von Gott, Göttern oder Wesen übermenschlicher Art wird damit für den gebildeten Chinesen belanglos.

Wie aber stand Konfuzius zu seiner Zeit selbst dieser Frage gegenüber? Sicherlich glaubte er an eine übermenschliche Macht, nämlich den Himmel *(T'ien)*. So heißt es zum Beispiel, daß er im Alter von fünfzig Jahren „die Bestimmung (oder den Auftrag) des Himmels" erkannte[4]. Dies wird im allgemeinen so ausgelegt, daß er zu jener Zeit sich seiner ihm vom Himmel aufgetragenen „Sendung" bewußt wurde[5]. Diese Bemerkung bildet den Ausgangspunkt für seine später mehr und mehr anschwellende Glorifizierung.

Auch hinsichtlich seiner Einstellung zu den Geistern gibt es einen Hinweis: „Er opferte den Geistern, als ob sie da wären."[6] Diese Stelle zeigt ebenfalls, daß es ihm letzthin doch wieder in erster Linie auf die äußere Haltung und nicht auf innere Überzeugung ankam. Ein Urteil über Existenz oder Nicht-Existenz der Götter wird nicht gefällt. Eine andere Textstelle spricht jedoch dafür, daß er an ober- und unterirdische Geister glaubte und sich ihnen gegenüber verantwortlich fühlte[7].

So sehr also die Lehre des Konfuzius auch mit der religiösen Atmosphäre des Ahnentempels verknüpft sein mag, sie ist an sich betrachtet weit davon entfernt, eine Religion im eigentlichen Sinn des Wortes zu sein. Sie gründet sich auch nicht auf eine direkte, göttliche Autorität, sondern beruht auf der Autorität des Althergebrachten, d. h. der Haltung der großen Persönlichkeiten des Altertums. Konfuzius bezeichnet sich auch selber nur als einen Überlieferer, nicht als Schöpfer eines Neuen. Das von ihm verkündete Li ist die Idealhaltung des ahnenverehrenden Adligen, und er bemüht sich zu zeigen, daß diese Haltung weit in die Vorzeit zurückreicht. Anderseits aber ist er der erste Denker, in dem die geistige Entwicklung des chinesischen Menschen zur Entdeckung seiner ethischen Grundveranlagung und damit zur Selbstverantwortlichkeit hinsichtlich seines Verhaltens zum Durchbruch und zum Ausdruck kommt.

---

3 Lun-yü, II, 8. Vgl. auch die Haltung des Konfuzius im Hofdienst, Lun-yü, X, 4/5.
4 Lun-yü, II, 4.
5 Z. B. *U. Hattori*, in: Harvard Journal of Asiatic Studies, Bd. I (1936), 1, S. 96–108.
6 Lun-yü, III, 12.
7 Vgl. *A. Waley:* The Analects of Confucius, London 1938, S. 130/31.

B. *Reaktion des Mo Ti*

Diese Konzentration auf das Li, die korrekte Ausführung der Riten, hatte, wie erwähnt, eine zunehmende Indifferenz gegenüber der tatsächlichen Existenz andersartiger (göttlicher) Wesen im Gefolge. Diese Einstellung scheint im 5. vorchristlichen Jahrhundert bereits so weit verbreitet gewesen zu sein, daß *Mo Ti* (468–376) sich bewogen fühlte, dagegen aufzutreten. In dem unter seinem Namen gehenden Sammelwerk trägt das Kapitel 31 die Überschrift: „Die Leuchtenden (d. h. die Ahnengeister) und die Wiederkehrer (d. h. die Geister von zu Unrecht Getöteten)." [8] Es ist eines der wichtigsten Dokumente über die Entwicklung der religiösen Gläubigkeit im alten China.

Dort wird zunächst festgestellt, daß der Zweifel an der Existenz von Geistern zu folgenden Konsequenzen führt: „Im Volk gibt es Ausschweifungen, Gewalttaten, Raub und Rebellion", ganz abgesehen von dem moralischen Verfall in den Kreisen der Regierung und der großen Sippen. „Nimmt man an, daß es keine Geister gäbe, die es sehen, dann werden die Amtsinhaber auf den amtlichen Stellen weder moralisch sauber noch uneigennützig sein, und zwischen Männern und Frauen gibt es keine klare Scheidung." [9]

Eine der Folgen dieses Unglaubens war, daß der von den Ahnengeistern gewährte Schutz unwirkam wurde und damit die Personen, Ländereien und Güter, die von ihm profitiert hatten, eines wirksamen Abwehrmittels verlustig gingen. Das Endresultat waren zunehmende Attentate auf die geheiligte Person der Fürsten, das Verschwinden jener Kleinstaaten, die ausschließlich unter der Protektion von Berggöttern existierten, vor allem aber die rasch anschwellenden Grabberaubungen.

Mo Ti wurde also bei seinem Vorgehen gegen den zunehmenden Unglauben nicht so sehr von idealistischen als rein praktischen Gesichtspunkten geleitet. Geister sind seiner Ansicht nach die ständigen Beobachter des Verhaltens der Menschen und immer bereit, dafür Lohn oder Strafe auszuteilen. Es gibt keinen Ort, der so verborgen wäre, daß man dort von den Geistern nicht bemerkt würde. Reichtum, Ansehen und Macht gewähren keinen Schutz gegen ihre Strafmaßnahmen.

Es wird auch erklärt, was man sich eigentlich unter diesen Geistern vorzustellen hat. „Es gibt da den Himmelsgeist (oder die Himmelsgeister, d. h. Götter), dazu die Geister und Dämonen in den Gebirgen und Gewässern, sowie die Leute, die nach ihrem Tod als Geister (oder Gespenster) zurückkehren."

---

8 Man beachte, daß es sich nicht um den Glauben an Shang-ti und T'ien handelt.
9 Übersetzt unter Berücksichtigung der Textkorrektur von *A. Forke*, Mê Ti, 1922, S. 358. Über die strenge Trennung der Geschlechter vgl. z. B. *R. Wilhelm:* Li Gi, 1930, S. 346/47.

Zumal letztere sind äußerst gefährlich als Rächer einer zu Unrecht erlittenen Todesstrafe. Sie sterben mit der stehenden Formel: „Wenn Tote kein Bewußtsein haben, dann ist es hiermit zu Ende. Wenn Tote aber Bewußtsein haben, dann werde ich das merken lassen."

Die für uns so wichtige Frage nach dem Fortleben jenseits des Todes wird also bei den alten Chinesen anders gefaßt. Tod ist ihrer Auffassung nach das Erlöschen des Bewußtseins (des Wissens oder Erkennens), nicht das Ende physischer Funktionen. Daraus aber folgte, daß ein nicht zersetzter und vernichteter Leichnam jederzeit das Bewußtsein wiedererlangen konnte, und daraus wiederum, daß man um der eigenen Sicherheit willen dafür sorgen mußte, daß die Leiche eines gefährlichen Feindes möglichst gründlich zerstört wurde.[10]

Der Beweis, den Mo Ti für die Existenz dieser Geister führt, ist der, daß sie überall in den historischen Schriften auftauchen und dabei jeweils von einer großen Anzahl von Menschen wahrgenommen wurden, eine Argumentation, die wohl aus seiner konfuzianischen Grundausbildung erklärt werden muß. Zu dieser paßt auch, daß ein Anrufer *(Chu)* aus Sung, der die Opfer nicht gemäß dem korrekten Ritual (Li) darbrachte, von einem „Geistermann" erschlagen wird und daß auch die „heiligen Könige" der Konfuzianer *Yao, Shun* und *Yü* bereits Beziehungen zu solchen Geisterwesen hatten.

Die Opfer, die diesen Geistern gebracht werden, haben nach Mo Tis Ansicht einen doppelten Wert. „Nach oben hin knüpfen sie eine glückbringende Verbindung an und nach unten tragen sie zu einem fröhlichen Gemeinschaftsleben bei."

Der Lohn des Glaubens ist also eine durch keine Verbrechen gestörte, harmonisch-glückliche Gesellschaftsordnung.

All das fügt sich natürlich in die Grundauffassung des Mo Ti ein: in der obersten Sphäre verehre man den Himmel, der als oberste Instanz des Universums von diesen vorerwähnten Zweifeln überhaupt nicht getroffen zu werden scheint. In der mittleren Sphäre diene man den Geistern. In der untersten Sphäre liebe man die Menschen.

So wie in einer kleinen Gruppe der chinesischen Gesellschaft, die sich als Träger einer rationalen Aufklärung fühlte, die Bezweiflung des Göttlichen in jeder Form ihre Fortsetzung durch den gesamten Verlauf der Geschichte hin fand, so auch in den weiten, weniger aufgeklärten Kreisen des Volkes der Glaube an die Geisterlehre des Mo Ti, die zu einem umfassenden System geheimer Belohnung und Bestrafung ausgearbeitet wird.

---

10 Wir werden später (s. S. 81) darauf zu sprechen kommen, daß das bei uns beliebte Verbrennen nicht das richtige Mittel zur Vernichtung war, sondern eher das Gegenteil bewirken konnte, da dadurch der Körper in die feinste aller Materien, nämlich die, aus der Feuer gemacht war, überführt wurde.

C. Der Wuismus

Ich habe im ersten Teil dieser Arbeit (vgl. S. 26) versucht, wahrscheinlich zu machen, daß die alte Form des Schamanismus, die man zur Unterscheidung von diesem fest umrissenen, ostsibirischen Religionskomplex besser als „Wuismus" bezeichnet, die während der Shāng-Zeit vorherrschende Religionsform war. Der Wuismus stand damals in engster Verbindung mit dem Ahnenkult der herrschenden Sippe; denn dieser beruhte, so kann man wohl sagen, auf einem beständigen Verkehr der lebenden mit den abgeschiedenen Sippenmitgliedern.

Ich habe darauf hingewiesen, daß der Shāng-König selbst die Funktionen eines *Wu* ausübte, z. B. persönlich um Regen tanzte. In der Chou-Zeit zeigt sich noch ein Reflex dieser Verhältnisse insofern, als z. B. die Ansicht bestand, daß von der Haltung des Königs das Wetter abhängig sei. So lesen wir im Kapitel Hung-fan (der „Große Plan") des Shu-ching, daß gewichtiger Ernst des Königs günstigen Regenfall, seine gute Verwaltung Schönwetter und seine Weisheit Wärme erzeuge. Auch im späteren Verlauf der Geschichte mußten sich die Kaiser bei großen Unwetterkatastrophen gewissen Einschränkungen in ihrer Lebenshaltung unterziehen, um das Unheil zum Aufhören zu bringen.

Ferner habe ich zu zeigen versucht, wie im Verlauf der Chou-Zeit der Ahnenkult als Vorrecht einer bestimmten, bildungs- und fortschritttragenden Herrenschicht mehr und mehr von diesen Wu-Praktiken gesäubert und, wenn man so will, puritanisiert und rationalisiert wurde.

An sich wäre es wohl möglich gewesen, daß die Beherrscher der Chou-Staaten sich in religiöser Hinsicht die Shāng als Muster genommen und dabei geblieben wären. Und in geringem Grade finden sich die Wu-Praktiken auch am Chou-Hof. Erst allmählich, dann aber beschleunigt durch die konfuzianischen Gelehrten, wird das Geistesleben der bildungtragenden Schicht von dem oben sehr kurz umrissenen Rationalismus durchdrungen.

In den unteren Volksschichten jedoch und bei den Völkern im chinesischen Raum, die nicht unmittelbar von der Chou-Zivilisation erfaßt wurden, blieb der Wuismus weitgehend bestehen.

Aus den zahlreichen Erwähnungen in der Literatur der Ch'un-ch'iu- und Chan-kuo-Zeit läßt sich der Wuismus in allen zum alten China gehörenden Staaten belegen. Allerdings tritt er, wie wir weiter unten zeigen werden, in manchen Staaten häufiger, in anderen seltener auf. Vielleicht lassen sich sogar Unterschiede oder Spezialschulen des Wuismus für die verschiedenen Länder nachweisen.

Daß wir nicht so ausführlich über den Wuismus informiert werden, wie dies, da es sich um die herrschende Religion des chinesischen Altertums handelt, wünschenswert wäre, liegt vor allem eben an der anti-wuistischen Einstellung

55

der konfuzianischen Gelehrten, die als Träger einer puritanischen Aufklärung den Wuismus als primitiven und sogar schädlichen Volksaberglauben bekämpften. So heißt es zum Beispiel in einer der fälschlicherweise in die Shāng-Zeit verlegten, wahrscheinlich aber in die Ch'un-ch'iu-Zeit gehörenden Urkunden des Shu-ching[11]: „Wenn da andauerndes Tanzen in den Hallen und trunkenes Singen in den Gemächern ist, dann nennt sich das Wu-Art. Wenn ihr euch aufopfert für Reichtümer und Frauen und euch beständig auf Jagdzügen herumtreibt, dann nennt sich das Liederlichkeit."

Schon daraus wird verständlich, daß die Wu im allgemeinen nur dann in der konfuzianisch beeinflußten Literatur auftauchen, wenn ein ungünstiges Licht auf sie fällt.

Aber auch die alten Taoisten, von denen später die Rede sein wird, fühlten sich den Wu zunächst hoch überlegen. Dies wird ersichtlich aus einer in den taoistischen Werken *Chuang-tzŭ* und *Lieh-tzŭ* mitgeteilten Anekdote. Der Wu-Praktiker *Chi Hsien* konnte den Menschen aus ihren Gesichtern auf Tag und Stunde genau die Zeit ihres Todes voraussagen und wurde dadurch zu einer lokalen Berühmtheit. Lieh-tzŭ war von ihm so angetan, daß er ihn bei seinem Lehrer *Hu-tzŭ* einführte, um an diesem selbst diese Kunst zu erproben. Dieser aber zeigt sich dem Wahrsager in verschiedenen Zuständen der Meditation, was jenen bereits in Verwirrung bringt. Die letzte Phase, in der sich Hu-tzŭ im „existenzlosen Urzustand" zeigt, versetzt den Wu so in Schrecken, daß er die Flucht ergreift.

Wir können daraus entnehmen, daß diese alten Taoisten einer den Wu überlegenen Gesellschaftsschicht angehörten.

Wer sind nun eigentlich diese Wu?

1. Das Schriftzeichen

Das Schriftzeichen für Wu, von dem ich oben (s. S. 25) schon erwähnt habe, was es eigentlich darstellt, hat man mit großer Sicherheit auf Orakelknochen erkannt. Im *Shuo-wên*, dem ältesten paläographischen Wörterbuch, wird es dem Zeichen *Chu* („Anrufer", „Beschwörer", d. h. solche, die mit stimmlichen Mitteln Geister beschwören) gleichgesetzt. Tatsächlich werden die beiden Zeichen oft in Verbindung gebraucht.

Für Wu erhalten wir folgende Definition: „Weibliche Personen vermögen den Gestaltlosen (d. h. den Unsichtbaren) zu dienen, indem sie Geister (zu sich) herabkommen lassen." Bei näherer Untersuchung zeigt sich aber, daß dem sehr einfachen Zeichen Wu ältere, kompliziertere Formen vorausgehen, die

---

11 *Legge*, The Shoo king (Neudruck 1960), S. 196. Vgl. dazu auch das Shu-ching-Zitat im Werke Mo-tzŭ, Kap. 32.

uns weitere Aufklärung über die Träger dieser Bezeichnung vermitteln. Eine davon entspricht dem heutigen Zeichen Wu, das für „Tanzen" gebraucht wird. Auf den Orakelknochen handelt es sich dabei ausschließlich um das Regenbittanzen, das anscheinend auch damals schon eine der Hauptfunktionen der Wu war. Ein anderes Schriftbild ist gleich dem Zeichen *Ling*, das schwer zu übersetzen ist, im allgemeinen aber mit „magische Wirksamkeit" oder „Zauberkraft" wiedergegeben wird. Es wird auch definiert als „Feinstodem des Dunkelprinzips Yin oder der Gottheiten"[11a]. In seiner alten Form stellt es eine Kombination des Zeichens für Regen mit drei Mündern darunter dar, was also „um Regen schreien" bedeuten könnte, darunter das Zeichen für Wu, das hier das Regentanzen ausdrücken würde, und darunter das Zeichen für Feuer, dessen Rolle im Wuismus weiter unten an den Tag treten wird. Dies Zeichen Ling wäre also höchstwahrscheinlich das eigentliche alte Zeichen und das in den Chou-Texten gebräuchliche Zeichen Wu vielleicht eine Art Kurzform.

Nach Ch'ên Mêng-chia[11b] bezeichnet übrigens Ling ohne den unteren Feuerteil eigentlich die Maske eines Wu, durch die er die umherfliegende *Hun*-Seele[12] eines Verstorbenen einfängt und nun diesen Toten in seiner Person manifestiert oder, besser gesagt, lebendig werden läßt. Ganz allgemein versuchten wohl die Wu-Magier, die Geister, mit denen sie in Verbindung zu treten wünschten, auch schon in der bei der Beschwörung getragenen Verkleidung nachzuahmen. Während des Trance-Zustandes aber waren sie mit dem beschworenen Geist oder der Gottheit identisch. Sie wurden deshalb auch manchmal *Hua-jên* („Verwandlungsmenschen", s. Lieh-tzû, 3) genannt.

Daneben aber gibt es ein Zeichen *Hsi*, das zusammengesetzt ist aus Wu und „Sehen" und im Unterschied von den weiblichen Wu einen männlichen Wu meinen soll. Im Shuo-wên wird dies Zeichen erklärt: „Durch Purifikation (oder Enthaltsamkeit) den Gottheiten und Manen dienen." Möglicherweise aber bezeichnet es einen Wu, der durch wildes Tanzen „sehend" wird, d. h. mit den Unsichtbaren in direkte Verbindung tritt[12a].

2. Tanzen und Regenzauber

Jedenfalls erhalten wir hier einen Hinweis darauf, daß sich die Funktionen der Wu keineswegs nur auf Regentänze beschränkten, so überragend deren Wichtigkeit auch gewesen sein mag.

11a Siehe *Ch'ü Tui-chi*, in: Yenching Journal Nr. 7 (1930).
11b Yenching Hsüeh-pao, 20, 1936.
12 Vgl. *Steininger* (1953).
12a Zu den Ausführungen über die Schriftzeichen vgl. das paläographische Werk Ku-ch'ou pien von *T. Takata*, Tokyo 1925.

Diese Tänze selber geschahen wohl in einem Aufputz mit Masken und Gewändern, die mit allerlei magischen Attributen verziert waren. Sie wurden, wie vermutlich alle Tänze im alten China, von erregendem Getrommel begleitet und so lange fortgesetzt, bis die erwünschte Wirkung, d. h. der Kontakt mit den Unsichtbaren oder der Regen, eingetreten war. Die Ausdauer oder Beharrlichkeit der Wu war deshalb sprichwörtlich[13]. Wahrscheinlich gehörten zu den Tänzen auch laute, klagende und flehende Ausrufe, die ja eigentlich die Aufgabe eines *Chu* (Anrufer) waren. Übrigens wird das Schriftzeichen für diesen gedeutet als eine auf dem Boden kniende Figur, die heftig die Arme bewegt, also auch Tanzbewegungen ausführt.

Selbstverständlich erfolgten die Vorführungen der Wu-Magier immer im Beisein einer großen Volksmenge, die darin eine willkommene Unterhaltung erblickte und schließlich vielleicht auch selber an den ekstatischen Tanzereien teilnahm.

Neben dem erwähnten Regentanzen gab es aber auch noch eine andere, drastischere Art, Regen herbeizuführen, die wohl zur Anwendung kam, wenn das Tanzen keinen Erfolg zeitigte. Wir begegnen ihr im Tso-chuan unter dem Jahr 639 v. Chr.: „Im Sommer war große Dürre und der Herzog von Lu wollte eine Wu oder eine abgemagerte Person der Hitze aussetzen."[14] Es wird dies so verstanden, daß man eine weibliche Wu, die ja Beziehungen zu der regenspendenden Gottheit hatte oder solche herstellen konnte, oder eine an Auszehrung leidende Person, die man als Repräsentantin der Dürregöttin *Pa* (oder *Po*) ansah, physische Qualen erleiden ließ, um die Gottheit zu bewegen, diese durch Regenguß zu lindern.

Auch dieser Brauch ist uralt und läßt sich auf Orakelinschriften nachweisen[15]. Aus diesen geht übrigens hervor, daß ein und dieselbe Wu mehrfach einer solchen Prozedur unterzogen wurde. Diese war also zwar peinvoll, jedoch nicht tödlich. Da sich diese Zeremonie auf die Dürregöttin Pa bezog, ist ferner anzunehmen, daß sie im allgemeinen mit weiblichen Wu, die man als Pa aufputzte, vollführt wurde.

Zur Chou-Zeit war dies eine Regenerzeugungsmethode, die wohl hauptsächlich im Volk ausgeübt wurde. Die Chou-Könige hatten dafür die zivilisierteren Brandopfer *(Yin)* und die *Szû*-Opfer für die Gestirne, durch die ganz allgemein die Fruchtbarkeit der Felder gesichert werden sollte.

---

13 Vgl. z. B. Lun-yü, XIII, 22.
14 *Legge* V, S. 179 (180). Von dem konfuzianischen Kompilator des Tso-chuan wird
   dies natürlich als alberner Aberglaube gebrandmarkt.
15 *Ch'ên Mêng-chia* (1936).

3. Ausweitung der Wu-Praktiken

Hauptcharakteristikum der Wu war also, daß sie mit Gottheiten und Geistern persönlich in enge Verbindung treten konnten.

Dazu lesen wir nun im Ch'u-yü [16]: „Im Altertum waren Volk und Gottheiten nicht durcheinandergemischt. Nur wenn jemand aus dem Volk mit großer seelischer Kraft begabt war und fest zu seiner Sippe stand, dazu strenger Purifizierung und innerer Disziplin fähig war, ... dann stieg ein Lichtgeist oder eine Gottheit zu ihm herab. In einem Mann nannte man das Hsi, in einer weiblichen Person nannte man das Wu." Im Text heißt es dann weiter, daß diese klare Ordnung von Oben und Unten durch *Shao-hao*, den mißratenen Sohn des Gelbkaisers *(Huang-ti)*, in Verwirrung gebracht wurde und „Volk und Gottheiten sich vermischten". Ein Merkmal der chaotischen Verhältnisse war, daß die Leute, „wenn sie religiöse Handlungen vornahmen, Angehörige ihrer Familie zu Wu-Priestern machten".[17]

Dies deutet auf einen Zustand hin, der oben bereits da und dort gestreift wurde, nämlich daß die Ausübung der Wu-Praktiken in gewissen Familien erblich war und dort von einer Generation an die nächste weitergegeben wurde. Im Staat Ch'i, d. h. Nord-Shantung, traf dies wahrscheinlich auf alle Familien zu. Und zwar wurden dort die Wu-Funktionen von der ältesten Tochter ausgeübt, die deshalb auch nicht heiraten durfte.

Aus diesem letzterwähnten Faktum läßt sich weiter schließen, daß der chinesische Wuismus ursprünglich höchstwahrscheinlich eine Angelegenheit der Frauen war. Aber schon in der Shāng-Zeit werden die religiösen Funktionen der Wu mehr und mehr von Männern übernommen. Das mit Schriftkenntnis verbundene Orakelwesen, das als eine der Spezialfunktionen der Wu-Magier angesehen werden muß, lag damals bereits ausschließlich in den Händen von Männern. Die weiblichen Wu, die sich auf Orakelknocheninschriften feststellen lassen, befaßten sich danach nur mit Regenbittänzen [18].

Dieser Abstieg zur allgemeinen Ausübung der Wu-Praktiken im Volk, wie er im Fortgang der oben zitierten Stelle aus dem Ch'u-yü geschildert wird brachte wahrscheinlich vor allem einen Verfall der Staatsopfer mit sich, die ja einen weitgehenden, religiösen Zusammenhalt des gesamten Volkes und freiwillige Beiträge aller Sippen und Familien voraussetzten. Der demokratisierte Wuismus mußte dagegen bewirken, daß das Volk in viele religiöse Gruppen zerfiel, die jede unter der Führung eines besonders magisch begabten Wu und dessen Sippe standen. Der Wuismus könnte also interpretiert werden als ein

---

16 Kuo-yü, 18 (Ch'u-yü, II, 1), s. auch Han-shu pu-chu, Kap. 25.
17 Dies könnte etwa so verstanden werden, daß die gehobene Stellung der Wu als Elite aristokratischer Familien, wie sie vielleicht in der Shāng-Zeit bestand, verlorengeht, indem Familien des gewöhnlichen Volkes ihre eigenen Wu-Kulte einrichten.
18 Dazu *Ch'ên Mêng-chia* (1936).

Element, das der Zentralisation der religiösen Macht bei den regierenden Sippen entgegenwirkte.

Es war deshalb von entscheidender Wichtigkeit, daß unter dem legendären Kaiser *Chuan-hsü* der „korrekte, alte" Zustand wiederhergestellt wurde. Den Gottheiten, Geistern usw. wurde der Himmel und dem Menschenvolk die Erde als Aufenthaltsort angewiesen, dem Promiskueverkehr der beiden Gruppen ein Ende gemacht.

Was dieser Erzählung im *Ch'u-yü* auch immer an tatsächlichen historischen Vorgängen zugrunde liegen mag, fest steht, daß seit der ersten Chou-Zeit der Wuismus mehr und mehr aus den oberen Gesellschaftsschichten verdrängt wurde. Dies ging natürlich nicht in allen Staaten zugleich vor sich. So erfahren wir, daß noch zwischen 540 und 529 v. Chr. im Staat Ch'u, wo der Wuismus besonders vorherrschte, der König in eigener Person Wu-Tänze ausführte[19].

Aus den engen Beziehungen, die die männlichen und weiblichen Wu zu Geistern und Gottheiten unterhielten, ergaben sich für sie eine Reihe wichtiger Funktionen in der alten chinesischen Gesellschaft. Von ihrer Fähigkeit, Regen herbeizuzaubern, wurde bereits berichtet. Eine andere bedeutsame Funktion war das Exorzieren böser Geister und schädlicher Einflüsse, was in den meisten Fällen wohl zugleich mit einer gründlichen Reinigung der exorzierten Räume verbunden war.

Neben den mehr privaten Veranstaltungen dieser Art fanden dreimal im Jahr allgemeine Austreibungszeremonien *(No)* statt, von denen die im Winter *(Ta-no)* die wichtigste war. Dabei wurde ein Zerstückelungsopfer an die vier Weltgegenden dargebracht. Die Austreibung vollführten mit Bärenfellen vermummte Wu. Sie richtete sich in erster Linie gegen Pestilenzdämone und böse Geister aller Art, die buchstäblich mit Stöcken hinausgeprügelt wurden.

Auf dem Lande galten die Austreibungen wahrscheinlich meist der Dürredämonin *Pa* und waren also eine Maßnahme anderer Art, um den nötigen Regenfall für die Felder zu sichern.[20]

Aus dem eben Gesagten ergibt sich nun auch die Funktion der Wu als Ärzte. Im gesamten Altertum und bis in die Neuzeit hinein herrschte in China die Meinung, Krankheiten würden durch böse Dämonen hervorgerufen. Die Heilung geschah deshalb in der Art, daß ein Wu solche Dämonen verjagte. Nachdem man etwa im 5. und 4. vorchristlichen Jh. der Ursache der Krankheiten mehr unter physischen Gesichtspunkten nachging und damit allmählich ein Ärztestand aufkam, standen die Wu deshalb in der sozialen Ordnung auf derselben Stufe wie diese Ärzte[21]. In einem Text erscheint sogar ein Wu als Pferdedoktor. Es wird aber angenommen, daß dies ein Wu war, der besonders gut die mit Pferden zusammenhängenden Vorzeichen kannte.

---

19 Vgl. *Ch'ü Tui-chih*, in: Yenching Journal Nr. 7 (1930).
20 *Ch'ên Mêng-chia* (1936).
21 Vgl. *Ch'ü Tui-chih*, aaO.

C. Der Wuismus

Die engen Beziehungen, welche die Wu zu den Wesen aus einer anderen Welt unterhielten, befähigten sie ferner dazu, Träume zu deuten und kommende Ereignisse vorauszusagen. Das Prophezeien war deshalb eine weitere wichtige Funktion. Sie verstanden sich auch auf die Beobachtung des „Weltodems" (d. h. der Winde) und waren dadurch imstande, Sieg oder Niederlage im Krieg vorauszusagen[22]. Dafür, daß sie aus den Gesichtszügen wahrsagen konnten, wurde oben (s. S. 56) ein Beispiel angeführt. Auch bei ausbleibendem Kindersegen[23] und wohl allen übrigen im täglichen Leben auftretenden Schwierigkeiten, z. B. wenn etwas Verlorenes wiedergefunden werden mußte, wurden Wu in Anspruch genommen.

Es ist deshalb nicht verwunderlich, daß sich überall im Volke Gruppen von Anhängern um geschickte Wu-Magier sammelten, die von ihnen oft unter einer Art religiösem Terrorregime gehalten wurden.

Über eine solche Gruppe, die dem oben behandelten *Ho-po* (Gott des Huang-ho) diente, erfahren wir etwas Näheres. Sie wurde beherrscht von einer weiblichen Wu, die etwa 70 Jahre alt war, und, wo sie ging und stand, ein Gefolge von zehn mit Seidengewändern angetanen „Schülerinnen" um sich hatte. Eine ihrer Hauptobliegenheiten war, alljährlich ein hübsches Mädchen aus wohlhabender Familie als Braut (d. h. Opfer) für den Ho-po auszusuchen. Dadurch hielt sie die Bevölkerung, die für ihre Töchter fürchtete, unter Terror und zog daraus recht ansehnliche Einnahmen[24]. Da sie dabei Hand in Hand mit den Lokalautoritäten vorging, war ihre Stellung fest und gesichert. Es bedurfte des Einschreitens eines höheren, konfuzianisch geschulten Regierungsbeamten, um ihrer Tätigkeit ein Ende zu setzen.

Ein weiteres Beispiel für diesen Lokalterror der Wu bildet die Heirat mit den Berggottheiten in Anhui, wo junge Männer und Mädchen, die von den Wu für diese Ehe ausgesucht worden waren, auch später nicht zu heiraten wagten, obgleich Jahr für Jahr andere für diese Heirat ausgewählt wurden.[25]

Es ist leicht einzusehen, daß sich eine so fest im Volke verankerte und weit verbreitete Religion wie der Wuismus auch von dem an den Höfen ausgeübten religiösen Ritus nicht völlig ausschließen ließ. Wir finden darüber im Chou-li[26] mehrere Notizen, die vieles von dem oben Gesagten bestätigen.

Zunächst ist dort von einem Wu die Rede, der den anderen Wu vorgesetzt war. Es gab also bei Hofe mehrere Wu-Gruppen, die verschiedene Funktionen

---

22 Vgl. Mo-tzû, Kap. 68.
23 S. z. B. Han-shu pu-chu, Ti-li chih, 8b, 2 (Ausg. Peking 1959, S. 3031, Kom.).
24 Shih-chi, Kap. 126.
25 Hou Han-shu, Kap. 41.
26 Chou-li (Ausg. Shih-san ching chu-su), Kap. 26 (Ch'un-kuan). Man nimmt heute an, daß in diesem Werk echte Regierungs- und Verwaltungsmaterialien des chinesischen Altertums gegen Ende der Chou-Zeit zu einer Art Idealstaatsorganisation kompiliert wurden. Das im folgenden berührte Auftreten der Wu bei Chou-Trauerfeiern wird auch aus I-li, Kap. 12 und Li-chi, Kap. 4 (T'an-kung) bestätigt.

hatten. Von diesem Wu-Direktor heißt es: „Wenn im Lande große Dürre ist, dann führt er die (weiblichen) Wu an und sie tanzen beim Regenbittopfer. Gibt es im Land ein großes Unheil, dann führt er die Wu an und veranstaltet einen Kult nach alter Wu-Sitte(?). Bei den großen Opfern bringt er den Koffer mit den Ahnentafeln, die Sitzmatten und den Korb mit den Opferspeisen. Er verwahrt die Dinge, die beim Opfer in der Erde vergraben werden. Bei Trauerfeiern nimmt er sich des Zeremoniells an, bei dem die Wu-Magier Geister herabkommen lassen."

Aus einem anderen Kapitel des Chou-li[27] erfahren wir, daß diesem Wu-Direktor fünf Unterfunktionäre und zehn Diener beigegeben waren. Für die ihm unterstellten männlichen und weiblichen Wu gab es keine feststehende Zahl. Von ihnen heißt es[28]:

„Die männlichen Wu befassen sich mit den Opfern an die Berge und Gewässer und verleihen Ehrentitel an deren Götter. Sie zitieren diese Götter von überall herbei mittels Filterwein(?). Am Jahresende jagen sie die Pestilenzdämone aus den Hallen fort in jede Richtung auf jede Weise. Im Frühling rufen sie (die Mächte) herbei, die Unheil verhindern. Mit diesen verjagen sie die Krankheiten. Im Trauerzug des Königs gehen sie mit den Beschwörern (Anrufern, Chu) voraus."[29]

„Die weiblichen Wu befassen sich mit der jahreszeitlichen Austreibung der Dürregöttin Pa sowie mit Purifikationen, die aus Waschungen mit Blut oder Wasser bestehen. Wenn eine Dürrekatastrophe eintritt, tanzen sie um Regen. Im Trauerzug der Königin gehen sie mit den Beschwörern voraus. Immer wenn es im Lande ein großes Unheil gibt, dann singen und klagen sie und bitten um Abwendung."

Hier hätten wir also die kleine Spitze einer Pyramide vor uns, die in die Ämterorganisation am Chou-Hofe hineinreichte.

Aber auch sonst finden sich wuistische Residuen in den Kulthandlungen der Gentry. Von diesen haben wir den Totenrepräsentanten, den sogenannten „Leichnam", bereits oben (s. S. 39) erwähnt[30] und wissen, daß er sich bei den entsprechenden Feiern würdig und ruhig wie ein Toter aufzuführen hatte. Höchstwahrscheinlich taucht dieser Repräsentant im Staate Ch'u (am mittleren Yangtse) unter dem Terminus *Ling-pao* („Hüter des Ling") auf. Ling war, wie wir oben bereits bemerkten, in Ch'u die Bezeichnung für männliche oder weibliche Wu, die wohl mittels entsprechender Verkleidung eine Hun-Seele veranlaßten, sich auf sie niederzulassen. Aus Stellen in verschiedenen Texten geht hervor, daß ursprünglich der „Leichnam" durch die älteste Tochter der

27 Kap. 17.
28 Kap. 26.
29 Sicherlich um den Weg von bösen Geistern zu säubern.
30 Vgl. dazu E. *Erkes:* Der schamanistische Ursprung des chinesischen Ahnenkults, in: Sinologica 2 (1950).

Familie repräsentiert wurde. Es war dies ein Brauch, der sich, wie schon erwähnt, besonders lange im Staate Ch'i (nördlicher Teil von Shantung) erhalten zu haben scheint[31]. Die älteste Tochter wurde dort bezeichnenderweise „Wu-lein" genannt.

Unter den Chou wurde in den Adelssippen zumindest der männliche Tote durch einen männlichen Nachkommen repräsentiert. Außerdem zeigt sich, daß jetzt diese Repräsentation, so wie andere alte Kulthandlungen, allmählich ihres religiösen Inhaltes mehr und mehr verlustig ging, indem diese „Leichname" in ungezwungener Weise mit den anderen Teilnehmern zusammen aßen und tranken[32]. Es ist anzunehmen, daß während der Chou-Zeit dieser Totenrepräsentant allmählich durch die figürliche Nachbildung des Verstorbenen, den sogenannten „Holzherrn" (Mu-chu), verdrängt wurde.

Ein anderer Brauch dieser Art war das „Zurückrufen der Seele" eines gerade Verstorbenen. Dies geschah, indem man vom Dache des Hauses nach allen Windrichtungen hin den Namen des Verstorbenen rief und ihn zur Rückkehr aufforderte. Das beste Gewand des Verstorbenen wurde dabei nach allen Seiten hin geschwenkt und alles versucht, ihm die Annehmlichkeiten seines Wohnsitzes in Erinnerung zu bringen und ihn vor den Gefahren der Ferne zu warnen. Bereits in der vorchristlichen Zeit war dies eine feststehende Gepflogenheit und wurde unter die von der konfuzianischen Schule gebilligten Sitten aufgenommen[33]. Ihre Herkunft aus Praktiken der Wu-Magie dürfte wohl kaum zu bezweifeln sein[34]. Auch dies „Zurückrufen der Seele" bietet ein gutes Beispiel dafür, wie eine anfänglich religiöse Handlung allmählich zu einem bloßen „Brauch" wurde.

4. Literarischer Wuismus

Es wäre schließlich sonderbar, wenn es nicht in der alten chinesischen Literatur auch Texte gäbe, in denen der Wuismus nicht nur unter negativen Vorzeichen auftritt. Von diesen möchte ich hier zunächst kurz die vielbesprochenen „Neun Lieder" erwähnen. Es sind dies Lieder, die von weiblichen und männlichen Wu unter Ausführung von Tänzen und begleitet von Trommeln und anderen Instrumenten meist wohl in Dialogform vorgetragen wurden. In ihnen wird die Begegnung mit der herbeizitierten Gottheit beschrieben.

Sie stammen aus dem Südstaat Ch'u und sind in die große Sammlung der Poesie dieses Landes aufgenommen[35]. Ein Beispiel soll einen Eindruck von ihnen vermitteln:

31 Han-shu pu-chu, Bd. IV, S. 3040 (Ti-li chih).
32 Vgl. Li-chi, VIII (Couvreur I, 2, S. 557).
33 J. de Groot (1907), Bd. I, S. 243.
34 Vgl. z. B. D. Hawkes: Ch'u Tz'u, the songs of the South, 1959, S. 101.
35 D. Hawkes (1959).

Der Herr in den Wolken

Weibliche Wu:
Den Leib mit Orchideenöl gesalbt, das Haar mit Duft getränkt,
Im bunten Kleid – ich bin wie eine Blume frisch.
(Hier bekommt die Wu ihren Gott zu Gesicht)
In weiten Schwüngen kommt mein Gott herab. Oh, er ist da!
Aus Glanz und Licht, so hell und ohne Schranken!
Eiya! Er ruht im Raum, wo Götter man empfängt.
Wie Sonnenglanz, wie Mondenschein, so ist sein Licht.
(Hier gehen Empfang und Bewirtung der Gottheit vor sich, dargestellt durch pantomimische Tänze)
Gott: Im Drachenwagen, kaiserlich das Kleid,
Fahr' ich noch einmal grüßend in der Runde.
(Hier tritt der Gott die Heimfahrt an)
Weibliche Wu:
Voll Majestät, so kam mein Gott herab,
Wie Windeswirbel aufwärts fährt in Wolken er zurück.
Gott: Weit überquer ich dieses Land und mehr,
Weit über die vier Meere zu den Grenzen dieser Welt.
(Die weibliche Wu sieht dem entschwindenden Gott nach)
Weibliche Wu:
Ich aber voll Verlangen nach dem Gott, ich seufze tief.
Schwer ist mein Herz und müd' vor Traurigkeit.[36]

Schon aus dieser Probe ersieht man, daß die Wu sich auf den Besuch ihrer Gottheiten sorgfältig vorbereiten mußten. Die Duftstoffe, die bei der Purifikation verwandt wurden, dienten wohl auch dazu, das Eintreten des Trancezustandes zu beschleunigen. Wie überhaupt allerlei Rauschmittel bei diesen Zitierungen eine Rolle spielten[37]. Der Gesangsvortrag wurde durch Tanzen und Musik unterbrochen. Die ganze Szene hat, wie man leicht bemerkt, den Charakter eines Treffens zweier Liebender. Und so ist die Ansicht entstanden, daß überhaupt diese Begegnung zwischen Gott und Mensch als eine Art Liebesakt vor sich gehe. Man denkt dabei unwillkürlich an die lockeren Sitten der griechischen Götter, die sich ja auch ungehemmt mit Menschenfrauen paarten. Allen sittenstrengen Konfuzianern mußte das natürlich ein Greuel sein, und so war es denn ganz in ihrem Sinne, daß dieser „Vermischung von Göttern und Menschen" ein Ende bereitet wurde.

Es muß aber zu dem Bilde, das in den „Neun Liedern" von diesen Gott-Mensch-Begegnungen entworfen wird, folgendes bemerkt werden: Diese Lieder, wie sie uns vorliegen, haben nicht mehr den Wortlaut, in dem sie ursprünglich bei solchen Beschwörungsszenen gesungen wurden, und wohl auch nicht mehr den alten Charakter. Es sind ästhetisierende Nachdichtungen eines feingebildeten Höflings, und zwar Nachdichtungen in der Chou-Sprache, wäh-

---

36 Vgl. *Wên I-to* (1956), S. 309–312.
37 *B. Schindler* (1919).

rend sie an sich in der Sprache von Ch'u, einem Thai-Dialekt, vorgetragen wurden[38]. Es ist deshalb anzunehmen, daß sie gewisse Verfälschungen durchgemacht haben, um bei Hofe annehmbar zu werden. Dazu gehört nun meiner Ansicht nach auch die Deutung der Gott-Mensch-Begegnung als romantisches Liebeserlebnis[39]. Anderseits legte die äußere Erscheinung der Wu im ekstatischen Trancezustand eine grob sexuelle Ausdeutung nahe. So lesen wir in den Neun Liedern: „Der Ling (d. h. der verkörperte Wu-Geist), sich ständig wie eine Schlange windend, weilt bereits." Trotzdem aber erscheint es mir nicht angebracht, auf diese Kunstlieder die Ansicht zu gründen, daß männliche Gottheiten nur von Frauen und umgekehrt zitiert werden konnten, weil es eben um eine erotische Liebesbegegnung gehe. Schon allein die Rolle, die der Wuismus im alten Ahnendienst spielt, würde sich nicht damit vereinbaren lassen. Auch die Annahme, daß es sich bei den Wu um junge, wohlgestaltete Personen, die für die Götter erotisch attraktiv wären, handeln müsse, läßt sich nicht aufrechterhalten. Denn sogar in den Neun Liedern lesen wir: „Der Ling, gekrümmt und lahm, ist prächtig gekleidet." Es gibt auch eine Stelle in der Literatur (Shih-chi, Kap. Fêng-shan), die beweist, daß zumindest manche dieser Wu auf Grund einer Krankheit zu den Gottheiten in Beziehung traten.

Anderseits erhebt sich die Frage, was das nun eigentlich für Götter und Geister waren, mit denen sich die Wu in Verbindung setzten.

5. Einige Bemerkungen zum Götter- und Geisterwesen des Wuismus

Auf den ursprünglichen Zusammenhang zwischen Ahnendienst und Wuismus ist verschiedentlich hingewiesen worden[40]. Es ist von daher mit Sicherheit anzunehmen, daß die Wu zunächst nur mit den Geistern ihrer abgeschiedenen Vorfahren auf vertrautem Fuß standen. Ebenso haben wir da und dort die Seelenvorstellung im alten China berührt, die die Basis für das Auftreten solcher Geister überhaupt bildete. Sie wird in einer Tso-chuan-Stelle[41] vom Jahre 534 v. Chr. so dargestellt: „Wenn ein Mensch bei seinem Entstehen die erste Entwicklungsstufe erreicht, dann nennt man das die P'o-Seele. (Mit dieser haftet er im Yin, dem Dunklen.) Nachdem diese P'o-Seele entstanden ist und er dann bei seiner Geburt in den Yang(Licht)-Bereich kommt, entsteht die Hun-Seele. Wenn einer sich nun mit der Feinstmaterie der Dinge (durch Aufnahme der Nahrungsmittel) anfüllt, dann werden Hun- und P'o-Seele gekräftigt. Somit enthalten sie Feinstmaterie und Lichtaktivität und können zu göttlichen Geistern werden."

---

38 *Erkes* (1939).
39 Vgl. dazu auch den Aufsatz Wu-shu yü wu-yin in *Wên I-to* (1956), S. 277.
40 Besonders s. *E. Erkes:* Der schamanistische Ursprung des chinesischen Ahnenkults, in: Sinologica 2 (1950).
41 *Legge* V, S. 613–618, und T'ai-p'ing yü-lan, IV, S. 3935.

Am angegebenen Ort geht es weiter: „Wenn aber ein Mann oder eine Frau aus dem Volk eines gewaltsamen Todes sterben, dann haben ihre Hun- und P'o-Seelen immer noch das Vermögen, sich durch einen anderen Menschen zu manifestieren. Das sind dann die häretischen Giergeister (oder Rachegeister)." Über diese erfahren wir: „Wenn der Geist eines Verstorbenen einen Ort hat, wo er sich hinwendet und versorgt wird, dann wird er kein Giergeist." Es handelt sich also um unversorgte und beleidigte Ahnen- oder zumindest Menschengeister, die sich unter den Leuten umhertreiben und allerlei Schaden anrichten.

Die Personen, „durch die sich diese Geister manifestierten", waren natürlich in erster Linie die männlichen und weiblichen Wu. Und es zeigt sich hier, daß diese nicht nur mit den Geistern ihrer eigenen Vorfahren, sondern nunmehr auch mit irgendeinem umherirrenden (bösen) Geist in Verbindung treten konnten. Bezeichnend ist hier ein im Tso-chuan, Jahr 649 v. Chr., aufgezeichnetes Ereignis, bei dem ein Wu das durch den Rachegeist eines Kronprinzen vom Staat Chinn von den Göttern (Ti) erlangte Urteil mitteilt.

Damit aber wurden die Wu zu Fachleuten des Umgangs mit den Geistern und Dämonen überhaupt[41a]. Sie verstanden sich darauf, gute Geister herbeizurufen und böse zu vertreiben. Diese bösen Geister wurden durch besondere *Fang-hsiang*[42]-Maskentänze beschworen, um sie zu besänftigen oder unschädlich zu machen.

Welche Gottheiten treten nun in den Neun Liedern auf?

Wenn man annehmen kann, daß sich Ahnengeister im allgemeinen in der Nähe ihrer Sippe und deren Gräbergrund aufhalten, dann zeigt bereits die weltweite Entfernung, aus der manche der Neun-Lieder-Gottheiten herbeigeholt werden, daß sie nicht mehr eindeutig in die Reihen dieser gehören.

So begegnen wir hier dem *T'ai-i*, dem „Alleinen", hier „T'ai-i des Ostens", genannt, von dem später (s. S. 114) noch ausführlicher die Rede sein wird.

Bekannt ist auch der „Verwalter der Schicksale" *(Szǔ-ming)*. Dieser scheint damals ein typisch wuistischer Gott gewesen zu sein, der die Wu-Magier in den Stand setzte, die Lebensdauer eines Menschen vorauszusagen. Er wurde später verknüpft mit dem Herdgott der Chinesen, der zu festgesetzten Zeiten dem obersten Gott über das Verhalten der Familienmitglieder berichtete und Länge und Verlauf ihres Lebens bestimmte. Wahrscheinlich wurde er dessen Vorgesetzter.

Andere Götter, wie der oben genannte „Wolkenherr" und der „Herr des

---

41a Sie teilen diese Kenntnis mit den Anrufern (Chu, s. o.) und den Priesterschreibern (Shih). Hinsichtlich der Verwandtschaft dieser letzteren mit den Wu findet sich ein gutes Beispiel im Tso-chuan (*Legge* V, S. 120). Dort gibt ein Shih genaue Auskunft darüber, wie man einen in die Stadt Hsin herabgestiegenen Geist zu behandeln hat.

42 Fang-hsiang soll die äußere Erscheinung eines alten Unheildämons sein, der lt. Chou-li in alter Zeit von einem besonderen Beamten dargestellt wurde.

Ostens" (nach einer Interpretation soll dies die Sonne sein), erinnern sehr an die alten Gottheiten der Windrichtungen. Zumal der letztere scheint wie diese mit Regenerzeugung zu tun zu haben, denn mit ihm zusammen kommen so viele Geister herab, daß die Sonne verdunkelt wird, und er selber trägt ein Regenbogengewand. Auch der Fluß-Gott *(Ho-po)* tritt hier in einem Lied auf. Seine Hauptwirksamkeit ist übrigens ebenfalls das Regnenlassen[43].

Die „Prinzessin" und die „Dame der Hsiang-Insel" (im Tung-t'ing-See) waren wohl Lokalgottheiten. Es gibt aber eine Tradition, nach der sie zwei Töchter des Himmelsgottes gewesen sein sollen[44]. Nach einer anderen aber waren sie die beiden Töchter des legendären Kaisers Yao, die mit seinem ebenso legendären Nachfolger Shun verheiratet wurden. Damit kämen wir wieder in die Sphäre der Ahnenmythologie, deren Götter und Heroen in den Schriften der Konfuzianer eine Hauptrolle spielen. Hier galt die Regel: „Bei Lebzeiten ein hoher Herzog, nach dem Tode eine hohe Gottheit."

Neben solchen Gottheiten, die sich von ihnen zitieren ließen, hatten die Wu-Magier aber auch Spezialschutzgötter. So gab es einen „Ahnherrn (Patriarchen) der Wu", unter dem wir uns den berühmten Ratgeber des zweiten Shāng-Königs Wu Hsien vorstellen können, sowie einen „Protektor der Wu" (Wu-pao) und die „Wu-Ahnen" (d. h. berühmte Wu der Vergangenheit)[45], dazu auch eine besondere Wu-Erdgöttin, die vielleicht nur den weiblichen Wu zur Verfügung stand[45a] und zu der man in die Erde hinuntersteigen mußte.

Dies könnte darauf hindeuten, daß vielleicht auch eine Art Genossenschaft (oder Gilde), jedenfalls irgendeine Art Organisation der praktizierenden Wu existierte[45b]. Und wenn noch ein Beweis nötig wäre, um zu zeigen, daß es sich bei diesem Wuismus um eine wirkliche, alte Religion handelt, so läge er hier vor.

Weitere Götter, mit denen besonders weibliche Wu in Verbindung standen, waren u. a. eine Gottheit, die „Himmelswasser" genannt wurde, ferner die Haus- und Küchengeister (Laren) und andere mehr, deren Namen uns vorliegen, über die jedoch nichts Näheres mehr auszumachen ist.

Schon diese Vielheit der Götter macht verständlich, daß in den Ländern des alten China bereits auch ein Spezialistentum unter den Wu-Magiern entstand, das wir als Bestandteil von Lokalreligionen ansehen können. Jedenfalls scheint es so gewesen zu sein, daß ein (oder eine) Wu meist nur mit einer

---

43 Yen-tzû ch'un-ch'iu, I, 1.
44 *Waley* (1955), S. 31.
45 Shih-chi, Kap. 28; Han-shu, Kap. 25.
45a *Waley* (1955), S. 18.
45b Ein weiterer Hinweis darauf wäre eine Bemerkung im Kommentar zu Shih-chi, Kap. 28: „Die Wu befaßten sich damit, (ihre) Geister in eine Rangordnung zu bringen." Eine solche Rangordnung hatte natürlich ihre Rückwirkung auf die mit den Geistern in Verbindung stehenden Wu und setzt voraus, daß sie sich gemeinsam untereinander darüber besprachen.

Gottheit auf vertrautem Fuß stand und im entsprechenden Aufputz und im Trancezustand nur immer diese repräsentierte. Je nach dem besonderen Machtbereich der Gottheit hatte dann ein Wu eine besondere Fähigkeit, z. B. Krankheiten zu heilen, Voraussagen zu machen, verborgene Dinge zu finden usw.

Es ist natürlich sehr schwierig, diese Götter- und Geisterwelt des Wuismus, die sich übrigens mit jeder Manifestation eines neuen Geistes durch ein neues Wu-Medium ständig vergrößerte, in ein Ordnungssystem zu bringen.

Geht man jedoch davon aus, daß die Regenbeschaffung und Sicherung der Ernten ursprünglich mit die wichtigste Aufgabe der Wu war, dann könnte man ihre Gottheiten einteilen in solche, die diesem Ziel förderlich waren, und solche, die ihm entgegenwirkten.

Dieser Gegensatz zwischen lebenspendender Feuchtigkeit und lebenbedrohender Dürre kommt deutlich zum Ausdruck in einer etwa im 2. oder 3. vorchristlichen Jh. aufgezeichneten alten Legende [46]: „Es war einmal ein Menschenwesen in dunklem Gewand, das nannte sich Pa, Tochter des Gelbkaisers. Der Rebell Ch'ih-yu verfertigte Waffen, um den Gelbkaiser (Huang-ti) zu bekämpfen. Dieser aber beauftragte den Ying-lung (Flügeldrachen), ihn anzugreifen... Der Ying-lung speicherte darauf alles Wasser. Aber Ch'ih-yu bat den Wolkenmeister und den Regengrafen, einen großen Regensturm loszulassen. Der Gelbkaiser jedoch sandte die Himmelsmaid Pa herab, und der Regen kam zum Stillstand. Ying-lung tötete den Ch'ih-yu. Die Pa kehrte nicht nach oben zurück. Wo immer sie hinkam, gab es keinen Regen mehr." „Der Ying-lung aber begab sich mit seinem gesammelten Wasser nach Süden. Deshalb gibt es im Süden viel Regen."

Aus anderen alten Texten geht hervor, daß der Ying-lung einer der wichtigsten Gehilfen des Sündflutbezwingers Yü war. Yü, der für seine Verdienste nach seinem Tode ein Erdgott (Sheh) wurde [47], soll nach der in dem alten Wörterbuch Shuo-wên gegebenen Definition selber ein Wassertierdämon (Drache) gewesen sein.

Die Drachen, zumal in Kopula begriffen, sind die klassischen Regenerzeuger in China. Übrigens bewirkte die enge Verwandtschaft zwischen Drachen und Schlangen, daß man auch durch Ansammeln von Schlangen Regen erzeugen konnte [48]. Schlangen in Kopula waren ein sicheres Anzeichen für Regen.

Es gibt mehrere Arten von Drachen, unter denen die *Chiao-lung*, d. h. in Kopulation begriffene Drachen, für die Regenerzeugung am wirksamsten waren. Um einen in den Wolken schwebenden, den Regen zurückhaltenden Drachen zu bewegen, seinen Samen als Regen fallen zu lassen, wurden deshalb auch große Nachbildungen von weiblichen Drachen (aus gereinigter Erde?)

---

46 Shan-hai ching, Kap. 17 (Ta-huang pei-ching).
47 Huai-nan tzû, Chi-lun.
48 Vgl. Ch'un-ch'iu fan-lu, Abschn. 74.

angefertigt[49]. Man kannte aber auch Licht- oder Feuerdrachen, die Trockenheit bewirkten[50]. Dies zeigt, daß die Rolle des Drachens als Regenbringer nicht völlig eindeutig war.

Die Drachen, die auch ganz konkret als normale Tiere, z. B. Schlange, Quappe, Frosch, Kröte auftreten können, sind im allgemeinen Erscheinungsformen von Himmels- und Erdgeistern und als solche wiederum die Nachkommen legendärer, vergöttlichter Menschenführer, die sich und ihre Untertanen im Kampf gegen übermächtige, unheimliche Naturgewalten behauptet haben.

Dieser Gruppe von Fertilität und Lebenssicherheit fördernden Geistern stand eine andere gegenüber, die wahrscheinlich von der Dürredämonin Pa angeführt wurde. Diese selbst ist, wenn man so will, die Verkörperung der Unfruchtbarkeit. Sie wird beschrieben als eine ausgezehrte, magere Weibsperson mit zwei Paar Augen. Eines davon befand sich oben auf dem Kopf. Deshalb hatte sie dort keine Haare und war auch sonst völlig kahl. Sie war nur etwa 70 bis 100 cm groß und lief völlig unbekleidet schnell wie der Wind umher. Wo sie hinkam, entstand sofort unfruchtbare Dürre. So lesen wir bereits im Shih-ching (Ode Yün-han): „Wie grausam ist die Pa, wie Feuersbrunst!" Es gab, wie sich feststellen läßt, auch eine Fang-hsiang-Maske aus gelbem Metall mit vier Augen[51], durch die sie beschworen werden konnte.

Alle weiblichen Personen, die an Auszehrung litten, galten deshalb als Inkarnationen oder Schützlinge der Pa. Wir haben oben gesehen, wie man mit ihnen zum Zwecke der Regenerzeugung verfuhr.

Wenn wir nun aus Orakelknocheninschriften erfahren, daß diese Wettergötter vom Obergott (Shang-ti) dahin und dorthin geschickt wurden und es also für gewöhnlich am besten war, sich mit diesem in Verbindung zu setzen, scheint es, daß die Wettergottheiten nach dem Ende der Shāng-Dynastie und mit zunehmender Verbreitung des Wuismus im Volk mehr und mehr in den Beschwörungsbereich der Wu-Magier gerieten und fast ausschließlich von diesen behandelt wurden.

Diese Einteilung in fruchtbarkeitsfördernde und fruchtbarkeitsschädigende Geister und Gottheiten würde in gewissem Sinne unter die ersteren auch die geburtshelfenden Ahnengöttinnen der Shāng zu rechnen haben, aus denen sich allmählich die mit Krankheitsheilung betrauten Gottheiten entwickelt haben könnten. Diesen Heilgottheiten entgegen arbeiteten die oben beschriebenen Rache oder Unterhalt suchenden Geister, die als Erzeuger von Krankheiten angesehen wurden.

Eine andere Möglichkeit, diese anschwellende Schar der Geister und Götter

49 Ausführliche Beschreibung s. ebd.
50 *Wên I-to* (1956), S. 39–41. Vgl. auch die Trockenheitsschlange Fei-i im „Index du Chan Hai Ching", Peping 1948, S. 53.
51 *Ch'ên Mêng-chia* (1936).

in eine Art Ordnung zu bringen, wäre gewesen, sie in Anlehnung an die alten Weltgegenden nach ihrem Aufenthalt im Süden, Westen, Norden, Osten und in der Mitte zu beschreiben. Dies könnte vielleicht der Fall sein in dem alten „Klassischen Buch der Berge und Meere" *(Shan-hai ching)*, das aus mehreren Teilen besteht, deren Abfassung etwa in die Zeit von 400 bis 130 v. Chr. fallen dürfte. Schon daß die männlichen Wu, wie wir oben gesehen haben, damit beauftragt waren, sich der religiösen Verehrung der Berge und Gewässer anzunehmen, macht wahrscheinlich, daß die Verfasser dieses Werkes den Kreisen des Wuismus nahestanden oder gar ihnen entstammten. Denn das Shan-hai ching, wie es uns vorliegt, ist nicht einfach eine Art primitiv-geographischer Aufzählung der Berge und Gewässer. Im ältesten Teil des Werkes (Kap. 1–5, etwa 400–300 v. Chr.) erfahren wir von jedem Berg, zu welchen magischen oder heilenden Zwecken die dort vorhandenen Pflanzen und Tiere taugten. Er war also sozusagen ein magisch-medizinisch-geographischer Führer. Auch dies würde sich gut in den Rahmen des Wuismus einfügen, denn im Shan-hai ching selbst werden eine Anzahl von Wu-Familien am Ling-Berg aufgeführt, die sich auf die Verwendung von aus Heilkräutern hergestellten Medizinen verstanden. Über deren Wirkung waren sie natürlich durch Geistermund unterrichtet worden.

Die aufgezählten Berge werden ihrerseits wieder in Gruppen von zehn bis 30 zusammengefaßt und deren Gottheiten durch ein gemeinsames Opfer verehrt. Zumindest bei einer dieser religiösen Handlungen wird die Teilnahme eines Wu und eines Anrufers ausdrücklich genannt. Das ganze Werk ist also im Grunde genommen ein großer Plan zur Verehrung der guten oder bösen Geister und Gottheiten[52] der über das ganze Reich hin verstreuten Berge. Diese Gottheiten werden auf solche Art einer geographischen Ordnung unterworfen.

Auf die Ordnung der chinesischen Götterwelt, die für den Staatskult maßgebend wurde, werden wir später zu sprechen kommen.

D. Spuren eines alten Totemismus

Eine der auffälligsten Erscheinungen im Shan-hai ching sind die Gestalten, unter denen die Gottheiten oder Geister auftreten. Sie sind Kombinationen aus Mensch- und Tierkörper oder auch nur aus Tierkörpern.

Dies legt die Vermutung nahe, daß wir hier Reste eines uralten Totemismus vor uns haben. Diese Ansicht wurde von Wên I-to aufgegriffen und des Nähe-

---

52 Eine Übersicht über diese findet sich im „Index du Chan Hai Ching", S. 16–23.

ren untersucht. Er geht dabei aus von den in der ersten Han-Zeit häufig auftretenden Abbildungen der beiden Gottheiten *Fu-hsi* und *Nü-wa*[53], die immer
als zwei Drachen oder Schlangen mit Menschenköpfen und in Kopula begriffen dargestellt werden.

Wên I-to weist nach, daß diese Figuren ihren Ursprung haben in jenen
Wesen mit Menschenhaupt und Schlangenleib, die im Shan-hai ching in großer Zahl erscheinen, wobei die oft erwähnte Zweiköpfigkeit eben darauf hindeuten soll, daß es sich um ein Paar solcher Wesen in Kopula handelt.

Das chinesische Totemtier katexochen aber ist der Drache. Und dieser wieder soll ein Produkt der unter der Bezeichnung *Hsia* zusammengeschlossenen
Stämme im Bereich des Wei-ho und Huangho sein, die in der Vor-Shāng-Zeit
also wahrscheinlich eine Art Totemgemeinschaft bildeten.

Der chinesische Drache, bestehend aus Schlangenleib mit vier Beinen und
Pferdekopf, wäre demnach aus mehreren Totem kombiniert.

In diese Drachentotemgemeinschaft brach nun aus Osten kommend eine
Vogeltotemgemeinschaft ein, nämlich die Shāng, und drängte den größten Teil
von ihr nach Süden ins Yangtse-Gebiet ab. Dort kommt das alte Drachentotem vielfach an die Oberfläche. So entspricht z. B. das oben genannte (Drachen)paar Fu-hsi und Nü-wa dem *No-kung* und der *No-mu* der Miao-Stämme
und Frisur und Bemalung (Tatauierung) der Yüeh-Völker zeigen, daß sie bemüht sind, den Drachentotem nachzuahmen. Der im Laufe der Zeit infolge
veränderter religiöser Anschauungen in eine Gottheit umgewandelte Drachentotem erlebte später in der Figur des heiligen *Yü* während der Chou-Dynastie
eine Rückkehr aus dem Süden nach Norden.

Ein genaueres Studium der Geister- und Göttergestalten im Shan-hai ching
könnte vielleicht ein wesentlich farbenreicheres Bild von diesem alten chinesischen Totemismus und seiner Geschichte ergeben.

Es fällt z. B. auf, daß im Süden und Norden die Kombinationen von Drachen mit Vogel und Mensch[54] oder die von Schlange mit Mensch vorherrschen,
also wohl eine uralte totemistische Verbindungslinie zwischen Wei-ho und
Huang-ho-Gebiet zum mittleren und unteren Yangtse nachweisbar wird. Zum
Norden gehört übrigens auch der oben genannte rote Feuerdrache, zusammengesetzt aus Menschenantlitz und Schlangenleib[55]. Im Westen treffen wir dagegen auf Wesen, die aus Pferde- und Schafskörper mit Menschenantlitz bestehen. Am verschiedenartigsten sind die Verhältnisse in der Mitte. Bemerkenswert ist, daß hier nicht nur Kombinationen von Mensch mit Drache, Pferd
und Vogel, sondern auch solche mit Schwein vorkommen.

53 Oft beschrieben als zwei menschenähnliche Wesen, die nach der großen Flut übrig-
   blieben und die Menschheit neu erstehen ließen.
54 Die Aufnahme des Vogeltotem in den Drachentotem könnte im Verlauf der Kämpfe
   mit den Shāng erfolgt sein, um den Drachentotem wirksamer zu machen.
55 Tabelle bei *Wên I-to* (1156), S. 44.

Eine weitere Möglichkeit, dem chinesischen Totemismus beizukommen, wäre die Untersuchung alter chinesischer Ortsnamen, von denen manche auf uralte Stein- und Pflanzentotem hinweisen könnten.

E. Heilige Berge

In den späteren Abschnitten des Shan-hai ching, deren Entstehung nach 300 v. Chr. angesetzt wird, tritt das wuistische Element zuweilen deutlich in den Vordergrund. So erfahren wir aus Kapitel 15, daß es einen *Wu-shan*, d. h. einen Spezialberg für die Wu, gab, der auch noch an anderer Stelle und in anderen Texten erwähnt wird. Dies legt es nahe, anzunehmen, daß neben dem Verfahren, die Gottheiten herunter zu beschwören, auch noch ein anderes praktiziert wurde, nämlich zu ihnen hinaufzusteigen. Dies wird bestätigt durch eine Bemerkung im Shan-hai ching (Kap. 7), wo wir unter den Ausführungen zum Wu Hsien-Berg[56], der im heutigen Shansi liegen soll, lesen, daß die Wu dort „in Scharen auf- und abstiegen", jedenfalls um ihren berühmten Ahnherrn Wu Hsien, der wohl dort in einer Art Paradies lebte, zu konsultieren. Aus einem späteren Kapitel (Kap. 16) desselben Werkes erfahren wir außerdem, daß man „Abtauschmenschen" kannte, die zum Himmel hinauf- und wieder herabsteigen konnten.

Neben dem Wu-Berg gab es einen Ling-Berg, dessen genaue Lage ebenfalls schwer zu bestimmen ist, da in der Literatur mehrere Berge dieses Namens vorkommen. Wahrscheinlich handelt es sich um einen Berg in Honan. Nach Untersuchungen von Wên I-to[57] lassen sich mehrere Berge der Wu in dem Südstaat Ch'u lokalisieren.

Jedenfalls erhalten wir hier Kunde von Bergen, die wir als spezielle Wallfahrtsstätten der Wu ansehen können. Höchstwahrscheinlich diente ihre Besteigung dazu, mit den Spezialgottheiten der Wu zu kommunizieren.

Dies erinnert natürlich sehr an die Himmelsreisen der nordsibirischen Schamanen, die bekanntlich nach oben auf einer neunstufigen Leiter vor sich gehen. Und es könnte in diesem Zusammenhang von Interesse sein festzustellen, daß es im alten China eine Gruppe von weiblichen Wu gab, deren Spezialaufgabe es war, den „Neun Himmeln" zu opfern[58].

Daß Götter auf hohen, himmelsnahen Bergen zu Hause waren oder sich zeitweilig auf solche niederließen, ist eine Ansicht, die sich nicht nur auf das

---

56 Im Text steht Wu-hsien kuo. Kuo bezeichnet eine mit einer Mauer umgebene Hauptstadt oder ein Land. Aus dem Kommentar geht aber hervor, daß es sich um einen Berg handelt.
57 *Wên I-to* (1956), S. 96 u. a. o.
58 Z. B. Han-shu, Kap. 25.

alte China beschränkt[59]. Dort aber wurde sie zur Grundlage der verschiedenen Systeme von heiligen Bergen, im allgemeinen fünf an der Zahl, über die wir kurz einiges mitteilen wollen.

Einer der wichtigsten dieser heiligen Berge war, wie schon oben angedeutet, wahrscheinlich der *T'ai-shan* in Shantung.

Im Shan-hai ching[60] kommt dieser Berg nur sehr kurz weg und zeigt keinerlei Hinweis darauf, daß ihm irgendeine größere Wichtigkeit zukommt. Wogegen sich der ebenfalls in Shantung gelegene *Wu-shan* durch den Besitz von acht Stätten, an denen unter Kasteiungen „Göttermedizinen" hergestellt wurden, doch wesentlich stärker als Wallfahrtsort, jedenfalls für die Wu, ausweist.

Dies könnte darauf zurückzuführen sein, daß der T'ai-shan weniger für die Wu als für die Tao-Anhänger von Interesse war. Durch seine Lage im Osten repräsentiert dieser Berg den Ursprung des Lichtes und des Lebens überhaupt. Es war deshalb auch eine seiner Hauptaufgaben, die richtige Zuteilung des fruchtbarkeitspendenden Regens zu dirigieren.

Dies galt zumindest für seinen oberen, sichtbaren Teil. Bei einem kleinen Hügel *(Hao-li)* an seinem Fuß dagegen versammelten sich die Toten, so daß er also zu einem Ort wurde, wo Tod und Leben benachbart waren.

Als Hauptgottheit des T'ai-shan erweist sich schließlich vielleicht doch die bereits genannte „Prinzessin der farbigen Wolken", die Kindersegen schenkte und gegen Augenkrankheiten half. Es ist eine rein taoistische Gottheit, die später der buddhistischen *Kuanyin* gegenübergestellt wurde[61].

Sicherlich war der T'ai-shan mit seiner die nordchinesische Ebene beherrschenden Lage seit uralten Zeiten ein Zentralpunkt der alten chinesischen Kultur[62]. Über den zur Chou-Zeit bei ihm bestehenden Opferdienst haben wir oben (s. S. 47) einige Bemerkungen gemacht.

Im Beginn der Han-Zeit ist der T'ai-shan bereits zu einem wahrhaften Götterberg geworden, zu dem die taoistischen Unsterblichen und Genien hingehen, um „Yadeblumen" zu essen, „Fêng-Wasser" (?) zu trinken und auf Drachen zu reiten[63].

---

59 In China gibt es allerdings auch die Ansicht, daß Berge selbst göttliche Lebewesen sind. Vgl. Yen-tzû ch'un-ch'iu, 15, wo es heißt, daß der Körper des Ling-Berges aus Fels bestehe und die Vegetation seine Behaarung sei. Eine Besteigung kann also auch der direkten Kommunikation mit dem Berggott dienen.
60 Tung-shan ching. Es wird aber unter den Bergen der Mitte noch ein T'ai-shan in anderer Schreibung erwähnt, der in einem m. A. n. zweifelhaften Kapitelanhang mit dem Fêng-shan-Opfer in Verbindung gebracht wird. Im Text des Shan-hai ching kommt ihm keine besondere Bedeutung zu.
61 *Ed. Chavannes:* Le T'ai chan, 1910, S. 12–16. S. auch *Bredon* u. *Mitrophanow* (1937), S. 492/93.
62 Vgl. dazu einen Artikel über die „religiösen Ideen zur Zeit der beginnenden Sklavengesellschaft in China" von *Yang Hsiang-k'uei,* in: Wên Shih Ch'ê, 12 (1955).
63 *Ed. Chavannes:* Le T'ai chan, S. 424/25.

Aber der T'ai-shan war nur ein Berg aus einem System von fünf Bergen, nämlich der Ost-Berg. Dazu gab es einen Berg der Mitte, *Sung-shan*, einen Süd-Berg, *Hêng(Quer)-shan*, einen West-Berg, *Hua-shan*, und einen Nord-Berg, *Hêng*(Beständig)-*shan*.[64]

Der mittlere Berg, Sung-shan, wird ebenso wie der T'ai-shan bereits im Shih-ching erwähnt. Es heißt von ihm, daß er eine Göttin herabgesandt habe, deren Söhne zwei Staaten gründeten, die sich den Chou anschlossen. Auch hier haben wir also einen Götterberg vor uns. Sonderbarerweise wird er im Shan-hai ching nicht aufgeführt, jedenfalls nicht unter diesem Namen.

Ein anderes Problem ist, seit wann dieses Fünf-Berge-System überhaupt existierte. Es ist sicherlich bereits angelegt in der Fünfteilung des ältesten Teiles des Shan-hai ching. Wir finden es genannt im Chou-li, wo die fünf heiligen Berge unter den Gottheiten aufgezählt werden, die mit Blutopfern bedacht wurden. Das System zeigt übrigens hinsichtlich der einbezogenen Berge einige Varianten[65].

Es gab aber auch ein Vier-Berge-System, das den alten Windrichtungen oder etwa auch den vier großen Weltgrenzmeeren entsprach. Es wird z. B. unter den Jahren 557 und 537 v. Chr. erwähnt im Tso-shuan[66]. Allerdings könnte dies Vier-Berge-System einfach so zustandekommen, daß der Mittelberg als Sitz des Königs und Ausgangspunkt der Richtungen nicht mit angeführt wird. Doch finden sich anderseits im Shu-ching eine Reihe von Hinweisen auf ein tatsächliches Vier-Berge-System[67]. Im Anschluß an die dem heiligen Yü zugeschriebene Einteilung des Landes in neue Provinzen[68] existierte auch ein Neun-Berge-System[69].

Wie dem aber auch sei, es steht fest, daß sich am Ende der Chou- und am Anfang der Han-Dynastie das Fünf-Berge-System meist mit den genannten Bergen durchgesetzt hatte.

Im Shan-hai ching konstatieren wir nun außerdem noch den Einbruch eines völlig anderen Berg-Systems, das sicherlich auf außerchinesischen, vom Westen her eindringenden Einflüssen beruht. Es wird hauptsächlich repräsentiert durch den auch in mehreren anderen alten Texten erwähnten Weltzentralberg *K'un-lun*[70].

Er taucht etwa seit dem 4. vorchristlichen Jh. in der chinesischen Literatur auf und hat alle Attribute des indischen *Meru* an sich. Gemäß der alten chine-

---

64 Anderes, aber genau so ausgesprochenes Zeichen wie beim Süd-Berg.
65 Vgl. z. B. Shih-chi, Kap. 28.
66 Über den Übergang von der Vier(Shāng) zur Fünf(Chou) vgl. z. B. *W. A. Rickett:* Kuan-tzû, Hong Kong 1965, S. 193 Anm.
67 In der alten Enzyklopädie Êrh-ya findet sich dazu auch ein Acht-Berge-System.
68 Vgl. Yü-kung, *Legge:* Shoo king (Neudr. 1960), S. 129.
69 Z. B. *R. Wilhelm:* Frühling und Herbst des Lü Bu We, Jena 1928, S. 157.
70 *Ling Shun-shêng* in seinem Aufsatz „K'un-lun-Hügel und Hsi-wang-mu", in: Bull. of the Institute of Ethnology, Acad. Sin., Nr. 22 (1966), will in K'un-lun die Transkription der beiden letzten Silben von „Ziggurat" erkennen.

sischen Weltanschauung, nach der infolge des Bruchs einer Himmelssäule die Erde von Westen nach Südosten geneigt ist, wurde er logischerweise in den Westen verlegt. Dort aber ist seine Lokalisierung sehr ungenau, und er wandert mit zunehmender geographischer Kenntnis der Chinesen immer weiter nach Westen, um gegen Ende der Han-Zeit mehr und mehr aus der ernstzunehmenden Literatur zu verschwinden. Von diesem Berg aus fließen nun vier Ströme in die vier Himmelsrichtungen hinaus, was den K'un-lun bereits als einen zentralen Weltberg ausweist, d. h. einer Welt, die weit über den Bereich des alten China hinausgeht. Denn dies ist hier nur der östlich des K'un-lun liegende Weltteil, der vom Huangho durchflossen wird, der folgerichtig am K'un-lun seinen Ursprung haben muß.

Der K'un-lun war der Götterberg katexochen. Er war die „irdische Residenz des Himmelsgottes" und gemäß den oben erwähnten neun Himmeln in neun Stockwerke geteilt. Er besaß neun Tore, durch die die Götter aus- und eingingen. Unter diesen Toren erlangt das von einem tigerartigen Tier mit neun Menschenköpfen bewachte *K'ai-ming* („erschließen das Licht")-Tor in diesem Zusammenhang eine gewisse Bedeutung, da ostwärts von ihm sechs Wu-Sippen mit dem Unsterblichkeitskraut in der Hand vom Leichnam des menschenfressenden Drachen *Ya-yü*, gebildet aus Schlangenkörper mit Menschenhaupt, den Todesodem zu verscheuchen suchen (?). Am K'un-lun befand sich auch der Paradiesgarten, in dem die „Königsmutter des Westens" *(Hsi-wang-mu)*, menschengestaltet mit Leopardenschwanz, die Pfirsiche der Unsterblichkeit wachsen und reifen ließ.

Dem K'un-lun im Westen entsprach der in einem späteren Teil des Shanhai ching (etwa 200–130 v. Chr.) genannte *P'êng-lai*-Berg im Osten. Es handelt sich aber dabei um eine Insel im Ostmeer, die ein Aufenthalt taoistischer Genien, besonders des *Tung-wang-kung* („Ostkönigsherr"), war. In diesem und der Hsi-wang-mu erkennen wir unschwer die Transformationen alter, oben bereits gestreifter Sonnen- und Mondgottheiten wieder.

Mit K'un-lun und P'êng-lai aber treten wir nun in eine Atmosphäre ein, in der der Wuismus sich bereits stark mit dem Taoismus zu vermischen beginnt.

F. Das Eindringen neuer Wu-Praktiken aus Norden und Süden

Die im Verlauf der Chou- und Han-Dynastie immer intensivere Berührung der Chinesen mit den umliegenden Völkern brachte es mit sich, daß auch auf religiösem Gebiet entsprechende Einflüsse sich geltend machten. Über den vom Westen her eingedrungenen K'un-lun-Komplex haben wir eben kurz berichtet.

Wir erhalten nun ferner in einem Kommentar zum Shih-chi (Kap. 28) einen Hinweis darauf, daß die Wu-Familien, auf die oben verschiedentlich angespielt wurde, zum großen Teil Abkömmlinge einer einzigen Wu-Sippe namens *Fan* aus dem Nordstaat Chin gewesen sein könnten. Von dieser Fan-Sippe, die eigentlich aus dem Land der Hunnen kam[71], stammten die Liu in Ch'in sowie die führenden Wu-Familien in Liang-Wei (etwa Südost-Shansi) und Ch'u ab. Hier hätten wir also eine Gruppe von Vertretern des Wuismus vor uns, die sich, von Norden her nach Westen und Osten und tief in den Süden hinunter ausbreitete.

Aus dem Norden, d. h. von den Hunnen, könnten deshalb auch die mehrfach erwähnten „Neun Himmel" sich herleiten. Denn in einer alten Beschreibung der Han-Hauptstadt Ch'ang-an und ihrer Umgebung[72] heißt es: „Die Wu der Hu (Hunnen) dienen den Neun Himmeln auf der Terrasse (für den Empfang) der Gottheiten."

Eine weitere aus dem Norden kommende wuistische Praktik, die unter der Bezeichnung *Ku* (etwa „schwarze Magie")[73] besonders in der ersten Han-Zeit eine Rolle spielte, war das Vergraben von unheilbringenden Figuren. In der Geschichte der Han-Dynastie[74] lesen wir: „Chiang Ch'ung ließ einen hunnischen Wu in der Erde nach Holzfiguren graben." Dies zeigt, daß diese ausländischen Magier oder Magierinnen auf diesem Gebiet der Wu-Praktiken, ausgeübt zur Schädigung oder Tötung einer gehaßten Person, Spezialisten waren. Die Ku-Kunst wurde vor allem von Frauen dazu benutzt, einen treulosen Liebhaber zurückzubringen oder zu bestrafen. Im Jahre 130 v. Chr. findet erstmalig eine summarische Exekution dieser Fachleute auf dem Gebiet der schwarzen Magie statt[75], um diese Praktiken wenigstens aus den Hofkreisen und der unmittelbaren Umgebung des Kaisers zu entfernen. Dies scheint jedoch wenig geholfen zu haben, denn im Jahre 99 v. Chr. wurde bereits wieder ein Verbot gegen die Wu erlassen, die „Wegopfer" brachten. Aus einer anderen Stelle in der Han-Geschichte[76] erfahren wir, daß sie dabei jedenfalls „menschengestaltete Figuren mit beigefügten Verfluchungen unter den Wegen eingruben", um Unheil über gewisse Personen zu bringen, die darüber schritten. In der Zeit zwischen 92 und 89 v. Chr. kam es schließlich zu einer umfassenden Verfolgung dieser Wu-Praktiker, in Bewegung gesetzt durch den eben genannten Chiang Ch'ung. Diese Aktion erinnert in mancher Hinsicht an unsere Hexenprozesse. Aus der Darstellung erhält man den Ein-

---

71 Vgl. Kommentar zum Hunnen-Kapitel im Han-shu.
72 San-fu ku-shih, das im Grundbestand echte alte Informationen enthält.
73 Das Schriftzeichen zeigt drei giftige Insekten oder Schlangen in einer Schale. Als Terminus dürfte es aber hier nicht dasselbe bedeuten wie diese „Gift-ku", die bereits im letzten Kapitel des Chou-li erwähnt werden.
74 Han-shu, Biogr. des Chiang Ch'ung.
75 H. *Dubs*: The History of the Former Han Dynasty, 1944, Bd. II, S. 41.
76 Ch'ien Han-shu, Kap. 6.

druck, als ob es sich um eine geheime, hunnische Gegenaktion gegen den siegreichen Han-Kaiser handelte[77]. Obgleich der Glaube an die Wirksamkeit
dieser schwarzen Magie allmählich abnahm, verschwindet sie doch niemals
völlig aus der chinesischen Geschichte, sondern kommt in vielen Varianten
immer wieder zum Vorschein.

Andere Wu-Methoden drangen aus dem Süden ein. Dort wurden in Yüeh
(Viet) seit langem schon Ahnengeister verehrt, die bei den Opferfeiern (mit
Hilfe der Wu) sichtbarlich erschienen und allerlei Ratschläge erteilten. Sie
bewirkten, daß einer der dortigen Könige 160 Jahre alt wurde. Dies veranlaßte den Han-Kaiser Wu-ti etwa um 109 v. Chr., diese Wu-Magier aus
Yüeh an seinen Hof zu ziehen[78]. Sie vollzogen ihre Zeremonien auf einer einfachen Terrasse ohne Altar. Mit ihnen kam eine neue Art des Wahrsagens
mittels Geflügelknochen auf. Sie bestand in der Deutung der Löcher und Risse,
die sich an solchen Knochen entdecken ließen[79]. Wenn diese eine menschenähnliche Form zeigten, dann bedeutete das Glück. Außer diesem brachten die
Wu aus Yüeh auch die Methode mit, Tiere zu beschwören. Sie konnten auf
Tigern reiten und Schlangen unter Kontrolle halten. Leider übte einer ihrer
bekanntesten Tigerbändiger seine Kunst im betrunkenen Zustand aus und
wurde deshalb prompt von dem Tiger gefressen[80].

Sie verstanden sich ferner auf eine Praktik, die sich „den Lebensodem an-
blasen und (die Bewegung) verhindern" nannte. Damit bewirkten sie, daß ein
Tiger sich niederlegte, den Kopf neigte und die Augen schloß. Sie konnten
damit aber auch einen Nagel aus der Wand springen lassen. Ferner kannten
sie den Trick, aus einer Schale eine unbegrenzte Menge Wasser fließen zu
lassen u. a. m.

Wir aber sehen, daß sich hier der Wuismus mehr und mehr in allerlei
Zauberkunststücke verliert und damit in einer Geschichte der Religion keinen
rechten Platz mehr findet.

Ich möchte deshalb auch nur noch eine Anekdote einfügen, aus der wieder
hervorgeht, wer die Gegner waren, an denen der Wuismus schließlich scheiterte.

„Zur Zeit des Han-Kaisers Wu-ti war man sehr im Glauben an die von
den Wu beschworenen Geister und Dämonen befangen. Besonders vertraute
man den Wu aus Yüeh. Der berühmte Konfuzianer Tung Chung-shu machte
dem Kaiser deshalb mehrfach Vorhaltungen. Wu-ti wollte nun die (konfuzianische) Lehre einmal auf die Probe stellen und ließ durch einen Wu Verfluchungen gegen Tung Chung-shu richten. Dieser, in Hofkleidung südwärts
gewendet, rezitierte aber seine Klassiker und konnte nicht geschädigt werden.
Der Wu-Magier jedoch fiel plötzlich tot um."[81]

77 Vgl. *de Groot* (1907), Bd. V, S. 826–844.
78 Über die Neigungen dieses Kaisers zu magischen Praktiken s. S. 112.
79 Mem. Hist., III, S. 507.
80 *Ch'ü Tui-chih* (1930), S. 1340.
81 *Ch'ü Tui-chih* (1930), Zitat aus Fêng-su t'ung-i.

Das siegreiche Eindringen der Konfuzianer in die Regierung und die Hofkreise bedeutete die Verdrängung des Wuismus ins Hinterland der Provinzen,
wo schon seit längerer Zeit eine Verschmelzung zwischen ihm und dem Taoismus im Gange war.

G. Der alte Taoismus

Der alte chinesische Taoismus, d. h. der Taoismus vor der Han-Zeit, ist ein
Gebilde, in dem mehrere Strömungen neben- und ineinanderlaufen, um sich
schließlich im Laufe der Han-Zeit gegenüber dem das Amtsleben beherrschenden Konfuzianismus zu einer eigenen Domäne des chinesischen kulturellen
Lebens zu entwickeln.

Einer dieser Ströme ist uns als Wuismus bereits bekannt.

1. Lebensverlängerung

Die beiden anderen, von denen jetzt die Rede sein soll, stimmen darin überein, daß es ihr Hauptbestreben war, das menschliche Leben zu sichern und
nach Möglichkeit zu verlängern.

Dies wurde auf zweierlei Weise erreicht, einerseits indem man ein *Hsien*
(im allgemeinen wiedergegeben als „Heiliger") wurde, oder andererseits, indem
man sich dem großen Gang des Universums widerstandslos anheimgab.

Man könnte annehmen, daß die erste Methode auf der Überlegung beruhte, daß, wenn es die Wu verstanden, Geisterwesen zu sich herab- und in
ihren Körper hineinzuzitieren, es ihnen auch möglich sein müsse, solche
Wesen in sich festzuhalten[82], um so allmählich selbst ein Wesen dieser Art
zu werden. Andererseits aber scheint es doch mehr angebracht, sie als Konsequenz der oben vorgetragenen Lehre von der P'o- und Hun-Seele zu betrachten.

Das Zeichen *Hsien* erhält in einer Enzyklopädie des 7. nachchristlichen
Jhs.[83] folgende Definition: „Hsien bedeutet, alt werden und doch nicht sterben." Das Zeichen selbst besteht aus Mensch und Berg und könnte somit etwa
einen Eremiten im Gebirge bezeichnen. Es gibt aber auch noch eine andere
Schreibung, die zu deuten wäre als „Mensch, der ins Gebirge hinaufsteigt",
d. h. um sich den dort wohnenden Göttern beizugesellen. Das Zeichen (als

---

82 Chuang-tzû, Kap. 4: „Wenn man Ohr und Auge nach innen durchdringen läßt und
   zugleich sich des bewußten Erkennens im Herzen entäußert, dann kommen Geister
   und nehmen (in einem selbst dauernde) Wohnung."
83 Ch'u-hsüeh chi, von Hsü Chien (659–729).

Substantiv) soll erst seit der Ch'in-Han-Zeit im Gebrauch sein[84]. Daraus kann man schließen, daß der Hsien-Glaube erst von dieser Zeit an recht eigentlich in Mode kam. Die Linien, die zu ihm hinführen, lassen sich aber schon in früherer Zeit aufweisen.

Aus der oben gegebenen Definition ersehen wir, daß es sich dabei um zweierlei handelt, um direkte Lebensverlängerung und um Aufnahme in die langlebigen Kreise der Gottheiten.

a. durch Pflege der P'o-Seele

Die primitivste und vielleicht älteste Methode der Lebensverlängerung scheint die gesteigerte Aufnahme von Nahrungs- und Genußmitteln (Alkohol) gewesen zu sein. Im Tso-chuan lesen wir unter dem Jahr 542 v. Chr. von einem Minister *Po Yu* im Staat Chêng (etwa Nord-Honan), der sich dem übermäßigen Genuß alkoholischer Getränke hingab, die von ihm wahrscheinlich als besonders lebensfördernd angesehen wurden (oder im Sinne des Chankuo-Taoismus als dienlich dazu, das „Bewußtsein für die von Tao abgesonderte Individualexistenz" herabzusetzen). Er begab sich dabei in einen unter der Erde angelegten Raum. Jedenfalls um dem dunklen, lebensspendenden Erdprinzip Yin näher zu sein. Es kam ihm also wohl hauptsächlich auf die Stärkung der oben vielfach erwähnten P'o-Seele an, die sich ja im Dunkel des Mutterschoßes bildete. Seine Gelage fanden deshalb auch nachts statt. Um böse Einflüsse fernzuhalten, wurden dabei Glocken angeschlagen.

Dies zeitigte bereits bei Lebzeiten des Po Yu den Erfolg, daß er, ohne sich dessen bewußt zu werden[85], einen Anschlag auf sein Leben übersteht. Schließlich aber erliegt er doch seinen Feinden, wird getötet und begraben.

Aus einem ominösen Unkraut bei seinem Haus wird jedoch der Schluß gezogen, er könne vielleicht noch lebendig sein. Jedenfalls hätten ihm laut Jupiterkonstellation noch zwölf weitere Lebensjahre zugestanden.

Tatsächlich lassen angespeicherte Lebensenergie und Rachgier dem Po Yu keine Ruhe im Grabe. Im Jahre 543 v. Chr. taucht er plötzlich wieder auf, und die Leute, die seiner ansichtig werden, laufen mit dem Schreckensruf „Po Yu kommt" davon.

Jedenfalls haben wir es hier wie auch bei den oben von Mo Ti beschriebenen Fällen mit einer leiblichen Auferstehung zu tun, die darauf beruhte, daß die mit übergroßer Lebens- und Willensenergie geladene P'o-Seele den Toten aus dem Grabe zurück unter die Lebenden bringt.

In der in anderem Zusammenhang zitierten Erklärung des eben geschilderten Ereignisses wurde bereits bemerkt, daß es sich danach um eine Akkumulation von Feinstmaterie und Lichtessenz handele. Vielleicht aber liegt einer

---

84 *Kaltenmark* (1953), S. 10.
85 Man vgl. dazu auch Lieh-tzŭ, Kap. 2: „Wenn ein Betrunkener vom Wagen fällt, kommt er nicht zu Tode, obgleich der Sturz sehr jäh erfolgt."

solchen Ausdeutung an dieser Stelle ein Anachronismus zugrunde, da wir im allgemeinen die Idee, daß der Mensch in seinem Körper einen anderen, abgewandelten, der aus den Feinstteilen des Lichtes oder Feuers bestand, habe oder heranbilde, etwa erst ins 4. vorchristliche Jh. verlegen möchten.

Die Wiederkehr des Po Yu fällt noch in die Zeit des *Konfuzius* (551–579), der selber der Ansicht war, daß Götter Knochen von gigantischen Ausmaßen hatten, also nichts anderes waren als übergroße Menschen[86]. Nach der in seinen Kreisen herrschenden Auffassung mußten ja auch die Abgeschiedenen mit Opferspeise versorgt werden, damit sie ruhig blieben und nicht zu bösen Rache- und Gierdämonen wurden. Ebenso zeigt die große Sorgfalt, die die Konfuzianer auf die Bestattung der Toten verwandten, daß sie dabei in erster Linie das Weiterleben der eng mit dem Körper verbundenen P'o-Seele im Auge hatten[87]. Ein Reflex dieser Vorstellung, daß man durch übermäßige Nahrungsaufnahme das Leben verlängere, findet sich auch im Tao-tê ching (Kap. 3): „Fülle den Bauch! Stärke die Knochen!"

Die oben genannte Feinstmaterie aber steckte nach altchinesischer Ansicht in erster Linie in den „fünf Getreidearten"[88], die, laut Chou-li, deshalb auch zur Heilung von Krankheiten benutzt wurden. Man sollte demzufolge annehmen, daß Po Yu zum Aufbau seiner P'o-Vitalität sich mehr an Körnerfrüchte als an alkoholische Getränke gehalten hätte.

Es scheint aber tatsächlich im 6. vorchristlichen Jh. ein Glaube an die die Lebensenergie stärkende Wirkung alkoholischer Getränke geherrscht zu haben, denn unter dem Jahr 532 v. Chr. lesen wir im Tso-chuan: „T'u K'uai (Hofküchenchef im Nordstaat Chin) trank mit sich selbst und sagte: Der Geschmack (des Weines) dient dazu, den Odem (Ch'i, eigentlich verdickte Luft) zu aktivieren. Mit diesem Odem füllt man dann den Willen (d. h. die Energie) ..."

Mit obiger in Nordostchina zu lokalisierenden, körperlich materiellen Auffassung von Geistern, Genien und Göttern stimmt auch überein, daß dort auf dem alten Gebiet des Vogeltotem die auf vielen Abbildungen der Han-Zeit zu sehenden Feder- oder Vogelmenschen beheimatet sind. Es sind dies Menschenwesen mit verlängertem Kopf und federbedecktem Körper, die vom Boden aufsteigen und ein Stück weit fliegen konnten[89]. Sie spielen eine merkliche Rolle in den späteren taoistischen Vorstellungen von den zu Hsien (Heiligen) gewordenen Adepten, die sich Federn wachsen lassen und in die Luft erheben konnten.

---

86 Vgl. Kuo-yü, Lu-yü, 18.
87 *Wên I-to* (1956), Tao-chiao ti ching-shên.
88 Z. B. Kuan-tzû, Kap. 37. Das Zeichen für „Feinstmaterie", Ching, bedeutet an sich „ausgelesenes oder feinstes Körnergut".
89 Vgl. z. B. *Kaltenmark* (1953), S. 14 und 21.

b. durch Pflege der Hun-Seele

Der Ansicht, die unter Feinstmaterie zunächst wahrscheinlich nichts anderes begriff als fein ausgelesenes Getreide, wirkte später eine andere entgegen, nach der unter Feinstmaterie (Ching) die feinste Materie oder die feinste materielle Emanation überhaupt, nämlich die, aus der das Feuer oder das Licht gemacht war, zu verstehen war. Und dies führt dazu, daß die Technik der Lebensverlängerung von der P'o-Seele fort auf die Hun-Seele verlegt wurde, denn diese bestand aus eben diesem Ching.

Wên I'to [90] ist bemüht, wahrscheinlich zu machen, daß diese Ansicht vom Westen her vielleicht durch tibetische Einwanderer nach China hereingekommen und weiter bis zum alten Nordoststaat Ch'i vorgedrungen ist, um sich dort mit der oben beschriebenen Ansicht „alt werden, aber nicht sterben" zu vermischen. Er stützt sich dabei darauf, daß, wie aus einer Bemerkung im Werk Mo Ti (Kap. 25) zu entnehmen ist, im Westen bei den Ti- und Ch'iang-Tibetern die Feuerbestattung herrschte. Diese hatte seiner Ansicht nach den Sinn, den Fleisch- und Knochenkörper in einen Körper aus Feuermaterie zu verwandeln, der aufsteigend zum Himmel in veränderter Form weiterlebte.

Es handelt sich also hier nicht mehr darum, das Leben des menschlichen Körpers, so wie er war, zu verlängern, sondern ihn in eine andere, aber aus feinster Materie bestehende Form zu überführen, um so eine Lebensverlängerung auf unbestimmte Zeit zu erzielen.

Tatsächlich finden sich Hinweise darauf, daß eine Schule der Makrobiotik im alten China existierte, deren Anhänger, um dies Ziel zu erreichen, einfach ins Feuer sprangen [91].

Anderseits gab es nun aber auch eine alte chinesische Ansicht, nach der der Odem oder die Luft *(Ch'i* [92]*)* der Lebensstoff des Universums war. Dadurch, daß Ch'i versammelt wurde, entstand Leben, wenn aber Ch'i sich zerstreute, Tod [93]. In dieser Luft waren nun wieder Feinstteile *(Ching),* die wie eine Art Agens wirkten, aber ebenfalls aus aufs höchste verfeinerter Materie oder aus feinster Emanation bestanden. In dem Werk Chuang-tzû (Kap. 17) wird darüber ausgesagt: „Das Allerfeinste (Ching) hat keine Gestalt." Mit anderen Worten: es ist so fein und klein, daß es, obwohl es Materie ist, nicht mehr unter einer bestimmten Form vorgestellt werden kann. Bei Huai-nan tzû (Kap. 3) heißt es: „Die Feinstteile des Feuerodems bilden die Sonne. Die Feinstteile des Wasserodems bilden den Mond."

---

90 Shên-hsien k'ao, in *Wên I-to*: Shên-hua yü shih.
91 *Kaltenmark* (1953), S. 35.
92 Besser zu verstehen als Lebensodem oder Fluidum oder Schöpfungsodem oder ähnlich, immer jedoch als eine Art allerfeinster Materie oder materieller Emanation.
93 Z. B. Chuang-tzû, Kap. 22. Dazu heißt es in dem Werk Pao-p'u tzû (Kap. Chihli): „Der Mensch befindet sich in der Luft (Odem), die Luft aber auch im Menschen. Angefangen vom Himmel bis zu den Lebewesen, alles benötigt zum Leben Ch'i (Luft, Odem)."

Die Verbindung zwischen Ching und Ch'i führt denn auch zu einem Begriff *Ching-ch'i*, etwa Feinstodem (Feinstemanation). Über diesen lesen wir im Buch der Wandlungen[94]: „Der Feinstodem bildet Lebewesen, umherschweifende Hun-Seelen bilden das (durch ihn) Veränderte." Im Kommentar dazu wird ausgeführt: „Der Feinstodem von Yin (das Dunkle) und Yang (das Helle) vollendet dadurch, daß er sich konzentriert, die Lebewesen oder durch Ausdehnung die Geistwesen. Die Hun-Seele schweift umher, die P'o-Seele fällt nach unten, beide trennen sich voneinander, und dann entsteht Verwandlung (in Shên-Geist) oder Rückkehr als Kuei (Gierdämon)."

Auch hier dreht es sich um die Verwandlung in einen anderen, mehr permanenten Zustand, der durch die Freisetzung der verstärkten Hun-Seele erreicht wird. Das Agens, das diese Umwandlung vollzieht, sind die Feinstteile (Ching), über die wir folgendes erfahren: „Was den Odem (Ch'i) einheitlich durchwaltet und die Veränderung bewirkt, heißt Ching (Feinstteil, Feinstemanation)."[95]

Damit aber geht Hand in Hand eine völlige Umstellung dieser Praktiken der Lebensverlängerung[96]. Während man bisher bestrebt war, die P'o-Seele mit Hilfe der Getreidefeinstteile aufzufüllen, handelt es sich jetzt darum, die leichten Feinstteile der Luft in sich aufzuspeichern und sozusagen einen Hun-Seelenleib in sich wachsen zu lassen, der beim sogenannten Tod aus dem Fleischknochenkörper wie aus einer zu engen Hülle herausquoll und in die Lüfte emporstieg. Das aber bedeutete, daß der Getreidegenuß strengstens zu meiden war[97]. Im Werk Chuang-tzû (Kap. 1) erhalten wir eine Schilderung davon, was wir uns unter dem Endprodukt dieser Bemühungen vorzustellen haben: „Fern am Ku-i-Berg lebt ein Geistmann (d. h. einer, der sich völlig in die Hun-Seele hinein verwandelt hat). Sein Fleisch und seine Haut sind wie Eis und Rauhreif, aber seine Bewegungen sind leicht und elegant wie die eines jungen Mädchens. Er ißt nicht die fünf Getreidearten, sondern lebt von Wind und Tau..."

Menschen, die diesen Zustand erreichen, haben es nicht nötig, sich wie die oben geschilderten Vogelmenschen mit Fliegen abzumühen. Sie steigen mit Wind und Regen auf und nieder, fahren auf den Wolken und reiten auf Drachen. Ihre Flüge erstrecken sich über alle Zeiten und Räume und sind, wie sich leicht erkennen läßt, die ins Unermeßliche erweiterten Reisen der Wu und der Schamanen.

Trotzdem verschwindet die Methode der Auffüllung und Stärkung der

---

94 I-ching, Hsi-tzû, 4.
95 Kuan-tzû, Kap. 37.
96 Diese Umstellung scheint das Thema im Kap. 19 des Chuang-tzû zu sein. Die Fehler der Lebensverlängerung für den Leib liegen darin, daß einer „auf der Schlafmatte" (beim Sexualverkehr) seine Feinstmaterie verliert und sich durch Essen und Trinken mit grober, schwerer und sterblicher Materie erfüllt.
97 Huai-nan tzû, Kap. 4: „Wer Getreide ißt, wird intelligent, aber stirbt vorzeitig."

P'o-Seele auch nicht völlig von der Bildfläche. Es scheint vielmehr, daß sie ebenfalls erhalten blieb und man sozusagen zwischen zwei Möglichkeiten wählen konnte. Es gab nämlich genau genommen zwei Sorten dieser Feinstmaterie, die Feinstmaterie des *Yang* (Helle, Licht, Sonne), die hinführte zu den Geistern (Shên, d. h. zu den nächsten Artverwandten der Hun-Seele), und die Feinstmaterie des *Yin* (Dunkel, Mond), die in Verbindung stand zu dem, was wir oben als Ling kennengelernt haben[98]. Ling aber war jene magische Kraft, die die Maske eines Wu plötzlich mit Leben erfüllte und die wahrscheinlich auch bewirkte, daß ein Leichnam wieder als mit Leben begabt erschien. Sie führt also in den Bereich der „leibhaftig" wieder auferstehenden P'o-Seele, d. h. aus dem „Sich-Verwandeln", hinaus zu „alt werden, aber nicht sterben".

Zur Zeit der Abfassung der älteren (echten) Kapitel des Werkes Chuang-tzû, d. h. im 4. vorchristlichen Jh., waren diese kurz in den Grundvorstellungen beschriebenen Lebensverlängerungspraktiken hoch im Schwange. Das Ideal, das nach Auffassung des Chuang-tzû (Verfasser Chuang Chou) damit erreicht werden sollte, war der „Wahrhaft-Mensch", der „eigentliche Mensch" *(Chên-jên),* dessen „Nächte ohne Träume und dessen Tage ohne Sorge" waren. Er „atmete tief von den Fersen her", um die Feinstteile der Luft in sich einzuziehen und aufzuspeichern. Er kannte weder die Lust am Leben noch die Furcht vor dem Tode, denn Tod und Leben waren für ihn nur Durchgangsstadien natürlicher Wandlungsvorgänge. Und so heißt es in einem späteren Kapitel (Kap. 27): „Er (d. h. der Chên-jên) kennt weder Tod noch Leben." Beide sind ihm, um mit Chuang-tzû zu reden, so wie Traumwirklichkeit und Wachwirklichkeit, und wir halten jeweils das für die eigentliche „Wirklichkeit", in dem wir gerade befangen sind[99].

Diese „Wahrhaft-Menschen" sind natürlich die Vorläufer der späteren Hsien (s. S. 78). Aus der Art und Weise, wie diese Chên-jên (es sind übrigens ausschließlich Männer) geschildert werden, ergibt sich, daß Chuang-tzû einer Schule angehörte, die das Weiterleben hauptsächlich in der Ausbildung der Hun-Seele suchte.

Außerdem deutet sich bei ihm die Ansicht an, daß diese Chên-jên den eigentlichen Urstatus der Menschheit repräsentieren und die gegenwärtigen Menschen nur eine Art Degenerationsform darstellten. Dies geht daraus hervor, daß er mehrfach von den „Wahrhaft-Menschen des Altertums" spricht[100].

c. durch Meditation

Aber auch die Methode „alt werden, aber nicht sterben" wird im Werk Chuang-tzû nicht ausgeschaltet. Um dies Ziel zu erreichen, treffen wir jedoch

---

98 Ta-Tai li-chi, Tsêng-tzû t'ien-yüan.
99 Chuang-tzû, Kap. 2.
100 Chuang-tzû, Kap. 6.

hier auf ein anderes Verfahren, nämlich die Meditation. Schon im Kapitel 2 werden wir darüber informiert, daß einer, der sich in diesem Zustand der Meditation befindet, „völlig abwesend wie einer, der sein Gegenüber verloren habe", sei. In unsere Begriffswelt übertragen könnten wir das dahingehend umschreiben, daß für ihn der Gegensatz zwischen Erkennendem und Erkanntem zwischen Individuum und Umwelt in einer höheren Einheit aufgehoben wurde. Im Gesamtrahmen des Taoismus haben wir darunter das restlose Sich-Einfügen in den Gang *(Tao)* des uns umgebenden Universums zu verstehen, bei dem das Ich völlig ausgeschaltet wird.

In einem anderen taoistischen Werk [101] findet sich folgende Kennzeichnung des durch dies Verfahren zu erreichenden Ziels: „Unifizierung dieser (oder seiner) Natur (d. h. Einswerden mit der Umgebung), pflegen diesen (oder seinen) Odem (Ch'i) [102] ..., durchdringen zu dem, was die Lebewesen erschafft."

Ein Adept, der diesen Zustand erreicht hat, kennt nicht mehr den Unterschied zwischen Innerem und Äußerem, ebenso trennt er nicht mehr die verschiedenen Data der Sinnesorgane, „sein Herz gerinnt, seine Gestalt löst sich auf", er verliert völlig das Bewußtsein dafür, daß er mit seinem Körper als abgesondertes Individuum der Umwelt gegenübersteht. Sein Odem hat sich mit dem Ur- oder Schöpfungsodem vereinigt.

Genau besehen ist dies nur die extreme Konsequenz einer ebenfalls zu den alten Taoisten gezählten Gruppe, deren erster Vertreter ein Mann namens *Yang Chu* war, der jeder Gefahr und jeder Überbeanspruchung seiner Vitalität sorgfältig aus dem Weg ging, um die ihm von Natur aus zugemessenen Jahre voll auszuleben. Während es sich aber bei ihm nur darum handelte, den Verschleiß durch die Beanspruchung im sozialen Leben fernzuhalten, wird dies jetzt erweitert zur Vermeidung der Abnutzung, die man dadurch erleidet, daß man sich als Individuum aus dem großen Gang der Welt aussondert und sich ihm entgegensetzt. Deshalb wird einer, der diese Absonderung überwunden hat, weder durch Hitze noch durch Kälte verletzt werden, noch kann ihn irgendein Ding oder Lebewesen schädigen. „Selbst wenn Erde und Berge in Feuer aufgingen, er würde nicht gargekocht werden." [103]

Des weiteren ersehen wir daraus, daß es sich bei diesen Taoisten um Leute handelte, die nicht darauf angewiesen waren, durch Amtsstellung oder irgendeine Fertigkeit ihren Lebensunterhalt zu verdienen. Im allgemeinen müssen wir uns darunter Grundbesitzer vorstellen, die es sich leisten konnten, in ländlicher Abgeschiedenheit ihre Ideen zu entwickeln und sich so einzurichten,

---

101 Lieh-tzû, Kap. 2.
102 Bei solchen, die sich im Meditationsstadium befinden, geht der Atem sehr leicht und oberflächlich, wie bei Schlafenden. Es soll dies den Ausgleich zwischen innerem und äußerem Odem bezeichnen.
103 Chuang-tzû, Kap. 1.

daß sie sich ausschließlich der Verlängerung ihres Lebens zu widmen vermochten.

Dies aber unterscheidet die alten Taoisten ganz entschieden von den oben beschriebenen Wu und natürlich auch von den nach Verwendung im Staatsdienst strebenden Konfuzianern.

Die widerstandslose Einordnung in den Gang oder die Bahn (Tao) des Universums führt nun noch zu einer anderen Strömung des alten Taoismus hin.

Aus dem bisher Ausgeführten sollte hervorgehen, daß es zwei altchinesische Ansichten über die Grundlagen des Universums gab, die eine, die annahm, daß alles, was ist, aus Luft (Odem) sein müsse, und die andere, nach der alles, was lebt, aus dem Wasser komme. Zu dieser letzteren vergleiche man zum Beispiel die oben mehrfach betonte Wichtigkeit der Regenbeschaffung. Die Auswirkung der ersten ist kurz beschrieben worden. Aber auch die Spuren der zweiten sind im alten Taoismus deutlich zu verfolgen.

2. Tao-tê ching-Taoismus

Sie lassen sich nachweisen in dem bekanntesten Werk des Taoismus, das in einer späteren Epoche den Titel *Tao-tê ching* erhielt und dessen Abfassung heute von der Mehrzahl der maßgebenden Forscher in die Chan-kuo-Periode verlegt wird. (Ja, es ist deshalb eine Frage, ob nicht vielleicht die echten Kapitel des Werkes Chuang-tzû zeitlich vor dem Tao-tê ching anzusetzen wären.)

Im Tao-tê ching (Kap. 8 und 78) heißt es: „Das oberste Gute ist wie das Wasser. Das Wasser mit seiner Güte nützt allen Wesen, läßt sich aber nicht auf Wettstreit ein. Es wohnt da, wo kein Mensch weilen möchte. Deshalb kommt es dem Tao nahe." „In der Welt ist nichts so biegsam und schwach wie das Wasser. Aber um Hartes und Starkes anzugreifen, ist nichts so geeignet wie gerade das Wasser ...

> Das Schwache überkommt das Starke.
> Das Biegsame überkommt das Harte ..."

Wir sehen also hier, daß das Wasser im alten Taoismus das wichtigste, faßbare, konkrete Beispiel für das Verhalten und die ganze Art des Tao war[104]. Während alles nach oben zum Licht *(Yang)* hin strebt, zieht es sich zurück nach unten in den Bereich des Dunklen *(Yin),* der aber tatsächlich der Ur-

---

104 Vgl. Wên-tzû, Kap. 1: „Wasser ist genauso wie Tao. In seiner Ausbreitung und in seiner Tiefe ist es unermeßlich ... Wenn es die Lebewesen nicht erlangen, leben sie nicht ..."

grund und Quell alles Lebens ist und zu dem auch alles wieder zurückkehren muß.

Der Vorrang dieses mütterlichen, dunklen und feuchten Yin-Bereiches geht, so kann man annehmen, auf uralte Zustände (Matriarchat) zurück. Erst gegen Ende der Chou-Periode tritt der lichte Yang-Bereich (vielleicht unter dem Einfluß mittelasiatischer Lichtreligionen) allmählich in den Vordergrund.

Die obigen Zitate aus dem Tao-tê ching, zu denen auch die berühmte Stelle (Kap. 6) „der Talgeist (d. h. das Allaufnehmende und Fruchtbarkeitspendende) stirbt nicht, das ist, was man das dunkle (mysteriöse) Tierweib nennt", gehört, wären danach wohl Überbleibsel eines stark mit dem Wasser verknüpften Urtaoismus, über den wir uns nur in Vermutungen ergehen können.

Während Tao selbst ohne Formung war, hatte das Wasser ja eine sichtbare und wie Tao ewig wechselnde Form, und man konnte sichtbarlich feststellen, daß und wie es den Lebewesen nützte. Tao selbst aber war für die Sinnesorgane nicht wahrnehmbar, bildete jedoch die Existenzgrundlage alles Seienden überhaupt: „Es ist ohne Form, aber der Ursprung aller Formen. Es ist ohne Klang, aber der Ursprung aller Klänge. Sein Sohn ist das Licht, sein Enkel ist das Wasser. Alles entsteht also doch wohl aus dem Gestalt- (oder Form-)losen!" [105]

Der alte Taoismus wäre also, sofern man ihn unter dem Gesichtspunkt des Religiösen betrachtet, eine Religion des Schwachen, Nachgiebigen, Machtlosen und Verächtlichen, das aber eben deshalb, weil es schwach und machtlos ist, stärker ist als alles Starke und Mächtige.[106]

Die Natur des Weichen und Schwachen aber ist die des Sichanpassens, Einfügens und der Widerstandslosigkeit. Wer oder was jedoch diese Natur hat oder sie sich auf irgendeine Weise zu eigen machen kann, ist am wenigsten der Abnutzung unterworfen, die eben darauf beruht, daß der großen Bahn der Umwelt Widerstand entgegengesetzt wird.

Es ist übrigens bemerkenswert, daß sich dieser mit der Natur des Wassers verbindende Taoismus, soweit ich feststellen kann, im Buch Chuang-tzû nicht nachweisen läßt[107]. Wohl aber taucht er später wieder auf in den Werken Huai-nan tzû und Wên-tzû. Vorwegnehmend soll bemerkt werden, daß er zu taoistischen Lebensverlängerungspraktiken führt, die mit der feinsten wäßrigen Emanation des Menschen, dem Samen, zusammenhängen.

Das Buch Chuang-tzû dagegen ist angefüllt mit jenen übermenschlichen Wesen, die in der Lehre von den Hsien in der Han-Zeit ihre eigentliche Ausbildung finden.

---

105 Huai-na tzû, Kap. 1.
106 Vgl. z. B. Wên-tzû, Kap. 1: „Nachgiebigkeit, das eben ist die Härte des Tao. Schwäche, das eben ist die Stärke des Tao."
107 Wenn wir von einer Bemerkung in Kap. 19 absehen: „Der edle Mann ist schmacklos (fade) wie das Wasser."

Erst nach seiner Vereinigung mit dem Wuismus und der Hsien-Lehre tritt der Taoismus als Religion im eigentlichen Sinne auf. Dies aber geschieht in der auf die Chou-Zeit folgenden Epoche.

Es scheint mir deshalb auch hier noch nicht angebracht, allzusehr auf das einzugehen, was nun eigentlich unter *Tao* zu verstehen sei. Aber bei dem alten Philosophen *Kuei-ku tzû* lesen wir zum Beispiel: „Tao ist der Beginn von Himmel und Erde. Es faßt alle Fäden (des Universums) zu einer Einheit zusammen. Es schuf alle Wesen und ließ den Himmel entstehen. Es umfaßt alles, ohne selbst Gestalt (Form) zu haben."

Damit und in der Art, wie Tao im Tao-tê ching auftritt, kündigt sich schon seine zentralgottähnliche Stellung in der späteren taoistischen Religion an, während wir es hier zunächst aber wohl mehr mit einem philosophischen Universalbegriff zu tun haben, der vielleicht aus der Vorstellung einer ur-alten, dunklen und feuchten Fruchtbarkeitsgöttin und der Idee, daß alles einem ewigen Wandel in der Form des Hinauf und Hinunter (d. h. zurück zu eben dieser Göttin) unterworfen sei, abstrahiert wurde.

IV. DIE RELIGION IN DER CH'IN- UND HAN-ZEIT

A. Die Ch'in-Zeit

1. Ansätze zu Sonderkulten in den Chan-kuo-Staaten

Die von der Hauptlinie der Chou abgespaltenen Zweigsippensiedlungen hatten sich im Laufe der Zeit mehr und mehr zu selbständigen Staaten entwickelt, die sich allmählich mit stark bewachten und befestigten Grenzen umgaben. Die zunehmende Annäherung der Herrschenden an die vorgefundene eingeborene Bevölkerung bewirkte schließlich, daß wir in der Chan-kuo-Periode Staaten vor uns haben, die zwar noch durch einen allen mehr oder weniger gemeinsamen kulturellen Konsens zusammenhingen, im großen und ganzen aber als Nationalstaaten angesprochen werden können.

Dies legt natürlich die Vermutung nahe, daß diese Staaten vielleicht auch in religiöser Hinsicht Unterschiede aufweisen. Leider ist dem seitens der sinologischen Forschung nur wenig Aufmerksamkeit geschenkt worden. Bisher konnte ich nur eine chinesische Arbeit entdecken, in der einiges Material über religiöse Sonderzüge im Westen, Osten, Norden und Süden des alten China vorgelegt wird.[1]

a. Ch'in

Wenden wir uns zunächst dem starken Staat im Westen, *Ch'in*, zu. Hier fällt sofort auf, daß die Herrscherfamilie ebenso wie die Shāng einem Vogeltotem anhing. Daneben gibt es aber auch noch andere Hinweise darauf, daß die ältesten Ahnherren von Ch'in mit den Shāng-Königen eine gewisse kulturelle Ähnlichkeit hatten. So behielten sie z. B. länger als die anderen chinesischen Staaten den Brauch der Shāng bei, mit dem toten Herrscher zusammen lebendige Menschen zu begraben. Sie bewahrten auch den Shāng bis über deren Untergang hinaus die Treue und errichteten sogar für den „bösen" letzten Shāng-König einen Altar[2].

Erst gegen 770 v. Chr. scheinen die Ch'in in eine Art Vasallenverhältnis zu den Chou getreten zu sein. Zu dieser Zeit ließ der Herzog Hsiang von Ch'in einen heiligen Hügel oder Absteigeplatz für Shang-ti aufschütten und vollzog ein aus Pferd, Rind und Schaf bestehendes Opfer, was sich vielleicht ebenfalls

---

1 S. *Liang Ching.*
2 Shih-chi, Kap. 5; Mem. Hist., II, S. 4.

wieder als Anknüpfung an die Shāng-Religion deuten ließe. Das sonst in China nicht gebräuchliche Pferdeopfer könnte auf die Verwandtschaft der Ch'in mit den Nomadenvölkern im Norden des Reiches hinweisen, bei denen es allgemein üblich gewesen zu sein scheint.

Der Shang-ti hat auch sonst eine merkliche Rolle in Ch'in gespielt[3], und ihm soll dort zum erstenmal das auf einem runden Hügel stattfindende Chiao-Opfer dargebracht worden sein[4], das in dieser Form wahrscheinlich bei den Chou damals nicht bestand[5].

Außerdem wird für dies Westland, d. h. das alte Reichsgebiet Yung (etwa die Provinz Shensi und Teile von Kansu), ausdrücklich die Ansicht bezeugt, daß Berge die Wohnstätten oder Absteigeplätze der Götter seien[6] und man sie deswegen dort verehren müsse. Somit könnte dieser Glaube überhaupt seinen Ursprung im Bereich des alten Ch'in haben, wogegen man im Küstengebiet die Unsterblichen auf Inseln im Meer zu finden meinte.

Ebenso wie die Shāng stellten sich die Ch'in auch die Natur mit zahlreichen Geisterwesen belebt vor. So lesen wir unter dem Jahr 739 v. Chr. von einem Baumgeist, der nach Umschlagen seines Baumes in Gestalt eines Stieres ins Wasser floh[7].

Im Jahre 747 v. Chr. entstand in Ch'in ein sonderbarer Kult für einen Stein, der wie eine Fasanenhenne geformt war. Zu dieser kam zu unregelmäßigen Zeiten bei Nacht unter Donner und Blitz wie ein Meteor leuchtend und „iän-iän" schreiend das Männchen zu einer Art heiliger Hochzeit. Es war dies das in der Literatur mehrfach auftauchende „Kleinod von Ch'ên". Man könnte daraus schließen, daß damals bereits in Ch'in eine Idee auftaucht, die im Tao-tê ching (Kap. 28) erscheint als: „wenn man das Männchen zwar kennt, aber dessen Weibchen festhält, dann macht man (das Männchen) zu Allerwelts Knecht".[8]

Die Opfer (Tiere und Wertgegenstände) wurden übrigens wie unter den Shāng auch bei den Ch'in im Boden vergraben. Es gab deshalb bei ihnen nicht den Aufwand an Gefäßen und Geräten wie bei den Chou-Opferfeiern.

Unter dem Jahr 677 v. Chr. wird ein Hundezerstückelungsopfer an die Stadttore zur Abwehr böser Einflüsse aus den vier Windrichtungen erwähnt,

---

3 Vgl. *Schindler* (1923), S. 354.
4 Mem. Hist., III, S. 421.
5 Chiao war laut *B. Schindler* (1924, Neudruck 1964), S. 632, ursprünglich das an einem Kreuzweg den 4 Winden dargebrachte Opfer. Im Li-chi, IX, 2 findet sich eine Stelle, die es als Danksagung an den Himmel für die nach der Wintersonnenwende wieder aufsteigende Sonne ausweist. Mit Shang-ti wird das Opfer *(Schindler,* aaO, S. 638) in Chou erst verhältnismäßig spät in Verbindung gebracht.
6 Mem. Hist., III, S. 421.
7 Mem. Hist., II, S. 18. Sein Name ist etwa Nuo-d'ök. Dieser geht wohl auf ein nicht-chinesisches Wort zurück.
8 Mem. Hist., III, S. 421/22, *Schipper* (1965), S. 45/46, und *Kaltenmark:* Ling-pao (1960), S. 574/75.

das uns ebenfalls sofort wieder an die religiösen Gebräuche der Shāng denken läßt. Bei den Chou war es nicht üblich[9].

Kurze Zeit danach wurde auch die Verehrung eines Grün-Ti *(Ch'ing-ti)* aufgenommen. Dies Faktum hat dazu Veranlassung gegeben, daß man an einer der oben angeführten Stellen die Bezeichnung Shang-ti umgewandelt hat in *Pai-ti* (Weiß-Ti) und weiter folgerte, daß damals schon in Ch'in ein System bestand, in dem fünf Gottkaiser mit den fünf Agenzien („Antriebe", „Durchgangsphasen", d. h. Wasser, Feuer, Erde, Metall, Holz, meist übersetzt als „Elemente"), fünf Weltgegenden und fünf Farben verknüpft wurden. Anderseits wird aber die Tatsache der Einrichtung eines Opferdienstes für den Pai-ti erst unter dem Jahre 422 v. Chr. berichtet[10], wodurch diese Theorie in die Chan-kuo-Zeit verlegt wird, was mit den neueren diesbezüglichen Forschungsergebnissen besser im Einklang steht.

Dies Opfer für den Weiß-Ti soll übrigens das erste in Ch'in gewesen sein, das nicht oben auf einem Berg, sondern unten an dessen Fuß dargebracht wurde. Dort schuf man ein mit einem niedrigen Erdwall umgebenes Viereck, wogegen oben auf dem Berggipfel aus festem Lehm eine menschliche Figur aufgestellt wurde, die den Gott darstellte.

Schon diese wenigen Angaben zeigen, daß im westlichen Teil des alten chinesischen Reiches eine lebhafte religiöse Aktivität herrschte, die trotz dieser geringen Informationen doch einige Sonderzüge erkennen läßt.

Einer davon ist diese Errichtung von heiligen Orten *(Chih)* in Form von Vierecken, die den damaligen Gemüsegärten ähnelten. Dort wurden jedenfalls die Götter mit entsprechendem religiösem Zeremoniell empfangen. Hauptgott dieser Gegend war der oben bereits vielfach genannte und von den Ch'in an mehreren heiligen Orten verehrte Shang-ti. Es bestand auch dort die Vorstellung, daß die toten Herrscher zu ihm in den Himmel hinaufstiegen[11]. Möglicherweise hat man im Laufe der Zeit vier im Osten, Süden, Westen und Norden um die Hauptstadt gelegene Plätze besonders ausgewählt und bevorzugt und mit den entsprechenden Farben ausgestattet. Daraus wieder könnte später unter Hinzurechnung der Mitte der für die Chan-kuo-Zeit charakteristische Fünf-Gottkaiser-Kult entstanden sein.

Erst gegen 325 v. Chr. scheinen die Ch'in die religiösen Gebräuche der Chou wenigstens teilweise übernommen zu haben, indem sie ein *La*-Opfer feierten. Es war dies ein Opfer am Jahresende, bei dem die Jagdbeute den Sippenahnen dargebracht wurde[12].

---

9 Mem. Hist., III, S. 422, und *Tung Yüeh* (1956), S. 271.
10 Mem. Hist., III, S. 429.
11 Mem. Hist., III, S. 423.
12 Mem. Hist., II, S. 70; *Tung Yüeh*, aaO, S. 272.

b. Ch'i und Yen

Wenden wir uns nun vom Westen ab und dem Osten zu, so kommen dort zwei große Staaten in unseren Gesichtskreis, zunächst der Oststaat *Ch'i* und dann der Nordoststaat *Yen*.

Von der wuistischen (schamanistischen) Funktion der ältesten Tochter als Totenrepräsentantin bei den Sippen von Ch'i haben wir bereits früher berichtet (s. S. 59).

Ferner war das Land Ch'i im alten China berühmt durch eine Erdgottfeier, die unter dem Jahre 671 v. Chr. im Tso-chuan erwähnt wird. Es muß dies eine Massenveranstaltung gewesen sein mit Aufmärschen und Schaustellungen, zu der sich sogar die Fürsten aus den Nachbarländern einfanden. Hauptattraktion war ein prächtig aufgeputztes Mädchen, das diese Erdgottheit darstellte[13].

Eine andere Spezialreligion von Ch'i, das wohl wegen Gleichklang der Worte auch als „Himmelsnabel" *(T'ien-ch'i)* bezeichnet wird, war die Verehrung der „acht Götter". Diese soll bereits ins hohe Altertum zurückreichen. Die acht Götter werden wie folgt aufgezählt: Als erster wird genannt der „Himmelsherr" *(T'ien-chu),* dessen Opfer eben beim „Himmelsnabel" stattfand. Letzterer war ein tiefer Abgrund im südlichen Teil von Shantung. Ich glaube nicht, daß man diesen Gott, wie dies geschieht, ohne weiteres mit dem oben vielfach genannten Shang-ti gleichsetzen kann. Ihm folgt der „Erdherr" *(Ti-chu),* dessen Opfer auf dem niedrigen Vorberg Liang-fu des T'ai-shan-Gebirges, dem Schauplatz des späteren Shan-Opfers, vollzogen wurde. In einem Kommentar des Gelehrten Liang Yü-shêng (1745–1819) heißt es dazu, daß man der „Hou-t'u" auf einem runden Hügel inmitten eines Sumpfes zu opfern pflegte, der „Erde" dagegen auf einem einfachen runden Hügel. Seiner Ansicht nach könnte dies auf Lehren zurückgehen, die unter den Küstenmagiern von Yen, Ch'i und Lu verbreitet waren. Möglicherweise ist Ti-chu eine Personifikation des Ch'i-Bodens, während T'ien-chu eine solche des darübergespannten Himmelsteiles darstellt. Der nächste Gott ist der „Waffenherr". Es soll dies eine Bezeichnung für den Urrebellen, *Ch'ih-yu,* der chinesischen Mythologie sein, der vom Gelb-Kaiser *(Huang-ti)* vernichtet wurde. Warum in Ch'i, dessen Herrscherhaus schon im 4. Jh. v. Chr. den Huang-ti als historische Persönlichkeit und Sippenurahn annahm, gerade dieser sein Hauptgegner als Kriegsgott verehrt wurde, erklärt sich wahrscheinlich so: In dem wichtigen Staat Ch'i (Nord-Shantung) wurde in den Jahren 390–385 v. Chr. die Sippe Chiang von der Sippe Ch'ên, resp. T'ien, gewaltsam verdrängt. Der Ahnherr der ersteren war ein großer Kenner der Waffen- und Kriegskunst, der die Chou im Kampf gegen die Shāng beriet. Um ihn sammelte sich der Glaube an den Waffengeist Ch'ih-yu, der also bis 390 v. Chr. zu den respektablen Gottheiten von Ch'i gehörte. Ahnherr der neuen Herrschersippe Ch'ên/

---

13 Ch'ên Mêng-chia (1936), S. 570.

T'ien war aber der Gelb-Kaiser (Huang-ti), der wahrscheinlich mit dem Aufkommen der mächtigen Sippe überhaupt erst in Mode kam. In der Mythe
führt er einen großen, vielbesprochenen Kampf gegen Ch'ih-yu, der nach
seiner Niederlage zum „Erfinder der Waffen, Initiator des Krieges, Urrebellen", kurz zum Kain Chinas wird. Anderseits aber scheint er im
Altertum eine ähnliche Rolle gespielt zu haben wie später der deifizierte
General Kuan Yü. Dies geht daraus hervor, daß ihm der erste Kaiser der
Han-Dynastie vor Beginn der Kämpfe um die Staatsmacht ebenfalls ein Opfer
brachte[14]. Fragen heften sich auch an den „Herrn des Schattenprinzips" *(Yin-
chu)* und den „Herrn des Lichtprinzips" *(Yang-chu)* sowie den „Mond-Herrn"
(Yüeh-chu) und den „Sonnenherrn" *(Jih-chu)*. Es könnte sein, daß es sich hier
um zwei Aspekte einer Sache, nämlich des Lichtes, handelt. Bemerkenswert ist,
daß Yin und Mond vor Yang und Sonne genannt werden, was sicherlich uralten Ansichten über den Vorrang des Dunklen, Feuchten und Weiblichen entspricht, die im alten Taoismus ihren Niederschlag fanden. Der achte und letzte
Gott ist der „Herr der vier Jahreszeiten" *(Szŭ-shih-chu)*. Ihm wurde in Lang-
ya im östlichen Teil von Ch'i (d. h. im südöstlichen Shantung) geopfert, da
nach altchinesischer Ansicht der Ablauf des Jahres von hier aus seinen Anfang
nahm.

Es scheint, daß mit dem Auftreten des Herzogs Huan, des ersten Hegemon
des Chou-Reiches, im 7. vorchristlichen Jh. die Religion des Staates Ch'i sich
mehr und mehr den Chou-Riten anglich, wenigstens die Religion der führenden Gesellschaftsschicht, wogegen sein Vorgänger an den alten Bräuchen des
Landes festgehalten hat. Zur Han-Zeit wurden die Opfer für diese acht Götter
nur noch dargebracht, wenn der Kaiser auf Inspektionsreise bei den alten
Opferstellen vorüberkam[15].

Zu erwähnen ist hier aber vor allem, daß Ch'i wohl schon seit alters die
Heimat einer umfangreichen Gruppe von Magiern war, die eine Lehre von
drei wunderbaren Inseln der Genien im Meer verbreiteten.

Dies leitet bereits über zu dem Nordoststaat Yen. Dieser tritt erst verhältnismäßig spät, d. h. gegen Ende der Ch'un-ch'iu-Epoche, ins Licht der chinesischen Geschichte. Der Name *Yen* (Schwalbe) könnte auf eine alte Vogeltotemgemeinschaft hindeuten, was diesen Staat ebenfalls mit den Shāng in
Verbindung bringen würde. Konsequenterweise ist deshalb auch Yen das
Land, wo die im Abschnitt über den alten Taoismus erwähnten Vogelmenschen beheimatet waren. Von diesen führt dann wieder eine Linie zu den taoistischen Genien, die nach Belieben auf der Erde, im Wasser oder im Weltall
umherschweifen konnten.

---

14 Mem. Hist., III, S. 448.
15 Shih-chi, Kap. 28.

c. Ch'u und der Süden

Ausführlicher werden wir über die im Süden, d. h. besonders in dem großen Staat *Ch'u*, vorherrschende religiöse Situation unterrichtet. Die starke Verbreitung des Wuismus in jener Gegend haben wir bereits erwähnt. Die Wu aus Ch'u erfreuten sich des Rufes, besonders tüchtig in ihrem Fach zu sein. Man kann dies zum Beispiel daraus ersehen, daß im Jahre 531 v. Chr. der Herzog von Ch'i einen Wu namens Wei aus Ch'u kommen ließ, um durch ihn mit den fünf legendären Gottkaisern *(wu Ti)* in Verbindung zu treten.[16] Noch zur Han-Zeit war in der an Ch'u angeschlossenen Landschaft Ch'ên (Nord-Anhui) ähnlich wie in Ch'i das Religionswesen, das ausschließlich aus Wuismus bestand, völlig in der Hand der Frauen.[16a]

Daraus ist leicht zu verstehen, daß in den Ländern zwischen Huai-Fluß und Yangtse und weiter südlich vor allem die Götter verehrt wurden, mit denen man durch die Vermittlung der Wu in Verbindung zu treten vermochte. Man könnte sich auch vorstellen, daß, wie im Abschnitt über den Wuismus bereits angedeutet, die Bevölkerung vielleicht noch mehr als im Norden mit Gemeinden durchsetzt war, die mittels eines oder einer Wu zu deren Spezialgottheiten Beziehungen unterhielten. Es ist darum auch nicht zufällig, daß die oben beschriebene Trennung der durcheinandergemischten Götter und Menschen gerade in Ch'u stattfand[17]. Man hat bei der Lektüre der Darstellung dieser Maßnahme etwa einen Eindruck wie von einem konfuzianischen Missionsunternehmen gegen die vorherrschende Religion der Eingeborenen, die sich ja bereits durch ihre Zugehörigkeit zur Volksgruppe der Thai (Miao) von den Nordchinesen unterschieden[18].

Im einzelnen heißt es übrigens in der Schilderung dieses Vorganges: „Der legendäre Gottkaiser *Chuan-hsü* erhielt (den großen Auftrag). Er befahl Ch'ung, dem Direktor des Südens, den Himmel in Ordnung zu bringen, um dort die Götter zu versammeln, und Li, dem Direktor des Feuers, die Erde in Ordnung zu bringen, um dort das Volk zu versammeln." Obwohl im Kommentar behauptet wird, daß das Wort „Feuer" der Parallelität wegen durch „Norden" ersetzt werden solle, bin ich der Ansicht, daß es zu Recht im Text steht und die beiden legendären Persönlichkeiten mit der Ordnung der Verhältnisse im Süden betraut waren.

16 Vgl. Yen-tzŭ ch'un-ch'iu, I, 14.
16a Han-shu pu-chu, IV, S. 3031.
17 Vgl. Kuo-yü, Ch'u-yü, II, 1.
18 Im Shu-ching, V, 27, wird diese Begebenheit dargestellt als ein Feldzug des „erhabenen Gottkaisers" (Shun?) gegen das Miao-Volk (heute in den südchinesischen Gebirgen ansässig), da bei diesem „grausame Verstümmelungsstrafen im Gebrauch waren", die seinen Unwillen erregten. Er befahl deshalb dem Ch'ung und Li, „die Verbindung zwischen Himmel und Erde abzubrechen, damit keine Geister mehr herabstiegen". Dies ist offenbar eine Maßnahme gegen die Wu. Die legendäre Einkleidung kann nicht darüber hinwegtäuschen, daß es sich um eine Auseinandersetzung des Chou-Volkes mit den Volksgruppen südlich des Yangtse handelt, bei denen offenbar damals der Wuismus herrschte.

Wahrscheinlich ist auch, daß es sich letzten Endes gar nicht um zwei, sondern um eine Persönlichkeit handelt, nämlich *Ch'ung-li,* den legendären Feuerdirektor des legendären Gottkaisers *K'u*[19]. Ch'ung-li aber war der Urahn der Herrscherfamilie von Ch'u. Er hat übrigens auch einen Titel, der sich etwa mit „großes Licht" übersetzen ließe. Das könnte darauf hindeuten, daß wir es mit einem Feuer- oder Metallbearbeitungsgott zu tun haben. Jedenfalls wird er gegen den nordchinesischen Wassergot *Kung-kung,* den Erzeuger der großen Flut, angesetzt und unterliegt. Ch'ung-li stammte übrigens ab von dem eben genannten *Chuan-hsü* und gehörte somit eigentlich zu einer nordchinesischen Gruppe mythischer Persönlichkeiten, denen die göttlichen Heroen der Thai (Miao), z. B. Fu-hsi und Nü-wa, gegenüberstanden.[20]

Dem südchinesischen drachengestalteten Gewittergeist *(Lei-shên)* könnte in Nordchina der eben genannte Kung-kung entsprechen. Vielleicht aber sind sie auch ein und dieselbe Person und Hauptgegner des nordchinesischen Chuan-hsü[21].

Man gewinnt also den Eindruck, daß mit den Herrschern von Ch'u eine Gruppe nordchinesischer, göttlicher Heroen in die Yangtse-Gegend vordrang und deshalb im Anfang ein Bestreben bestand, die dort herrschenden religiösen Gebräuche zurückzudrängen. Anderseits deutet vieles darauf hin, daß die Herrschersippe sich bald mit der Lokalreligion abfand. Besonders der König *Ling* (540–529 v. Chr.) scheint ihr zugeneigt gewesen zu sein. Wir lesen auch im Kuo-yü[22], daß der Ch'u-König *Chao* (515–489) einen Priesterschreiber hatte, „der nach oben mit den Göttern und nach unten mit den Geistern sprechen" und sie für das Land Ch'u günstig stimmen konnte[23].

Ein berühmter Spezialgott von Ch'u war *Ssû-ming,* „der Herr über die Schicksale". Noch zur Han-Zeit wurden ihm in der Hauptstadt von weiblichen Wu aus Ch'u Opfer gebracht. Ssû-ming scheint ursprünglich ein Gehilfe des oben genannten Chuan-hsü gewesen zu sein[24].

Hier wäre auch noch auf eine religiöse Feier hinzuweisen, die an einem Ort *Yün-mêng* („Wolkentraum" im heutigen Hupeh am Yangtse oder in Hunan am Tung-t'ing-See gelegen) stattfand. Es war dies ein Opfer, das besonders den Zweck hatte, vom „hohen (göttlichen) Heiratsvermittler" *(Kao-mei)* Nachwuchs für die Herrschersippe zu erbitten. Es gab jedoch auch ähn-

---

19 Urenkel des Gelb-Kaisers. Er gehört damit zu einem jüngeren, wahrscheinlich erst in der mittleren Chou-Zeit entstandenen Teil der legendären Genealogie des alten China. Im Shan-hai ching (Hai-wai nan-ching) erscheint er zusammen mit drei anderen (wuistischen) Gottheiten als Gott des Südens mit Tierkörper und Menschenantlitz auf zwei Drachen reitend.
20 *Wên I-to* (1156), S. 52/53.
21 *Wên I-to,* aaO, S. 47.
22 Ch'u-yü, II, 7; s. auch *Tung Yüeh* (1956), S. 275.
23 S. auch o. den Abschn. Wuismus, S. 63.
24 *Wên I-to,* aaO, S. 139.

liche Opfer in anderen Staaten; deshalb kann es eigentlich nicht als typisch für Ch'u angesprochen werden [25].

Aus der viel späteren Sung-Zeit (960–1280) erhalten wir in einem Werk, das u. a. die Sitten im heutigen Hupeh und Hunan schildert, nochmals ein Gesamturteil über die lokalen religiösen Gebräuche. Es heißt dort, daß die männliche und weibliche Bevölkerung zu gewissen Zeiten zusammenkomme und unter Trommelbegleitung tanze und singe. Krankheiten würden nicht von Ärzten mit Medikamenten behandelt, sondern mittels bestimmter Orakelmethoden. Suche man Abwehr von Unheil, dann wende man sich an den oder die Orts-Wu. Dies seien die alten Gebräuche von Ch'u [26]. Aus alledem wäre zu folgern, daß das Land Ch'u, was die Religion betrifft, gut und gern als wuistischer Staat angesprochen werden könnte.

Wenn das hier vorgelegte Material auch spärlich ist, so dürfte es doch genügen, um zu zeigen, daß tatsächlich in den Staaten der Chan-kuo-Periode zumindestens Ansätze „nationaler" Sonderreligionen bestanden.

2. Die Religion im Einheitsstaat

Im Jahre 221 v. Chr. wurde zum ersten Mal das gesamte chinesische Reich unter einem Herrscher geeinigt. Dies bedeutet das Ende der Chan-kuo-Staaten und damit auch das Ende der um die einzelnen Herrschersippen entstandenen Sonderstaatskulte, wogegen jedoch viele der eben beschriebenen religiösen Gebräuche im Volk sich weiter erhielten.

Einen Hinweis darauf, daß mit der politischen Einigung des Reichs auch das Bestreben nach einer Vereinheitlichung der Religion aufkam, gibt uns das Fêng-shan-Kapitel des Shih-chi (Kap. 28), das als eine der wichtigsten Quellen der altchinesischen Religion überhaupt betrachtet werden muß. Dort heißt es: „Als Ch'in das ganze Land unter dem Himmel vereinigt hatte, erging ein Befehl an den ‚Minister des (Ahnen)opferwesens' *(Tz'û-kuan)*, alles, was sich über die Opfer an Himmel und Erde, an die heiligen Berge und Gewässer, an die Ahnengeister und Götter feststellen ließe, in der rechten Ordnung aufzunehmen." [27]

Der dann folgende kurze Überblick über das nach Ausführung dieses Auftrages erzielte Resultat wurde – zum Teil wenigstens – im vorausgehenden Abschnitt über die Sonderkulte verarbeitet.

Der von mir als „Minister des (Ahnen)opferwesens" bezeichnete Tz'û-kuan-Beamte kommt im selben Kapitel noch mehrmals vor. Allerdings beziehen sich diese anderen Stellen nicht wie die angeführte auf die Ch'in-, sondern auf

25 *Wên I-to*, aaO, S. 97.
26 *Tung Yüeh*, aaO, S. 276.
27 Mem. Hist. III, S. 440.

die Han-Zeit. Außerdem lesen wir in einem anderen Teil des Shih-chi (Kap. 8, S. 49), daß etwa im Jahre 205 v. Chr. dieser Minister damit beauftragt wurde, die Opfer für Himmel und Erde, die Gottkaiser der fünf Agenzien und die heiligen Berge und Gewässer zu vollziehen. Obgleich ich diese Amtsbezeichnung im Kapitel über das Ämterwesen der Han-Dynastie (Han-shu, Kap. 19) nicht finden kann, möchte ich doch annehmen, daß es sich um einen hervorragenden Sachkenner aller wichtigen Kultangelegenheiten handelt, dem sowohl während der Ch'in- als auch während der Han-Dynastie das gesamte mit dem Staat verbundene und von ihm gebilligte Religionswesen unterstellt war.

Tatsächlich hat ja der erste Han-Kaiser von den Ch'in die amtliche Priesterschaft übernommen. Er ließ sie im Jahre 205 v. Chr. zu sich kommen und ernannte aus ihrer Mitte wieder den „Großanrufer" *(Ta-chu)*, „Großopferer" *(Ta-tsai)*, „Großpriesterschreiber" *(Ta-shih)*, den „Vorstand des Orakelwesens" [28] *(Ta-pu)* und später wohl auch die Priester seines Ahnentempels.

Man kann also mit viel Recht vermuten, daß wir in dem oben genannten „Minister des Opferwesens" und seinen Unterbeamten den frühesten Keim des späteren Ministeriums für Ritus und Religion vor uns haben. Die von ihm geleistete Arbeit würde die erste umfassende Dokumentation der religiösen Situation für die Zeit der Ch'in-Dynastie darstellen.

Allerdings bestanden auch bereits am Chou-Hof einige religiöse Ämter [29]. Zum Teil sind sie im Abschnitt über den Wuismus erwähnt worden. Es scheint aber nicht so, daß die Tätigkeit dieser religiösen Funktionäre einen dokumentarischen Niederschlag gefunden hat, der an sich ja auch zunächst nur für die sehr kleine Königsdomäne der Chou gültig gewesen wäre. Denn die Werke aus der konfuzianischen Ritenschule schildern vielleicht doch mehr ein Idealbild, das eine Art von Richtlinie für die angestrebte kulturelle Reichseinheit darstellte, jedoch nicht eigentlich die tatsächlichen Zustände am Chou-Königshof [30] und noch weniger die an den Fürstenhöfen widerspiegelte.

Dem eben genannten *Tz'û-kuan* dürfte in der Chou-Ämterordnung der *Ta-tsung-po* (etwa „Großmeister des Ritualwesens") entsprochen haben. Seine Aufgabe war es, die Rituale für die Gottheiten im Himmel, für die Manen und die Erdgötter zu überwachen, um dadurch den König bei Einrichtung

---

28 Mem. Hist. III, S. 449. Wahrscheinlich hat zu dieser Zeit der „Priesterschreiber" weitgehend seine religiöse Funktion verloren und wäre besser als „Staatssekretär" zu beschreiben. Er wird aber immer noch ebenso wie der Hofarzt und der Musikmeister unter der mit religiösen Funktionen betrauten Beamtenschaft aufgezählt. Unter diesen religiösen Amtsträgern der Ch'in taucht auch zum erstenmal ein Pi-chu („Geheimanrufer") auf. Dieser trat in Funktion, wenn der Kaiser eine Schuld auf sich geladen hatte, die ihm eine Bestrafung durch den Himmel zuzog. Es war dann die Aufgabe des Pi-chu, diese Strafe vom Kaiser weg auf eine weniger wichtige Person zu lenken (Mem. Hist. III, S. 448 und II, S. 473/74).

29 Z. B. Chou-li, Kap. 5 und 6.

30 Über den Sittenverfall unter den Chou s. z. B. Mem. Hist. III, S. 207.

und Erhaltung seiner eigenen und der diese umgebenden Domänen zu unterstützen [31].

Unter Himmelsgottheiten wären hier etwa zu verstehen *Hao-t'ien shang-ti*, Sonne, Mond und fünf Sterngötter, die über fünf Regionen des Himmels herrschten.

Die Manen wären die Geister ehemaliger Fürsten und berühmter Minister, die angerufen wurden, um ihren Schutz für die gegenwärtige Regierung zu erlangen.

Mit Erdgöttern sollen hier die Boden- und Erntegottheiten, die Geister der heiligen Berge und Gewässer und die Genien einzelner Lokalitäten gemeint sein.

Erst nach den Opferriten für diese werden die Riten im königlichen Ahnentempel erwähnt. Dies zeigt, daß gegenüber dem, was im Abschnitt über den Ahnenkult der Chou gesagt wurde, insofern eine Umstellung stattgefunden hat, als jetzt die Verehrung der für das Wohlergehen des ganzen Landes wichtigen Götter eindeutig den Vorrang erhält. Diese Änderung findet ihren philosophischen Ausdruck in dem Werk *Mêng-tzû*: „Das Volk ist das Wichtigste, als nächstes folgen die Erd- und Erntegötter, am leichtesten wiegt der Fürst" [32] und dürfte sich also erst etwa zur Zeit der Chan-kuo-Staaten bemerkbar gemacht haben.

Über die „Riten und Zeremoniale" des Ch'in-Staates erhalten wir übrigens im Ritenkapitel des Shih-chi (Li-shu) ein Gesamturteil, in dem das oben Gesagte eine weitere Bestätigung findet. Es heißt dort: „Als die Dynastie Ch'in das gesamte Reich in Besitz genommen hatte, wurden in den ehemaligen sechs großen (Chan-kuo-)Staaten sämtliche Riten und Zeremoniale und alles über die Art ihrer Ausführung gesammelt. Daraus wählte man dann aus, was sich am besten bewährt hatte" [33].

Es gibt aber auch ein Zeugnis dafür, daß unter den Ch'in die Lehren der konfuzianischen Ritenschule in Acht und Bann getan wurden, was wesentlich mehr den Tendenzen im neuen, vorwiegend legalistischen Einheitsstaat entsprach, durch den ja, wie später oft betont wird, die Kontinuität der Ritentradition entscheidend unterbrochen wurde. Da außerdem der Ch'in-Kaiser, wie wir gleich sehen werden, sich selber als „Gott" fühlte, konnte man kaum von ihm verlangen, daß er bei Opferfeiern mit seinen göttlichen Kollegen, die zum Teil ja auch seine Untergebenen waren, nach konfuzianischem Ritus verkehren würde. An die Stelle der Ritenschule trat jetzt die Lehre des *Tsou Yen* (etwa 4. bis 3. vorchristliches Jh.) von der zyklischen Aufeinanderfolge der fünf Agenzien und der rhythmischen Wechselwirkung von *Yin* (Dunkel) und *Yang* (Hell). [34]

---

31 Chou-li, Kap. 5.
32 Mêng-tzû, VII B, 14.

33 Mem. Hist. III, S. 209.
34 Ch'in hui-yao, S. 44.

3. Die religiöse Stellung des Kaisers

Die bemerkenswerteste Eigentümlichkeit der religiösen Situation der Ch'in-Dynastie war wohl die Stellung, die der Kaiser in dieser einnahm. Er nannte sich nämlich nicht nur *Ti* (Kaiser, eigentlich „vergöttlichter Königsahn"), wie das nach zunehmender Entwertung des Titels *Wang* (König) am Ende der Chan-kuo-Periode aufkam, sondern *Huang-ti*, „erhabener Gottkaiser", d. h. eigentlich „Gott". Der ganze Titel lautete *Shih-huang-ti*, „erster Gottkaiser" oder „Gottkaiser des Anfangs".

Durch die Annahme dieser Titulatur stellte sich der erste Ch'in-Herrscher auf eine Stufe mit zwei anderen Gottkaisern, dem „Himmelserhabenen" *(T'ien-huang)* und dem „Erderhabenen" *(Ti-huang)*. Der dritte war eigentlich der „Mensch-Erhabene" *(Jên-huang)*, der aber *T'ai-huang*, „Höchst-Erhabener", genannt wurde[35]. An dessen Stelle trat nun *Shih-huang-ti*, indem er zwar das Beiwort „Höchst" *(T'ai)* ablehnte, jedoch das Wort *Huang*, „Erhaben", beibehielt, d. h. er verstand sich in dieser Dreiheit als Primus inter Pares.

Huang ist aber nach dem damaligen Zeitbegriff jemand, der „erleuchtet wurde durch Alleinheit", und *Ti* einer, der „zum tiefsten Sinn des Tao durchdrang"[36]. Der Titel deutet also an, daß sein Träger sich bewußt war, sowohl räumlich als auch zeitlich im Universum eine Sonderstellung einzunehmen, d. h. daß in seiner Person die Herrschaft über alle Räume und die Weisheit aller Zeiten sowie der früheren Herrscher bis zu den göttlichen Kaisern des höchsten Altertums hinauf zusammengefaßt war.

Die Bezeichnung *Ti* enthält aber noch etwas anderes. Wir haben bereits oben bei der Darstellung der religiösen Besonderheiten des West-Staates Ch'in auf die fünf Agenzien-Kaiser hingewiesen. Sie waren die Beherrscher von fünf Regionen des Himmels im Osten, Westen, Süden, Norden und in der Mitte. Zugleich wurden sie durch fünf legendäre Herrscher repräsentiert, die in einer fingierten Vorgeschichte als Nachfolger der drei genannten Huang angesetzt werden. In den chinesischen Texten ist deshalb im allgemeinen die Rede von den drei Huang und den fünf Ti, um damit eine Abfolge politischer Perfektionszustände zu benennen, die als überhistorische Vorbilder bleibende Gültigkeit hatten.

Während der Chan-kuo-Periode war die Verehrung dieser fünf Agenzien-Kaiser mehr und mehr in Mode gekommen. Beschützer der Westregion war der Weiß-Kaiser *(Pai-ti)*. Sein Kult wurde im Weststaat Ch'in, dessen Schutz-

---

[35] Es könnte sich um Gottheiten der alten Volksreligion handeln, die im Shih-chi, Kap. 6, zum erstenmal auftauchen. Die beiden ersten erinnern sehr an den „Himmelsherrn" und „Erdherrn" der im Abschnitt über die Sonderkulte genannten „acht Götter". Anderseits aber könnten es auch einfach generelle Titulaturen der höchsten göttlichen Wesen im Himmel usw. sein.

[36] *Kaltenmark* (1961), S. 20.

heiliger er ja eigentlich war, wahrscheinlich schon sehr früh eingerichtet. Später wurden auch Altäre für den Ost-, Mitte- und Süd-ti aufgestellt, jedenfalls um sich der irdischen Herrschaft über deren Regionen zu versichern[37]. Es fällt auf, daß der Schwarz-Kaiser im Norden, dem das Agens Wasser zugeordnet war, anscheinend nicht besonders verehrt wurde. Dies ist um so sonderbarer, als von den damaligen Fachleuten berechnet wurde, daß Ch'in eben im Zeichen des Agens Wasser herrschte.

Shih-huang-ti aber hatte die Absicht, seine Dynastie zugleich auch die letzte sein zu lassen, d. h. sie für alle kommenden Zeiten zu sichern. Er konnte deshalb die zyklische Ablösung der Agenzien-Kaiser und damit den dauernden Wechsel der Weltbeherrschung nicht anerkennen. Der Zyklus mußte beim Agens Wasser enden. Es gibt deshalb auch eine Ansicht, daß sich Shih-huang-ti selber als Schwarz-Kaiser (Hei-ti) und Herr des Agens Wasser betrachtete. Dem steht jedoch entgegen, daß er als oberster der drei Huang gar keine Veranlassung hatte, sich, und dazu auch nur wieder als Primus inter Pares, unter die Agenzien-Kaiser zu rechnen, da diese ja schließlich nichts anderes waren als die Gehilfen eines, der die große, allgemeine Einigung repräsentierte[38].

Anderseits ist dazu auch festzustellen, daß Ch'in zwar den Westen, Süden und Osten, soweit es damals überhaupt möglich war, regierte oder zumindest in diesen Richtungen seinen Einfluß ohne große Behinderung ausdehnen konnte. Nicht jedoch beherrschte es den Norden, gegen den es sich durch den Ausbau der großen Mauer abschirmte. Obgleich also die Ch'in-Dynastie im Zeichen des Wassers stand, so war sie doch nicht Herr über den Bereich des einschlägigen Gottkaisers oder zumindest nicht über dessen Gesamtheit.

Seiner Stellung als Gottkaiser Rechnung tragend, bezeichnete Shih-huang-ti seine persönlichen Erlasse als „Ming", ein Wort, das wir als „göttlichen Auftrag" kennengelernt haben (s. S. 34). Als Selbstbezeichnung wählte er ein Zeichen Chênn, das im Werk Chuang-tzû (VII, 5) erklärt wird als „Spur". Die Stelle dort heißt: „... umherschweifen, ohne Spuren (zu hinterlassen)". Chênn soll also wohl besagen, daß man zwar die Spur oder die Auswirkung wahrnimmt, nicht jedoch den, der sie hinterlassen hat. Dies aber ist typisch für die Art, wie sich im alten China die Götter bemerkbar zu machen pflegten. Sie hinterließen Spuren, meist in Form riesiger, menschlicher Fußtapfen, ohne selbst jemals gesehen zu werden.

Hierher gehört nun auch der Ratschlag, den Shih-huang-ti von einem Vertreter magischer Wissenschaft in seiner Umgebung erhielt: „Nach den (magischen) Vorschriften soll ein Herrscher über die Menschen zeitweise im Geheimen wandeln, um böse Geister zu vermeiden. Kann er böse Geister vermeiden,

---

37 *Kaltenmark* (1961), S. 22.
38 *Kaltenmark* (1961), S. 26 und Mem. Hist. III, S. 467.

dann wird das Wahrhaftmenschentum erreicht [39]. Wenn die Untergebenen wissen, wo sich der Herrscher aufhält, dann ist das hinsichtlich des Verkehrs mit den Göttern von Schaden. Ein Wahrhaftmensch (oder Gottmensch) aber taucht ins Wasser und wird nicht naß, geht durch Feuer und verbrennt sich nicht, wandelt auf Wolken und Dampf und wird so alt wie Himmel und Erde." [40] Mit anderen Worten, ein Mann dieser Art war einer, den die Götter in ihre Gemeinschaft aufgenommen hatten, der sich genauso wie sie durch alle Zeiten und Räume bewegen konnte und den gewöhnlichen sterblichen Menschen nur erschien, wenn er dies für notwendig befand.

Wie nicht anders zu erwarten, wurde Shih-huang-ti zu der Antwort hingerissen: „Ich will ein Wahrhaftmensch sein!" Und um dies etwas zu beschleunigen, bezeichnete er sich nicht mehr mit *Chênn*, sondern nannte sich *Chên-jên* (Wahrhaftmensch). Außerdem ließ er zwischen seinen 270 Palästen und Pavillonen geheime Wege und Gänge anlegen, die es ihm erlaubten, unverhofft aufzutauchen. Hierher gehören auch seine Inkognito-Ausflüge in die Straßen der Hauptstadt.

Als in der neuen Reichshauptstadt residierender Gottkaiser war Shih-huang-ti natürlich auch der Vorgesetzte sämtlicher Lokalgottheiten des Reiches. Dies kommt darin zum Ausdruck, daß er über diese genauso wie über seine Untertanen Strafen verhängte. Auf einer seiner Reisen erregte die Gottheit des Hsiang-Berges [41] seinen Unwillen, da sie durch schlechtes Wetter die Überfahrt über den Yangtse verhinderte. Er ließ daraufhin den Berg kahl schlagen und rot anstreichen.

Auch die Reisen des Kaisers haben mit seiner gottähnlichen Stellung zu tun. Wahrscheinlich wollte er, das freie Umherschweifen der Götter nachahmend, sich mit den großen und kleinen Gottheiten seines Reiches in Verbindung setzen, sich ihnen sozusagen vorstellen, um ihre Unterstützung zu erlangen. Wenn diese Reisen auch gleichmäßig nach allen vier Richtungen hin zu den großen, heiligen Bergen (s. u. S. 72) vor sich gehen sollten, so scheinen aber doch die Küstenregionen im Osten eine besondere Anziehungskraft auf Shih-huang-ti ausgeübt zu haben. Unter dem ersten Han-Kaiser wird diese Neigung damit erklärt, Shih-huang-ti sei des Glaubens gewesen, daß im Südosten des Reiches ein „Weltherrscherodem" existiere, d. h. daß einmal der Begründer einer neuen Dynastie von dort kommen werde [42]. Durch seine Gegenwart wollte er diese Bedrohung abwehren. Offenbar war er der Ansicht, daß seine göttergleiche Person das geplante Weltenschicksal ändern werde.

Es gibt aber eine vielleicht einleuchtendere Erklärung, nämlich die, daß Shih-huang-ti meinte, in jenen Regionen am ehesten mit seinen Gottkollegen

39 S. den Abschn. „Der alte Taoismus", S. 83.
40 Vgl. Chuang-tzû, VI und Anm. 39.
41 S. o. S. 67.
42 Mem. Hist. II, S. 332.

in direkte Berührung zu gelangen. Besonders in den Küstenstaaten Yen und Ch'i waren ja Praktiken im Schwange, mit deren Hilfe Menschen zu frei umherschweifenden Gottheiten werden konnten. Auch wurde dort gelehrt, diese Halb- oder Ganzgötter pflegten sich auf paradiesischen Inseln im Meer aufzuhalten und ließen von da manchmal einem Auserwählten die Lebensverlängerungsmedizin zukommen.

Shih-huang-ti, dessen Regierung ja im Zeichen des Wassers stand, könnte sich ausgerechnet haben, daß er bei diesen Wassergenien besser abschneiden würde als bei den Himmelsgöttern seiner Heimat im Westen. Bekanntlich rüstete er eine Reihe von Expeditionen nach diesen Wunderinseln aus, von denen jedoch keine ihr Ziel erreichte.

Auch die aus einem magischen Pilz hergestellte Medizin zur Lebensverlängerung bekam er trotz aller Bemühungen nicht. Es schien, als ob die göttlichen Wesen von diesem selbsternannten Gottkaiser, der sich ihnen aufzudrängen versuchte, nichts wissen wollten.

Natürlich bestrebte sich Shih-huang-ti auch, seine Wohnung so einzurichten, wie es sich für einen Gottkaiser geziemte. Im Jahre 220 v. Chr. erbaute er einen Palast, der eine Nachahmung des Sternbildes *T'ien-chi* („Himmelsgipfel", das ist unser Polarstern) darstellte[43]. Dies war der ständige Wohnsitz des *T'ai-i* („Alleinen"), des obersten aller Himmelsgötter[44], von dem wir später noch öfter hören werden. Der in der Nähe vorbeifließende Wei-Fluß wurde als irdische Erscheinungsform der Milchstraße angesehen.

All dies zeigt deutlich, daß Shih-huang-ti sich tatsächlich mehr als Gott denn als Mensch fühlte. Und es ist seine Stellung als Gottkaiser, die dem Religionswesen jener Zeit das Gepräge gibt. Ich brauche wohl kaum besonders darauf aufmerksam zu machen, daß in seiner Person Vorstellungen, auf die im Abschnitt über den alten Taoismus kurz hingewiesen wurde, einen realen Ausdruck finden, vor allem die in den echten Kapiteln des Chuang-tzû immer wieder betonte große Einheit, in der alle Grenzen und damit alle Einzelexistenzen aufgehoben werden. Und diese war eben das Hauptmerkmal der obersten Gottheit.

Auch die brutale Ausnutzung der Arbeitskraft seiner Untertanen und die harten Strafgesetze seiner Regierung stehen nicht im Gegensatz zum Taoismus, denn im Tao-tê ching (Kap. 5) lesen wir: „Himmel und Erde haben keine Menschenliebe. Die Lebewesen sind ihnen so gleichgültig wie Hunde aus Stroh. Auch der Heilige (d. h. der höchste Mensch) hat keine Menschenliebe..."

Gottkaiser standen eben außerhalb über der Menschheit und hatten dieser

---

43 Ch'in hui-yao, S. 372.
44 Mem. Hist., III, S. 467. Offenbar haben wir hier Götter vor uns, die in den Kreisen der Taoisten verehrt wurden.

gegenüber keinerlei verpflichtende Bindungen. Sie konnten sie benutzen, wozu sie wollten.

Schließlich wurde Ch'in Shih-hung-ti in einem kolossalen Grabgewölbe beigesetzt, das in effigie die gesamte chinesische Welt enthielt.

4. Sterngötter

Die oben gemachten Bemerkungen über die Nachahmung des wichtigsten Sternbildes beim Palastbau des Gottkaisers müssen dadurch ergänzt werden, daß einiges über die altchinesischen Sterngötter gesagt wird.

Im Abschnitt über die Shāng-Religion haben wir bereits erwähnt, daß Sonne und Mond, beide als Repräsentanten verschiedener Aspekte des Himmels, schon in den ältesten Zeiten der Chinesen verehrt wurden. Ein „Sonnengeist" erscheint schon auf den Orakelinschriften des 13. Jhs. v. Chr. Ihm war eine Feier gewidmet, die man „Einladung eines Gastes" nannte. Die Einladung ging jedenfalls vom König und seinen Gottahnen aus [45]. Auf den Inschriften findet sich auch mehrfach ein Hinweis auf Sterngeister. Besonders der Jupiter, der Jahresstern, hat hier eine gewisse Rolle gespielt.

Im Tso-chuan lesen wir zum erstenmal etwas von solchen Sterngöttern unter dem Jahr 563 v. Chr. Die Stelle bezieht sich auf den Nachbarstaat des Weststaates Ch'in, nämlich auf Chinn (etwa Shensi). Die Sterngötter wurden dort besonders häufig verehrt, wie aus einer Notiz im Chinn-yü zu entnehmen ist, die sich auf das 7. vorchristliche Jh. bezieht, wo der Ausgang eines Feldzuges aus der Konstellation gewisser Sterne bestimmt wird [46].

Auch für jüngere Zeitperioden wird die Verehrung der Gestirne in den Weststaaten bezeugt. So soll der im Abschnitt über die Sonderkulte genannte Weiß-ti der Ch'in eine Zusammenfassung der Sterne am Westhimmel und überhaupt der Beginn der Verehrung einer bestimmten Sternkonstellation gewesen sein [47]. Das Land im Nordwesten war übersät mit kleinen Tempeln, in denen Sonne, Mond und eine große Anzahl von Sternen, darunter die Planeten Venus, Mars, Jupiter und Saturn sowie die 28 Sternbilder verehrt wurden. Neben diesen Sterngöttertempeln fanden sich auch Stätten für die ihnen nahe verwandten Wettergötter, wie den Windmeister und den Regenmeister.

Seit alters besteht nun auch in China die Ansicht, daß jedem Stern im Himmel ein bestimmter Bereich auf der Erde zugeteilt sei und man deshalb diesen Stern genau beobachten müsse, um zu erkennen, was in seinem entsprechenden Erdgegenstück bevorstehe. Am Ende des Kapitels über Sternkunde im

---

45 *Hu Hou-hsüan* (1944/45).
46 Kuo-yü, VIII, 6.
47 *Hsü Ti-shan*, Taoism (1925).

Shih-chi (Kap. 27, T'ien-kuan shu) wird dies System in den Grundzügen beschrieben: „Seit es überhaupt Völker gibt, hat man den Gang der Sonne und des Mondes, der Planeten und der Gestirne beobachtet" und im Laufe der Zeit darüber Klarheit erlangt. „Im inneren Bereich (der Erde) sind die, die Kappe und Gürtel tragen (d. h. die eigentlichen Chinesen), im äußeren die Barbaren. Das Mittelreich (China) hat man nun in zwölf Provinzen eingeteilt. Blickt man (von diesen) nach oben, dann kann man deren Sternbilder im Himmel betrachten. Blickt man nach unten, dann sieht man, wie sie (die Sternbilder) Muster sind für die Formen auf der Erde. Im Himmel gibt es Sonne und Mond, auf der Erde gibt es (dementsprechend) Yin und Yang. Im Himmel gibt es die fünf Planeten, auf der Erde die Bezirke und Regionen." Jedes Gestirn aber wurde bewohnt von einer Gottheit, die verehrt werden mußte.

Manche dieser Sterngötter treten nun besonders in den Vordergrund. Hier wäre zu nennen der „dunkle Krieger", der Gott einer Sterngruppe am Nordhimmel, nämlich des „Nordpalastes". Er war besonders maßgebend für den Staat Ch'i (etwa Nord-Shantung). Es heißt auch, daß er die Essenz des Schwarz-ti *(Hei-ti)* war, nämlich des Gottkaisers, der den Norden beherrschte[48]. Der „dunkle Krieger" war ein furchtgebietender Gott, der zeitweilig sogar die segensreiche Wirkung des gütigen *T'ai-i* („Alleinen") verdunkeln konnte[49].

Neben ihm gab es den Sterngott „Rotvogel", dem der Süden unterstand, ferner den „Weiß-Tiger" im Westen und den „Grün-Drachen" *(Ts'ang-lung)* im Osten.

Sie alle überragte der Herr des „Mittelpalastes" im „Himmelsgipfel", der bereits genannte *T'ai-i*, der mehr und mehr zum Mittelpunkt eines taoistischen Kultes zu werden begann[50].

Andere bekannte Sterngottheiten sind „Weberin" und „Hirte" (Vega und Aquila), das himmlische Liebespaar, das sich nur einmal im Jahr in der siebten Nacht des siebten Monats begegnen durfte. Wir finden hier auch wieder den „Verwalter der Lebensdauer" *(Szû-ming)*, den wir oben (s. S. 66) als einen der Spezialgötter der Wu kennengelernt haben[51].

Während in der Ch'in-Zeit die Götter der Berge und Gewässer und besonders die Genien der Wunderinseln im Meer noch stark im Vordergrund des religiösen Interesses zu stehen scheinen, treten während der Han-Zeit mit zunehmendem Aufkommen der taoistischen Religion die Sterngötter merklich an die erste Stelle[52].

---

48 Shih-chi T'ien-kuan-shu chin-chu, S. 21/22.
49 Wu-Yüeh ch'un-ch'iu, Kap. 10.
50 Shih-chi T'ien-kuan-shu chin-chu, S. 2, 9, 12 und 19.
51 AaO, S. 8 und 27.
52 Mem. Hist. II, S. 127, Anm. 1.

B. Die Han-Zeit

1. Huang-ti und Lao-tzû

Kein geringerer als der große Sinologe E. Chavannes hat die Ch'in-Zeit das goldene Zeitalter des Taoismus genannt[52]. Man kann diese Bezeichnung aber wohl auch ohne weiteres auf die Han-Zeit anwenden. Wie bedeutend auch der Einfluß des Konfuzianismus auf dem Gebiet der Staatsorganisation immer gewesen sein mag, das geistige und religiös-emotionale Leben wurde vom Taoismus bestimmt.

Der Taoismus dieser Periode begegnet uns unter der Bezeichnung *Huang-Lao*. Dies ist, so wird allgemein angenommen, eine Kombination der beiden Namen *Huang-ti* und *Lao-tzû*.

Huang-ti, den „Gelbkaiser", haben wir bereits oben unter den Gottkaisern der fünf Agenzien als den Beherrscher des Agens Erde und der Mitte kennengelernt. Er tritt aber auch auf unter dem Namen *Hsien-* (oder *Hsüan)-yüan*. Dazu lesen wir im Kapitel über Sternkunde des Chinn-shu[53]: „Hsien-yüan ist der Geist des Huang-ti und hat den Körper eines gelben Drachen... Er beherrscht den Donner- und Regengott." Huang-ti erscheint hier also auch unter den Sterngöttern und war einer der fünf Himmelskaiser. Wenn irgendwo im Reich ein „gelber Drache" gefunden wurde, bedeutete dies, daß eine Herrschaftsperiode des Gelbkaisers ihren Anfang genommen hatte.

Mit Rücksicht auf die Rolle, die Huang-ti im Taoismus spielt, ist es wohl angebracht, ihn etwas in der Literatur nach rückwärts zu verfolgen.

Bezeichnenderweise wird er in ausgesprochen konfuzianischen Texten wie *Lun-yü, Mêng-tzû, Hsün-tzû* und auch im *Chou-li* überhaupt nicht erwähnt. Im *Tso-chuan* dagegen kommt er zweimal vor, einmal unter dem Jahr 634 v. Chr. und nochmals unter dem Jahr 524 v. Chr. Während die erste Äußerung auf den Weststaat Ch'in, das Zentrum des Shang-ti-Kults, Bezug hat, weist die zweite auf einen kleinen Oststaat T'an (Teil von Shantung und Kiangsu) hin. Der Begleittext zur letzteren Erwähnung zeigt außerdem, daß damals in dieser Gegend bereits die Lehre von den fünf Agenzien in einer älteren Form existierte, bevor sie von *Tsou Yen*[54] in sein Universalsystem aufgenommen wurde.

Huang-ti erscheint als neue Figur in der altchinesischen Rekonstruktion der Menschheitsgeschichte. Es wird angenommen, daß die Chou zunächst den heiligen *Yü* als ältesten Menschen betrachteten. Diesem wurden dann von Konfuzius und seinen Schülern *Yao* und *Shun* vorangestellt. Etwa gegen Ende der

---

53 Chinn-shu, T'ien-wên chih (abgefaßt in der T'ang-Zeit).
54 S. o. S. 97.

mittleren Chou-Zeit kommen dann *Huang-ti* und *Shên-nung* (der „heilige
Landmann") auf, denen später wieder die im Abschnitt über die religiöse
Stellung des Ch'in-Kaisers erwähnten „drei Erhabenen" *(San-huang)* übergeordnet werden. Huang-ti war also zunächst ein legendärer „Gottahn" (oder
der erste weltbeherrschende Idealkaiser) aus den Kreisen des beginnenden
Taoismus, mit dem man die anderen an Alter und Ehrwürdigkeit überbieten
wollte.

Im 4. vorchristlichen Jh. ist Huang-ti bereits zu einer historischen Persönlichkeit geworden. Er ist fester Bestandteil des allgemeinen, weit in die Vorzeit zurückreichenden Adelsstammbaums. Bezeichnenderweise betrachten ihn
u. a. auch die Herrscher des merklich vom beginnenden Taoismus beeinflußten
Oststaates Ch'i als ihren Urahn[55].

Huang-ti erweist sich somit als die Hauptpersönlichkeit in einer Gruppe,
die sich von den Heiligen der Konfuzianer, Yao, Shun und Yü, unterschied.
Diese letzteren entstammten ursprünglich der Atmosphäre des Ahnentempels
und wurden in der Schule des Mo Ti in eine Art von Arbeitsheroen um-
gedeutet. Demgegenüber steht Huang-ti („Gelbkaiser") im Bereich des Himmels und der Sterngötter. Er stellt wahrscheinlich eine etwas veränderte Form
des alten Shang-ti („Obergott") oder des von Ch'in Shih-huang-ti erstmalig
repräsentierten Huang-ti („Erhabener Gottkaiser") dar[56].

In den taoistischen Kreisen der ausgehenden Chou-Zeit gilt er als Verfasser oder Inspirator eines oder mehrerer Werke über Heilkunst und Makrobiotik. Wahrscheinlich können wir ihn auch mit dem T'ai-ti („höchster Gott")
in Beziehung setzen, der den allerhöchsten, in den obersten Himmel reichen-
den Gipfel des K'un-lun bewohnte und später zum taoistischen Obergott *Yü-
huang ta-ti* („Jade-erhabener Groß-Gott") wurde[57].

Während Huang-ti also seinem Wesen nach in die Sphäre der Himmelsgötter gehört, haben wir mit *Lao-tzû* aller Wahrscheinlichkeit nach zunächst
einen Menschen und sogar eine zwar unbestimmbare, aber doch historische
Persönlichkeit vor uns. Er erscheint als Patriarch einer Schule, die Sicherung und Verlängerung des Lebens durch das Mittel der Meditation erstrebte.

Wie wir oben (s. S. 84) gesehen haben, bestand diese Meditation grob gesprochen darin, sein „Herz", d. h. das Bewußtsein, von allen nur möglichen
Inhalten zu entleeren, bis man von Stufe zu Stufe aufsteigend einen Zustand
absoluter Leere und Stille erreichte. Es ist deshalb auch nur natürlich, daß das
Leben des Heiligen dieser Schule, wenn man so will, sich im Nichts verlor. Er
verschwand, um das dem Chou-Reich drohende Unheil zu meiden, nach

55 Über die Beziehung des Huang-ti zur Königssippe der Chou s. o. S. 36.
56 *Kuo Mo-jo* (1950), S. 152. (Seiner Beschreibung im Shih-chi [Kap. 1] nach trägt
Huang-ti zunächst mehr den Charakter eines Kriegsgottes.)
57 Huai-nan tzû, Kap. 4, S. 57, und *Kuo Mo-jo* (1950), S. 184.

Westen in Richtung auf den Paradiesberg K'un-lun – nicht jedoch ohne vorher dem glücklichen Paßhüter, Yin Hsi, ein aus 5000 Schriftzeichen bestehendes Werk, nämlich das spätere *Tao-tê ching*, übergeben zu haben.

Je dunkler sich aber das Leben dieses Heiligen in der Geschichte ausnimmt, um so heller wird es im Lichte der ihn umrankenden Legenden. So verbrachte er etwa 62 Jahre im Leibe seiner Mutter, die ihn beim Anblick einer großen Sternschnuppe empfangen hatte. Er kam also bereits in recht vorgerückten Jahren als *Lao-tzû*, „altes Kind", zur Welt. Auf Bildern erscheint er deshalb oft als Greis mit Kleinkindergesicht. Er konnte natürlich gleich bei seiner Geburt sprechen, zeigte sofort auf einen Pflaumenbaum (Li) und sagte, daß er so, nämlich *Li*, heiße. Da er wie alle hochbegabten chinesischen Kinder sehr große Ohren hatte, nahm er den Rufnamen *Erh* (Ohr) oder *Tan* (Langohrig) an. Als sein Geburtsdatum wurde der 4. September des Jahres 604 v. Chr. festgelegt. Das war keineswegs unwichtig, da die Geburtstagsfeiern der Heiligen aus der Gemeinde ein gutes Stück Geld einzubringen pflegen.

In seinem Verhältnis zu Huang-ti erscheint er als dessen mit kosmischer Weisheit begabter Ratgeber und Lehrer, worin sich bereits andeutet, daß er in späteren Zeiten einmal seinen Schüler an Bedeutung überbieten würde.

Es ist allerdings anzunehmen, daß die Tao-Anhänger der damaligen Zeit, wenn sie von Huang-Lao sprachen, gar nicht so sehr an Persönlichkeiten irgendwelcher Art dachten, sondern an zwei verschiedene Gruppen taoistischer Literatur. Dies geht hervor aus einer Bemerkung über die Kaiserin *Tou*[58], die eine fanatische Anhängerin dieser Richtung war: „Die Kaiserin Tou", so heißt es, „liebte die Worte (d. h. die Schriften) des Huang-ti und des Lao-tzû. Der Kaiser, der Kronprinz und alle Mitglieder der Sippe Tou mußten deshalb die Werke des Huang-ti und des Lao-tzû studieren und deren (Staats)kunst (Shu) in Ehren halten."

2. Der politische Taoismus

Schon diese letzte Äußerung zeigt, daß die Huang-Lao-Lehre keineswegs nur weltabgewandt und ohne Beziehung auf die politischen Vorgänge war. Ein Konfuzianer, der der Kaiserin *Tou* auf ihre Frage, was er von den Schriften des Lao-tzû halte, antwortete, daß es sich dabei doch nur um Ansichten aus den Kreisen der Dienstboten in den großen Familien handele, die nur sehr beschränkt anwendbar seien, wurde von ihr prompt zum Schweinehüten verurteilt[59]. Wir aber ersehen daraus, daß der Taoismus der Intellektuellen in entsprechend veränderten Formen in unteren Volkskreisen Fuß gefaßt hatte.

Tatsächlich waren damals die gebildeten und schriftkundigen Taoisten für

---

58 Shih-chi, Kap. 49, S. 37. Sie starb 135 v. Chr.
59 Shih-chi, Kap. 121, S. 31; Han-shu VIII, S. 5167. Wahrscheinlich sah die Kaiserin darin eine Anspielung auf ihre eigene niedere Abkunft.

die in die Ämter strebenden Konfuzianer eine unangenehme Konkurrenz. So wurde zum Beispiel um 194 v. Chr. ein bekannter Vertreter der Huang-Lao-Staatskunst als Minister in die Regierung des Landes Ch'i berufen, da die nach Vorschlägen für die Besserung der dortigen Zustände befragten Konfuzianer sich wie üblich nicht einig werden konnten. Er verwaltete das Land gemäß dem Grundsatz: „Wert legen auf Reinheit und Ruhe, dann ordnet sich das Volk von selber." Seiner Regierung war großer Erfolg beschieden, und binnen neun Jahren war Ch'i eines der bestgeordneten Länder im Reich[60].

Eine seiner Maßnahmen war jedenfalls die Abschaffung des scharfen Strafwesens und der mit Kollektivverantwortung verbundenen gegenseitigen Beaufsichtigung, die die legalistische Regierung des Ch'in-Staates beim Volk höchst unbeliebt gemacht hatten. Seiner Ansicht nach mußte man auch den asozialen Elementen des Landes in den Gefängnissen und auf den Märkten eine Zuflucht lassen. Denn wenn sie dort Ruhe hätten, würden sie keine Revolten anzetteln[61]. Man gewinnt von diesem Minister den Eindruck eines gutmütigen und weisen Patriarchen, der seine Untertanen fast unmerklich mit Milde und Verständnis im Zaume hielt.

An sich jedoch pflegte der politische Taoismus auf Staatsämter keinen großen Wert zu legen. Er interessierte sich nur für eine politische Person, nämlich für den Kaiser, der ja das Wesen und die Macht des Staates in sich verkörperte. Denn „indem man den Himmelssohn auf den Thron setzt, dadurch kommt das Reich zustande; es ist nicht so, daß man durch Errichtung des Reiches einen Himmelssohn zustande brächte".[62]

Es ist das Bestreben dieser taoistischen Richtung, das Verhalten des Kaisers mit dem großen Gang (Tao) des Universums in Einklang zu bringen, ihn dessen Kreislauf sozusagen mit durchlaufen zu lassen, damit keinerlei Reibung zwischen Staat und Universum aufkommen konnte. Praktisch bedeutete dies, daß die Regierung ausschließlich nach den Ratschlägen eines taoistischen Weisen geführt werden sollte, der selbst jedoch ohne Amt blieb.

Das klassische Werk dieser Schule trägt den Titel Huai-nan tzû[63]. Es wurde verfaßt unter der Protektion des Prinzen Liu An, der ein Enkel des ersten Han-Kaisers war und im 2. vorchristlichen Jh. lebte. Unähnlich anderen Standesgenossen liebte er die Studien und zog an seinem Hof namhafte Vertreter der sogenannten „dunklen" oder „erdgebundenen Künste" (Fang-shu) zusammen, die man gewissermaßen als die Vertreter der damaligen „Wissenschaft" bezeichnen kann. Diese sind die Verfasser des Werkes. Es versteht sich von selbst, daß es ihr hauptsächliches Bemühen war, den Prinzen Liu An mit

---

60 Shih-chi, Kap. 54, S. 67. Ähnliche Beispiele aus vorhergehenden Epochen s. Huai-nan tzû, S. 129.
61 Vgl. Tao-tê ching, Kap. 49: „Ich lasse den gelten, der Gutes tut. Ich lasse auch den gelten, der Böses tut. Und dadurch wird aus böse gut."
62 Zit. aus Kuo Mo-jo (1950), S. 166.
63 Erster Titel des Werkes war Hung-lieh („großes Licht").

guten Ratschlägen für die Regierung zu versorgen. Von welcher Basis sie dabei ausgingen, zeigt folgende Stelle: „Einer, der das Tao verkörpert, kennt weder Trauer noch Freude, weder Vergnügen noch Ärger. Er sitzt da ohne Sorgen; er schläft ohne Traum. Die Dinge kommen auf ihn zu, und er gibt ihnen Namen; die (Staats)geschäfte kommen auf ihn zu, und er wird ihnen gerecht. Der Herrscher ist das ‚Herz' (Zentrum) des Landes. Ist das Herz in Ordnung, dann haben alle Körperteile Ruhe; ist das Herz verstört, dann sind sie alle in Verwirrung. Wenn deshalb bei einem das Herz geordnet ist, dann vergessen Glieder und Körper einander. Wenn das Land geordnet ist, dann denken Fürst und Minister nicht mehr aneinander." [64]

Der taoistische Grundtenor des Ganzen tritt hier bereits deutlich in Erscheinung. Da aber Huang-ti (Gelb-Kaiser) insgesamt nur etwa dreimal genannt wird, Lao-tzû dagegen überall vorkommt und seine Lehre im Kapitel 12 sogar das Hauptthema bildet, können wir annehmen, daß die Verfasser größtenteils zur Schule des letzteren gehörten [65] oder daß sich „der weise Ratgeber" bereits in den Vordergrund zu schieben beginnt.

Anderseits sind sie aber auch sehr bewandert in den konfuzianischen Geschichtskonstruktionen, die an Yao, Shun und Yü angeknüpft werden. Besonders vom zehnten Kapitel an werden diese oft zu den in altchinesischen Texten üblichen historischen Ableitungen und Exemplifizierungen benutzt. Auffällig ist auch das häufige Auftreten des Shên-nung („heiliger Landmann"), des Hauptheiligen der Ackerbauschule. In den taoistischen Gesamtrahmen des Werkes werden also die Gedanken mehrerer anderer Geistesrichtungen der damaligen Zeit eingefügt.

Dieser eklektische Charakter nun macht es etwas unklar, wer eigentlich mit dem häufig genannten „Heiligen" (Shêng-jên) gemeint ist. Jedenfalls war dieser eine Art politisch-religiöses Universalgenie und Vorbild aller Herrscher und Menschen. Er war übrigens auch der „Erzeuger der Volksmasse" [66]. Er aß gemäß seinem leiblichen Fassungsvermögen, bekleidete sich entsprechend seiner Gestalt und übte strikte Kontrolle über sich selbst. „Wie könnte (in ihm) wohl ein mit Begierden beschmutztes Herz entstanden sein?" [67] Er richtete sein Leben nach den fünf Agenzien und deren wechselndem Odem ein, und so kam die Regierung niemals in Unordnung. [68]

Schon diese kurzen Bemerkungen zeigen, daß die „göttliche Freiheit und Willkür" des Ch'in Shih-huang-ti den Han-Kaisern nicht anempfohlen wurde. Aus dem 5. Kapitel ersehen wir, daß der „Himmelssohn" sich dem Verlauf

---

64 Huai-nan tzû, S. 153.
65 Die Huang-ti-Lehre könnte aber in einem weiteren, nicht überlieferten Teil des Werkes abgehandelt worden sein.
66 Huai-nan tzû, S. 65.
67 Huai-nan tzû, S. 30.
68 Huai-nan tzû, S. 123.
69 Frühling, Sommer, Herbst und Winter mit je 3 Monaten.

der Jahreszeiten anzupassen und wie ein braves Zirkuspferd mit ihnen im Kreise zu traben hatte. Kleidung, Auftreten und Verhalten des Kaisers, sogar seine Beziehungen zu den Konkubinen, mußten jedem der zwölf Jahresabschnitte angepaßt werden. Nur dann war er imstande, „das Herz des großen Heiligen in sich zu hegen und in ihm die Gefühle der Lebewesen wie in einem Spiegel zu reflektieren", nur so konnte er „nach oben mit Göttern und Ahnengeistern Freundschaft schließen" und „nach unten mit dem Schöpfer zusammen die Menschen formen".[70]

An sich sind die hier letzten Endes zugrundeliegenden Ideen nicht völlig neu. Auf S. 55 wurde bereits der Einfluß, den der Herrscher durch seine Haltung auf das Wetter ausübte, angedeutet. Hier wird nun der Kaiser in ein System eingespannt, das in seinen Grundzügen jedenfalls der Ackerbauschule (*Nung-chia*) entstammt und unter dem Terminus *Yüeh-ling* („Mond- oder Monatsauftrag") mehrfach in der alten chinesischen Literatur auftaucht. Der Herrscher mußte sich letztlich wieder zur Sicherstellung der Ernten diesem von Saison zu Saison wechselnden „Auftrag" unterziehen. Jeder Fehler, den er dabei machte, hatte Naturkatastrophen zur Folge.

Wir sehen hier, daß der Taoismus eine Verbindung mit der von den Konfuzianern als „anarchistisch" abgelehnten Ackerbauschule einging und deren Lehren dazu benutzte, den keinem menschlichen Gesetz unterworfenen Herrscher in die Normen des Weltalls einzuspannen.

Absolute Toleranz gegenüber den im Volk umgehenden Lehren war nämlich, so kann man wohl sagen, das Hauptmerkmal des Taoismus und unterscheidet ihn dadurch von der zeitweilig recht unduldsamen und moralisch engstirnigen Haltung der Konfuzianer. Der Taoismus ist seinem eigentlichen Wesen nach darauf angelegt, ein tiefes Sammelbecken für sämtliche geistigen und religiösen Richtungen zu bilden. Sein Vorbild findet er im „nie sterbenden Talgeist", zu dem alles hinabströmt.

Während der Konfuzianismus in seinem letzten Grunde auf dem Ritus im Ahnentempel beruhte, bewegte sich der Taoismus in der Sphäre der Himmelsgötter und Naturgeister. Und von dieser ausgehend versuchte er durch einen von dorther inspirierten Weisen auf das Staatswesen und vor allem auch auf die Staatsreligion Einfluß zu gewinnen. An der Spitze des Ganzen aber stand der Kaiser. Er war deshalb das natürliche Ziel, auf das der politische Taoismus seine Lehre ausrichtete.

Für seine Begünstigung des Taoismus durfte Liu An, der Prinz von Huainan, denn auch mit seinem gesamten Hauswesen, Hunde und Hühner eingeschlossen, gen Himmel fahren.

---

[70] Huai-nan tzû, S. 178.

3. Ming-t'ang und Fêng-shan-Opfer

Die Bemühungen der Taoisten und der hinter ihnen stehenden Kreise konzentrierten sich meiner Ansicht nach hauptsächlich auf zwei religiöse Institutionen, die *Ming-t'ang*, d. h. die „Lichthalle", und das *Fêng-shan*-Opfer.

Der Ming-t'ang begegnen wir bereits in dem eben behandelten 5. Kapitel des Huai-nan tzû. Sie war der Ort, an dem der Himmelssohn in den ersten beiden Teilen des Sommers Audienz abhalten mußte. Im Winter entsprach ihr dann die „Dunkelhalle" *(Hsüan-t'ang)*. Dies war jedoch nur die „dunkle" Nordseite derselben Halle gegenüber der „hellen" *(ming)* Südseite. Es ergibt sich außerdem, daß der für den letzten Sommerteil genannte „Mittelpalast" *(Chung-kung)* und die dem Herbst zugeteilte *Tsung-chang*-Halle nur Namen für verschiedene Teile eben dieser Ming-t'ang waren. Auch der Audienzort des Frühlings, *Ch'ing-yang* („Grünes Yang"), bezeichnet die Ming-t'ang[71]. Somit aber zeigt sich, daß alle Audienzen des Himmelssohnes in den verschiedenen Abteilungen der Ming-t'ang vor sich gingen. Er wanderte gewissermaßen mit dem Jahr von Osten nach Süden und weiter nach Westen und Norden in dieser Räumlichkeit umher und gab die Anordnungen, die die Fruchtbarkeit und das harmonische Zusammenwirken in der Natur sichern sollten.

Es scheint mir angebracht, das Auftreten dieser Ming-t'ang in der alten chinesischen Literatur ein wenig zu verfolgen.

Ming, „die Lichten", waren eigentlich die in Glanz gehüllten oder aus Licht bestehenden Geister der Ahnen. Und so könnte man sich unter dieser „Licht-Halle" zunächst einen Raum vorstellen, in dem solche Geister sich zeigten. Das wäre also die Ahnenhalle oder ein dieser angeschlossenes Zimmer gewesen. Aber weder im Lun-yü noch in dem nach Mo Ti benannten Buch entdecken wir einen Hinweis auf diese Ming-t'ang, und man möchte deshalb annehmen, daß sie den Autoren dieser Werke unbekannt war. Je einmal findet sie sich erwähnt bei Mêng-tzû, Hsün-tzû und im Chou-li. Und da hätten wir, aus der Art, wie sie aufgeführt wird, zu schließen, eine Halle vor uns, in der der König seine Audienzen abhielt. Sie war mit ihrem Hauptraum nach Süden orientiert, entsprechend der Art, wie ein Herrscher nach Ritualvorschrift zu sitzen hatte.

Anderseits erscheint diese Räumlichkeit unter dem Jahre 624 v. Chr. im Tso-chuan als eine Art Walhalla der Krieger des Nordstaates Chinn. Nach anderen Angaben (z. B. Shih-chi, Kap. 12 und 28) soll sich aber eine alte Ming-t'ang an der Nordostflanke des T'ai-shan befunden haben, was natürlich auf einen Empfangsplatz für das aufgehende Sonnenlicht hindeuten würde. Die Lage am T'ai-shan zeigt bereits, daß damit diese Halle in den Bereich des

---

71 Vgl. Kom. zum Lü-shih ch'un-ch'iu (Ausg. Shih-chieh shu-chü, Taipei 1966, S. 59). Über alte Namen der Ming-t'ang s. auch *Wang Chih-hsin* (1965), S. 37.

Taoismus übernommen wurde. Und es sind eben deren Reste am T'ai-shan, auf welche die Aufmerksamkeit des Han-Kaisers Wu-ti hingelenkt wurde. Von da an wird diese Ming-t'ang nun etwas greifbarer.

Sie scheint in Verbindung zu stehen mit dem Kult der fünf himmlischen Gottkaiser, an deren Spitze wir uns zunächst den Gelb-Kaiser *(Huang-ti)* vorstellen können. Der Kult dieser Gottkaiser kam unter dem dritten Han-Kaiser *Wên-ti* (179–157 v. Chr.) besonders in Mode. Er löste offenbar den Wuismus ab, der am Hofe des ersten Han-Kaisers eine kräftige Nachblüte erlebte[72]. Wên-ti begünstigte demgegenüber den Taoismus und trug wesentlich dazu bei, daß dieser das religiöse und geistige Leben jener Zeit beherrschte.

Wir erfahren u. a., daß im Jahr 164 v. Chr. dieser Kaiser auf Grund der Aussage eines Sachverständigen für Emanationen einen besonderen Tempel für die fünf Kaiser erbauen ließ, da sich deren fünffache Emanation nordöstlich der Hauptstadt gezeigt hatte und „der Nordosten der Aufenthalt des göttlichen Lichts ist, aber der Westen dessen Grab"[73]. Unter einem alles überdeckenden, runden Dach hatte jeder der Fünf seinen eigenen Raum in der ihm zukommenden Farbe. Da kurze Zeit vorher im Jahr 166 v. Chr. von Experten der Fünf-Agenzien-Lehre auf Grund des Erscheinens eines gelben Drachens festgestellt worden war, daß die Han nicht im Agens Wasser oder Feuer, sondern im Agens Erde regierten, können wir annehmen, daß dessen Vertreter, nämlich der Gelb-Kaiser, zunächst in die Mitte plaziert wurde.

Dies erinnert bereits an den Plan der Ming-t'ang, die unter dem fünften Kaiser, dem hochreligiösen *Han Wu-ti*, im Jahre 106 v. Chr. errichtet wurde. Bezeichnenderweise stammte er aus der legendären Ära des Gelb-Kaisers (Huang-ti), d. h. aus den Kreisen der Taoisten, und dürfte wohl in den Grundzügen mit der in nachchristlicher Zeit (um 79 n. Chr.) festgestellten Form der Ming-t'ang identisch sein, nämlich oben rund, unten viereckig mit acht Fenstern für die acht Winde[74] und vier Toren für die vier Jahreszeiten, das Ganze umgeben von einem Wall und Wassergraben. Schon diese Konstruktion zeigt die eben beschriebene Verbindung der Ming-t'ang mit dem Jahresumlauf. Noch klarer wird dies, wenn wir erfahren, daß sie dazu neun Abteilungen entsprechend den altchinesischen neun Provinzen, zwölf Sitze, für jeden Monat einen, und 36 Türen für die 36 Regen (d. h. alle 10 Tage einer) hatte[75].

Anderseits besteht nun auch eine enge Beziehung zwischen dieser Ming-t'ang und Huang-ti, dem oben beschriebenen Gott der Taoisten. Nach einer Lesart war diese Halle sogar ursprünglich der Ort, an dem Huang-ti seinerzeit dem Obergott (Shang-ti) zu opfern pflegte[76]. Und wie schon gesagt, hatte

---

72 Hsi-Han hui-yao, S. 120 und 126.
73 Mem. Hist. III, S. 457.
74 Z. B. Huai-nan tzû, Kap. 5, S. 69.
75 Po Hu T'ung, S. 49 und Mem. Hist. III, S. 511.
76 T'ung-chih lüeh, 7, S. 93.

Huang-ti eine zentrale Stelle in der Ming-t'ang inne, nämlich den „Mittel-palast" (Chung-kung) des 6. Monats.[77] Möglicherweise ist diese Ming-t'ang überhaupt nur ein Versuch, den legendären „Licht-Palast" *(Ming-t'ing)* nach-zuahmen, durch den der Gelb-Kaiser die magischen Einflüsse aus allen Zeiten und Richtungen miteinander verknüpfte[78]. Anderseits aber steht diese Halle auch in Verbindung mit dem „heiligen Landmann" (Shên-nung) und hatte den Zweck, das Wetter im Sinne guter Ernten zu beeinflussen.[78a]

Diese Beziehung zu Huang-ti bringt die Ming-t'ang nun wieder in eine Linie mit dem *Fêng-shan*-Opfer, das ganz offenbar aus den Kreisen der Huang-ti-Taoisten stammte. Im Shih-chi wird ihm eigens ein Kapitel (Kap. 28) gewidmet, das unsere wichtigste Quelle auch wieder für die Han-Religion ist. Dort findet sich ein auf den „Worten des Huang-ti" beruhendes Zitat. Darin heißt es, daß Huang-ti der erste und bis zur Han-Zeit einzige Herrscher war, dem es gelang, mit Erfolg das Fêng-shan-Opfer auf dem T'ai-shan und einem seiner Vorhügel zu vollziehen. Dies befähigte ihn, mit den Göttern in Verbindung zu treten und schließlich auf einem Drachen zu ihnen hinauf-zureiten.

Wir haben hier also offensichtlich einen Ausläufer jener alten wuistischen Ansicht, daß man sich auf den Bergen mit den Göttern treffen könne[79], vor uns. Das Fêng-Opfer war deshalb auch zunächst nichts anderes als eine Zu-sammenfassung von Bergopfern[80] und richtete sich an eine bestimmte Gruppe der Himmelsgötter, während Shan das entsprechende Opfer an eine solche der Erdgottheiten war.

Als *Han Wu-ti,* der 5. Han-Kaiser, im Jahre 110 v. Chr. zum erstenmal den T'ai-shan (in Shantung) erstieg, um das Fêng-Opfer zu vollziehen, war das der Triumph eines Kreises von Experten, die sich als „zuverlässig" behaup-teten, nachdem sich mehrere andere vorher als unglaubwürdig erwiesen hatten. Unter diesen befanden sich auch jene, die ständig auf der Suche nach den hei-ligen Inseln im Meer waren. Wir haben oben (S. 100) bemerkt, welchen Ein-fluß diese auf den Ch'in-Kaiser Shih-huang-ti ausübten. Und auch Han Wu-ti brauchte mehrere Jahre, um sich ihrer Faszination zu entziehen.

So wie seinerzeit Shih-huang-ti bei der Schilderung der Chên-jên („Wahr-haftmenschen") von dem Wunsch ergriffen wurde, einer der ihren zu wer-den[81], so wurde Han Wu-ti durch die Beschreibung von der Himmelfahrt des Huang-ti zu dem Ausruf hingerissen: „Fürwahr! Wenn es mir gelänge, wie Huang-ti (der Gelb-Kaiser) zu werden, wollte ich Weib und Kind wie alte Schuhe von mir tun!"

77 Hsi-Han hui-yao, S. 94 (Kom.).
78 Shih-chi, Kap. 28, S. 21.
78a *Wang Chih-hsin* (1965), S. 37.
79 S. o. S. 72.
80 Mem. Hist. III, S. 487.
81 S. o. S. 100.

Die Beziehung dieser Fêng-shan-Schule zu den im Abschnitt über den alten Taoismus kurz umrissenen Lebensverlängerungspraktiken liegt klar zutage. Ihr Heiliger, der Gelb-Kaiser, war der erste Mensch, dem es gelungen war, ein Himmelsgott zu werden. Das Mittel dazu war das Fêng-shan-Opfer.

Gegenüber jenen anderen Gruppen, die vorgaben, den Kaiser in direkte Verbindung mit den Göttern und Gottmenschen bringen zu können, hatte diese neue gewisse Vorteile. Erstens war Huang-ti nicht unmittelbar nach dem Fêng-Opfer ein Gottmensch geworden, sondern erst hundert Jahre später (d. h. nach seinem Tode). Der Eintritt des Kaisers in die Gemeinschaft der Götter verschob sich also, und es war nicht nötig, ihn etwa durch frische Fußspuren der Gottmenschen [82] in dem Glauben zu erhalten, daß die Begegnung mit ihnen jeden Augenblick bevorstehe. Es war auch nicht erforderlich, durch schlagfertige Antworten sein wachsendes Mißtrauen zu besänftigen [83]. Zweitens hatte Huang-ti, nachdem er durch Vollzug des Fêng-Opfers den Weg zur Vereinigung mit den Göttern angebahnt hatte, alle jenen, die sich gegen Götter und Geister aussprachen, mit dem Tode bestrafen lassen, eine Maßnahme, die recht dienlich dazu war, jede unangenehme, aufklärerische Kritik an solchen religiösen Experten zu entmutigen.

Außerdem standen gerade jetzt die Aussichten für Han Wu-ti besonders günstig, denn diese Fêng-shan-Gruppe hatte errechnet, daß man sich gegenwärtig in einer Zeitepoche befand, die der des Gelb-Kaisers in jeder Hinsicht entsprach. Dies wurde bekräftigt dadurch, daß im Jahre 113 v. Chr. genau wie in der Zeit des Huang-ti ein berühmter, wunderbarer Dreifuß, diesmal als Nachlaß der Chou-Dynastie, wiederentdeckt wurde.

Die Hauptschwierigkeit bei der Durchführung des Fêng-Opfers war die Besteigung des T'ai-shan, wo eine versiegelte (fêng) Meldung des Kaisers an die Himmelsgötter deponiert werden mußte. Das Shan-Opfer dagegen fand auf einem abgeflachten, festgestampften Opferplatz (shan) am Fuße des T'ai-shan statt.

Wie es hieß, hatte auch Ch'in Shih-huang-ti das Fêng-shan-Opfer einmal dargebracht oder es zumindest zu vollziehen versucht. Er war jedoch in einen Regensturm geraten, was deutlich anzeigte, daß die Götter von seinem sogenannten Opfer, das faktisch ja nur seiner Selbstglorifikation diente, nichts wissen wollten. Die Sachverständigen gaben deshalb Han Wu-ti den Rat, erst einmal versuchsweise einige hundert Schritte am Berg hinaufzusteigen. Wenn sich dann kein Regensturm oder anderes unangenehmes Vorzeichen bemerkbar mache, sei das ein Zeichen für die freundliche Gesinnung der Götter [84]. Das Opfer konnte also nur von dazu Auserwählten dargebracht werden.

---

82 Z. B. Mem. Hist. III, S. 493/94, 519.
83 Mem. Hist. III, S. 494.
84 Mem. Hist. III, S. 497.

Im übrigen aber herrschte eine allgemeine Unsicherheit darüber, wie diese Zeremonie im einzelnen auszuführen sei. Überhaupt keine Kenntnis hatten die Konfuzianer[85]. Dies zeigt bereits, daß das Fêng-shan-Opfer ureigentlich aus der Sphäre der taoistischen Experten kam.

Da die Zeremonie auf der Höhe des Berges in großer Heimlichkeit vor sich ging[86], blieb die Unklarheit über seinen exakten Verlauf auch weiterhin bestehen und wurde erst behoben, als dies Opfer als fester Bestandteil der Staatsreligion auftrat. Dasselbe gilt auch für die oben beschriebene Ming-t'ang.

4. Neuer Gott T'ai-i

Auf den Gott *T'ai-i* (den „Alleinen") ist oben (S. 66) bereits hingewiesen worden. Wahrscheinlich entstammt er ursprünglich der Sphäre des Wuismus und wurde später von den Taoisten übernommen. Es scheint, daß er unter ihren Göttern bald den obersten Platz einnahm. In einigen der alten Werke wird er deshalb geradezu mit Tao selbst identifiziert[87].

Eine merkliche Rolle spielt er in dem Buch Huai-nan tzû. Seine Audienzhalle war das „viereckige" Sternbild *T'ai-wei* („Höchstes Mysterium") und sein Aufenthaltsort das „runde" Sternbild *Tzû-kung* („Purpurpalast")[88]. Er vereinigte also die beiden Grundmöglichkeiten des Gestalteten überhaupt und war deshalb der „gestaltende Gott" im Himmel. Und dadurch wurde er wieder zum Vorbild der anderen Götter[89]. „Wer ihn als Muster nahm, der war sich klar über die Natur von Himmel und Erde und drang durch zu den Prinzipien von Tao und Tê (Auswirkung des Tao). Seine Klarsicht überstrahlte dann Sonne und Mond, sein Geist durchdrang alle Wesen."[90] Denn T'ai-i war das Wesen, das „vor der Schöpfung bereits vollendet war".[91]

Ein solcher, alles überragender und zusammenfassender Himmelsgott konnte natürlich nicht unbeachtet bleiben. Etwa um 123 v. Chr. wurde er von einem taoistischen Adepten dem Kaiser Han Wu-ti vorgestellt: „Der ehrwürdigste der Himmelsgötter ist der Alleine *(T'ai-i)*. Seine Gehilfen sind die sogenannten fünf Gottkaiser. Im Altertum pflegte der Himmelssohn im Frühling und Herbst dem T'ai-i ein Stadtvorgeländeopfer *(Chiao)* darzubringen." „Sein Altar hatte acht Zugänge für die Götter und Geister." Der Kaiser ließ darauf einen solchen Altar im Südosten der Hauptstadt errichten und das Opfer voll-

---

85 Z. B. Mem. Hist. III, S. 498 und Hsi-Han hui-yao, S. 69.
86 Mem. Hist. III, S. 501, 512.
87 *Kuo Mo-jo* (1950), S. 402. Lt. Chuang-tzû, Kap. 33, war T'ai-i der oberste Gottesbegriff des Lao Tan und Kuan Yin-tzû.
88 Huai-nan tzû, S. 39.
89 Huai-nan tzû, S. 111 (Kom.) und S. 119.
90 Huai-nan tzû, S. 120.
91 Huai-nan tzû, S. 235.

ziehen. Es wurde alle drei Jahre wiederholt und blieb von da an eine ständige Einrichtung.

Zunächst, so scheint es, hatte also T'ai-i seine eigene Verehrungsstätte, und die Altäre der fünf Gottkaiser, die ja nur seine Helfer waren, umgaben den seinigen im Kreise auf tiefer gelegenen Plätzen. Der Altar des Huang-ti, der ja in der Mitte sein sollte, wurde dabei nach Süden verlegt, später aber einfach mit dem des T'ai-i vereinigt. Während T'ai-i mit seinem Göttergefolge das Hauptopfer erhielt, wurden seine Assistenten nur nebenbei mit bedacht. Zu gleicher Zeit aber opferte man der Sonne ein Rind und dem Mond einen Hammel und ein Schwein. Das T'ai-i-Opfer war also eine Zeremonie, die alle Gestirngötter umfaßte[92].

Die erste Bewährungsprobe für den neuen Gott kam, als der Kaiser im Jahre 112 v. Chr. einen Feldzug gegen Süd-Yüeh unternahm und dazu die Hilfe des T'ai-i erbat. Es wurde dabei auch ein Spezialbanner hergestellt, auf dem der Alleine in Gestalt eines fliegenden Drachen mit einer aus drei Sternen gebildeten Lanze nebst Sonne, Mond und einem weiteren Sternbild dargestellt war[93]. Der Feldzug endete 111 v. Chr. mit dem Sieg der Han-Truppen.

Der T'ai-i aber hatte damit seine Probe bestanden und wurde später ebenfalls ein Gegenstand der Staatsreligion.

5. Wiederbelebung der Erdgottkulte

Sonderbarerweise findet sich im Fêng-shan-shu vor Beginn der Han-Dynastie kein Hinweis auf die Erdgottheiten, die ich S. 41 kurz zu schildern versuchte, wohl aber erfolgen zahlreiche Erwähnungen der Opfer an die heiligen Berge und Gewässer. Es ist möglich, daß Ch'in Shih-huang-ti, der sich ja den oberirdischen und himmlischen Göttern verwandt fühlte, den dunklen (weiblichen) Göttern des Erdbodens nur wenig oder keine Aufmerksamkeit schenkte.

Außerdem war er ein entschiedener Anhänger der *Fang-shih*-Methoden (s. S. 117) und wurde bereits dadurch in gewisser Weise zum Gegner der Wu, deren weibliche Vertreter ja oft mit Gottheiten des Erdinneren in Verbindung standen. Aber wie dem auch sei, die Erdgötter hatten ebenfalls für den Ch'in-Kaiser keine Sympathie. Das zeigte sich darin, daß im Jahre 255 v. Chr., als Ch'in den kümmerlichen Rest der Chou-Domäne liquidierte, der große Erdgott von Sung, jedenfalls eine bekannte Gottheit der Chan-kuo-Zeit, zusammen mit den berühmten, heiligen Dreifüßen der Chou verschwand oder, wie wir uns heute ausdrücken würden, „in den Untergrund ging".[94]

92 Mem. Hist. III, S. 490/91.
93 Mem. Hist. III, S. 493.
94 Mem. Hist. III, S. 429.

Trotzdem aber müssen Erdgottaltäre im Staat Ch'in vorhanden gewesen sein, denn diese wurden von den Han abgeschafft und durch die ihrigen ersetzt[95].

Die Han hatten von Anfang an ein besseres Verhältnis zu den Erdgöttern, denn schon im frühesten Beginn seiner Laufbahn erhielt der erste Han-Kaiser die Hilfe eines lokalen Erdgottes, der die Gestalt einer Ulme hatte[96]. Er ließ deshalb auch im Jahre 201 v. Chr. für diese Erdgottheit einen regelmäßigen Opferdienst einführen. Vordem hatte er dazu bereits in allen Kreisen des Reiches amtliche Bodenaltäre aufstellen lassen. Zugleich zog er in seiner Hauptstadt aus allen Landesteilen die weiblichen Wu zusammen, von denen zumindest eine Gruppe mit der Verehrung einer „himmlischen Erdgottheit" betraut war.

Im Jahre 197 v. Chr. wurde auch auf Regierungsbefehl in allen Kreisstädten dem Erntegott *Hou-chi*, dem legendären Urahn der Chou, im dritten Frühlingsmonat und am Jahresende geopfert. Doch wurden diese Opfer nicht mit den Sheh-Opfern verknüpft und auch nicht zu einer amtlichen Einrichtung gemacht.

Aus der Zeit des Kaisers Han Wu-ti hören wir nun auch erstmalig von einem großen, fünffarbigen Erdgotthügel des Himmelssohnes, grün im Osten, rot im Süden, weiß im Westen, schwarz im Norden und gelb in der Mitte. Von diesem erhielten Fürsten und Prinzen bei ihrer Belehnung eine Scholle in der Farbe der Himmelsrichtung ihres Landes. Diese diente ihnen als Grundlage für ihren eigenen Erdaltar[97].

Im Jahre 113 v. Chr. wurde schließlich auch wieder das Opfer für die *Hou-t'u* („Fürstin Erde") der Chou aufgenommen. Man schloß es an das große Chiao-Opfer für die fünf Himmelskaiser an; der Kaiser persönlich vollzog es. In seinem Ritus erinnert es an das Opfer für den „Erdherrn" der „acht Götter" (s. S. 91). Es wurde dargebracht auf einem Hügel bei Fên-yin (in Shansi), der wie ein menschliches Hinterteil geformt war. Die Opfertiere wurden vergraben. Die Teilnehmer der Zeremonie trugen gelbe Kleider[98].

Anscheinend lag damals die Tradition der Verehrung der Hou-t'u in den Händen der lokalen weiblichen Wu von Fên-yin. Denn wir lesen im Fêngshan-shu, daß das Opfer überhaupt nur deshalb eingeführt wurde, weil eine weibliche Wu bei seinem Vollzug den oben erwähnten Dreifuß fand.

Die allerdings noch recht vage Verknüpfung des Opfers an die Himmelskaiser mit dem an die Hou-t'u könnte einen Schritt vorwärts zum späteren großen Südaußenopfer der Staatsreligion bedeuten. Charakteristisch für jene

95 Hsi-Han hui-yao, S. 92.
96 Mem. Hist. III, S. 448.
97 Hsi-Han hui-yao, S. 92.
98 Mem. Hist. III, S. 475/76.

Zeit ist, daß das Hou-t'u-Opfer jetzt mit dem für den Alleinen (T'ai-i), dem Vorstand der Himmelskaiser, kombiniert wurde, da dieser offenbar der oberste aller Himmelsgötter war[99].

Aus alledem gewinnt man den Eindruck, daß die Han-Kaiser bestrebt waren, die Verehrung der Erdgottheiten, wie sie etwa unter den Chou bestanden hatte, wieder ins Leben zu rufen. Da ihre Dynastie im Zeichen Erde stand, hatten sie dazu auch mehr Grund als die Ch'in, die ja im Zeichen Wasser herrschten. Han Wu-ti sprach übrigens offen aus, daß der Hauptzweck der Wiedereinführung des Opfers für die Hou-t'u der war, die Ernten gegen die Huangho-Überflutungen zu sichern[100]. Und dazu brauchte man eben besonders die Unterstützung des wasserabsperrenden Agens Erde. Schließlich stimmt dazu auch, daß man den heiligen *Yü*, den Flutbezwinger, bei den Erdaltaropfern der Sheh-Gottheit gegenübersetzte.

6. Die Fang-shih (Magier)

Hier wäre es wohl an der Zeit, kurz auf die soziale Gruppe einzugehen, die Träger dieser oben in großen Zügen dargestellten religiösen Entwicklung war, nämlich die sogenannten *Fang-shih*. Sie wurden bereits bei Besprechung des Werkes Huai-nan tzû und auch sonst mehrfach, meist als „Magier", erwähnt.

Die Bezeichnung Fang-shih zu erklären ist schwierig. Aber die zweite Silbe *shih*, gewöhnlich übersetzt mit „Gentry", zeigt an, daß es sich um Leute handelt, die lesen und schreiben konnten.

Was aber soll die Silbe *Fang* hier bedeuten? Wir haben die Wahl zwischen „Viereck" und „Mittel, Heilmittel". Zu ersterem möchte ich auf zwei Stellen im Huai-nan tzû hinweisen: „Der Wandel des Heiligen ist viereckig *(fang)"* (S. 149). Und die andere: „Das Tao des Himmels heißt rund. Das Tao der Erde heißt viereckig. Das Viereckige herrscht über das Dunkel. Das Runde herrscht über das Licht." Weiter heißt es, daß das Licht „ausbreitet" oder „freisetzt". Das Dunkel dagegen „ändert um" oder „verwandelt" (S. 35). Es gibt auch eine Stelle, in der Fang direkt mit Tao gleichgesetzt wird (S. 247, Kom.), das ja als die Wandlung oder das Verwandeln in Permanenz angesehen werden kann. Außerdem zeigt sich, daß in jener Zeit bereits der Ausdruck *Fang-nei* („innerhalb des Vierecks"), d. h. die irdische Welt, gegenüber *Fang-wai* („außerhalb des Vierecks"), d. h. die außerirdische Welt, bekannt war[101]. Aus alledem ziehe ich den Schluß, daß es sich bei den Fang-shih um Experten in allen erdgebundenen, mystischen Künsten handelte, besonders solchen, durch

---

99 Mem. Hist. III, S. 485.
100 Mem. Hist. III, S. 483.
101 Shih-chi, Kap. 28, S. 13.

die man etwas in etwas anderes verwandeln oder wichtige Wandlungen im Universum feststellen konnte.

Es gibt allerdings auch eine wesentlich einfachere Erklärung, die darauf beruht, daß in der damaligen Zeit eine umfangreiche Literatur im Umlauf war, in deren Buchtiteln oft das Wort Fang, „Mittel", vorkam. Danach wären die Fang-shih Leute, die diesen Werken ihre Praktiken entnahmen [102].

Tatsächlich finden wir Fang-shih-Experten für alle Probleme des täglichen Lebens, sei es Ackerbau, Krankheit, Himmelskunde, Kalenderwesen, Prophezeiungen, Ausmachen von Glückstagen, Lebenserhaltung und Lebensverlängerung, der geordnete Ablauf von Feiern und anderes mehr. Sie sind die Vertreter eine mittleren Intelligenz, welche die Ideen der großen Denker wie Konfuzius, Mo Ti, Chuang Chou usw. in praktische Lebensführung umsetzten. Es waren, wenn man so will, Leute, die die damalige „Wissenschaft popularisierten".

Oft geschah dies ohne rechtes Verständnis und keineswegs zum Zweck der Volksbildung. Die Fang-shih mußten mit ihren Künsten ihren Unterhalt verdienen. So hören wir von einer Gruppe, die sich besonders mit der auf der Abfolge der fünf Agenzien und der Wechselwirkung von Yin und Yang beruhenden Periodenlehre des Tsou Yen befaßte, folgendes: „Die Fang-shih am Meer in den Staaten Yen und Ch'i überliefern zwar (des Tsou Yen) Künste, aber verstehen sie nicht. Und somit tauchen dort eine Unmenge von Scharlatanen auf, die mit Wunderberichten und gefälligen Worten sich unrechtmäßige Vorteile verschaffen." [103]

Faktisch beschäftigten sich die Fang-shih mit allen damaligen Lehrmeinungen und entnahmen ihnen das, was für ihre Zwecke dienlich war, d. h. was sie in den Stand setzte, Schüler und Anhänger zu gewinnen, aus deren Beiträgen sie dann ihren Lebensunterhalt bestritten. Und die häufig in den Texten anzutreffenden Konfuzianer (Ju-chia) waren im Grunde auch nichts anderes als an den Lehren des Konfuzius, Mêng-tzû und Hsün-tzû interessierte Fang-shih. Sie stammten meistens aus Lu, dem Geburtsland des Konfuzius.

Allerdings scheinen sie hauptsächlich danach gestrebt zu haben, als Experten auf dem Gebiet der Ritenordnung und der Verwaltung zu gelten. Als sie deshalb ab 136 v. Chr. mehr und mehr mit dem Administrationswesen des Staates betraut wurden, bauten sie ihre Stellung rasch so aus, daß sie anfangen konnten, sich von der Masse der übrigen Fang-shih abzusondern und diese allmählich aus dem Staatsleben in andere Volkskreise abzudrängen. Von da an beginnt die vornehmlich auf die konfuzianischen Klassiker ausgerichtete, sozusagen „gesellschaftsfähige" chinesische Literatur ihren Aufschwung. Die

102 Ch'ên P'an.
103 Shih-chi, Kap. 28, S. 8. Fang-shih dieser Art stammten aber auch aus dem Staat Lu, s. ebda. S. 14.

andere sammelte sich später um den und in dem taoistischen und buddhistischen Kanon.

In diesem Zusammenhang jedoch sollen uns nur die Fang-shih interessieren, die auf religiösem Gebiet eine Rolle spielten. Ihre Tätigkeit, Erfolge und Mißerfolge, lieferten das Material für das Fêng-shan shu. Dessen Verfasser, der berühmte Historiker *Ssû-ma Ch'ien,* der selber für den „gebildeten" Taoismus eingenommen war, behandelt sie mit merklicher Geringschätzung. Er stellt abschließend fest, daß er an allen religiösen Aktionen des Kaisers Wu-ti teilgenommen und selber im „Palast des Langlebens" „Geisterstimmen" gehört habe. Außerdem habe er die Ansichten der Fang-shih und der religiösen Beamtenschaft genau untersucht und alles über den Dienst an den Geistern und Göttern aufgezeichnet, damit sich die Herrscher späterer Zeiten darüber ein Urteil bilden könnten.

Zunächst ist hervorzuheben, daß von diesen Fang-shih der Ostküste eine Linie zurückführt zum 31. Kapitel des Mo Ti, das oben S. 53 behandelt wurde. Der unbedingte Glaube an die Existenz „höherer Wesen" und an die Möglichkeit, sich mit ihnen in Verbindung zu setzen, sie zu beschwören oder zu bannen, ist die Grundvoraussetzung für die Praktiken dieser Fang-shih.

Mit den Anhängern des Mo Ti verbindet sie außerdem noch etwas anderes, nämlich die Tatsache, daß jeder Fang-shih um sich eine Gemeinde sammelte, deren geistig-religiöser Führer er war[104]. Nach seinem Tode war meist alles zu Ende, und die Anhänger liefen wieder auseinander. Zu Lebzeiten aber waren sie die Verkünder seiner Wundertaten und sorgten dafür, daß sein Ruhm die oberen Kreise bis zum Kaiser hinauf erreichte. Jedenfalls unterlagen diese ephemeren Gemeinden auch keiner amtlichen Kontrolle.

Aus diesem religiösen Mirakelmilieu stammten die Persönlichkeiten, die im Fêng-shan shu vorgeführt werden. Obgleich sie sämtlich den gleichen Hintergrund haben, lassen sich doch einige Spezialrichtungen ausmachen.

So begegnen wir hier einem Fang-shih, der dem „Ofen" opferte. Der Ofengott *(Tsao-chün)* erscheint später als einer der wichtigsten Götter des Taoismus, nämlich als Patron der religiösen Alchemie, deren Bestreben es war, ein Mittel zu finden, nach dessen Einnehmen man ein *Hsien*[105] wurde. Es zeigt sich, daß diese Kunst bereits um 133 v. Chr. ausgeübt wurde. Aus dem Mund dieses ihres Adepten hören wir folgendes: „Opfert man dem Ofen, dann erreicht man damit die (Geist)wesen. Erreicht man diese, dann kann Zinnober in Gold verwandelt werden. Wenn man aus solchem Gold Trink- und Eßgefäße macht, dann dient das der Lebensverlängerung. Und dies wieder bewirkt, daß man die Genien der Insel P'êng-lai besuchen darf." Wahrscheinlich sollte die Benutzung solcher Gefäße dazu führen, daß die

---

104 Mem. Hist. III, S. 518.
105 S. o. S. 78.

Eigenschaften dieses mit Geisterhilfe hergestellten Goldes, das ja an sich schon nicht rostete und auch sonst höchst dauerhaft war, auf den Benutzer übergingen und dieser dadurch in den Stand gesetzt wurde, mit den unsterblichen Genien auf gleicher Basis zu verkehren.

Dieser „Ofengott" aber ist, so wenigstens scheint es, kein anderer als der uns bereits bekannte „Herr der Schicksale" *(Szŭ-ming)*, von dem es offenbar jetzt auch abhing, ob aus einem Menschen ein Götterwesen werden sollte oder nicht. Er entschied übrigens darüber nicht nur auf Grund alchemistischer Experimente, sondern mehr noch nach Abwägung der von ihm aufgezeichneten guten und bösen Taten, die im Laufe des Jahres in einer Familie begangen wurden. Er tritt damit in Verbindung zu dem in allen chinesischen Heimen verehrten Küchengott, der am Ende jedes Jahres dem taoistischen „Jade-Kaiser" *(Yü-ti)* Bericht erstattet[106].

Derselbe Fang-shih verstand sich auch darauf, „ohne Körnerfrucht" zu leben und das „Altwerden abzuwenden", Künste, die sich in vielen Abwandlungen über lange Strecken der Geschichte des Taoismus hin verfolgen lassen.

Das Goldmachen, das dem Kaiser Wu-ti wegen seines kostspieligen Krieges mit den Hunnen wahrscheinlich willkommen war, bildete, obgleich für gewöhnliche Untertanen verboten, die Hauptspezialität eines anderen Fang-shih, der von seinem Lehrer diese Instruktion erhalten hatte: „Gold kann hergestellt werden, ebenso wie man den Huangho-Deichbruch schließen kann. Man kann auch die Unsterblichkeitsmedizin erlangen und die Genien herbeizitieren." Interessant ist hier die Koppelung zwischen Goldmacherei und den Huangho-Überflutungen. Diese müssen damals großen Schaden angerichtet haben, bis es um 109 v. Chr. mittels eines nach altem Herkommen im Wasser versenkten Opfers und Großaufgebotes von Soldaten gelang, ihrer Herr zu werden, indem die „unter dem heiligen Yü bestehenden Verhältnisse" wiederhergestellt wurden. Diese Fluten bewirkten übrigens, daß Fang-shih-Experten aus Lu zunächst die Han-Dynastie dem Agens Wasser zuteilen wollten.[107]

Auch diese Deichbrüche hatten natürlich ihren Reflex in den magischen Vorstellungen jener Zeit. So wie das Agens Erde dazu diente, den Wasserlauf unter Kontrolle zu bringen, benutzte man Metall dazu, um Risse auszugießen. Die Beherrschung dieser beiden Agenzien gab demnach eine sichere Garantie, daß man mittels ihrer der Überflutungen Herr werden könne.

Zugleich stoßen wir hier darauf, daß unter den Fang-shih manchmal auch ein Lehrer-Schüler-Verhältnis und damit also verschiedene durch Tradition verbundene Schulrichtungen bestanden.

So finden wir auch jetzt wieder einen Fang-shih, der dem Han-Kaiser wie seinerzeit seine Vorgänger dem Ch'in-Kaiser die Nachahmung der Götter in

106 Vgl. z. B. *Welch* (1966), S. 100.
107 Mem. Hist. III, S. 456.

Wohnung und Kleidung empfahl, um sie anzulocken. Derselbe verfügte auch über die Kunst, den Geist einer verstorbenen Lieblingsfrau des Kaisers sowie den Ofengott bei Nacht sichtbarlich erscheinen zu lassen.

Es gab auch Sachverständige für die Emanationen, die aus dem Boden aufstiegen, und die dadurch wertvolle Gegenstände zu entdecken vermochten, für den Verkehr mit den Ahnengeistern, kurz für alle Wege und Methoden, durch die die seinerzeit zwischen Göttern und Menschen geschaffene Kluft wieder überbrückt werden konnte.

Bei der Lektüre des Fêng-shan shu fällt übrigens auf, daß das wuistische Element, wenn auch an einigen Stellen noch im Vordergrund stehend, besonders seit der Regierung des dritten Han-Kaisers mehr und mehr in den Hintergrund gerät. An die Stelle der inzwischen veralteten und hinterwäldlerischen Praktiken der Wu traten die neuen, „wissenschaftlich fundierten" Methoden der Fang-shih.

Übrigens erhalten wir hier auch ein gutes Beispiel für plötzlich im Volk aufkommende Kulte, die für das religiöse Leben in China charakteristisch sind. Gegen 133 v. Chr. starb eine Frau im Kindbett und erschien danach ihrer Schwägerin, der sie sich als neue Gottheit für die Abwehr von Krankheiten und gutes Gedeihen der Nachkommenschaft vorstellte. Sie fand in kurzer Zeit eine große Anhängerschaft und wurde deshalb auch in einen der Tempel am Kaiserhof aufgenommen. Sie ist eine jener Gottheiten, die man im „Palast des Langlebens" zwar reden hörte, jedoch niemals zu Gesicht bekam. [108]

Die Fang-shih-Gruppen, deren Spezialität das Fêng-shan-Opfer und der Gott T'ai-i war, haben wir oben kurz erwähnt.

Einer der bekanntesten Fang-shih am Hof des Han Wu-ti war *Tung-fang Shuo*. Er zählt sicherlich zu den bemerkenswertesten Persönlichkeiten jener Zeit. Als einer von wenigen durchschaute er die alberne Wundersucht der Hofkreise und wagte es, sich unverhohlen darüber lustig zu machen.

Auch er stammte wie die meisten der wundertätigen Fang-shih aus dem Land Ch'i, gehörte aber zu den Vertretern eines aufgeklärten oder, wenn man so will, rationalistischen Taoismus. Für ihn bestand die taoistische Grundhaltung darin, dem Zug der sich ständig ändernden Zeit keinen Widerstand entgegenzusetzen, sondern sich ihm hinzugeben, ohne allerdings mit seinem innersten Wesen darin aufzugehen.

Das bedeutete, daß er wohl alles mitmachte, sich jedoch letzten Endes davon freihielt. Seiner Ansicht nach brauchte man, um innere Freiheit zu erlangen und zu bewahren, nicht das Leben eines Einsiedlers in den Bergwäldern zu führen. Auch mitten im Trubel und in den Genüssen des Hoflebens konnte man sich aus der „Generation der Lebenden absondern".

---

108 Mem. Hist. III, S. 463.

Für ihn war das ganze Zeitgeschehen ein großer Spaß, den er mitmachte, ohne allerdings irgend etwas ernst zu nehmen. Die Scharlatanerie der Wundertäter wurde von ihm auch nicht mit intellektuellen Gründen bekämpft, sondern einfach durch Mitmachen ad absurdum geführt[109].

In einer Geschichte der chinesischen Religion verdient Tung-fang Shuo unbedingt genannt zu werden, da er zeigt, daß hinter den albernen Betrügereien der Fang-shih bei den Vertretern des eigentlichen Taoismus doch eine beachtenswerte geistige Haltung stand. Von ihm wurde dies in eulenspiegelhafter Weise zur Geltung gebracht.

7. Religiöse Reformbestrebungen der Konfuzianer

Von jener Gruppe der Fang-shih, die sich besonders mit dem Konfuzianismus befaßten, war im vorausgehenden Abschnitt schon die Rede. Auch ihre Aktivität beschränkte sich vielfach auf die Landgemeinden, wo sie den regelmäßig stattfindenden Preisschießen und Gemeinschaftsfesten Form und Ordnung gaben. Infolge ihrer Verfolgung durch Ch'in Shih-huang-ti waren sie gezwungen, in den Untergrund zu gehen, und kamen erst während der Endkämpfe der Übergangszeit von der Ch'in- zur Han-Dynastie allmählich wieder an die Oberfläche. Charakteristisch für sie ist, daß sie während der Zeit der Bedrängnis in erster Linie auf die Erhaltung ihrer alten Ritualgefäße und Zeremonialgeräte, nicht aber der Texte ihrer Klassiker, bedacht waren.

Dies gibt bereits einen Hinweis darauf, welche Note sie in das religiöse Leben bringen würden. Ihre Berufung in die Verwaltungsämter unter *Han Wu-ti* bedeutet deshalb, daß die religiöse Aktivität, soweit sie überhaupt offiziell erfaßbar war, schrittweise dem Ritualismus der Konfuzianer ausgeliefert wurde. Sie waren es, die schließlich das ins Leben riefen, was wir unter „Staatsreligion" verstehen. Die Bezeichnung „Staatsreligion" bedeutet dabei, daß die religiösen Handlungen, in erster Linie natürlich wieder die Opfer, nicht mehr eine persönliche Angelegenheit solch stark religiöser Herrscher wie *Ch'in Shih-huang-ti* und *Han Wu-ti* blieben, sondern in die Staatsordnung einbezogen und ihr unterworfen wurden. Die amtliche Ausübung der Religion, was man auch darunter verstehen mag, kam damit weitgehend unter die Kontrolle einer kleinen Gruppe von Ritensachverständigen in den höheren Staatsämtern.

Schon der erste Han-Kaiser berief Konfuzianer aus Lu (Shantung), um die rauhen Sitten an seinem Hof durch eine straffe Etikette zu ersetzen. Diese

109 Shih-chi, Kap. 126, S. 5–8.

wurde von den Sachverständigen den veränderten Zeitverhältnissen angepaßt[110], so daß wir also annehmen können, daß die in der Vor-Han-Zeit gebräuchlichen Riten nicht ohne weiteres auf die Han-Zeit übertragen werden dürfen, obgleich damals schon in Lu eine andere Gruppe bestand, die entschlossen war, streng am Althergebrachten festzuhalten. Viele Erscheinungen im Geistesleben des 1. und 2. nachchristlichen Jhs. und auch aus späterer Zeit sind aus dem Antagonismus dieser konservativen und der der Zeit angepaßten Richtung der Ritenschule zu verstehen.

Die neue Hofetikette bezog sich in erster Linie auf Empfang und Bewirtung der Audienzbesucher und Hofgäste. Da ja auch die Opfer, grob gesagt, nichts anderes waren als eine Bewirtung der Götter[111], kündigt sich hier bereits an, daß dies neue Zeremoniell ebenfalls mutatis mutandis einmal auf diese angewandt werden würde. Jedenfalls rückte das „Bewirtungsamt" im Laufe der Entwicklung des Amtswesens immer enger mit dem „Opferamt" zusammen, um schließlich unter dem „Ritenministerium" definitiv mit ihm vereinigt zu werden.

Schon früher (s. S. 96) habe ich einige Andeutungen über das Bestehen einer amtlichen Aufsicht über das Religionswesen gemacht und darauf hingewiesen, daß die Han zunächst die Ämterordnung der Ch'in übernahmen. Unter diesen hatte sich ein Ministerposten herausgebildet, der *Fêng-ch'ang* (etwa „darbieten das Übliche" oder „Regelmäßige" oder „die Regeln") genannt wurde und sich von dem ebenfalls oben erwähnten „Minister des Opferwesens" *(Tz'û-kuan)* wohl nicht unterscheiden dürfte. Sein Funktionsbereich war das Ritualwesen im Staat, vor allem der Ritus des kaiserlichen Ahnentempels. Unter den Han wurde er im Jahre 151 v. Chr. umbenannt in *T'ai-ch'ang*[112]. Seine Aufgabe war es, sich in allen Vorschriften der Werke über die Riten auszukennen und dem Kaiser bei Opferhandlungen zu assistieren. Ihm unterstanden, wie auch schon unter den Ch'in, die Musikmeister, Großanrufer, Großopferer, Priesterschreiber, Orakelvollzieher und die Ärzte, anderseits jetzt aber auch die Einnehmer der Abgaben aus kaiserlichem Ödland (Gräbergrund), die Bewässerungsbeamten, der kaiserliche Küchenchef, das Personal des Ahnentempels und der Mausoleen sowie die Gelehrten des Beamtenauswahl- und Prüfungswesens. Im großen und ganzen sind hier also die Sparten des „Ritenministeriums" in etwa beisammen.

Nach 136 v. Chr. wurden alle wichtigen Amtsstellen allmählich mit Konfuzianern besetzt. Und bald machte sich ihre reformatorische Tätigkeit im

110 *Hsü T'ien-lin* (1955), S. 59/60.
111 Vgl. Lun-hêng, Kap. XLIV. „Was das Opfer angeht so ist es genau so wie das Sich-gegenseitig-Bewirten der lebenden Menschen." Siehe auch *Edkins* (1884), S. 23.
112 Es gibt eine Erklärung dieses Namens, nach der es die Hauptaufgabe dieses Ministers gewesen sein soll, den „ewigen Bestand" (ch'ang) der Dynastie zu sichern. Siehe ChWTTT.

Religionswesen bemerkbar. Die Änderungen zielten im allgemeinen ab auf Vereinfachung oder, wenn man so will, auf Verbilligung.

Als erstes wurde im Jahre 48 v. Chr. der kaiserliche Ahnendienst reduziert. Vor allem schaffte man dabei die kaiserlichen Ahnentempel in den Reichsländern ab. Schon daraus ersieht man die Tendenz, das religiöse Leben auf die Hauptstadt zu konzentrieren, wo es der direkten Kontrolle des T'ai-ch'ang-Amtes unterstand.

Deswegen richtete sich auch der nächste Vorstoß gegen die großen Opferstellen *(Chih)* für die fünf himmlischen Gottkaiser, von denen bereits die Rede war (s. S. 90). Die wichtigste war die im Norden gelegene *(T'ai-chih)*, wo hauptsächlich der „Alleine" *(T'ai-i)* verehrt wurde. Sie befand sich in *Shensi* beim Berg der „Süßquelle" *(Kan-ch'üan)* etwa 60 km von der Hauptstadt *Ch'ang-an* entfernt. Die anderen vier lagen in der Nähe der alten Ch'in-Hauptstadt *Yung* (beim heutigen Fêng-hsiang) etwa 125 km westlich der Hauptstadt. Außerdem gab es die wichtige Opferstelle für die „Fürstin Erde" *(Hou-t'u)* bei *Fên-yin* (in Shansi) in noch größerer Entfernung. Man kann sich denken, daß die Reisen des von seinem Hofstaat umgebenen Kaisers zu diesen Zielen viel Geld und Zeit verschlangen, ganz abgesehen davon, daß alle vom kaiserlichen Durchzug berührten Ländereien Steuererlaß und Straferlaß erhielten und den Bewohnern auf Regierungskosten Festmahle gegeben wurden.

So ist es denn nicht weiter verwunderlich, daß im Jahre 32 v. Chr. die konfuzianischen Minister *K'uang Hêng* und *Chang T'an* eine Eingabe machten[113], in der es hieß, der Himmel nehme die Opfer entgegen, wo der König seinen Wohnsitz habe, nämlich in der Hauptstadt; deshalb solle man die Opfer von Kan-ch'üan und das Hou-t'u-Opfer von Fên-yin nach Ch'ang-an verlegen und mit denen für die alten Gottkaiser und Könige vereinigen. Der Antrag wurde mit 50 gegen acht Stimmen angenommen und daraufhin im Süden und Norden der Hauptstadt je eine große Opferstätte angelegt. Die südliche wurde noch im selben Jahr erstmalig in Benutzung genommen und nach Vollzug der Zeremonie eine Teilamnestie erlassen[114]. Praktisch bedeutete diese Neuordnung auch das Ende jener religiösen Richtung, die den Höhepunkt der Beziehungen zu den Göttern der oberen Region im Fêng-shan-Opfer sah; denn die Reise zum T'ai-shan war die längste und teuerste.

Bald wurde weiter vorgebracht, daß man ja eigentlich dieses ganze kostspielige Opferwesen von den antikonfuzianischen und deshalb in den korrekten Riten nicht bewanderten Ch'in übernommen habe. Jetzt jedoch habe man „das Altertum erforscht" und gebe den großen Riten für Himmel und Erde eine feste Form. Es wurde also festgestellt, daß sich das Außenopfer

113 Han-shu pu-chu, III, S. 2148–2150.
114 Han-shu pu-chu, III, S. 2151.

Chiao an den Obergott (Shang-ti) richte, doch würden dabei auch den durch Tafeln gekennzeichneten Plätzen der fünf Gottkaiser der Weltgegenden Opferspeisen vorgesetzt. Wahrscheinlich waren letztere, obgleich sie ein Kernstück der Ch'in-Religion bildeten, durch ihre Verbindung mit der Welterklärung des Tsou Yen und weil man ihnen legendäre Kaiser, die auch von den Konfuzianern anerkannt wurden, untergeschoben hatte, gegen Abschaffung gefeit. Praktisch aber bedeutete dies, daß die vier großen Opferstätten bei Yung (Fêng-hsiang) geschlossen wurden.

Mit der Ch'in-Religion fielen nun auch eine ganze Reihe berühmter alter Lokalkulte, darunter der für das „Kleinod von Ch'ên".

Im folgenden Jahre 31 v. Chr. kamen die Fang-shih an die Reihe. Die beiden eben genannten Minister fanden nämlich heraus, daß allein in der Umgebung der Hauptstadt Ch'ang-an 683 von solchen Magiern geleitete Kulte existierten, von denen nur 208 in etwa mit den Riten in Einklang gebracht werden konnten. Ihrem Antrag, die nicht annehmbaren (d. h. 475 an der Zahl) abzuschaffen, wurde stattgegeben. Auch von den 203 (oder 303) Verehrungsstätten in der Umgebung von Yung (Fêng-hsiang) ließ man nur 15 bestehen, die den Kulten für berühmte Berge und Gewässer und für gewisse Sterngötter dienten. Auch der dort vom ersten Han-Kaiser zur Verehrung der „neun Himmel" eingerichtete wuistische Kult wurde eingestellt. Zum erstenmal hören wir hier auch von der Schließung von T'ai-i-Kultstätten und von solchen für die „acht Götter" in Ch'i, für die Hsien-Heiligen und deren inzwischen in Mode gekommenes weibliches Gegenstück, die „Jademaiden", die ich hier in der offiziellen Geschichte erstmalig erwähnt finde[115].

Jedenfalls war dies ein umfassender Schlag gegen die religiöse Freiheit, unter der sich jeder mit einem gott- oder geistartigen Wesen in Verbindung zu setzen und daraufhin eine Gemeinde zu gründen vermochte.

Vielleicht hätten diese Maßnahmen das Ende der altchinesischen Religion herbeiführen können. Aber der Gegenschlag blieb nicht aus.

Zunächst hagelte es Proteste aus dem Volk[116].

Und dann gab es Wunderzeichen! Am Tag des neuen Südaußenopfers (Nan-chiao) in Ch'ang-an beschädigte ein Taifun den „Bambuspalast" in Kan-ch'üan und riß einen auf dem Opfergelände stehenden uralten Baum von zehn Spannen Umfang um[117]. Der Kaiser besprach sich daraufhin mit dem berühmten Gelehrten *Liu Hsiang* (77–6 v. Chr.). Dieser sagte ihm, daß die Bevölkerung sich eben weder die Lokalkulte noch solche heiligen Dinge wie das „Kleinod von Ch'ên und die Opferplätze" nehmen lassen wolle. Zudem handele es sich bei diesen fünf Opferstätten in Kan-ch'üan und Yung um die ältesten im Reich und die Götter im Himmel und in der Erde wären durch

115 Han-shu pu-chu, III, S. 2154.
116 Han-shu pu-chu, III, S. 2154.
117 Han-shu pu-chu, III, S. 2154.

ihre Errichtung besonders zu Reaktionen angeregt worden. Zumal das „Kleinod von Ch'ên" bestehe seit mehr als 700 Jahren in ununterbrochener Tradition und das Erscheinen des Geisterfasanen sei immer als ein großes Glückszeichen für die Reichsregierung betrachtet worden. Und im I-ching (Klassisches Buch der Wandlungen) heiße es: „Den Göttern in den Weg treten, bedeutet auf drei Generationen hin Unglück." Es sei also zu befürchten, daß dies jetzt bevorstehe.

Dies ist eine Stimme aus einer anderen konfuzianischen Richtung, die sich später in der sogenannten Neutextschule weiter hören läßt. In dieser hatte man durch Kombination des Klassikers „Ch'un-ch'iu" (Frühling–Herbst) mit der Fünfagenzienlehre des Tsou Yen eine sehr detaillierte Vorzeichenlehre entwickelt. Dadurch aber gelangte ein religiös-mystischer Zug in den sonst nüchternen Rationalismus des Konfuzianertums, und dies hatte, wie man sieht, einen gewissen Antagonismus zu den Vertretern der reinen Ritenschule im Gefolge.

Es ergibt sich ferner daraus, daß die Auseinandersetzung um die künftige Form der Religionsausübung auf der Ebene des staatlichen Beamtentums und vielfach unter den verschiedenen konfuzianischen Schulrichtungen ausgetragen wurde.

Bald kam ein unangenehmeres Zeichen! Der kaiserliche Nachwuchs blieb aus. Als Ursache wurde das Abreißen der Verbindung mit dem „Alleinen" (T'ai-i) und die Verlegung der Opfer von Kan-ch'üan und Fên-yin angegeben. Würde man wieder zum Herkömmlichen zurückkehren, dann würden sich kaiserliche Söhne und Enkel in Menge einstellen. Daß man die alten Verehrungsstellen für die Götter im Himmel und in der Erde geändert habe, widerspräche der Ordnung der früheren Gottkaiser und bedeute den Verlust der herzlichen Anteilnahme von Himmel und Erde am Schicksal der Dynastie. Deshalb würde dem Kaiser der Nachwuchs versagt.

Daraufhin wurden sämtliche religiöse Reformen wieder aufgehoben und der alte Zustand wiederhergestellt. Der Kaiser vollzog die Opferhandlungen wie vordem. In seinen letzten Jahren wurde er ein überzeugter Anhänger der „Götter und Geister". Er zog auch wieder die in magischen Künsten bewanderten Fang-shih an sich heran und richtete in den kaiserlichen Parks bei Ch'ang-an allerlei Opferkulte ein. Trotzdem blieb er ohne Nachwuchs.

Diese kostspieligen religiösen Extravaganzen riefen sofort wieder einen rationalistischen Konfuzianer namens *Ku Yung* auf den Plan. Dieser machte eine Eingabe, die sehr bezeichnend mit den Worten begann: „Wer sich klar ist über die Natur von Himmel und Erde, kann nicht in Verwirrung gebracht werden durch göttliche Wunder. Wer die Natur der Lebewesen kennt, kann nicht eingefangen werden durch übernatürliche Wesen." [118] Er wendet sich

---

118 Han-shu pu-chu, III, S. 2156.

besonders gegen Methoden, die er unter dem Sammelnamen „Linksbahn"
(Tso-Tao) zusammenfaßt. Unter diesen bringt er eine Aufzählung der damals
üblichen taoistischen Praktiken, darunter die Lebensverlängerungsmittel der
Heiligen *(Hsien-jên)*, ihre Weltraumfahrten zu den Paradiesgärten, die Divi-
nationsmethoden mit Hilfe der zyklischen Zeichen, die Alchemie, deren Produkte Tod und Hunger beseitigen sollten, u. a. m. Mit solchen Betrügereien
umgarne man den jeweils regierenden Kaiser. Deshalb: „Ein erleuchteter
König entfernt all dies von sich und gibt ihm nicht Gehör." Es folgt eine kurze
Aufzählung der früheren Machinationen der Fang-shih, wie ich sie (o. S. 117),
dem Fêng-shan-Kapitel der Shih-chi folgend, zu beschreiben versuchte, und
die Bemerkung, daß dafür Riesensummen ausgegeben worden wären. Am
Ende kommt die Ermahnung an den Kaiser, da auch Konfuzius sich nie über
Wunder und Götter geäußert habe, möge er ebenfalls all dies von sich fern
halten und nicht zulassen, daß üble Elemente Einblick in die Angelegenheiten
des kaiserlichen Hofes erhielten.

Der Kaiser billigte die Eingabe.

Bald meldeten sich weitere Stimmen. Man wies darauf hin, daß das einfache (vegetarische) Opfer des Chou-Königs Wên wesentlich mehr Erfolg
gezeitigt habe als der zu Ehren der Götter geschlachtete Ochse des letzten
Shāng-Königs. Das Wichtigste bei diesen religiösen Riten sei Schlichtheit und
Reinheit. Die Ausführung der Opfer an den alten, fernen Opferstätten habe
nicht nur zu Zeit- und Geldverlust, sondern auch zu einer ganzen Reihe böser
Vorzeichen geführt.

Die Opfer wurden also wieder nach Ch'ang-an verlegt. Da starb im Jahre
6 v. Chr. der Kaiser *Ch'êng-ti.*

Sein Nachfolger *Ai-ti* war ein Enkel seines Vorgängers aus einer Seiten-
linie. Es stellte sich bald heraus, daß er an einer Krankheit litt, die ihn
dauernd ans Bett fesselte. Deshalb versammelte er eine große Anzahl medi-
zinischer und religiöser Fang-shih um sich. Dies führte zu einer umfassenden
Wiedereinrichtung und Vermehrung der im Jahre 31 v. Chr. drastisch reduzierten Kleinkulte in der Umgebung der Hauptstadt. Sie erreichten bald eine
Zahl von mehr als 700; die dabei gebrachten Opfer beliefen sich auf 37 000 im
Jahr.

Im Jahre 4 v. Chr. ließ der Kaiser auch wieder die Opfer für den T'ai-i
(Alleinen) und die Hou-t'u an die alten Plätze Kan-ch'üan und Fên-yin verlegen[119]. Da der Kaiser nicht persönlich zu den heiligen Orten reisen konnte,
schickte er Vertreter aus der höheren Beamtenschaft.

In seine Regierungszeit fällt nun auch ein Ereignis von bemerkenswerter
religiöser Wichtigkeit. Im Frühling des Jahres 3 v. Chr. setzten sich viele
Tausende von Menschen aus dem Nordosten des Reiches, dem alten Zentrum

119 *H. H. Dubs:* The History of the Former Han Dynasty, 1955, Bd. III, S. 33.

des Taoismus, in Richtung auf die Reichshauptstadt, d. h. von Osten nach Westen, in Bewegung. Auslösende Ursache könnte eine Dürrekatastrophe gewesen sein, inspiriert aber wurden die Leute sicherlich von Taoisten oder den alten taoistischen Fang-shih. Denn in den Händen trugen sie Stengel oder Stöcke, die sie in einer Art Stafettenlauf an andere weitergaben, wobei sie sagten: „Setzt in Umlauf die Botschaft der Königsmutter des Westens *(Hsi-wang-mu)*!"

Diese Göttin haben wir kennengelernt als die Herrin des Wunderberges K'un-lun im Westen der chinesischen Oikumene und Hüterin des Paradiesgartens, in dem die Pfirsiche des langen Lebens wuchsen. Sie hatte sich inzwischen zur Göttin des Krankheitswesens, besonders der Epidemien, entwickelt. Wahrscheinlich lag es also in ihrer Hand, das menschliche Leben sowohl zu verlängern als auch zu verkürzen. Sie war eine rein taoistische Gottheit. Da die Furcht vor Epidemien in alter Zeit natürlich unvergleichlich viel größer war als heute, besaßen die Taoisten durch ihre Beziehungen zur Hsi-wang-mu ein höchst wirksames Mittel, um die Bevölkerung durch Ankündigung einer Pestilenzwelle in Aufregung zu versetzen.

Die Menschen rasten denn auch in Wagen, zu Pferd oder selbst barfuß dahin. Viele drangen bei Nacht über die Paßsperren und überkletterten Sperrmauern, bis sie durch 26 Präfekturen und Adelsdomänen hin die Hauptstadt erreichten. Die Unruhen hielten den ganzen Sommer über an. In der Hauptstadt und den umliegenden Städten und Ortschaften versammelten sie sich und opferten unter Singen und Tanzen der Hsi-wang-mu. Dazu wurde ein kleiner Brief verbreitet, in dem es hieß: „Die Königsmutter des Westens läßt allen mitteilen: Wer dies Schreiben an sich trägt, stirbt nicht. Wer das aber nicht glaubt, der sehe unter seiner Türangel nach, er wird dort weißes Menschenhaar finden." [120]

Erst im Herbst beruhigte sich diese religiöse Aufregung.

Es ist dies wohl der erste Fall in der chinesischen Geschichte, der zeigt, welch großen Einfluß die Taoisten auf die Bevölkerung besonders auf dem Land ausübten. Was auch immer die tatsächlichen Hintergründe des eben geschilderten Ereignisses sein mögen, die konfuzianischen Religionsreformer hätten daraus entnehmen können, daß ihre Maßnahmen, wie auch später, in der Hauptsache auf bestimmte Gesellschaftskreise der Hauptstadt beschränkt blieben. Die starken religiösen Strömungen im Volk wurden von ihrer Aufklärung nur unwesentlich berührt.

Wir sehen auch, daß am Ende der ersten Han-Zeit das Streben nach Bürokratisierung des Religionswesens im Sinne des konfuzianischen Beamtentums noch in keiner Weise voll erfolgreich war. Das Staatskultwesen, dem wir unter

---

120 *H. H. Dubs,* aaO, Bd. III, S. 33/34. Das weiße Haar war ein Vorbote raschen Alterns.

späteren Dynastien begegnen, gab es damals noch nicht, wohl aber waren starke Kräfte am Werk, die es schließlich zustande brachten.

8. Die Entwicklung unter Wang Mang

Es folgt hier das Zwischenspiel des Usurpators *Wang Mang* (6–23). Dieser war überzeugter Anhänger des Glaubens an Geister, Dämonen und Wunderzeichen, allerdings nun nicht auf der Grundlage der Lehren des Mo Ti, sondern jener stark von Tsou Yen beeinflußten konfuzianischen Richtung, auf die im vorausgehenden Abschnitt kurz hingewiesen wurde. Eine große Rolle spielt jetzt dabei auch eine Art Zahlenmystik, die man *Hsiang-shu* („Abbild und Zahl") nannte. Sie wurde bereits in der Vor-Han-Zeit an Hand der Trigramme und Hexagramme des I-ching (Buch der Wandlungen) entwickelt. Sie geht davon aus, daß die Risse auf der erhitzten Schildkrötenschale Abbilder von tatsächlichen Objekten sind und daß diese sich mittels der Schafgarbenstäbchen mit Zahlen in Verbindung bringen lassen. Zweck dieser Methode ist letztlich wieder die exakte Vorausberechnung der Zukunft. Sie fällt deshalb meiner Ansicht nach auch mehr unter den Begriff „Wissenschaft" als unter „Religion".

Noch vor seiner Machtübernahme ließ Wang Mang im Jahre 5 n. Chr. die großen Opfer wieder an die Stätten südlich und nördlich der Hauptstadt verlegen. Aber bereits im Frühling des Jahres 4 n. Chr. hatte ein Südaußenopfer *(Nan-chiao)* stattgefunden. Dabei war dem Himmel der erste Han-Kaiser und den (oder dem) Shang-ti der dritte Han-Kaiser gegenübergesetzt worden. Obgleich es nicht direkt erwähnt wird, können wir annehmen, daß auch dieses Opfer bereits bei der Hauptstadt Ch'ang-an vollzogen wurde. Bemerkenswert ist, daß in der Kommentierung zur Aufzeichnung dieses Ereignisses[121] eine gewisse Unsicherheit darüber zutage tritt, wer diese beopferten Götter eigentlich waren. So will man unter *Shang-ti* die fünf Götter im Sternbild *T'ai-wei* und unter diesen wieder besonders den *Hao-t'ien shang-ti* verstehen. Ein anderer Kommentator äußert, daß *T'ien* (Himmel) nur eine Zusammenfassung aller „oberen" Götter sei. Ma Yung, ein maßgebender Konfuzianer der zweiten Han-Zeit, meint, daß man sich unter *Shang-ti* den „Alleinen" *(T'ai-i)* im Sternbild *Tzû-wei* („Purpurgeheimnis", in der Nähe des Polarsterns) zu denken habe, und könnte damit vielleicht dem korrekten Tatbestand am nächsten kommen. Anderseits aber kündet sich hier bereits an, daß unter der Vorherrschaft des Ritualismus die verehrten Gottheiten gewissermaßen zu leeren Plätzen wurden, die von verschiedenen Göttern ausgefüllt werden konnten.

Im selben Jahr ließ Wang Mang eine *Ming-t'ang* und eine *Pi-yung*-Halle

121 Tzû-chih t'ung-chien, S. 1144.

errichten. Erstere diente zur Sicherstellung des geordneten Ablaufes der Jahreszeiten, die ringförmige Pi-yung dagegen der Weitergabe der korrekten konfuzianischen Lehre. Dazu kam noch eine *Ling-t'ai* (Magische Terrasse) zur Beobachtung der Odem, Wolken und Himmelszeichen[122]. Zu den Feiern in der Ming-t'ang wurde der gesamte Hochadel versammelt und nach Abschluß der Zeremonie ebenso wie die Beamtenschaft ausgiebig mit Gnadenbeweisen bedacht. Diese Ming-t'ang diente zunächst als Ersatz für die erst später erbaute Ahnenhalle.

Nachdem sich Wang Mang auf Grund einer Menge von auffordernden Vorzeichen zum Kaiser gemacht hatte, orientierte er seinen Staat völlig nach der unter dem Einfluß der Weltrhythmuslehre des Tsou Yen und der im Abschnitt über den politischen Taoismus genannten *Yüeh-ling* (Monatsordnung) mit vielen magischen Zügen ausgestatteten konfuzianischen Weltanschauung.

Als erstes wurde die Beamtenschaft angewiesen, sich nach den Sternbildern zu richten. So repräsentierte der Jupiterstern die Ehrfurcht und wurde damit das Muster für den „höchsten Lehrer" des Herrschers *(T'ai-shih);* seine Aufgabe war es, „rechtzeitigen Regenfall" zu veranlassen. Er kontrollierte ferner den Osten, den Frühling und die Sonnenuhr. Mars stand in Beziehung zur Weisheit, zum Süden und zum „höchsten Instruktor" *(T'ai-fu),* dessen Aufgabe es war, „rechtzeitige Wärme" zuwege zu bringen. Ferner beherrschte er das Musikwesen. Venus dominierte über die korrekte Ordnung, den Westen und die Maßeinheiten. Sie war Vorbild für den „Landesratgeber" *(Kuo-shih),* der für „rechtzeitigen Sonnenschein" zu sorgen hatte. Der Mond präsidierte dem Strafwesen und die Sonne der „Tugendkraft" *(Tê),* die, wie wir gesehen haben, den Herrscher zu seiner Stellung prädestinierte.

Wang Mang legte sich auch sofort einen Stammbaum zu, der mit dem uns bekannten Gelbkaiser (Huang-ti) und dem konfuzianischen heiligen Shun begann, wozu er durch das Auftreten „gelber Emanationen" ermutigt wurde. Damit machte er den gesamten chinesischen Hochadel zu seiner Verwandtschaft, was natürlich für die Stellung seiner Sippe im Ahnendienst von Wichtigkeit war. Bei den großen Opfern wurde deshalb der Gelbkaiser dem Himmel und seine Frau der Erde gegenüber plaziert.

Hierbei führte er eine weitere Neuerung ein, indem er die Opfer an den Himmel und an die Erde miteinander verband, da seiner Ansicht nach die im Opfer Bedachten nach Art von Ehegatten eine Einheit bildeten. „Die Tafeln für beide standen nach Süden gewandt auf einer Sitzmatte." Obgleich dies unter Han Wu-ti schon einmal so gehandhabt worden war, wurde es später nicht durchgehend beibehalten, denn es stand im Widerspruch zur Ritenvorschrift, die besagte: „Folgend dem Himmel diene man dem Himmel.

---

122 Solche Terrassen wurden auch bereits in der Vor-Han-Zeit errichtet. Die darauf
    gemachten Beobachtungen fanden später ihren Niederschlag in den Monographien über „Himmelszeichen" in den Dynastiegeschichtswerken.

Folgend der Erde diene man der Erde." Dies kombinierte Himmel-Erde-Opfer wurde von Wang Mang im ersten Frühlingsmonat im südlichen Vorgelände der Hauptstadt persönlich vollzogen. Doch gab es zu seiner Zeit neben diesem gemeinsamen Opfer auch noch getrennte Opfer für Himmel und Erde an den Sonnenwendtagen im Winter und Sommer, die von damit beauftragten Beamten ausgeführt wurden.

Wang Mangs besondere Aufmerksamkeit galt der bei den Opferhandlungen verwandten Musik. Denn durch diese wurden die Götter und Geister im Himmel und in der Erde veranlaßt zu kommen, um aus ihren Bereichen zur Ernährung und Bereicherung des Volkes beizusteuern.

Unter seiner Regierung fand auch eine beratende Versammlung von 89 Sachkennern, darunter der berühmte *Liu Hsin* (46 v. Chr. bis 23 n. Chr.), statt, die ergab, daß die Hauptkulte auf fünf große Opferstätten in der Nähe der Hauptstadt verlegt werden sollten. Hier zeichnet sich eine Systematisierung ab, die für den späteren Staatskult von Wichtigkeit ist.

An einem nicht festgelegten Ort (eigentlich der fünften Richtung, d. h. der Mitte entsprechend) bei Ch'ang-an sollten verehrt werden die verschiedenen Götter im Himmel und in der Erde, die „gelbe Schöpfungskraft *(Ling)* des zentralen Gottkaisers", die *Hou-t'u* (Fürstin Erde), die Sonne, der große Bär und vier weitere Sternbilder;

an einem Platz im Osten vor Ch'ang-an die „grüne Schöpfungskraft des göttlichen Klarhimmels im Osten", der Agrikulturgott des Frühlings *(Kou-mang)*, der Donnergott, der Windgott, der Jupiterstern und zwei weitere Sternbilder;

an einer Stätte im Süden die „rote Schöpfungskraft des Südgottkaisers *Yen-ti*" (d. h. Shên-nung, „der göttliche Landmann"), der Feuergott *(Chu-yung)* und drei Sternbilder;

im Westen die „weiße Schöpfungskraft des Westgottkaisers *Shao-hao*" („Junger Glanz"), der Erntegott des Herbstes *(Ju-shou)*, der Abendstern und zwei weitere Sternbilder;

im Norden die „dunkle Schöpfungskraft des Nordgottkaisers *Chuan-hsü*", der Mond, der Regenmeister und drei Sternbilder.

Die Himmelsgötter sollten angeredet werden mit *Huang-t'ien shang-ti*, die Erdgottheiten mit *Huang-ti hou-chi*. Der Altar für den „Alleinen" *(T'ai-i)* sollte *T'ai-chih* heißen. Dieser besaß also jetzt eine Sonderstellung und Sonderstätte.

Unter Wang Mang wird nun auch ein Versäumnis der Han-Kaiser nachgeholt. Wir haben oben gesehen, daß diese zwar einen amtlichen Erdgottheitsdienst *(Shêh)* einführten, diesen jedoch nicht mit einem für den Erntegott *(Hou-chi)* verbanden. Dies wird jetzt berichtigt: hinter dem amtlichen Shêh-Altar stellte man einen für den Chi-Gott auf.

Schließlich kommen auch wieder die Fang-shih zu Ehren. Am Ende des

Jahres 10 n. Chr. wurde einer von ihnen, namens *Su Lo*, an den Hof gezogen. Auf seine Veranlassung hin errichtete man unter großem Kostenaufwand im Palast eine „Plattform der acht Winde" einzig zu dem Zweck, um dort komplizierte Medizinen und Gold herzustellen. Auch wurden zu magischen Zwecken in der Audienzhalle die fünf Getreidearten jedes in der Richtung seiner Farbe angepflanzt.

Die Folge war, daß am Ende der Wang-Mang-Regierung wieder 1700 (nach anderer Lesart allerdings nur 389) Kleinkulte für Götter, Gottheiten, Geister und Dämonen aller Art bestanden, was eine merkliche Verknappung der zur Verfügung stehenden Opfertiere bewirkte [123].

Aber diese magisch-religiöse Verankerung der neuen Dynastie im Bau und im Gang des Universums half ebensowenig wie die wieder herbeigerufenen Künste der Fang-shih. Infolge großer Naturkatastrophen nahmen die Scharen der entheimateten Bevölkerung ständig zu. Und dies gab der Han-Sippe die Möglichkeit zu einem erfolgreichen Gegenschlag.

Wang Mangs Abwehrmaßnahmen bestanden zunächst darin, seinen Generalen neue auf die fünf Agenzien bezogene und mit zyklischen Zeichen verbundene Titel zu verleihen. Und als die Lage aussichtslos wurde, drehte er sich, in ein Purpurgewand gekleidet, mit den Reichsinsignien nach den Berechnungen seines Astrologen so auf seiner Sitzmatte, daß der ausladende Arm des großen Bären immer auf ihn zeigte. Schließlich nahm er seine Zuflucht in einem Turm, der von Wasser umgeben war, um das Agens Feuer der Han abzuhalten [124]. Aber wider alles Erwarten erwiesen sich die stärkeren Bataillone der Aufständischen auch dagegen als wirksamer.

Das Ende des Wang Mang bedeutet einen empfindlichen Schlag gegen die von ihm in die Tat umgesetzten konfuzianischen, kosmologisch-magischen Theorien und begünstigte sicherlich das Aufkommen der rationalistischen Alttext-Schule in der zweiten Han-Zeit. Diese war bemüht, alle magisch-religiösen Einflüsse aus der konfuzianischen Lehre zu entfernen.

Zugleich hätte sich damals auch ein erster Zweifel an einer Literatur, die im zunehmenden Maße während der ersten Han-Zeit, besonders in den Jahren 7–1 v. Chr., aufkam, regen sollen. Es waren dies die sogenannten *Wei-shu*, in denen die Verbindungslinien zwischen irdischen und außerirdischen Verhältnissen hergestellt wurden und die also einen ausgesprochen metaphysisch-religiösen Charakter trugen. Sie bezogen sich zwar vielfach auf die konfuzianischen Klassiker, interpretierten diese aber nach eigenen, phantastischen Theorien. Zugleich mit ihnen entstanden die Ch'an-shu, die sich vor allem mit

---

123 Han-shu pu-chu, III, S. 2165–2168.
124 *H. H. Dubs:* The History of the Former Han-Dynasty, Bd. III, S. 463/64. Ursprünglich regierten die Han wie die Ch'in im Agens Wasser, gingen dann aber über zu Feuer. Unter Han Wên-ti, dem dritten Kaiser, wurden sie auf das Agens Erde festgelegt. Später errechnete aber Liu Hsiang, daß das Feuer doch das richtige Agens der Han sei. Und dabei blieb es.

Omina und Prophezeiungen befaßten. Ein solches Werk wurde übrigens von Wang Mang selbst in Umlauf gesetzt. Es enthielt eine Aufzählung sämtlicher für seine Regierung günstigen Vorzeichen[125]. Die Abfassung solcher Schriften war natürlich ein neues Betätigungsfeld für die Fang-shih.

Mit dem Untergang des Wang Mang erlitt auch das Bewußtsein göttlicher Berufung (Charisma) der chinesischen Kaiser einen weiteren Stoß. Wir haben oben (s. S. 49) gesehen, wie die ersten Zweifel an der Beständigkeit des *T'ien-ming* (Göttlicher Auftrag) bereits beim Sturz der fest im Ahnendienst verankerten Shāng-Dynastie geäußert wurden. Das rasche Ende der Ch'in-Dynastie, die in religiöser Hinsicht auf der von taoistischen Magiern verkündeten und praktizierten Verbindung zu übermenschlichen Wesen fußte, trug ebenfalls zur Schwächung dieses Vertrauens auf die „göttliche Berufung" bei.

In Wang Mang finden wir dieses Charisma auf eine neue, von den Konfuzianern erspekulierte, kosmologische Basis gestellt vor. Bis zu seinem Ende vertritt der Usurpator den Standpunkt: „Der Himmel hat die Tugendkraft (Tê) in mir erzeugt. Was können mir die Han-Soldaten anhaben?" Dies klingt sehr ähnlich wie der Ausspruch des letzten Shāng-Königs, beruht aber auf einem andersartigen geistig-religiösen Hintergrund.

Die unglückliche Regierung des Wang Mang zeigte, daß *T'ien-ming*, die „göttliche Sendung", auch mit ihrer neuen Begründung unzuverlässig blieb. Trotzdem wurde dadurch die Idee charismatischer Berufung der Kaiser in China jedoch nicht ausgelöscht. Allerdings scheint es, daß sich jetzt mehr und mehr eine Auffassung durchsetzte, die den Kaiser als Vormann der Menschheit den großen Mächten des Universums, d. h. Himmel und Erde, gegenüber und als verantwortlich für die Verfehlungen innerhalb der Menschheit erscheinen läßt. Von einem Verkehr mit den Göttern auf gleicher oder nahezu gleicher Ebene ist nicht mehr die Rede. Jeden Augenblick können jetzt Himmel und Erde (d. h. die in ihnen versammelte Götterbürokratie) ihren Zorn durch Riesenkatastrophen und in deren Gefolge durch Rebellionen zum Ausdruck bringen.

9. Die Entwicklung in der Hou-Han-Zeit

Die zweite Han-Zeit wird eingeleitet durch eine neue Welle der Prophezeiungsliteratur. Alle Omina werden jedoch jetzt zugunsten der Han-Sippe ausgelegt.

Der erste Kaiser der Hou-Han-Dynastie tritt in diesen Werken auf als „der Neunte der roten Liu". Dies zeigt, daß die Kreise, aus denen diese Schriften stammten, das Interregnum des Wang Mang einfach übergingen und so taten, als ob zwischen der ersten und der zweiten Han-Zeit keine Lücke bestünde.

125 *H. H. Dubs,* aaO, Bd. III, S. 288.

Liu war der Sippenname der Han-Kaiser; da sie im Zeichen des Agens Feuer herrschten, wurde ihnen die Farbe Rot beigelegt.

Zugleich kam aber jetzt aus konfuzianischen Kreisen eine scharfe Kritik gegen diese Art Literatur auf. „Wenn man die Aufzeichnungen der früheren Könige betrachtet, dann gründen sich diese im wesentlichen auf Güte, Rechtlichkeit und den korrekten Weg *(Chêng-Tao)* und lehnen Wunderberichte und phantastisches Gerede ab." Der berühmte Gelehrte *Chang Hêng* (78–139) brachte folgenden Vergleich: „Die Maler lieben es nicht, wirkliche Hunde und Pferde darzustellen, sie ziehen Geister- und Gespensterpferde vor. Das ist, weil sich wirkliche Dinge nur schwer korrekt wiedergeben lassen, aber für Dinge, die aus dem Nichts erfunden werden, gibt es keine Grenzen der phantastischen Formen." Er schlägt vor, man solle die Wei- und Ch'an-Werke in Bibliotheken aufbewahren und der Öffentlichkeit entziehen.

Es zeigte sich aber, daß die Kaiser ein viel zu großes Interesse an diesen Werken hatten, da sie im Volk ein wirksames Propagandamittel für die Regierungsautorität bildeten. Es mußten erst noch mehrere Jahrhunderte vergehen, bevor der Staat gegen sie vorging.

In religiöser Hinsicht führt diese zweite Han-Zeit direkt jene Linien fort, die wir oben für die ausgehende erste Han-Zeit aufgezeigt haben.

Auch im Verwaltungswesen kam es noch zu keiner Zusammenfassung sachlich verwandter Ressorts unter ein Ministerium, sondern die Amtsordnung, die wir unter der ersten Han-Zeit kennengelernt haben, blieb weiterhin bestehen. Einige Änderungen sind allerdings erkennbar. So werden die Orakelvollzieher nicht mehr genannt. Dies hängt wahrscheinlich mit dem In-Mode-Kommen der magischen Zahlenmanipulation anhand des I-ching zusammen, die den alten Wahrsagemethoden den Rang ablief.

Es ist in gewisser Weise bezeichnend, daß in den Geschichtswerken der beiden Han-Dynastien das Ritualwesen und das religiöse Opferwesen jeweils in zwei verschiedenen Kapiteln behandelt werden. Dies erweist, daß der Ritualismus auch jetzt noch nicht eindeutig die Oberhand gewonnen hatte.

Anderseits dauert in konfuzianischen Kreisen das lebhafte Bemühen um das Ritenwesen an. Schon gegen Ende der ersten Han-Zeit hatte die Tätigkeit der Brüder Tai die Kompilation eines umfassenden Sammelwerkes, nämlich des *Li-chi* (Buch der Riten), in zwei Ausgaben bewirkt. Es enthielt Schriften, die in den Schülerkreisen des Konfuzius entstanden waren. Während aber diese Arbeit der Gelehrten ausschließlich die Neuredaktion überkommener Ritendarstellungen zum Gegenstand hat, wendet man sich in der zweiten Han-Zeit auch dem Sittenwesen von damals zu.

So wurde im Jahre 87 der Gelehrte *Ts'ao Pao*, der einer Familie entstammte, in der das Studium der Riten vom Vater an den Sohn weitergegeben wurde, beauftragt, das Ritenwesen des Staates in Ordnung zu bringen. Er sammelte also, vom Kaiser angefangen bis hinunter zum „Mann auf der

Straße", sämtliche Gebräuche, die bei Bekappung (Mündigkeitsfeier), Hochzeit und allen freudigen und traurigen Ereignissen im Schwange waren, und stellte sie zu einem Werk von 150 Kapiteln zusammen[126]. Er führte also eine Aufnahme des Sittenwesens seiner Zeit durch, wie sie zu Beginn der Ch'in-Dynastie für das Religionswesen gemacht worden war.

Obgleich die Sammlung vom Kaiser persönlich mit einem Vorwort versehen wurde, konnte sie sich schließlich doch nicht gegen die Vertreter der traditionellen Ritenlehre durchsetzen, „da durch sie die Ritentechnik des Heiligen (Konfuzius) in Verwirrung gebracht wurde". Die neuen *Han-Li* (Han-Riten) mußten dem alten *Li-chi* (den klassischen Ritenaufzeichnungen) das Feld überlassen.

Allerdings besteht die Möglichkeit, daß durch diese Beschäftigung mit den Volkssitten und unter dem Einfluß der *Yüeh-ling* („Monatsaufträge") eine Art „Jahresfestordnung" zustande kam, wonach jede Jahreszeit gebührend in Empfang genommen wurde und das Jahr durch eine große Reinigungs- und Austreibungszeremonie *(Ta-no)* seinen Abschluß fand. Es scheint mir ziemlich sicher, daß man in dieser „Festordnung" die tatsächlichen Volksbräuche berücksichtigte, wogegen die „Riten" letztlich nichts anderes waren als eines der konfuzianischen Instrumente, durch die man die Staatsordnung in den Griff bekam. Dies zeigt sich schon daran, daß damals Rite und Gesetz eine enge Verbindung eingingen.

Der Einfluß der Ritenschule wird schon vom Jahre 26 an, als der Kaiser die religiösen Grundlagen seiner Dynastie schuf, deutlich spürbar. Er äußert sich bereits im Ahnendienst, der nach den Ratschlägen des ebenfalls einer Sippe von Ritenkennern entstammenden *Chang Shun* gemäß der vom „Chou-hof überkommenen Tradition" eingerichtet wurde. An die Spitze der Ahnen traten jetzt der erste Han-Kaiser als *T'ai-tsu* (Ur- oder Gründerahn), der dritte Han-Kaiser als *T'ai-tsung* (d. h. der Ahn mit der höchsten Tugendkraft) und der oben mehrfach erwähnte Han Wu-ti als *Shih-tsung* (d. h. der Ahn, der die dynastische Erbfolge sicherte). Erst ein Jahr später wurden vier Vorfahren des gegenwärtigen Kaisers als unmittelbare Verwandtschaftsahnen (die oberste Verwandtschaftsgrenze lag bei der sechsten Generation) in den Ahnendienst einbezogen. Insgesamt wurden also sieben Ahnen verehrt. Diese Zahl blieb konstant, und das führte zu einem vielumstrittenen, gradweisen Abbau der Ahnentafeln der Verwandtschaftsahnen aus dem Ahnentempel.

Leider konnte ich nicht feststellen, wie dies von den Han, die ja wegen ihrer niederen Abkunft am Anfang der Dynastie gewisse Schwierigkeiten bei der Einrichtung ihres Ahnendienstes hatten, im einzelnen während der beiden Han-Epochen gehandhabt wurde. Anderseits aber lese ich, daß bei den Kaisergräbern kleine Tempelchen standen, in denen dazu bestellte Diener täglich

126 Hou-Han shu, S. 1203.

Speiseopfer auslegten[127]. Jedenfalls wurde unter allen Dynastien dafür gesorgt, daß die Manen von Kaisern und Königen nicht auf die Stufe von ordinären Hunger- oder Bettelgeistern *(Kuei)* herabsanken.

Außerdem wurden auf Betreiben des eben genannten Chang Shun im Jahre 50 zwei besondere Ahnenopfer eingerichtet oder, nach seiner Lesart, aus dem Altertum wieder übernommen. Dies waren das alle drei Jahre vollzogene *Hsia*-Opfer und das alle fünf Jahre stattfindende *Ti*-Opfer. Bei diesen Feiern wurden sämtliche Ahnentafeln und eben auch die bereits ausrangierten zwecks Beopferung aufgestellt. Das Hsia-Opfer wurde im Winter abgehalten. Es steht in Beziehung zu den nach dem lunarischen Kalender etwa alle zwei bis drei Jahre eingeschobenen Zusatzmonaten *(Jun)*. Und von diesen wieder heißt es, daß im Jahr mit einem solchen Zusatzmonat eine kleine gute Ernte, nach zwei Jahren mit solchen Monaten aber eine große gute Ernte zu erwarten sei. Das Ti-Opfer wurde im Hochsommer dargebracht, wenn der Yang-Odem am stärksten war. Es war im Grunde nur ein vergrößertes Hsia-Opfer, zu dem man den gesamten Hochadel versammelte. Doch kam es dabei in erster Linie auf die exakte Anordnung der Ahnentafeln in *Chao* (die „Leuchtenden", d. h. die Vaterreihe) und *Mu* („die Ehrfürchtigen", d. h. die Sohnreihe) an[128].

Wenn auch der Han-Ahnendienst in der Ritenliteratur oft als nicht den exakten Riten entsprechend bezeichnet wird, so bildet er zumindest den sicheren, greifbaren Ausgangspunkt für alle späteren Diskussionen.

Rechts vom Ahnentempel wurde der (kaiserliche) Altar für den Erd- und den Erntegott *(Shêh-chi)* eingerichtet. Dieser war viereckig, hatte Wände und Tore, aber weder Dach noch Räumlichkeiten. Unter *Hou-t'u* (Fürstin Erde) wird jetzt immer eine männliche Gottheit, nämlich *Kou-lung*, der Nachkomme des Urrebellen *Kung Kung*, verstanden. Seine Befähigung zum Erdgott soll dadurch bewiesen haben, daß es ihm gelungen sei, „die neun Erdböden" (d. h. die neun Teile des alten China) ins „Gleichgewicht" zu bringen. Dies zeigt, daß die Angaben in solchen Texten wie Kuo-yü und Li-chi jetzt maßgebend geworden waren.

Zu diesem Shêh-chi wird jetzt folgende Erklärung abgegeben: „Ohne den Erdboden könnte der Mensch nicht stehen, ohne Getreide könnte er nicht essen. Deshalb errichtet man einen Hügel und stellt den Shêh darauf als Manifestation für den Erdboden. Chi ist der Senior der fünf Getreidearten. Man opfert ihm, um Yin und Yang in harmonischer Mischung zu erlangen."[129] Ich führe dies als ein Beispiel an für die Uminterpretation der Hintergründe religiöser Gebräuche, wie sie auf der großen Diskussion in der Po-hu-Palasthalle im Jahre 79 zutage kam.

127 Hou-Han shu chih, S. 3574. Genauere Einzelheiten bei *D. Croissant:* Funktion und Wanddekor der Opferschreine, in: Monumenta Serica, XXIII (1964), S. 95–97.
128 Hou-Han shu, S. 1194.
129 Tzû-chih t'ung-chien, S. 1295. *Tjan Tjoe Som:* Po Hu T'ung, Leiden 1952, S. 379.

Im Jahre 26 erhielt auch das große Südaußenopfer *(Nan-chiao)* eine feste Form. Es wurde abgehalten auf einer runden, geglätteten Opferfläche, zu der acht Stufen hinaufführten. Wie auch unter Wang Mang stellte man die Tafeln für Himmel und Erde auf dieser Plattform auf. Daneben errichtete man besondere Altarplätze für die fünf Agenzienkaiser, die also nicht einfach mit den anderen Himmelsgöttern in einen Topf getan wurden. Die ganze Anlage wurde mit einer niedrigen Mauer umgeben und dem Sternbild „Purpurpalast", dem Aufenthaltsort des „Alleinen" (T'ai-i), nachgebildet. Am südlichen Zugangsweg wurde im Osten eine Tafel für die Sonne und im Westen eine solche für den Mond plaziert. Für die wichtigen Sternbilder, die man nicht summarisch mit der „Masse der Gottheiten" abtat, wurden Plätze bei den drei anderen Zugangswegen reserviert. Die „Masse der Gottheiten", etwa 1514 an der Zahl, wurde an den Toren, aber innerhalb der Umfriedung, bedient. Zu ihr gehörten u. a. der „Windgraf", der „Regenmeister" und die Gottheiten der Berge und Gewässer[130].

Wie wir sehen, haben wir hier eine Zusammenfassung fast aller der im vorhergehenden beschriebenen, wichtigen Kulte vor uns, die auf einer vergrößerten Stätte, die den alten „heiligen Orten" *(Chih)* entsprach, vereinigt wurden. Damit aber ist nun der Grundtyp des späteren, immer vom Kaiser persönlich vollzogenen Außenopfers im Süden vor der Hauptstadt, das repräsentativste Kernstück der „Staatsreligion", geschaffen.

Im Jahre 56 wurde auch eine Nordaußenopferstätte *(Pei-chiao)* eingerichtet. Sie lag näher an der Hauptstadt als der Nan-chiao-Platz und bildete eine viereckige Fläche, zu der vier Stufen hinaufführten. Dort wurde den Gottheiten in der Erde geopfert. Diese hatten aber nun wieder weiblichen Charakter, was daraus hervorgeht, daß man ihnen die Manen der Kaiserinnen beiordnete.

Ab 54 n. Chr. dachte man auch wieder an den Vollzug des Fêng-shan-Opfers. Der uns bereits bekannte Sachverständige Chang Shun äußerte sich dazu: „Seit alters erhielt einer den Auftrag des Himmels und war dann Kaiser. Wenn seine gute Regierung den Höhepunkt erreicht hatte, dann brachte er sicherlich das Fêng-shan-Opfer, um (dem Himmel) die Erreichung dieses Zieles anzuzeigen." Für diesen zu erreichenden Idealzustand im Reich und in der Welt überhaupt war nun seit Beginn der Han-Zeit der Terminus *T'ai-p'ing* („Höchste Ausgewogenheit" oder „Höchste Harmonie")[131] aufgekommen. Jetzt wurde er mit dem Fêng-shan-Opfer in Verbindung gebracht und dieses als eine Art Erfolgsmeldung an die übermenschlichen Mächte im Himmel und in der Erde interpretiert. Es diente also nicht mehr wie unter Han Wu-ti der Kommunikation mit den Göttern zum Zweck der Aufnahme unter diese[132].

---

130 Tung-Han hui-yao, S. 27.
131 *W. Eichhorn:* T'ai-p'ing und T'ai-p'ing-Religion, in: MIO V (1957).
132 Die diesbezügliche Argumentation im einzelnen findet sich im Lun-hêng des Wang Ch'ung (27–etwa 97), Kap. XXVIII.

Allerdings ist es auch jetzt noch umgeben von der Atmosphäre der oben kurz behandelten apokryphischen Schriften, unter denen *Ho-t'u*, der „Plan aus dem Huangho", und *Lo-shu*, die „Schrift aus dem Lo-Fluß", besonders in den Vordergrund traten. Ersterer war vom Flußgott in „Gestalt eines gigantischen Menschen mit Fischleib" vor Urzeiten dem heiligen Yü übergeben oder nach anderer Lesart von einem „Drachenpferd" ans Land gebracht worden. Letztere bestand aus seltsamen Zeichen auf dem Rücken einer Schildkröte, die aus dem Lo-Fluß ans Ufer kam. Beide Werke standen in enger Verbindung mit den Trigrammen und Hexagrammen des I-ching und waren wahrscheinlich Amulettschriften[132a] von großer magischer Kraft.

Von den Konfuzianern wurde das Fêng-shan-Opfer aber als „Erfolgsmeldung" definiert und diese, auf Yadetafeln geschrieben, im Jahre 56 feierlich vom Kaiser in dem großen Steinbehälter auf dem T'ai-shan deponiert. In der Po-hu-Konferenz legte man die Ausführung dieses Fêng-Opfers mit dem stets angeschlossenen Shan-Opfer auf einem Vorhügel des T'ai-shan bis in die Einzelheiten fest[133]. Und so geht es als Erfolgsmeldung an Himmel und Erde an die nachfolgenden Dynastien über. Verständlicherweise konnte es deshalb von solchen Dynastien, die nicht den Idealzustand T'ai-p'ing erreichten, nicht vollzogen werden.

Wie sehr sich jetzt die Dinge den alten Zeiten gegenüber geändert haben, kann man zum Beispiel daran erkennen, daß bei Dürre die hohe Beamtenschaft in Rangordnung zu einer Regenbittzeremonie in schwarzen Gewändern, „um das Prinzip Yang zu sperren", antreten mußte. Dies hängt mit der „wissenschaftlichen" Interpretation dieser Katastrophen durch den berühmten *Tung Chung-shu* (176–104 v. Chr.) zusammen. Danach beruhten Flut und Dürre auf Unregelmäßigkeiten in den Bewegungen von Yin und Yang. Wenn deshalb Regen gewünscht wurde, mußte Yang auf jede Weise behindert und abgesperrt werden, bei Flut natürlich das Yin.

Anderseits aber wurden die alten Regenerzeugungsmittel doch nicht völlig aufgegeben. So ließ man vom Volk „Erddrachen" zum Anlocken der regenspendenden Wolkendrachen herstellen und Regenbittänze ausführen. Bei Flut mußten die Leute rote Trommeln anschlagen[134]. Außerdem gab es auch Fälle, in denen sich pflichtbewußte konfuzianische Beamte in den Landkreisen ähnlich den alten Wu (Schamaninnen) freiwillig der Gefahr des Verbrennens aussetzten, um Regen zu erzeugen, wie sich am Beispiel des im Jahre 100 n. Chr. verstorbenen Kreisvorstandes Fa Fêng nachweisen läßt[135].

132a Vielleicht spräche man besser von halbierten Vertragsdokumenten, denn der Zweck solcher Amulettzeichen war, im allgemeinen wenigstens, eine vorteilbringende, Unheil abwehrende Verbindung mit den überirdischen Mächten auf der Basis eines „Berith" herzustellen (s. *Kaltenmark* [1960], S. 584).
133 *Tjan Tjoe Som:* Po Hu T'ung, S. 239–241.
134 Hsi-Han hui-yao, S. 119; Tung-Han hui-yao, S. 50.
135 Hou-Han shu, S. 2683.

Mit dem Aufkommen des Konfuzianismus als dominierendem Faktor im Staatsleben hören wir nun auch von Opfern für Konfuzius und seine 72 Schüler. Das erste wurde schon im Jahre 195 v. Chr. vom ersten Han-Kaiser bei einem gelegentlichen Besuch im Lande Lu vollzogen. Auch später finden solche Ehrungen des großen Lehrers in unregelmäßigen Abständen dann und wann statt. Eine stehende, staatliche Einrichtung war der Konfuziuskult in der Han-Zeit jedoch nicht [136].

In der zweiten Han-Zeit in den Jahren 165 und 166 wurden auch erstmalig Opfer für Lao-tzû dargebracht, im ersten Fall ausgeführt an seinem Geburtsort von einem beauftragten Eunuchen, im zweiten Fall im Palast vom Kaiser persönlich. Sie sind darauf zurückzuführen, daß Lao-tzû inzwischen im Volk die Stellung eines messianischen Retters und Heilbringers oder Gottwesens erhalten und der Kaiser Huan-ti (147–167) eine besondere Vorliebe für die Lehre von den Hsien (Genien und Göttern) hatte [137].

Auffällig ist, daß im Kapitel über die Opferdienste im Hou-Han-shu (Kap. 7–9) von einer Verehrung des T'ai-i („Alleinen") nicht mehr die Rede ist. Das würde bedeuten, daß der damals höchste Gott der Taoisten zugunsten des etwas unbestimmten Huang-t'ien shang-ti aus dem Staatsopferdienst ausgeschlossen oder in den Hintergrund gedrängt oder mit ihm zu einer Einheit verschmolzen worden war, d. h. nicht mehr besonders genannt zu werden brauchte.

Alles in allem läßt sich feststellen, daß am Ende der zweiten Han-Zeit die wichtigsten Bestandteile des späteren Staatskultes, d. h. ein bis ins einzelne geordneter Ahnenopferdienst, das große Südaußenopfer und das Fêng-shan-Opfer, fest etabliert waren.

10. Der Taoismus

Die chinesische „Staatsreligion" am Ende der Han-Zeit ist, so könnte man vielleicht sagen, im Grunde genommen die reduzierte, verbilligte, entemotionalisierte und in ein gewisses Zeremonial gezwängte Religion des Han Wu-ti. Sie erfüllte durch den Ahnendienst den Zweck, das Tê („Tugendkraft" oder Charisma) der regierenden Sippe zu mehren oder wenigstens nach Möglichkeit zu erhalten. Durch die großen Opfer an Himmel und Erde wurden dagegen die Ernten und damit wieder der Unterhalt des Volkes gesichert. Dies alles geschah auf der Basis eines kollektiven do-ut-des, weshalb die Opfer bei mehreren aufeinanderfolgenden Mißernten drastisch herabgesetzt wurden.

Alles in allem aber waren die Beziehungen der Menschheit zu den außermenschlichen Mächten klar geordnet und ihre Handhabung auf die Spitze der

---

136 Hsi-Han hui yao, S. 119; Tung-Han hui-yao, S. 42.
137 Hou-Han shu chih, S. 3188.

Regierung beschränkt, wo jeder religiöse Schritt so wie jeder politische genau vorgeplant und in festgelegten Formen vollzogen wurde. Die Masse der Untertanen war nur indirekt daran beteiligt.

Bei einer solchen Regelung konnte selbstverständlich nicht die besondere Lage oder das Interesse einer Gruppe der Bevölkerung und noch weniger natürlich das des Individuums berücksichtigt werden Für die gläubigen Massen der nichtkonfuzianischen Schichten war diese Ordnung daher wenig befriedigend.

Deshalb ging die religiöse Entwicklung dort einen anderen Weg.

Nun zeigte sich, daß, wie bereits angedeutet, der immer aufnahmebereite „Talgeist" des Taoismus diesen tatsächlich zu einem umfassenden Sammelbecken machte für alle die geistigen, religiösen und magischen Strömungen, die von den Konfuzianern abgelehnt oder ausgeschieden wurden.

Was also jetzt mit dem Namen Taoismus belegt wird, ist ein sehr heterogenes und vielgestaltiges Gebilde, dessen Träger unzählige Magier, Wu (Schamanen), Zauberer, Hexen, Schwarzkünstler und auch Taoisten im eigentlichen Sinne waren, kurz eine neue Auflage der uns bekannten Fang-shih. Wie das konfuzianische Beamtentum die Städte durch seine Kenntnis der Administration beherrschte, so beherrschten sie die Landbevölkerung durch ihre Kenntnis der Abwehr böser Katastrophen, vor allen Dingen aber der Krankheiten, denn „die Furcht ist die Wurzel des Lebens" (T'ai-p'ing ching, S. 426).

Es ist leicht zu verstehen, daß man in diesen Kreisen die Politik verfolgte, unter Umgehung der Beamtenschaft direkt auf den Kaiser einzuwirken.

a. Das T'ai-p'ing ching und die Gelbturbane

In der Geschichte bringt diese Tendenz sich besonders durch eine Gruppe zur Geltung, die in Beziehung steht zu dem geheimnisvollen T'ai-p'ing ching („Sutra vom Zustand T'ai-p'ing"). Dies ist eine Schrift, deren ältester Bestand in die erste Han-Zeit und vielleicht sogar noch weiter zurückreicht. Sie wurde im Kreis einer Sekte in Ch'i (Shantung) von Generation zu Generation überliefert und, wie es dabei üblich war, ständig erweitert oder, wenn man so will, immer wieder auf den „neuesten Stand des Wissens" gebracht.

So oft die Situation am Kaiserhof dafür günstig schien, machte diese Gruppe einen Anlauf, das T'ai-p'ing ching bei Hof einzuführen und es dem Kaiser zur Kenntnis zu bringen. Zum erstenmal erfahren wir etwa um 9 v. Chr. von einem solchen Vorstoß[138]. Weitere Versuche wurden unter dem Hou-Han-Kaiser Shun-ti (126–144) und unter dem Kaiser Huan-ti im Jahre 166 n. Chr. unternommen. Dies aber war das Jahr, in dem der Kaiser, der Stimmung im Volk Rechnung tragend, persönlich dem Lao-tzû opferte.

---

138 Han-shu pu-chu, VII, S. 4732.

Das T'ai-p'ing ching ist sicherlich ein Erzeugnis des politischen Taoismus und rückt damit in die Nähe des oben kurz behandelten Werkes *Huai-nan tzû*. Möglicherweise ist es mit einem anderen Buch verwandt, das etwa um 138 v. Chr. von Tung-fang Shuo dem Han-Kaiser Wu-ti vorgelegt wurde. Dieses trug den Titel *T'ai-chieh liu-fu ching* (etwa „Leitfaden der sechs Beglaubigungen oder Sternamulette der höchsten Stufe"). Es gehörte zur Gruppe der vom Huang-ti (Gelbkaiser) inspirierten Literatur. Über seinen Inhalt erfahren wir folgendes: „Die ‚höchste Stufe' bezieht sich auf die drei Stufen des Himmels. Die oberste Stufe ist gleich dem Himmelssohn, die mittlere Stufe ist gleich den Lehensfürsten und den Beamten, die unterste Stufe ist gleich dem Volk. Die oberste Stufe besteht wieder aus zwei Sternen, der obere ist der ‚männliche Herr' (Kaiser), der untere ist die ‚weibliche Herrin' (Kaiserin). Das obere Sternbild der mittleren Stufe sind die Lehensfürsten und die drei Herzöge, das untere sind die Minister. Das obere Sternbild der unteren Stufe sind die Ritter und Gelehrten, das untere das gewöhnliche Volk. Sind diese drei Stufen im Gleichgewicht, dann sind Yin und Yang in Harmonie. Wind und Regen kommen zur rechten Zeit. Die Götter des Bodens und der Ernten, die Gottheiten im Himmel und in der Erde senden ihre Hilfe, wie es passend ist. Alles unter dem Himmel ist in größtem Frieden. Dies sind die drei Stufen des T'ai-p'ing (der Universalharmonie)." [139] Sind diese drei Stufen aber nicht in ausgewogener Harmonie (T'ai-p'ing), dann kommen Katastrophen aller Art, und der Himmelssohn ist gezwungen, harte und grausame Maßnahmen zu treffen und Kriege zu führen. In mehr praktischer Hinsicht führt dies dazu, daß der Kaiser aufgefordert wird, menschlich gute und tüchtige Männer, d. h. nicht bloß Kenner der konfuzianischen Klassiker, in die Ämter zu berufen und die Ausgaben für die Hofhaltung drastisch herabzusetzen, dafür aber die Armen und Hilflosen zu unterstützen, die Alten im Volk zu versorgen und die Steuern und Strafen zu ermäßigen. [140]

Schon dies zeigt, daß wir es hier mit einem Werk zu tun haben, das aus den Kreisen kam, in denen man die Härte der Katastrophen und Regierungsmaßnahmen am bittersten empfand.

Das T'ai-p'ing ching läßt sich seinem Inhalt nach gut mit dem *T'ai-chieh liu-fu ching* in Verbindung bringen, auch schon insofern, als es ebenfalls am Schicksal der breiten Volksmassen besonders interessiert ist. Ja, man kann sogar wahrscheinlich machen, daß es ursprünglich überhaupt aus dem Milieu der Dorfgemeinden stammt, denn wir lesen zum Beispiel: „Wenn sich Vater und Mutter an der Dorfgemeinschaft vergehen, dann werden Söhne und Enkel sicherlich durch die Dorfgemeinschaft zu Schaden kommen" (T'ai-p'ing ching ch'ao 3, 2).

---

139 Han-shu pu-chu, VI, S. 4390.
140 Han-shu pu-chu, VI, S. 4411.

Das T'ai-p'ing ching geht aus von der zyklischen Wiederkehr gigantischer Weltkatastrophen, die nur von kleinen, ausgewählten Menschengruppen überlebt werden. Es offenbart nun die Art und Weise, wie man diese periodischen Weltuntergänge übersteht und sich der Schar der zum Überleben Auserwählten eingliedern kann. Die kritische Zeit wird angekündigt durch eine Periode, in der sich Fluten, Dürren, Mißernten, politische Wirren und Kriege, besonders aber Pestilenzen, immer mehr anhäufen, so wie das etwa gegen Ende der zweiten Han-Dynastie der Fall war. In kleinen Untergrundströmen aber leitet der „Gottmensch des großen Tao" durch abgesandte Heilige und Weise die zum Weiterleben bestimmten Gruppen sicher durch den allgemeinen Zusammenbruch hindurch in das Reich des großen Friedens *(T'ai-p'ing)*. Dieser Gottmensch, Lenker des Ganzen und Offenbarer des T'ai-p'ing ching, ist der „große Herr des Langlebens", von dem wir erfahren, daß er denselben Namen wie Lao-tzû, nämlich Li, hat, daß er mit 67 Jahren seine Bestallung als „kaiserlicher Herr der späteren Heiligen" erhielt[141], aufstieg in die „Halle der obersten Klarheit" und von dort die „Himmel der zehn Weltgegenden" regiert. Er ist außerdem Herr über die große Registratur in der „himmlischen Lichthalle" (Ming-t'ang), wo die Namen der zum Leben Bestimmten in blauer und die der zum Tode Bestimmten in schwarzer Schrift eingetragen werden[142]. Es war also ratsam, sich seinen Belehrungen zu fügen und ihn durch strengste Wahrhaftigkeit für sich einzunehmen.

Von dieser Gruppe der Überlebenden heißt es nun, daß deren Mitglieder zu den Kategorien der Heiligen, Weisen und Langlebigen gehörten[143]. Dies scheint mir ziemlich deutlich eine hierarchische Gliederung zu enthalten, denn wir finden den Ausdruck „Langlebige" später wieder als Bezeichnung für die Anhänger solcher unter religiösen Führern stehenden Gruppen.

Und damit kommen wir zum Auftreten der T'ai-p'ing-Sekte in der Geschichte und dem im Jahre 184 ausbrechenden Aufstand der sogenannten Gelbturbane. Deren Führer, *Chang Chio,* war natürlich ein Heilkünstler, der die Leute kurierte mit Hilfe der Asche von Papier, auf das man heilkräftige Schriftzeichen geschrieben hatte und die mit dem „Besten von allem", dem Wasser, vermischt nach vorausgehendem Bekennen aller Verfehlungen getrunken werden mußte.

Wir haben oben (s. S. 128) gesehen, wie der drohende Ausbruch von Pestilenzen zu weitausgedehnten Panikbewegungen im Volk führte. Chang Chio fing jetzt die von Furcht erregten Massen durch seine Heilkunst für sich ein. Diese beruhte im Grunde auf dem Glauben an die Heilkraft geschriebener Zeichen. Denn chinesische Schriftzeichen stehen schließlich in einer Reihe mit

---

141 Dies „später" enthält nichts Absprechendes, denn im Späteren sammelt sich das Wissen der Vorgänger. Vgl. z. B. T'ai-p'ing ching, S. 350/51.
142 T'ai-p'ing ching, S. 2–4.
143 T'ai-p'ing ching, S. 2.

den Himmelszeichen, den Offenbarungen der Heiligen und der Erdfigurierung. Und die „Schriften der Heiligen" erwiesen ja deutlich, daß man damit „Erkrankungen der Welt" wie Unordnung, Rebellion und Krieg heilen oder schon von vornherein abwenden konnte.

Selbstverständlich enthielt nicht jedes beliebige Schriftzeichen diese Heilkraft, sondern nur solche, in denen die korrekten, gesunden Beziehungen der Grundkräfte des Universums, d. h. Himmel, Erde, Yin und Yang, fünf Agenzien und Mensch, zum Ausdruck kamen. Und der Himmel sandte von Zeit zu Zeit große Meister des Tao herunter, um die heilkräftigen Zeichen festzustellen und die bösen, krankheitserregenden auszuscheiden[144]. Wahrscheinlich haben wir darunter die im T'ai-p'ing ching (S. 473–509) zusammengestellten Amulett- oder Zauberzeichen zu verstehen, in denen sich die Schriftelemente für die Grundkräfte des Universums oft deutlich erkennen lassen.

Chang Chio, dessen Verbindung mit dem T'ai-p'ing ching durch historische Quellen bezeugt ist, war also in erster Linie ein Schriftkundiger, der die heilkräftigen Zeichen beherrschte und seine analphabetischen Gefolgsleute gegen die Pestilenz feite, indem er sie ihnen einverleibte. Durch das vorausgehende Bekenntnis der Verfehlungen versicherte er sich der Linientreue seiner Anhänger. Er nannte sich übrigens selbst „gelber Himmel" *(Huang-t'ien)*, wohl um klarzumachen, er sei eine Inkarnation des heilkundigen Gottes *Huang-ti* („Gelbkaiser").

Der Andrang der Heilsuchenden wurde bald so stark, daß er seine Kunst an acht Jünger weiterübertragen mußte. Er selbst und jeder seiner Bevollmächtigten wurden von je vier *Fang* (Rezeptausschreibern?), zusammen also sechsunddreißig, umgeben. Jeder Fang hatte dazu einen *Ch'ü-shuai* (Kommandeur, Führer), neben sich, der wahrscheinlich die disziplinäre Ordnung besorgte. Und damit hätten wir das Gerippe einer der Organisationen vor uns, wie solche in wohl ähnlichen Formen nach dem alten Beispiel der Mohisten da und dort im Landvolk bestanden und ab und zu zum Vorschein kamen.

Diese Organisation der Gelbturbane beruhte also letztlich auf einer religiösen Stufenfolge, und damit sind wir wieder bei den hierarchischen Gliederungen angelangt, wie sie im T'ai-p'ing ching dargelegt werden. Dazu gehört auch, daß Chang Chio die oberste Führung mit zwei Brüdern teilte und es somit einen General des Himmels (Chang Chio), einen General der Erde und einen General der Menschheit gab. Damit wurden die wichtigsten Mächte des Universums nachgebildet, um sie für die Förderung der Bewegung zu gewinnen.

b. Chang-Lu-Staat und Wu-tou-mi-Taoismus

Während es jedoch die ständig in schwere Kämpfe verwickelten Gelbturbane nicht vermochten, sich in einem stationären Staatswesen zu konsoli-

144 T'ai-p'ing ching, S. 83–87, 187–192, 348–364.

dieren, hatte eine andere Gruppe des politischen Taoismus jener Zeit in dieser Hinsicht mehr Glück. Es gelang ihrem Anführer *Chang Lu,* am Oberlauf des Han-Flusses in einer unschwer zu verteidigenden Landschaft zwischen Ch'ang-an und Szechuan festen Fuß zu fassen.

Obgleich auch diese Gruppe dem T'ai-p'ing ching nahestehen soll, scheint bei ihr doch ein anderes Werk die Hauptrolle gespielt zu haben, nämlich die mit einer speziellen Kommentierung versehene Fünftausendzeichenschrift des Lao-tzû. Verfasser dieses Kommentars soll der ziemlich mysteriöse *Chang Tao-ling* sein, den man später zum ersten Patriarchen dieser taoistischen Richtung machte. Nach anderer Auffassung wird er dem Chang Lu selber zugeschrieben. Auf alle Fälle aber geht der Kommentar ebenso wie der Leittext auf direkte Inspiration des Lao-tzû zurück, der jetzt anscheinend als wichtigster Gott dieser Gruppe auftritt.

Das Werk ist als Fragment erhalten. Bei seiner Lektüre zeigt sich, daß es zur (Huang-ti- und) Lao-tzû-Literatur gehört. Huang-ti und Lao-tzû werden beide in ihm genannt. Ersterer teils im ungünstigen Sinn, nämlich in Verbindung mit der Lebensverlängerung durch Sexualpraktiken, letzterer als Regent des K'un-lun im Westen, wo er nach seiner geheimnisvollen Abwanderung seinen Aufenthalt nahm. Im übrigen ist in dem Werk vielfach die Rede von den Ursachen der Krankheiten und deren Abwehr. Nur gute Menschen sind sicher, denn „wenn einer entsprechend gute Werke angehäuft hat, dann kann sein ‚Feinstgeist'[145] mit dem Himmel kommunizieren, und wenn einer ihm übel will, dann steht ihm der Himmel bei". „Wenn aber der Feinstgeist nicht mit dem Himmel kommunizieren kann, dann ist das so, als ob ein Verbrecher seine böse Tat im Busen verwahrt und nicht wagt, den Richter aufzusuchen. Der Feinstgeist hat dann keine nahe Beziehung mehr zum Himmel, und dieser kann deshalb die Grenze zwischen Tod und Leben nicht mehr erkennen." Mit anderen Worten gesagt: Er ist allen Krankheiten und einem baldigen Ende ausgesetzt. Die gewöhnlichen Menschen, „die nicht fähig sind, gute Werke anzuspeichern, sterben den ‚tatsächlichen' Tod, sie fallen dem Erdbeamten anheim". Das aber heißt doch wohl, daß sie in eine Art Hölle kommen, während die braven Taoisten zum Himmel aufsteigen.

Wie bereits angedeutet, wendet sich der Verfasser gegen die Sexualpraktiken. „Einer, der der Tao-Lehre folgt, verknotet die Feinstteile und vollendet (oder schafft sich) eine Seele *(Shên)*." Es gibt aber auch ein falsches Tao, das aus Kunstgriffen und Tricks besteht. Zu diesem gehören die Huang-ti-Sexualpraktiken. Dabei aber „bilden Herz und Geist (Shên) keine Einheit mehr und man verliert, was man bewahren sollte". Der wichtigste Teil des

---

145 Huai-nan tzû, S. 99. Siehe auch T'ai-p'ing ching, S. 685. „Zwischen Himmel und Erde hat jedes Ding seinen Feinstgeist. Dieser besteht aus Licht und gehört nach oben zum Himmel. Dort bildet er die Sterne und mittels dieser kann man Frieden und Gefahr erforschen."

auf Erden lebenden Menschen ist nämlich die „Körperseele" *(P'o)*. Sie wird in erster Linie repräsentiert durch den männlichen Samen, der ebenso wie die Feinstteile oder der „Urodem" die Farbe Weiß hat. Der Körper ist also wie ein „mit Feinstteilen beladener Wagen". Wenn Feinstteile ausfallen, dann müssie entsprechend nachgeladen werden. Und dazu ist der Geist (Shên) nötig, denn „ist der Geist vollendet, dann kommt auch der Odem (Feinstemanation)". Wenn man aber den Körper voll aufgeladen hat, „dann will man dies verdienstvolle Resultat heil erhalten und sich nicht trennen von der Einheit". Diese Einheit ist nämlich *Tao*, d. h. die Vereinigung von Geist und P'o-Seele im Menschen, und ist „das Eine", das man immer wahren muß. „Die Einheit befindet sich außerhalb von Himmel und Erde, tritt aber in diese ein und geht im menschlichen Körper bloß ein und aus." „Diese Einheit bildet, wenn sie sich auflöst, den Odem (die Emanation, *Ch'i*), wenn sie sich dagegen in einer Gestalt sammelt, dann ist das der T'ai-shang Lao-chün", d. h. eine oder die erste Erscheinungsform des Lao-tzû.

Es ist für den Menschen von größter Wichtigkeit, daß er zum Himmel ein Vertrauensverhältnis herstellt. Dieses aber kommt dadurch zustande, daß er sein Herz weit dem Tao öffnet, was ihn befähigt, menschenliebend und rechtlich handelnd zu werden. Damit wiederum erlangt er die Wahrhaftigkeit. Dafür aber wird er vom Himmel belohnt. Erreicht er die Wahrhaftigkeit nicht, wird er vom Himmel bestraft. „Das Leben gehört zum Himmel, Übel und Tod aber zur Erde"; deshalb besteht der Lohn des Himmels in verlängertem Leben, aber die Abkehr vom Himmel und Zukehr zu den Geschäften der Erde in frühzeitigem Tod.

Anderseits scheint es, daß das Verhältnis des Menschen zum Tao als eine Art Vertrag aufgefaßt wurde, der bekanntlich in China aus zwei Teilen besteht, die aneinandergelegt ein Ganzes ergeben. Was man nämlich Feinstteile (oder Feinstemanation) nennt, ist ein Teil des Odems, den Tao aus sich entläßt und der in den Menschenkörper eingehend dessen Wurzel (Basis) bildet. Der Himmel aber behält einen Teil zurück, der gleichsam die andere Hälfte des Vertrags darstellt. Will nun einer diese Feinstteile horten *(pao)*, dann muß er durch diszipliniertes Verhalten alles Gute seines Wesens herausstellen, die fünf Agenzien in sich harmonisieren und leidenschaftliche Aufwallungen vermeiden. Dann „hat er im Himmelsamt auf der linken (d. h. der ehrwürdigeren) Vertragshälfte eine Überschußzahl" an Lebensjahren. Wenn dagegen beim Himmelsamt begangene Straftaten bekannt werden, dann „reicht die rechte (d. h. menschliche) Vertragshälfte nicht mehr hin und erschöpft sich".[146] Wir werden später sehen, wie dies von *Lü Yen* in ein System gebracht wurde. Man kann die Feinstteile im Körper mit dem Wasser

---

146 Lao-tzû Hsiang-êrh chu in der Sammlung Wu-ch'iu pei-chai Lao-tzû chi-ch'êng und *Kaltenmark* (1960), S. 583.

in einem Teich vergleichen. Wenn dieser durch gute Werke fest eingedeicht ist, dann wird das Wasser in ihm von der Quelle her immer vermehrt. Wenn das Herz aber keinen Wert auf gute Werke legt, dann ist da kein Deich, und das Wasser läuft ab. Auf den Menschen angewandt bedeutet das letztere, daß er allen Krankheiten anheimfallen wird.

So wie gegen die Sexualpraktiken wendet sich das Werk auch gegen die Staatsreligion. „Wer Tao wandelt, lebt; wer Tao verliert, stirbt; so ist das strikte Gesetz des Himmels. An Opfern, Libationen, Gebetsanrufen und Ahnendienst ist nichts gelegen." Diese alle sind vom Tao verboten und werden bestraft.

Im großen ganzen entspricht dies wohl den Hauptpunkten der Lehre des Chang Lu. Bei seinem Heilverfahren mußten die Kranken zunächst in einem besonders dazu bestimmten Raum in Ruhe und Stille über ihre Verfehlungen nachdenken. Diese bestanden vor allem im Töten von Tieren zu verbotenen Zeiten und in übermäßigem Alkoholgenuß. Dann wurde ein Vertrag mit den Geistern usw. in drei Exemplaren aufgesetzt, in dem sich der Kranke verpflichtete, nie mehr die Verbote zu übertreten. Dieser Vertrag wurde dem Himmel, der Erde und dem Wasser, dessen Wichtigkeit für den Taoismus verschiedentlich erwähnt wurde, zur Kenntnis gebracht. Starb der Kranke dennoch, dann war er eben nicht völlig aufrichtig gewesen. Im übrigen konnten kleinere Verfehlungen durch Reinigungsdienste, Weg- und Brückenreparaturen und ähnliches abgegolten und dadurch das Erkranken vermieden werden.

Ein Hauptpunkt dieser Lehre war die Mäßigkeit, nämlich die Mäßigkeit im Geschlechtsverkehr, im Essen und hauptsächlich im Alkoholgenuß. Sie war besonders streng zu beachten in den „Freihäusern", d. h. den Raststätten, in denen man ohne Entgelt übernachten, essen und trinken konnte. Tat man dabei des Guten zuviel, dann wurde man von den Geistern und Dämonen, die die Menschen in allen Augenblicken umlagerten und überwachten, durch Krankheit bestraft.

Die Aufseher dieser Freihäuser waren die *Chi-chiu*, die „Weinzuteiler", denen zugleich auch die religiöse Betreuung der Gäste, d. h. die regelmäßigen Rezitationen aus der Fünftausendzeichenschrift, oblag. Doch hatten diese Weinzuteiler im taoistischen Staatswesen noch andere, höhere Funktionen. Sie bildeten in einer Reihe von Abstufungen das Kernstück seiner Struktur.

Die Freihäuser als Betätigungsfeld der Chi-chiu waren mit Vorbedacht gewählt, da sich nach allgemein-chinesischer Ansicht Spukgeister, Dämonen und andere bösartige Vertreter der unsichtbaren Welt mit besonderer Vorliebe in Herbergen und Rasthäusern aufhielten. Die Chi-chiu, unter denen wir uns im allgemeinen respekteinflößende, ältere Priester vorstellen müssen, wurden in ihrer Tätigkeit unterstützt durch religiöse Funktionäre, deren unterster Rang die neuaufgenommenen *Kuei-tsû* („Dämonsoldaten" oder „Dämonschergen") waren. Wahrscheinlich hatte man sie gelehrt, mit der untersten Kategorie der bösen Geister fertig zu werden. Die schwierigeren Wesen dieser Art wurden von den höheren Funktionären der Hierarchie bearbeitet. Die allerobersten Führer wie Chang Lu aber waren im Besitz eines allgemeinen Vertrages mit der obersten Leitung der Geister- und Dämonenwelt und konnten die ihnen damit verliehene Macht mit entsprechenden Einschränkungen nach unten weitergeben.

Kontrakte dieser Art kommen in der zweiten Han-Zeit mehrfach vor. So erfahren wir von dem großen Zauberer *Pi Ch'ang-fang,* daß er einen solchen besaß, in dem es hieß: „Durch dies beherrscht er die Geister und Dämonen auf der Erde." [147]

Im übrigen erhält man den Eindruck, daß dieser Staat des Chang Lu eine Paralleleinrichtung zu Organisationen war, die im Himmel, unter der Erde, auf den heiligen Bergen und in den heiligen Gewässern existierten [148]. Unter diesem Gesichtspunkt erscheinen die krankheiterregenden Geister und Dämonen als Wesen, die sich (berechtigt oder unberechtigt) Grenzübertretungen erlaubt haben und nun wieder in ihre Schranken zurückgewiesen werden müssen. Der T'ai-p'ing-Zustand zeigte sich natürlich im harmonischen, auf festen Regeln beruhenden Ineinanderwirken dieser Bereiche.

Das ganze Gebiet des Chang Lu war eingeteilt in 24 Bezirke; jeder davon unterstand einem Ober-Chi-chiu. An allen wichtigen Verkehrsknotenpunkten gab es „Freihäuser" mit Spezialräumen, in denen der lokale „Weinzuteiler" mit seinen Göttern verkehrte, die Beichten abnahm und die Heilkontrakte aufsetzte. Diese Häuser können wohl mit Recht als Prototyp der späteren Taoistenklöster *(Kuan)* angesehen werden.

Die Untertanenschaft des Chang Lu bestand zu einem großen Teil aus Eingeborenen, die ihrerseits wieder diesen oder jenen Zug zu den einschlägigen Vorstellungen dieses Religionsstaates beigetragen haben mögen. Es wurde auch eine Abgabe erhoben, die man als *Wu-tou-mi* („Fünf-Scheffel-Hirse") bezeichnete. Nach ihr benannte man die ganze Gruppe *Wu-tou-mi-Tao* [149]. Da man unter *Wu-tou* aber auch fünf Sternkonstellationen versteht, könnte der Name ebenfalls ein Hinweis auf an diese gerichtete Reisopfer sein.

Sie hat aber auch noch eine andere Bezeichnung, nämlich *T'ien-shih-Tao,* d. h. Tao des „Himmelslehrers" (T'ien-shih wird oft mit „Papst" wiedergegeben). Zur Erklärung dieses Ausdrucks sollte eine Stelle im T'ai-p'ing ching (S. 70) herangezogen werden. „Was mich (d. h. den Herrn Li) betrifft, so ist nämlich der Himmel (T'ien) mein Lehrer (Shih). Und wenn ich Sie (den Chên-jên) instruiere, damit er die Rede an das ganze Reich weitergibt, so wage ich

---

147 Hou-Han-shu, X, S. 2744.
148 T'ai-p'ing ching, S. 698.
149 Über genauere Einzelheiten dieses Staates siehe die vorzügliche Arbeit von *R. A. Stein* (1963).

kein falsches Wort herauszulassen, denn der Himmel müßte mich dann bestrafen." Der „Himmelslehrer" wäre also ein Auserwählter, der an und durch Unterauserwählte die direkt vom Himmel empfangene Belehrung weitergibt. Aber auf die späteren Vertreter der T'ien-shih-Position scheint dies meistens nicht recht zuzutreffen, denn sie stellen sich im allgemeinen dar als die Inhaber einer überkommenen, vertraglichen Machtstellung.

c. Chang Tao-ling

Als erster Patriarch, d. h. erster „Himmelslehrer", wird der legendenumwitterte und deshalb auch recht ungreifbare Chang Tao-ling angesehen. Es heißt, daß er sich nach längerem Umherwandern zwischen den heiligen Bergen mit seinen Schülern am Ho-ming(Schneegansschrei)-Berg in Szechuan niederließ. Auf diesem Berg gab es einen Stein, der geformt war wie ein Kranich (Hao, ein Symbol der Langlebigkeit), aber nur die Größe einer Gans hatte. Als Chang Tao-ling kam, begann dieses Steinbild zu schreien. Daher der Name. Er beschäftigte sich dort mit der Purifikation seiner Gedanken und seiner Person und der Verbesserung der alchemistischen Methode zur Herstellung der Unsterblichkeitsmedizin, wobei übrigens doch auch Sexualpraktiken eine Rolle spielten. Eines Tages aber besuchte ihn ein Mann, der vom Himmel herabstieg. Es war der neugebackene Gott Lao-tzû. Er übergab ihm nebst zwei Zauberschwertern und einem Yadesiegel das Tao „der Vertragsautorität der Gradheit und Einheit" (Chêng-i mêng-wei Tao), mittels dessen er Krankheiten heilen[150] und Geister und Dämonen bändigen und vernichten konnte. Wie dieser Titel nun auch immer ausgelegt werden mag, ganz offenbar handelt es sich dabei um eines der oben erwähnten Abkommen zwischen den Himmelsgöttern und ihrem Auserwählten.

Und wenn man dem Ganzen irgendeinen religionshistorischen Wert beimessen kann, dann wäre also Chang Tao-ling als erster Patriarch dieser Richtung in den Besitz eines Vertrags gekommen, der ihm und später seinen Nachfolgern eine gewisse Macht über die Angehörigen der über- und untermenschlichen Sphären gab. Man ersieht daraus ferner, daß jetzt solche Kontrakte an die Stelle der von Ch'in Shih-huang-ti und Han Wu-ti angestrebten Aufnahme unter die Götter traten bzw. der erste Schritt zur späteren Aufnahme unter sie waren.

Chang Tao-ling wechselte schließlich nochmals seine Residenz und ließ sich endgültig am Lung-hu(Drachen-Tiger)-Berg in Kiangsi nieder. Etwa um 156 (oder 154) fuhr er im Alter von 122 Jahren wie jeder einigermaßen erfolgreiche Taoist mit zwei seiner Schüler, die am festesten an ihn glaubten, gen Himmel. Etwa 50 Jahre später wird er von anderen zum Himmel aufgestiegenen Taoisten tatsächlich neben Shang-ti als „Himmelslehrer" angetroffen.

---

150 T'ai-p'ing kuang-chi, Peking 1959, S. 56. Über die Schwerter vgl. Kaltenmark: Ling-pao, S. 566 u. 576.

Seine Nachkommen aber, so wird heute im allgemeinen noch angenommen, begannen damals die lange Abfolge der T'ien-shih-Traditionslinie am Lung-hu-Berg[151], die in Taiwan bis heute fortbesteht.

Noch bei Lebzeiten war Chang Tao-ling durch ein auf Jade geschriebenes Dekret vom Shang-ti zum „Wahrhaftmenschen der graden Einheit" *(Chêng-i chên-jên)* ernannt worden. Auch dies zeigt, daß seine Bedeutung nicht so sehr auf der Kenntnis von taoistischen Künsten wie eben auf dem Besitz dieses Kontraktes beruhte. Deswegen wird diese ganze Richtung auch *Chêng-i-Tao* genannt. Im taoistischen Kanon bilden ihre Schriften eine eigene Abteilung[152].

d. Taoistische Alchemie, Atem- und andere Praktiken

Der Taoismus der ausgehenden Han-Zeit hat jedoch mehr Aspekte als die eben aufgeführten. Diese werden offenbar, wenn wir sein Auftreten in anderen Volksschichten verfolgen. Während wir es bisher mit Heilslehren und Massenrettung in ländlichen Bevölkerungsschichten zu tun hatten, findet sich in den gehobeneren Kreisen der Gesellschaft eine Reihe von Methoden zur Lebensverlängerung oder zum Erwerb der Unsterblichkeit für die Einzelperson, die sämtlich auf die alte Lehre von den Hsien zurückgehen.

Hier spielt nun die Alchemie eine Rolle. Die leitende Grundidee war dabei, daß die Eigenschaften der Unvernichtbarkeit aus solchen Dingen wie Jade, Gold und Silber oder die lebenspendenden Fähigkeiten aus dem Zinnober in den menschlichen Körper übertragen werden sollten. Schließlich gipfelt dies Bestreben in der Suche nach einem Lebenselixier, durch dessen Einnehmen man im Handumdrehen in einen Unsterblichen verwandelt werden und „bei hellem Tag zum Himmel auffahren" konnte.

Obgleich während der Han-Zeit ab 144 v. Chr. alchemistische Experimente, besonders die Herstellung von „künstlichem Gold", das nach damaliger Ansicht viel wirksamer für die Lebensverlängerung war als natürliches, verboten waren, kann man doch mit Sicherheit annehmen, daß diese Kunst von reichen Leuten insgeheim betrieben wurde[153]. Nach der Han-Zeit erlebte sie bald eine Hochblüte.

Im Rahmen einer Geschichte der Religion interessiert allerdings die chinesische Alchemie nur insofern, als sie mit einer Reihe religiöser Zeremonien und Vorstellungen verbunden war.

---

151 Li-tai shên-hsien t'ung-chien (Ed. 1700), Kap. 16, S. 46r. Bald aber melden sich Stimmen, die behaupten, daß alle diese dem „Himmelslehrer" Chang Tao-ling zugeschriebenen Schriften, die oft die Wendung „der T'ien-shih Tao-ling sagte" enthalten, Fälschungen seien, die man etwa zwischen 265 und 274 in Umlauf gesetzt habe (s. Taishō, 52, S. 561a).

152 Dazu gehört unter anderem ein Namensverzeichnis der schlimmsten Dämonen. Siehe Tao-tsang, Fasz. 563. Denn, um sie zu beschwören, mußte man natürlich zuerst ihre Namen kennen.

153 *H. H. Dubs:* The Beginnings of Alchemy, in: Isis, Bd. 38 (1947/48).

Daß sie den Zweck verfolgte, das Leben nicht nur einfach zu verlängern, sondern auch auf die Stufe der Unsterblichkeit *(Hsien)* zu heben, ist bereits erwähnt worden. Das diesbezügliche Elixier mußte in Einsamkeit oder in Gesellschaft von nicht mehr als drei Mitarbeitern im Bereich eines heiligen Berges bereitet werden. Vorher hatte man sich hundert Tage lang intensiven Purifikationsriten und Waschungen zu unterziehen, um im Zustand absoluter Reinheit die Herstellung der reinsten Form der Ingredienzien zu beginnen. Man durfte deshalb auch keine unsauberen Tiere wie Hühner und Hunde, ebenfalls keine Kinder und verheiratete Frauen an sich herankommen lassen. Letzteres impliziert natürlich auch sexuelle Enthaltsamkeit. Außerdem war darauf Bedacht zu nehmen, daß kein Ungläubiger etwas von dem Vorhaben erfuhr; denn jede Äußerung des Zweifels an der Wirksamkeit des Elixiers bewirkte, daß dies überhaupt nicht zustande kam.

Der Ofen mußte auf einer dreistufigen Plattform stehen, ähnlich solchen, auf denen die großen Opfer vollzogen wurden. Ein aufgehängtes Schwert, Spiegel und Amulette sollten böse und unsaubere Geister abwehren. Es gab eine spezielle Ofengottheit in Gestalt eines schönen Mädchens in roter Kleidung. Diese und eine möglichst große Anzahl guter Geister und Götter mußten herbeizitiert werden, wenn das Unternehmen gelingen sollte.

Das glücklich erreichte Resultat befähigte zu vielem. Im besten Fall konnte man ein hoher Beamter im Himmel werden, in den weniger guten Fällen ins K'un-lun-Paradies eingehen oder sich auf Erden der „Fülle des Lebens" erfreuen. Es war aber auch möglich, böse Geister damit zu verscheuchen, und vieles andere mehr.[154]

Zur einfachen Verlängerung des Lebens kannte man damals aber auch neben der alchemistischen noch eine Reihe anderer Methoden, zum Beispiel das Einziehen und Anspeichern von Luft sowie Diätkuren verschiedener Art. Hierher gehören auch die vielbesprochenen Sexualpraktiken. Dabei handelt es sich um das Zurückhalten und Aufspeichern der Flüssigkeiten, in denen sich die Lebenskraft des Menschen konzentrierte, beispielsweise des männlichen Samens, dessen Produktion aber anderseits durch möglichst häufigen Sexualverkehr angeregt werden sollte. Musterbeispiel für die Wirksamkeit dieser Praktik war der Gelbkaiser (Huang-ti), der sein Leben dadurch verlängerte, daß er 1200 Frauen um sich hatte. Es gibt freilich auch weibliche Wesen, die bestrebt sind, dem Mann die Lebenskraft zu nehmen. Dies sind die sogenannten Fuchsgeister, die in Gestalt bildschöner junger Mädchen darauf ausgehen, die Männer ihres Samens zu berauben, um sie dadurch lebensgefährlich zu schwächen.

Ihr Gegenstück sind wohl die Jademaiden, deren Aufgabe es gewesen zu sein scheint, den fortgeschrittenen Taoisten bei der Ausübung lebensverlän-

154 *I. R. Ware* (1966), S. 80, 84.

gernder Sexualpraktiken zu helfen. Besonders aber war die *Su-nü* (etwa „Ur-jungfrau") ein Mädchen, das sich hervorragend gut in diesen Dingen aus-kannte. Sie war eine weibliche Gottheit aus der Zeit und dem Gefolge des Gelbkaisers[155]. Auch die mehrfach erwähnte *Hsi-wang-mu* war eine be-rühmte Sachkennerin auf diesem Gebiet.

Es gab aber auch Sexualpraktiken, die *Ho-ch'i*, „harmonische Einigung der Odem", genannt wurden und unter Anleitung eines Lehrers oder eines Chi-chiu („Weinzuteilers") in Gesellschaft ausgeführt wurden. An solchen nahmen nach vorausgegangener Purifikation die Gläubigen beiderlei Geschlechts außer den unverheirateten Mädchen teil. Sie könnten vielleicht als ein Reflex der alten Fruchtbarkeitsfeiern verstanden werden[156].

e. Körpergötter

Eine völlig neue Note kommt in den Taoismus der Han-Zeit hinein durch das Auftreten der Körpergötter. Diese sind, so kann man wohl annehmen, eine Konsequenz der Makrokosmos-Mikrokosmos-Lehre, die wir u. a. auch wieder in dem Werk *Huai-nan tzû* antreffen. Dabei heißt es zum Beispiel, daß der Kopf des Menschen dem Himmel entsprechend rund sei, die Füße hingegen der Erde entsprechend viereckig. So wie das Universum in drei Teile, d. h. Himmel, oberirdische und unterirdische Welt, geteilt war, so auch der Menschenkörper in drei „Zinnoberfelder" *(Tan-t'ien)*, d. h. Kopf, Brust und Unterleib, die ihrerseits wieder je neun Unterteile aufwiesen. So wie die Teile des Universums waren auch die des Körpers reichlich mit Gottheiten versehen. Diese erreichten im Laufe der Zeit die stattliche Anzahl von 36 000.

Diese internen Götter finden sich sicherlich schon in der Han-Zeit, obgleich sich das, soweit ich sehe, nicht mit völliger Sicherheit nachweisen läßt[157]. Im T'ai-p'ing ching werden sie mehrfach erwähnt. Dort heißt es: „Was diese Feinstgeister der vier Jahreszeiten und der fünf Agenzien betrifft, eintretend (in den Menschen) bilden sie die Götter der fünf Eingeweide"[158].

Sie werden schließlich folgendermaßen in ein System geordnet: Oberster Gott war der Alleine (T'ai-i), der seine Wohnung in einem mysteriösen Zinnoberpalast im Kopf hatte. Er sah aus wie ein kleines, eben geborenes Kind. Anderseits aber existierte er nun auch in den beiden anderen Körper-feldern und repräsentierte gewissermaßen die Einheit und die Koordination der drei Teile. Neben ihm waren da drei weitere Hauptgötter, die jeder über eines der drei Zinnoberfelder präsidierten. Jeder von ihnen hatte einen nach Rängen gegliederten Stab zur Verfügung.

---

155 *R. H. van Gulik:* Sexual life in ancient China, Leiden 1961.
156 *H. Maspero* (1937), S. 401–404.
157 Eine Möglichkeit bestünde in der Auslegung einer Stelle im Han-shu pu-chu, III, S. 2157, die sich auf etwa 8 v. Chr. datieren ließe.
158 T'ai-p'ing ching, S. 292.

Einer der Gründe für das Aufkommen dieser Götter war wahrscheinlich, daß mit ihnen das langwierige und meist vergebliche Aufsuchen der Götter in den entferntesten Teilen des Universums fortfiel.

Wir haben dazu die Geschichte eines Enkels des Staatssekretärs *Chou Po*, namens *Chou I-shan*, der zunächst brav die konfuzianischen Klassiker studierte, aber von Jugend an eine Vorliebe dafür hatte, in einem stillen Winkel seinen Gedanken nachzuhängen, und allmählich begann, nach taoistischer Methode in seinem Körper Luft anzuspeichern. Eines Tages ging er auf den Markt und gab einem Armen seine Kleider; später verteilte er bei einer Hungersnot ohne Rücksicht auf die bedrängte Lage in der eigenen Familie insgeheim Lebensmittel, so daß die damit Beschenkten nicht wußten, woher diese kamen.

Er begibt sich schließlich auf eine weite Rundreise zu allen heiligen Bergen und Gewässern, um die drei obersten, die Lebensverlängerung verleihenden Gottheiten aufzusuchen. Er findet diese endlich in einem „Felsgrottenhaus" auf dem K'ung(Leer)-Berg in Gestalt dreier Gottfürsten, nämlich des Gelbalten *(Huang-lao)*, Urersten *(Pai-yüan)* und Unscheinbaren *(Wu-ying)*, trägt seine Bitte um Aufnahme unter die unsterblichen Chên-jên in bescheidener Weise vor, verabschiedet sich dann von Huang-lao-chün und begibt sich auf den Rückweg. Nach einem letzten Blick auf die göttlichen Wesen in der Grotte schließt er die Augen und schaut lange und tief in sich selbst hinein. Und siehe da, mit einem Male erscheinen ihm die drei klar und deutlich in seinem Inneren. Lachend gibt ihm Huang-lao-chün die Lösung: „Sie müssen Gebrauch machen von der feinsten Essenz der Gedanken (d. h. wie sie in der Meditation erreicht wird), das nämlich ist die Methode, wie man bei hellem Tag zum Himmel aufsteigt." Zugleich sind nun die drei in der Grotte zwar drei Einzelgötter, dann aber wieder bilden sie auch wieder eine Einheit, unserer Dreieinigkeit entsprechend [159].

Ich habe dieser Legende verhältnismäßig viel Raum gegeben. Aber man sieht auf den ersten Blick, daß hier eine neue Lösung für die vergebliche Gottsucherei des Ch'in Shih-huang-ti und des Han Wu-ti geboten wird. Keine kostspieligen Wallfahrten zu heiligen Bergen, sondern einfache Innenschau in die Tiefe der eigenen Person. „Durch intensives Denken an die Götter erlangt man, daß sie einem erscheinen. Und dann wird man ein Chên-jên." [159]

Diese „Entdeckung der inneren Götter" fiele also, einen echten, alten Kern in ihr vorausgesetzt, zeitlich zusammen mit dem Vorgehen der konfuzianischen Ritualisten, das ja ebenfalls die Konzentration der religiösen Aktivität auf

---

159 Tzû-yang chên-jên nei-chuan, Tao-tsang, Fasz. 152. Der Terminus ist San-i („Drei-eins"). Zu dieser Dreieinigkeit wäre zu bemerken, daß z. B. Chang Taoling sich in zwei oder drei Personen teilen und an verschiedenen Orten zugleich sein konnte.

die Hauptstadt und die Abschaffung der Wallfahrten zu weitabgelegenen heiligen Bergen zum Ziel hatte.

Damit beginnt nun auch eine neue Funktion der Meditation, die jetzt verstanden wird als Umkehr der Blickrichtung (linkes Auge = Sonne, rechtes Auge = Mond) von außen nach innen, wodurch allmählich alle inneren Organe und deren Götter wie in einem Spiegel sichtbar werden. Diese Innenschau tritt also, wenn man so will, medizinisch gesehen an die Stelle unserer Anatomie.

Wir haben eben drei dieser Götter kennengelernt. Bald aber ergeben sich deren fünf gemäß den fünf Eingeweiden (wu-tsang). Vor allem interessant ist der „Gelbalte“ (Huang-lao, genauso geschrieben wie Huang[-ti]-Lao [-tzû]), der, so scheint es, zunächst der oberste dieser Körpergötter war, bis er auch hier wieder vom T'ai-i („Alleiner“) abgelöst wurde. Bald lesen wir auch, daß sich die Körpergötter in den Jugendjahren des Menschen dauernd vermehren, mit einsetzendem Altersverfall hingegen weniger und weniger werden. Es scheint, daß zunächst 140 eine Höchstzahl an Körpergöttern darstellt und daß diese Zahl etwa mit dem siebzigsten Lebensjahr erreicht werden kann – entsprechend vorsichtiges Leben vorausgesetzt.

Um nun sein Leben gegen Verfall zu sichern, kommt es zunächst darauf an, diese Götter überhaupt erst einmal zu sehen, dann aber darauf, sie im Körper festzuhalten; denn „treiben die Götter sich draußen herum, greift im Inneren die Krankheit an“. „Abgetrennt von meinen Götterorganen werde ich wieder zu Asche und mittels der Verwandlung durch den Tod kehre (ich) in allen Wesen wieder.“ [160]

Die Körpergötter sind also letzten Endes das, worauf unser Leben überhaupt beruht. Ihnen wirken jedoch andere Kräfte entgegen. Denn unser Körper beherbergt auch Wesen, die dem Leben feindlich sind und den Menschen allmählich verzehren. Es sind dies die „drei Würmer“ (San-ch'ung). [161] Sie sind etwa den bösen Ministern im Staat vergleichbar, indem sie unmerklich das Bestehende unterhöhlen. Im Gegensatz zu den „himmlischen“ Körpergöttern gehören sie zu den „irdischen“ Dämonen und drängen zu diesen hin. Ihre Zahl wird schließlich auf neun festgelegt. Später kommen dazu noch die „drei Leichen“ (San-shih), die am Kêng-shên (Metall)-Tag. so wie der Küchengott am Jahresende, im Himmel die lebensverkürzenden Verfehlungen anzeigen. Die Hauptnahrung dieser bösen, den Tod herbeiführenden Mächte im Körper ist die „Essenz des Getreides“; die Götter hingegen leben von den Feinstteilen des Lichtes (oder des Odems). Es ist deshalb wichtig, den Genuß von Körnerfrüchten möglichst zu vermeiden. Am besten wäre es natürlich, „ohne Essen satt zu werden“ und nur davon zu leben, daß man den „Odem“

160 T'ai-p'ing ching, S. 722/23.
161 Hou-Han shu, X, S. 2740, Biogr. des Hua T'o (gest. 220 n. Chr.); San-kuo chih, III, S. 804.

(Luft) in sich anspeichert. Da der Odem keine feste Form hat, ist er auch leichter lösbar, d. h. verdaulich, als alle feste Nahrung[162]. Und außerdem sind „Göttliches" *(Shên)*, „Feinstteile" *(Ching)* und „Lebensodem" *(Ch'i)* im Grunde ein und dasselbe.

Aber dies allein genügt nicht. Diese zerstörenden Mächte im Körper liegen ständig auf der Lauer, um den Menschen auf einer bösen Tat zu ertappen. Sie melden diese dann im Sternbild „Großer Bär" dem „Herrn der Schicksale", der daraufhin gezwungen ist, die Lebenszeit des Übeltäters entsprechend zu verkürzen. Man muß also neben diesem Lebensodem auch noch möglichst viele gute Taten ansammeln[163].

Dazu kommt, daß die Körpergötter den Geruch von Lauchpflanzen, wie Knoblauch usw., besonders aber den von Fleisch und Wein verabscheuen und diese Nahrungsmittel also nur in möglichst geringen Mengen genossen werden dürfen.

Man sieht, wie auch hier in der taoistischen Schule der Körpergötter der Ton auf Mäßigung liegt. Und dies läßt wiederum vermuten, daß sie zu der Bewegung des Chang Chio und dem Staat des Chang Lu in enger Beziehung stehen könnte. Ferner dürfen wir vielleicht unterstellen, daß der Huang-lao-chün zumindest einer der wichtigsten Götter der revolutionären und staatsbildenden Gruppe und vorwiegend mit der Abwehr von Pestilenz und Krankheit beschäftigt war. Es könnte sein, daß die Meditationsräume der „Weinzuteiler" des Chang-Lu-Staates dazu dienten, durch Innenschau mit diesen Körpergöttern Verbindung aufzunehmen. Denn im T'ai-p'ing ching (S. 427) lesen wir: „Der Chên-jên aber sitzt ruhig in der tiefdunklen Kammer, liest in seinem Herzen und denkt an die Götter[164]. Die Götter alle kommen von selber herbei."

Übrigens ist anzunehmen, daß zur damaligen Zeit, d. h. gegen Ende der zweiten Han-Dynastie, die Lehre von den Körpergöttern noch ein ständiges Hin und Her dieser Götter zwischen Innen und Außen vorsah und es darauf ankam, sie in einem moralisch geläuterten Inneren heimisch zu machen. Mir scheint, daß man erst später, nachdem diese Götter fester Bestandteil des Menschenkörpers geworden waren, diese Lehre mit der von den götterfeindlichen, dämonischen Würmern gekoppelt hat, um das Sterben zu erklären.

f. San-Mao-Taoismus

Hier sollte wohl auch noch eine andere Patriarchenlinie erwähnt werden, die ihren Ausgang nimmt von drei Brüdern, die im 2. vorchristlichen Jh. lebten und sich, so sagt die Legende, schließlich um 39 v. Chr. auf drei Bergen in Kiangsu als Einsiedler niederließen. Es sind dies die drei *Mao* (San-Mao).

---

162 T'ai-p'ing ching, S. 379 und 684.
163 *Ware* (1966), S. 115/16, und Yün-chi ch'i-ch'ien, S. 1172/73.
164 Man könnte auch übersetzen: „Er denkt die Götter."

Der wichtigste unter ihnen war der älteste Bruder *Mao Ying,* geboren etwa 145 v. Chr. Er erhielt seine Bestallung als Chên-jên und mehrere Abkommen mit der Götterwelt, darunter den „Vertrag der intimen Glaubensverflechtung", von der Hsi-wang-mu („Königsmutter des Westens") persönlich mit der Auflage, dies alles einmal an seinen Sohn weiterzugeben.

Seine erste Tat war, seine beiden Brüder, Inhaber hoher Staatsämter, zu bekehren, so daß „sie glaubten an die Möglichkeit der Umwandlung des Menschen in einen Hsien und damit an die Erreichbarkeit göttlicher Unsterblichkeit". Im Jahre 1 v. Chr. (man beachte die Wirksamkeit seiner Lebensverlängerungsmethoden!) überbrachten ihm die fünf Gottkaiser einen Befehl vom Shang-ti (Obergott), durch den er zum *Szû-ming* („Direktor der Lebensschicksale") ernannt wurde. Das ist also ein Fall, in dem dieser wichtige Posten, dessen Besetzung wohl ziemlich vage war und blieb, von einem würdigen, aus der Menschheit ausgelesenen Vertreter wahrgenommen wurde. Es wäre natürlich unlogisch, wenn der Inhaber dieses Götterpostens wie andere Menschen den Tod gefunden oder geendet hätte. Von seinem Ableben oder seiner Himmelfahrt wird deshalb auch nichts berichtet, wohl aber von seinen immer größeren Ehrungen in der Götterwelt [165].

Unter anderem erhielt Mao Ying dabei eine Flöte (oder einen Stab), mit der er die „Jademaiden *(Yü-nü)* der sechs Nachtdoppelstunden" (oder von bestimmten Tagen des Sechzigtagezyklus) herbeizurufen vermochte. Durch den Verkehr mit diesen Damen aber konnte man alles erfahren, was sich in der Welt zutrug, und damit natürlich auch voraussehen, was sich in Zukunft ereignen würde [166].

Überhaupt scheint das weibliche Götterelement in dieser Schulrichtung eine wichtige Rolle zu spielen. Während im T'ai-p'ing ching die Offenbarung von einem höheren, vergöttlichten Mann, d. h. *T'ai-shang Lao-chün* oder *Lao-tzû,* an einen niedereren (den *Chên-jên Yü Chi*) weitergegeben wird [167], ist in diesem Fall die *Hsi-wang-mu* als Überbringerin der Belehrung des *Yüan-shih t'ien-wang* („Himmelskönig des Uranfangs") eingeschaltet. Man könnte also annehmen, daß diese geheimen Mitteilungen aus den höheren Sphären des Universums durch intime Berührung oder mittels einer Art heiliger Hochzeit (nach dem Vorbild des alten „Kleinods von Ch'ên") vor sich gingen. Und so etwas war natürlich nur mit weiblichen Wesen möglich.

Außerdem treffen wir hier auf einen Gott *Yüan-shih t'ien-wang,* der höchstwahrscheinlich nicht wie etwa der *Huang-lao-chün* der menschlichen

---

165 Yün-chi ch'i-ch'ien, S. 1427–1433.
166 Siehe *Schipper* (1965), S. 36.
167 D. h. die eigentliche Quelle der T'ai-p'ing-Offenbarung ist der Himmel selber. Wenn dieser seinem Offenbarer, Herrn Li, etwas mitteilen will, dann schickt er „den Feinstgeist der Sonne" zu ihm (s. T'ai-p'ing ching, S. 70). Außerdem gibt es auch noch zahlreiche „Himmelsboten" (S. 15), die aber wohl alle als männlich (oder neutral) vorgestellt werden.

Atmosphäre, sondern der kosmologischen Spekulation entstammt, wie sie zum Beispiel in dem Werk *Lieh-tzû* auftritt[168].

Dies aber scheint mir einen neuen Aspekt in die chinesische Götterwelt zu bringen, der jedenfalls mit den rationalen, taoistischen Ideen des 3. und 4. nachchristlichen Jhs. in den oberen Schichten der Gesellschaft, wo Diskussionen über Themen dieser Art in Mode waren, zusammenhängt. In diesen Spekulationen wird das Bild eines Universums ohne Schöpfer und Gott entworfen. An die Stelle von *Tao* (Weg, Bahn) tritt dabei der Begriff *Tzû-jan* (etwa „von selbst" oder „aus sich selbst so sein, wie man ist").

Dies aber ist auch die Zeit, in der diese Legenden um Mao Ying und seine Brüder auftauchten.

Wir dürfen also vermuten, daß diese Patriarchenlinie ebenso wie die des T'ien-shih erst später nach rückwärts verlängert wurde.

11. Der Buddhismus

Wir müssen hier nochmals zurückkommen auf das vom Kaiser Huan-ti persönlich im Jahre 166 dem Lao-tzû dargebrachte Opfer. Mit diesem war das für *Fou-t'u*, d. h. Buddha, vereinigt. Diese Verbindung von Lao-tzû, respektive Huang-Lao, und Buddha tritt aber auch schon früher auf in einem Antwortschreiben des zweiten Hou-Han-Kaisers Ming-ti an den „König" von Ch'u aus dem Jahre 65 n. Chr.

Aus diesem ergibt sich, daß wahrscheinlich damals der Buddhismus bereits da und dort in die höheren Gesellschaftskreise vorgedrungen war. Da außerdem in diesem Antwortschreiben auch Śramaṇa (Mönche) und Upāsaka (Laienanhänger) genannt werden, könnte man vermuten, daß schon rein buddhistische Gemeinden bestanden, wie sich solche eigentlich mit Sicherheit erst um 193 in P'êng-ch'êng (Kiangsu) nachweisen lassen.

Anderseits aber ist anzunehmen, daß diese Kombination Huang-Lao-Buddha nicht eigentlich zwei nebeneinander bestehende religiöse Kreise bezeichnete, sondern einen, nämlich den Huang-Lao-Taoismus, der als neue Ausweitung die vage Kenntnis von der Lehre des Buddha sich angegliedert hatte. Dies geschah auf Grund einer Legende, die in der Eingabe des Hsiang K'ai von 166 erwähnt wird. Danach war nämlich der Buddha kein anderer als Lao-tzû selbst. Dieser hatte nach seiner Abwanderung gen Westen seine Lehrtätigkeit unter den Barbaren fortgesetzt und kehrte nun in dieser neuen Form, d. h. als Buddha, nach China zurück. *Huang-lao-Fou-t'u* bezeichnet deshalb zunächst nur eine einzige Person.

Für die Taoisten stellte der Buddhismus, wie er anfangs in China verstan-

168 Lieh-tzû, I, 2. „Urwandlung, Uranfang, Urentstehung, Urschöpfung."

den wurde, eine neue Methode der Lebensverlängerung dar und nichts anderes. Denn nach dieser Lehre starb der aus feinster Materie bestehende, vom Himmel empfangene Teil des Menschen nicht, sondern nahm nach dem Tode wieder Gestalt (d. h. Existenz) an. Dabei aber erhielt jeder gemäß den bei Lebzeiten begangenen guten oder bösen Taten Strafe oder Belohnung[169]. Diese Auffassung läßt sich auch im T'ai-p'ing ching an mehreren Stellen nachweisen.

Daraus ergibt sich ferner, daß damals Lao-tzû, der ja nun auch zugleich der Buddha war, nicht mehr nur als Begründer einer zur Religion ausgeweiteten Philosophierichtung angesehen wurde, sondern als ein Wesen göttlicher Art. Auf einer Inschrift vom Jahre 165, in welchem der Hou-Han-Kaiser dem Lao-tzû an seinem Geburtsort opfern ließ, heißt es zum Beispiel: „Lao-tzû ist vom Odem des Urchaos sowohl getrennt als auch mit ihm vereint. Mit Sonne, Mond und Sternen beginnt und endet er. Dem Sonnentageslauf folgend wandelt er sich neunmal. Er fluktuiert mit den Jahreszeiten und setzt die Maße für die Gestirne. Seit Urzeiten ist er der Lehrer für alle Heiligen." Oben wohnte er in der Jadehauptstadt, d. h. im obersten taoistischen Himmel, und unten in der Nähe des Polarsterns. Er war Herr über alle zu Göttern erhobenen Könige und die Genien[170].

In der uns heute vorliegenden Endversion des T'ai-p'ing ching wird die wunderbare Geburt des Li-chün (Lao-tzû) mit Zügen ausgestattet, die auch bei der des Buddha auftreten. Dies Werk weist sich damit schon als merklich buddhistisch beeinflußt aus und könnte in seiner um 166 vorliegenden Form vielleicht weitgehend als Erzeugnis dieser Huang-Lao-Buddha-Richtung angesprochen werden.

Ein anderes Werk, das hier zu nennen wäre, ist das „Sutra in 42 Abschnitten", das von einem indischen Missionar *Kāśyapa Mātanga* im Jahre 67 in Lo-yang verfaßt worden sein soll. Schon im Stil ähnelt es dem Tao-tê ching und dem Hsiao-ching („Klassiker der Kindesliebe"). Und wenn wir in ihm lesen, daß man als Arhat umherfliegen und sich nach Belieben verwandeln konnte, dann erinnert das sofort an die Lehre von den Hsien und an Lao-tzû in seiner Eigenschaft als „Herr aller fliegenden Hsien". Auch die Aufforderung zur strikten Mäßigkeit und zur Unterdrückung der Begierden sind uns ja aus dem älteren taoistischen Schrifttum nicht unbekannt.

Anderseits taucht in dieser Schrift nun auch das Gebot absoluter sexueller Enthaltsamkeit auf. Der Himmelsgott schickte nämlich eine Jademaid (Yü-nü) als Versucherin zum Buddha, was diesen einzig zu der Bemerkung veranlaßte: „Das ist ein mit Unrat gefüllter Hautsack." Jede intimere Berührung mit einem solchen unreinen Wesen wirkte sich natürlich ungünstig auf die mühsam errungene innere Reinheit aus und war tunlichst zu meiden.

169 Wei-Chin ssû-hsiang lun, S. 30, und Tung-Han hui-yao, S. 138.
170 Shih-k'o shih-liao ts'ung-shu, Li-shih, Kap. 3, und Wei-shu, Kap. 114.

Dies war eine klare Absage an die der Lebensverlängerung dienenden Sexualpraktiken der Taoisten. Da durch diese aber nun auch Methoden entwickelt worden waren, durch die ein Mann mit mehreren Frauen – und bei den wohlhabenden Chinesen bestand meistens Polygamie – glücklich zusammenleben konnte, bedeutete es ebenfalls einen Angriff auf die, wenn man so will, Intimsphäre der chinesischen Familie.

Man gewinnt aber den Eindruck, daß dieser zölibatäre Zug des Buddhismus zunächst wenig in Erscheinung trat und, solange der Zustrom zu den Klöstern nicht über ein gewisses Maß hinausging, nicht unangenehm auffiel.

Von großer Anziehungskraft erwiesen sich dagegen das Töteverbot, die Hochschätzung der Menschlichkeit, die ja ebenfalls einem alten konfuzianischen Ideal entsprach, sowie das Ausschalten der Korruption und die betonte Anerkennung guter Taten. Vor allem fand sich eine bemerkenswert große Anzahl von Gönnern der neuen Ethik in den obersten Kreisen der Gesellschaft[171]. Wahrscheinlich sah man darin neue Impulse für einen willigen Gehorsam der Untertanen.

Zugleich könnte dies aber auch der Grund dafür gewesen sein, daß der Buddhismus begann, sich vom Vulgär-Taoismus abzusetzen, zumal von der Richtung, die den unglücklich verlaufenen Massenaufstand der Gelbturbane in Bewegung gesetzt hatte. Während der „Taoismus des Chang Tao-ling" von den Buddhisten noch als „echt" angesehen wurde, galten die Richtungen des Chang Lu und des Chang Chio als „Verfälschungen"[172].

Es war dies eine Absetzbewegung, von der auch bald die anderen, respektableren Schulrichtungen des Taoismus ergriffen wurden.

Gegen Ende der zweiten Han-Zeit hatte sich der Buddhismus bereits weitgehend als selbständige, neue Religion etabliert. Hinsichtlich seiner Ausbreitung im Volk blieb er jedoch zunächst weit hinter dem Taoismus zurück. Sein eigentlicher Aufstieg begann erst später.

Alles in allem scheint in der ausgehenden Han-Zeit eine Art religiöser Hochstimmung geherrscht zu haben, die wohl bis zu einem gewissen Grad durch die zunehmende Verschlechterung der wirtschaftlichen und politischen Lage bedingt war.

Von den großen religiösen Massenbewegungen haben wir oben kurz berichtet. Im einzelnen erfahren wir nun aber auch von besonders frommen Individuen, die ihre angesammelten Reichtümer unter die Armen verteilten und als Einsiedler in den Bergwäldern und allmählich auch in den jetzt aufkommenden Klöstern verschwanden.

Andere boten sich dem Himmel als Opfer dar für in ihrem Landkreis be-

---

171 Tung-Han hui-yao, S. 139.
172 Taishō, Bd. 49, S. 337c.

gangene Verfehlungen, um die in Gestalt einer Erntekatastrophe drohende Strafe abzuwenden. Sie nahmen also, wenn man so will, die „Sünden" der sie umgebenden Gemeinschaft auf sich.

Nicht selten wird von Heiligen berichtet, die aus ihren Gräbern auferstanden. Wenn man in diesen nachschaute, fand man ihre Kleider, einen Stab oder ein Schwert. Der Leichnam jedoch war fort. Sie hatten den Tod nur vorgetäuscht, um nicht als abnormer Ausnahmefall das Staunen und die Bewunderung der Mitmenschen zu erregen. Über „Himmelfahrten am hellen Tag" wurde oben verschiedentlich berichtet.

Anderseits gab es Leute, die sich völlig unbekleidet und ohne Sarg begraben ließen, teils um gegen den unsinnig hohen Aufwand bei Begräbnissen zu protestieren, teils aber auch um dadurch in engste Berührung mit der Erde und der großen Bahn (Tao) des Universums zu kommen.

Heilige Wundertäter starben nicht, sondern wurden vom „Himmelsgott" (T'ien) abberufen. Das Volk baute ihnen Tempel und erlangte dafür von ihnen Erfüllung aller dort vorgetragenen Bitten.

Überhaupt herrschte ganz allgemein eine große Glaubensbereitschaft, die im plötzlichen Aufkommen kleiner Lokalkulte, deren Anlaß oft ans Lächerliche grenzte, ihren Ausdruck fand.

Es waren da auch Fälle, in denen ein Vertreter der „Methode göttlicher Wunder" etwa ein totes Kind aus dem Grab holte und lebend der Mutter wieder zuführte.

Der Typus der vorherrschenden Frömmigkeit aber wird bestimmt durch das Werk *Hsiao-ching* („Klassiker der Kindesliebe"), dem geradezu magische Wirksamkeit zugeschrieben wurde. Es gibt Beispiele dafür, daß man durch Rezitation dieser Schrift aus der Ferne Revolten zu beschwichtigen versuchte. Es war also eines der Werke, durch das man „Erkrankungen" der Staatsgemeinschaft heilen konnte.

Das kleine Buch wird sowohl dem Konfuzius als auch seinem Schüler *Tsêng Ts'an* zu Unrecht zugeschrieben. Es entstand wahrscheinlich erst in der ausgehenden Chou- oder zu Anfang der Han-Zeit. In dieser letzteren erlangte das darin vorgetragene Thema bald solche Wichtigkeit, daß den postumen Tempelnamen der Han-Kaiser das Wort *Hsiao* („mit Kindesliebe erfüllt", „fromm") vorgesetzt wurde.

Hsiao ist nach diesem Werk überhaupt die Eigenschaft, die den Himmel dazu bestimmt, die „Tugendkraft" *(Tê)* zu verleihen und mit dieser zugleich die Fähigkeit, andere zu belehren und zu bessern. In erster Linie muß deshalb der Himmelssohn, d. h. der Kaiser, diese Eigenschaft seinem Vater, d. h. dem Himmel, gegenüber an den Tag legen, um eben von diesem mit den Herrscherfähigkeiten ausgestattet zu werden.

Aber auch vom Himmelssohn abwärts bis zu den niedrigsten Untertanen muß Hsiao alles durchwalten, denn „hinsichtlich des Verhaltens der Menschen geht nichts über Kindesliebe". Das Hsiao-ching ist das hohe Lied von der Verehrung der Eltern durch die Kinder und damit der Gesinnung, die den festen Zusammenhalt der Sippe gewährleistet. Denn „nicht seine Eltern, sondern andere Leute lieben, das ist Perversion (eigentlich ‚pervertierte Tugend')". Und unter den Hauptverbrechen wiegt deshalb keines schwerer als *Pu-hsiao*, d. h. keine Kindesehrfurcht haben[173]. Der Sippenzusammenhalt wurde damit zum moralischen Vorbild des Staatszusammenhalts.

Man kann wohl mit Recht sagen, daß *Hsiao*, „Kindesehrfurcht", bis heute die Basis aller Frömmigkeit in China geblieben ist.

173 Hsiao-ching chêng-shu.

V. DIE RELIGIÖSE ENTWICKLUNG IN DER ZEIT VON 220 BIS 600

A. Das konfuzianische Ritualwesen

Das Ende der zweiten Han-Dynastie bildet einen der entscheidendsten Einschnitte der chinesischen Geschichte. Die Reichseinheit ging wieder verloren, und es entstanden drei Staaten, die wir als in sich unabhängige Wirtschaftszentren, aber auch trotz gemeinsamer Bildungsbasis als bis zu einem gewissen Grad eigenständige Kulturzentren ansprechen können.

1. Ts'ao-Wei

Träger der legalen Staatstradition war der Nordstaat *Wei,* der von der Sippe *Ts'ao* begründet wurde. Diese stand vor ihrer Machtergreifung in Beziehung zu der Eunuchenpartei am Han-Hof, die ihrerseits wieder der Hauptgegner der das Amtswesen tragenden konfuzianischen Sippen war. Der Wei-Staat begann also mit einem gewissen antikonfuzianischen Vorzeichen.

Dies findet seinen Ausdruck unter anderem in dem verhältnismäßig geringen Bemühen um die weitere Ausbildung des Ritenwesens, was aber schon deshalb nicht notwendig war, weil das Prestige der Regierung jetzt nicht so sehr auf kaiserlichem Charisma als auf Militärmacht und Soldatenkolonien beruhte. Es stimmt dies auch überein mit der wichtigen Stellung, die das Rechtswesen in diesem Staat einnahm, das trotz der kurzen Dauer dieser Dynastie eine bemerkenswerte Weiterbildung erfuhr. Da während der Han-Zeit festgestellt worden war, daß die Gesetze der Rite zu dienen hätten, bedeutete jede Bevorzugung des Legalismus ganz allgemein, daß antikonfuzianische Tendenzen zum Zug kamen.

Was deshalb zum Ritualwesen der Ts'ao-Wei-Dynastie zu sagen ist, steht in Form von kurzen Vorbemerkungen vor den einzelnen Abschnitten der Monographie über das Ritualwesen der nachfolgenden Chinn-Dynastie.

Das bedeutet jedoch keineswegs, daß die Wei-Kaiser mit dem Ritualismus gebrochen hätten. Das Staatsritual war inzwischen so sehr Ausdruck für das Innehaben der Staatsmacht und die politische Repräsentation geworden, daß

161

kein Dynastiegründer, wie immer er auch persönlich darüber gedacht haben mag, sich ihm entziehen konnte.

So lesen wir denn, daß *Wên-ti,* der erste Wei-Kaiser, Sohn des Machtbegründers Ts'ao Ts'ao, im zweiten Jahr seiner Regierung, d. h. 221 n. Chr., bei Fan-yang (in Honan) ein Chiao-Opfer an Himmel und Erde und die wichtigsten Berge und Gewässer brachte. Dies stellte die feierliche Übernahme der Reichsregierung von den ausgeschiedenen Han dar. Der neue Kaiser zeigte die veränderten Verhältnisse an mit der Erklärung: „Es möge eurem kaiserlichen Diener (Ts'ao)P'ei erlaubt sein, sich mittels des Opfers eines schwarzen Stieres dem erhabenen Himmel und der erhabenen Erde vorzustellen." Eine Beigesellung der Ts'ao-Urahnen mit den beiden Gottheiten, wie das an sich üblich gewesen wäre, fand bei dieser Zeremonie, bei der dem neuen Herrscher das Reichssiegel überreicht wurde, nicht statt[1].

Grund dafür könnte sein, daß Wei Wên-ti erst sechs Monate nach diesem Opfer begann, seinen Ahnendienst durch die entsprechenden postumen Ernennungen seiner Ahnen in Ordnung zu bringen. Erst im Jahre 237 wurde in der Hauptstadt Lo-yang der Ahnentempel endgültig eingerichtet und die kultische Verehrung von sieben Ahnen, wie unter den Chou, beschlossen. Schon 229 hatte man übrigens die Ahnentafeln der vier wichtigsten Ahnen von der ersten Hauptstadt Yeh (in Honan), dem ursprünglichen Lehen des Ts'ao Ts'ao, nach Lo-yang, wo der Ahnentempel eben fertig geworden war, überführt.

Die Ausgestaltung des Ahnendienstes der Ts'ao-Wei geschah im übrigen gemäß den Ratschlägen von zwei Sachverständigen, *Wang Su* und *Kao T'anglung.* Dies zeigt, daß trotz allem auch im legalistisch orientierten Wei-Staat die konfuzianischen Ritenkenner unentbehrlich waren[2].

Beim zweiten großen Außenopfer, das der zweite Wei-Kaiser im Jahre 227 darbrachte, wurde der Ahn Wu-huang-ti, d. h. Ts'ao Ts'ao, dem Himmel gegenüber plaziert. Im Jahre 237 errichtete man für dies Opfer einen „Ringhügel" im Süden von Lo-yang. Da inzwischen festgestellt worden war, daß der Stammbaum der Ts'ao sich auf den heiligen Kaiser Shun zurückführen ließ, wurde dieser als sogenannter „Gastherr des Ringhügels" in den Staatsgottesdienst aufgenommen und beim Opfer dem „höchsterhabenen, kaiserlichen Himmel" (Huang-huang ti-t'ien) als Gastmahlpartner beigesellt. Diese Opferstätte wurde während des Bestehens der Wei-Dynastie nur einmal benutzt[3].

Diese Gegenüberstellung von Gott und Ahn scheint übrigens gemäß der Art, dem Ort und dem Zweck des Opfers recht variabel gewesen zu sein, denn wir lesen, daß im Jahre 227 bei einem Opfer in der Ming-t'ang der erst vor

1 San-kuo hui-yao, S. 202.
2 AaO, S. 214–218.
3 T'ung-chih lüeh, Kap. 7, S. 74.

kurzem verstorbene, erste Wei-Kaiser dem Shang-ti (Obergott) als Mahlpartner gegeben wurde [4].

Unter den im Wei-Staat verehrten Gottheiten findet sich nun interessanterweise auch eine, die im Jahre 238 unter dem zweiten Kaiser erstmals erwähnt wird. Ihr Name bedeutet etwa: „Odem des höchsten Gipfels und der Mittelharmonie." [5] Hier haben wir jedenfalls keinen Gott im üblichen, chinesischen Sinn vor uns, sondern ein Prinzip, das in der damals in der Welt der Gebildeten sehr verbreiteten und unter dem Einfluß der Han-Alttextschule stehenden Spekulation über Entstehung und Aufbau des Universums entnommen wurde. Es handelt sich dabei um den Urgrund alles Seienden, nämlich den Urodem, aus dem Yin und Yang entstehen, wobei zunächst das Yin erzeugt wird, denn „alle Dinge kehren den Rücken zum Yin und umfassen das Yang". Dies Zitat aus dem Tao-tê ching zeigt deutlich, daß der Strom des Entstehens als vom Yin zum Yang hin führend gedacht ist. Yin und Yang aber kommen aus der höheren Einheit des „harmonisch ausgewogenen Urodems". Daß dieser jetzt als Ursprung und Urgrund aller Naturkräfte, wie etwa der Jahreszeiten, Wärme und Kälte, Sonne und Mond, Flut und Dürre, im offiziellen Opferdienst auftritt, bedeutet einen Einbruch der damaligen Philosophie in den Bereich der Staatsreligion. (Auf die Tendenz, erspekulierte Prinzipien der Naturphilosophie zu vergöttlichen, wurde bereits auf S. 156 kurz hingewiesen.)

Dieser an sich „unpersönliche" Weltodem geriet wahrscheinlich jetzt in einen gewissen Wettbewerb mit dem mehr oder weniger persönlich gedachten „Alleinen" (T'ai-i), um den es merkwürdig still wurde.

Eine bemerkenswerte Rolle spielte unter den Wei und Chinn das Ritualpflügen auf dem speziell dazu bestimmten Feld. Auch dieser Brauch, ursprünglich wohl ein feierlicher Empfang der Frühjahrsfruchtbarkeit, wurde bereits unter den Han ausgeübt und soll nach Ansicht der Ritualisten natürlich auch schon im hohen Altertum bestanden haben. Jetzt erhielt er eine größere Wichtigkeit, weil er der Landwirtschaft zum Vorbild und zum Antrieb dienen sollte. Diese Deutung des Zeremonials erklärt sich aus den durch die andauernden Kriegswirren verursachten, umfangreichen Verwüstungen. Ursprünglich aber soll das Zeremonialpflügen den Zweck gehabt haben, die Zerealien für den Opferdienst des Kaisers zu beschaffen.

Parallel dazu ging die zeremonielle Züchtung von Seidenraupen seitens der Kaiserin vor sich [6]. Diese war mit einem Opfer an die Göttin der Seidenraupen, Frau Yüan-wa, verbunden. Da diese Göttin zum erstenmal in der Han-Zeit genannt wird, dürfte der Brauch auch kaum über diese hinaus weiter ins Altertum zurückgehen. Der Höhepunkt des Rituals bestand darin, daß die Kaiserin drei Zweige von einem Maulbeerbaum abbrach, um mit deren Blät-

4 AaO, Kap. 7, S. 94.
5 San-kuo hui-yao, S. 207.
6 AaO, S. 248/49.

tern die Seidenraupen zu füttern. Nach ihr knickten die ranghöchsten Konkubinen und Prinzessinnen zum selben Zweck je fünf und die Frauen der hohen Beamten je neun Zweige ab. Das ganze endete mit einer Bewirtung der Teilnehmerinnen.

2. Chinn

Mit dem Aufkommen der von der Sippe *Ssû-ma* begründeten *Chinn*-Dynastie (West Chinn 265–316 und Ost Chinn 317–420) treten wir nun wieder in eine mehr konfuzianerfreundliche Periode ein.

a. Ritualismus und Ritenmonographie

Kennzeichnend dafür war, daß jetzt die hohen Staatsämter mit Ritenkennern besetzt wurden, unter denen der Ritenminister *Chih Yü* als besondere Autorität hervorzuragen scheint. Wenn zur Han-Zeit noch ein gewisses Schwanken zwischen dem amtlichen Ritualismus und einer freien Religionsausübung der Kaiser in der Öffentlichkeit vorhanden gewesen sein mag, so ist dies jetzt vorbei. Die Ausübung der religiösen Staatsriten wurde ausschließlich von Fachleuten bestimmt; der Kaiser hatte sich wohl oder übel dem, was von ihnen nach langwierigen Forschungen in der Ritenliteratur beschlossen wurde, zu fügen. Für seine private religiöse Initiative war damit in der öffentlichen Staatsreligion so gut wie keine Entfaltungsmöglichkeit gegeben.

In der offiziellen Geschichtsschreibung kommt dies dadurch zum Ausdruck, daß die Monographien über das eigentliche Religionswesen, wie wir sie oben zum Beispiel im Fêng-shan shu kennengelernt haben, wegfielen. Dagegen erhalten wir in den weitergeführten und erweiterten Monographien über das Ritenwesen ein Bild vom Stand und von der Entwicklung des Staatsrituals während der folgenden Dynastien.

Anderseits aber bedeutet diese Vorherrschaft des Ritualismus nun keineswegs eine Ausschaltung der großen Religionen wie des Buddhismus und des Taoismus aus dem Staatsleben. Im Gegenteil konnten sich diese sogar einer gewissen Förderung durch die Staatsbürokratie und den Hochadel erfreuen. Sobald sich jedoch irgendwelche staatsfeindlichen Tendenzen religiöser Art bemerkbar machten, wurden diese als verbotene Häresien mit aller Macht unterdrückt.

Die Ritenmonographie im Geschichtswerk der Chinn-Dynastie, dem *Chinn-shu,* besteht aus drei Abschnitten. Im ersten werden die großen Staatsopfer, besonders natürlich die im Vorgelände der Hauptstadt vollzogenen *(Chiao),* und der Ahnendienst behandelt; im zweiten alle Einzelheiten über Trauerriten am Hof, Ausstattung der kaiserlichen Grabstätten, Trauerfälle in der hohen Beamtenschaft usw. Der dritte Abschnitt enthält Riten verschiedener

Art wie zum Beispiel Audienzzeremoniale, Gratulationsempfänge, Bekappungsfeiern für die Prinzen, Hochzeiten im Kaiserhaus und anderes. In diesem Zusammenhang ist in der Hauptsache nur der erste Abschnitt von Interesse. Dort werden zunächst die großen Opferhandlungen aufgeführt, denn, wie es in der Einleitung heißt, „hinsichtlich der ‚freudigen Rituale‘ geht nichts über die Staatsopfer" [7].

Auch jetzt vollzieht der erste Kaiser der neuen Dynastie ein Opfer, durch das dem Obergott (Shang-ti) und den anderen Gottheiten die veränderten Verhältnisse angezeigt werden.

Da ich mich nicht erinnere, eine Erwähnung derartiger Ankündigungsopfer weder für den Beginn der Ch'in-Dynastie noch für den der Han-Dynastie gefunden zu haben, könnte ich mir denken, daß hier eine staatsreligiöse Handlung vorliegt, die erst mit der Ts'ao-Wei-Dynastie beginnt. Ich möchte ferner annehmen, daß diese Übernahmefeier nur von solchen Dynastien abgehalten wurde, die sich als legale Nachfolger der vorausgehenden Dynastie betrachteten. Wobei diese Legalität auf dem Grundgedanken beruhte, der Himmel übergebe das Mandat *(Ming)* jeweils nur an e i n e n Herrscher. Also wenn, wie in der San-kuo-Zeit, drei chinesische Staaten vorhanden waren, konnte von diesen nur einer, nämlich der Ts'ao-Wei-Staat, die legale Linie des himmlischen Auftrags repräsentieren.

Im Jahre 266, dem zweiten Jahr der Chinn-Dynastie, gab der Kaiser anläßlich einer Eingabe der Ritualisten, in der angeregt wurde, man solle sich vorläufig bei den Staatsopfern nach dem Ritual der Ts'ao-Wei richten, eine Bekanntmachung heraus, daß er vor Änderungen in der Rite *(Li)* keinerlei Scheu habe und daß ein für alle Zeiten gültiges „ewiges Li" aufgestellt werden solle. Er selber sei in größter Unruhe darüber, daß die Götter im Himmel und in der Erde nicht zur rechten Zeit ihre Opfer erhielten.

b. Ritenschulen

Er griff damit ein in den Streit zweier Ritenschulen, die sich um die beiden großen Fachleute *Chêng Hsüan* (127–200) und *Wang Su* (195–256) gruppierten. Unterschiedliche Meinungen bestanden hauptsächlich hinsichtlich der Einzelausführung der Rituale.

Zunächst wurde jedoch nach einer Beratung und Diskussion unter den Sachkennern der Name oder die Anrede für die oberste Gottheit (oder die obersten Gottheiten) festgelegt. Unter den Ts'ao-Wei hatte man die Bezeichnung *Huang-t'ien chih shên,* „Gott" oder „Götter des erhabenen Himmels", gebraucht, jetzt wurde die uns bereits schon von früher bekannte Benennung *Hao-t'ien shang-ti,* „Großhimmel-Obergott", beschlossen.

Dazu erklärte man, daß die Fünf Agenziengottkaiser tatsächlich der „Him-

7 Chinn-shu, S. 447/48.

mel" (T'ien) seien, der eben nur gemäß der Jahreszeit immer über einen anderen, d. h. saisonalen, Odem (Ch'i) dominiere[8]. Wegen der Verschiedenheit der Jahreszeiten habe man die unterschiedliche Benennung. Obgleich man von fünf spreche, sei es in Wirklichkeit doch nur e i n Gott. Bei den Chiao-Opfern wurden deshalb die Standorte der Agenziengötter umbenannt in „Fünf Feinstemanationen", ansonsten aber beibehalten, so daß faktisch die Zeremonie vor sechs Repräsentationstafeln vor sich ging. Die zusammenfassende Bezeichnung war Hao-t'ien shang-ti.

Dies war ein Kompromiß zwischen zwei Ansichten, die durch die eben genannten Ritenschulen vertreten wurden. Über das zugrunde liegende Problem haben wir schon bei den Ausführungen über Wang Mang eine Bemerkung gemacht (s. S. 132).

Nach Ansicht der Schule Chêng Hsüan gab es nämlich eigentlich sechs „Himmel", einmal den Himmel als solchen und dann die unterschiedliche himmlische Erzeugungskraft der fünf Jahreszeiten, hinter der eben fünf weitere Himmelsgottheiten zu vermuten waren. Diese wurden deshalb beim Opfer dem „einen Himmel" beigesellt und insgesamt also sechs Götter beopfert.

Dem stand die Ansicht der Wang Su-Schule gegenüber, daß die „Fünf Agenziengötter" nur ein anderer Name für den „Großhimmel" und Hao-t'ien („Großhimmel") die Einheitsbezeichnung für die an sich gar nicht selbständig existierenden „Fünf Agenziengötter" sei. „Die Benennung Ti (Gott) geht an. Warum aber muß man noch eine Fünf davorsetzen? Hao-t'ien geht an. Warum aber muß man dann fünf Göttern und dazu noch jedem gesondert opfern?" Mit anderen Worten gesagt trat man hier dafür ein, daß nur einem einzigen Gott im Himmel das Opfer gebracht werden solle. Und tatsächlich wurden im Jahre 266(?) – allerdings nur vorübergehend bis etwa 274(?)[9] – die Tafeln der fünf Gottkaiser aus der Ming-t'ang und vom Südaußenopferplatz entfernt und nur dem Himmelsgott (T'ien-shên) geopfert.

Daß der oben erwähnte Kommissionsbeschluß beiden Ansichten Rechnung zu tragen versuchte, braucht nicht besonders dargelegt zu werden[10].

Im allgemeinen aber neigte man am Chinn-Hof dazu, den Vorschlägen aus der Schule des Wang Su, der übrigens durch Heirat zu den Verwandten des neuen Kaisers gehörte, stattzugeben. Diese liefen meist auf eine Zusammenfassung und damit natürlich auch wieder auf eine Verbilligung hinaus. So vertrat er z. B. die Ansicht, daß die alten Chiao-Hügelopfer, d. h. am Rundhügel für den Himmel und am Vierechügel für die Erde, sich durch nichts voneinander unterschieden hätten.

---

8 Um die Zahl fünf zu erhalten, wurde im Sommer noch eine Jahreszeit Ta-shu („Groß-Hitze") eingeschoben.
9 T'ung-chih lüeh, Kap. 7, S. 94.
10 Vgl. die Ausführungen im Chinn-shu, Kap. 19, und T'ung-chih lüeh, Kap. 7, S. 75.

c. Opferstätten und Altäre

Infolgedessen errichtete man zunächst tatsächlich nur eine Opferstätte im südlichen Außenbezirk und stattete diese mit einem runden und einem viereckigen Opferaltar aus.

Der Kaiser vollzog im Jahre 266 persönlich ein Rundhügelopfer auf diesem südlichen Außenopferplatz. Im Norden wurde also kein solcher angelegt; sämtliche Chiao-Opfer wurden vielmehr auf dem im Süden durchgeführt.

Erst unter der zweiten Chinn-Dynastie, der sogenannten Ost-Chinn-Dynastie, wurde etwa um 333 eine Nordaußenopferstätte fertiggestellt und benutzt. Die Chiao-Opfer im Süden und Norden mußten übrigens im ersten Monat des Jahres vom Kaiser persönlich dargebracht werden.

Wir erfahren nun auch wieder etwas über die auf den beiden großen Opferstätten bedachten Götter. Im Himmel gab es deren 26. Unter diesen werden aufgezählt die Gehilfen der fünf Gottkaiser (?), Sonne, Mond, die fünf Planeten und 28 Konstellationen, das Sternbild *Wên-chang* (der Sitz der himmlischen Registratur), der Große Bär, die zu diesem gehörige *San-t'ai* (drei Terrassen)-Sterngruppe, der Gelbkaiser *(Huang-ti)*, der Fürst Erde *(Hou-t'u)*, der Herr der Lebensschicksale *(Szŭ-ming)*, der Alleine *(T'ai-i)*, der Regenmeister, der Windgraf und andere mehr. Götter der Erde gab es dagegen 44. Unter diesen werden die Geister aller wichtigen Berge und Gewässer im Chinn-Reich verstanden.

Diese sollten vornehmlich auf der viereckigen Opferstätte, also eigentlich beim Nordaußenopfer, in dem nun alle Wang(Fern)-Opfer zusammengefaßt wurden, bewirtet werden. Der Erde wurde dabei die würdigste Vertreterin der verstorbenen Kaiserinnen gegenübergesetzt.

Nunmehr wurden auch erste Bestimmungen über die zu verwendenden Opfertiere getroffen. Während man unter Ch'in Shih-huang-ti Pferde geopfert hatte, nahmen die Han für ihre Opfer Kälber von unbestimmter Farbe. Jetzt gebrauchte man für die Süd- und Nordaußenopfer dunkelfarbige Rinder, für die Opfer in der Ming-t'ang, im Ahnentempel und am Erdaltar dagegen rotfarbige.

Eine längere Auseinandersetzung entstand um den Erdgottaltar. Zunächst zeigte sich, daß die Neuerung des Wang Mang, den amtlichen Erdgottaltären *(Sheh)* je einen Erntegottaltar *(Chi)* beizugeben, unter den Späteren Han und Ts'ao-Wei nicht eingehalten worden war. Nur beim kaiserlichen Erdgottaltar befand sich auch ein solcher für den Erntegott. Es existierten also in der Hauptstadt zwei Arten von Erdaltären, der kaiserliche Großaltar mit Erntegottaltar und ein Amtserdgottaltar ohne Erntegottaltar.

Als die Chinn im Jahre 288 ihre Ahnendiensthalle neu einrichteten, wurden dabei auch diese Altäre verlegt. Dabei kam die Ansicht auf, daß es ja nur eine einzige Erdgottheit gäbe und man also auch nur einen Altar aufstellen und nur eine Art von Opfer darauf vollziehen solle.

167

Sofort trat aber ein Ritenfachmann, der Marschall *Fu Hsien*, auf den Plan und machte eine Eingabe, in der er u. a. etwa folgendes ausführte: Laut Li-chi (Kap. 20, Chi-fa) wären da zwei Erdaltäre, der Erdaltar des Herrschers und der Allgemeinerdaltar. Beide hätten ihre Bedeutung. Der des Herrschers diene dem Dankopfer für die auf dem von ihm bearbeiteten Ritualfeld herangewachsene Ernte, der Allgemeinerdgottaltar der Frühjahrsbitte um gute Ernte und dem Herbstdank der Bevölkerung für diese. Dies seien zwei ganz verschiedene Angelegenheiten und zwei verschiedene Danksagungen. Und deshalb hätte man eben auch zweierlei Erdaltäre, nämlich einen Großerdaltar des Kaisers und eine Vielzahl von Erdaltären für die Untertanen. Wenn man jetzt davon spräche, daß er nur eine Sheh-Gottheit gäbe, dann sei das eine durch nichts begründete mündliche Überlieferung, die der schriftlichen Tradition zuwiderliefe. Anderseits sei die Sheh-Gottheit mit der Erntegottheit (Chi) in dem Klassiker Chou-li nur mit dem Erdgottaltar des Königs, aber nicht mit den Altären der Lehensträger verbunden, doch beruhe dies vielleicht auf einer Textverkürzung. Er sei deshalb der Ansicht, daß man wie früher zweierlei Erdgottaltäre errichten, jedoch dabei nur den des Kaisers mit einem Erntegottaltar kombinieren solle[11].

In der weiteren Diskussion setzte sich auch der große Fachmann *Chih Yü* für zwei Altäre ein.

Trotzdem erbaute man auf Grund gewichtiger Gegenstimmen aus dem Staatssekretariat, die sich ebenfalls auf das Li-chi (Kap. 9, Chiao t'ê-shêng) und das Shih-ching stützten, zunächst nur einen Altar. Aber schon im folgenden Jahr wurde beschlossen, einen zweiten aufzustellen und das Zwei-Altar-System als „ewige Regel" in die neue Ritenordnung zu übernehmen[12].

Ein Erntegottaltar in Verbindung mit dem kaiserlichen Erdaltar scheint allerdings erst im Jahre 317 unter der Ost-Chinn-Dynastie tatsächlich errichtet worden zu sein[13].

d. Kleinere Opferzeremoniale

Ein anderer Streit drehte sich um ein Opfer, das Yin genannt und den „Sechs Hochehrwürdigen" *(Liu-tsung)* dargebracht wurde. Yin könnte ein Rauchopfer bezeichnen, wie es für hoch über der Erde wohnende Götter üblich war. Wer aber die „Sechs Hochehrwürdigen" eigentlich waren, bleibt unklar. Sie werden erstmals in einem der unechten Kapitel des Shu-ching erwähnt, und aus dem dortigen Beitext geht nur hervor, daß ihnen eine Mittelstellung zukommt zwischen dem Shang-ti und den Göttern der Berge und Gewässer. Daß sie jedoch hochzuschätzende Götter waren, wurde vor allem einer Stelle im Chou-li entnommen, nach der sie im Rang etwa der Sheh-Gottheit gleich-

11 Chinn-shu, Kap. 19.
12 Ebd., Kap. 3 (Ti-chi) und 19.
13 T'ung-chih lüeh, Kap. 7, S. 124.

stehen sollten. Das Ritual für sie war deshalb wie das für die Erdgottheit. Schließlich gab einer der Experten über sie eine Erklärung ab, die jedoch offensichtlich der Sphäre der damaligen Naturphilosophie entstammte. Sie knüpfte an die bereits oben zitierte Stelle aus dem Tao-tê ching (Kap. 42) an: „Die Lebewesen kehren sich ab vom Schatten (Yin) und umfangen das Licht (Yang), so bildet sich (in ihnen) durch das Aufeinanderstoßen von (kaltem und warmem) Odem eine harmonische (Mischung)." Und solche Mittelwesen waren eben auch die „Sechs Hochehrwürdigen". Der Odem der „höchsten, harmonischen Mischung" war der Ahn der „Sechs Odem" (Yin, Yang, Wind, Regen, Dunkel und Hell), die jedenfalls mit diesen Gottheiten in Verbindung standen.

Man wagte also nicht, sie unberücksichtigt zu lassen, und das Opfer für sie wurde ebenfalls in die neue Ritenordnung der Chinn-Dynastie aufgenommen [14].

Daß neben den klassischen Ritenwerken vor allem auch die unter den Han aufgekommenen sakralen Rituale in den Diskussionen eine Rolle spielten, zeigt sich zum Beispiel an der Behandlung der sogenannten „Sieben Opfer". Darunter verstand man die Opfer für den „Herrn der Schicksale" (Szû-ming), ferner für das Atrium (Chung-liu), die Tore der Hauptstadt, die Wege der Hauptstadt, die unversorgten Seelen (von Personen höherer Rangordnung), die Palasttore und schließlich für den Herdgott (Tsao).

Von diesen sind uns der Szû-ming und der Herdgott ihrer Herkunft nach bereits bekannt (s. S. 66). Der erstere hatte die Aufgabe, das Leben des Herrschers zu überwachen. Der Herdgott dagegen überprüfte die Speisen und Getränke der kaiserlichen Küche. Es waren also zwei für das Wohlbefinden des Kaisers höchst wichtige Schutzgeister.

Aber auch bei den anderen handelt es sich um Wesen dieser Art, die für Ordnung und Sicherheit im Palast und der Hauptstadt sorgten, oder um solche, die beruhigt werden mußten, damit in diesem Bereich alles friedlich blieb.

Zur Han-Zeit wurden alle diese Wesen beopfert, während der Chinn-Zeit anscheinend aber nicht. Doch errichtete man in den Jahren 291–299 in der Hauptstadt Lo-yang einen Altar für den Kao-mei, d. h. den „hohen Heiratsvermittler" [15], dem die Han im zweiten Frühlingsmonat, „wenn die Schwalben kamen", opferten. Er war maßgebend für das Zustandekommen des kaiserlichen Nachwuchses und gehörte also ebenfalls zu den eben aufgezählten Schutzgeistern. Doch brachten jetzt nicht nur die Mitglieder der kaiserlichen Sippe, sondern auch Leute aus anderen Großfamilien ihre Bitte um Kindersegen bei diesem Altar vor.

14 Chinn-shu, Kap. 19.
15 Vgl. dazu den Abschn. über die „Sonderkulte in den Chan-kuo-Staaten", S. 94.

Während der staatliche Opferdienst, besonders die Außenopfer, wie wir gesehen haben, noch keineswegs in allen Einzelheiten festgelegt war und auch hinsichtlich der dabei verehrten Götter, Geister usw. Unterschiede bestanden, verlief der Ahnendienst nach ein für allemal bestimmten Regeln. Schon das könnte beweisen, daß es sich bei ihm um den älteren religiösen Komplex handelt. Seine Ausgestaltung hing im allgemeinen ab von der kürzeren oder längeren Dauer einer Dynastie. Probleme tauchten nur auf bei Umgruppierungen, Umbenennungen oder Ausrangierung von Tafeln im Ahnentempel. Vor allem traten Fragen dieser Art auf, wenn in der Regierung nicht der Sohn auf den Vater, sondern der jüngere Bruder auf den älteren folgte, wie das zuzeiten der Fall war.

Unter den Chinn kam übrigens insofern eine Neuerung auf, als man etwa um 270 die von einer Katastrophe betroffenen sieben Ahnentempel nicht wieder errichtete, sondern nur einen Tempel mit sieben Räumen[16].

Außerdem scheint es Schwierigkeiten mit dem Ausrangieren gegeben zu haben, denn wir erfahren, daß es gegen Ende der Dynastie vierzehn reguläre Tempelräume mit zusätzlichen zwei Speicherräumen gab[17].

3. Liu-Sung, Ch'i und Liang

Nachfolgestaat der Chinn-Dynastie war der Sung-Staat, den man zum Unterschied von der großen Sung-Dynastie als *Liu-Sung* (420–478) bezeichnet.

Das Standard-Geschichtswerk dieser Dynastie ist das *Sung-shu,* und darin findet sich auch wieder eine Monographie über das Ritualwesen (Kap. 14). Im Tenor ist diese aber wesentlich anders als ihre Vorgänger.

Schon aus den ersten, recht langatmigen Darlegungen über den Jahresanfang und die Bekappungs(d. h. Mündigkeits)-Feiern ergibt sich, daß es dem Verfasser nun ganz entschieden weniger um den Inhalt und Sinn der Rituale zu tun ist als um die genauen Einzelheiten der Ausführung. Dieser Tendenz ist es wohl zu verdanken, daß wir jetzt erstmalig in einer Standard-Geschichte eine genauere Beschreibung der Vorgänge beim großen Südaußenopfer *(Nan-chiao)* erhalten.

---

16 In der ältesten Zeit gab es vielleicht die Gepflogenheit, daß der tote König in seinem Palast eingemauert und für den neuen König ein neuer Palast errichtet wurde. Später wurden diese „Ahnenpaläste", nachdem man den Leichnam bestattet hatte und eine Figur oder Tafel an seine Stelle trat, verkleinert und zusammengerückt. Daß sie alle als Nischen (?) in einer großen Tempelhalle untergebracht wurden, geschah übrigens bereits auch einmal im Anfang der zweiten Han-Zeit unter dem sehr sparsamen ersten Kaiser (Sung-shu, Kap. 14).

17 T'ung-chih lüeh, Kap. 7, S. 9/10.

A. Das konfuzianische Ritualwesen

a. Ausführung des Nan-chiao-Opfers im einzelnen

Wir erfahren dabei, daß diese Feier durch eine Kasteiung des Kaisers von insgesamt zehn Tagen, d. h. sieben Tage leichte und drei Tage verschärfte Kasteiung, eingeleitet wurde. Derselben Prozedur hatten sich auch die an der heiligen Handlung teilnehmenden Beamten zu unterziehen. Die Tage der verschärften Kasteiung brachte der Kaiser unter einem Baldachin in einer bestimmten Palasthalle zu. Er trug dabei eine hohe, „zum Himmel durchdringende" Kopfbedeckung, die etwa in der zweiten Hälfte des dritten vorchristlichen Jahrhunderts aufkam und sich bis ins siebzehnte nachchristliche Jahrhundert unverändert erhielt.

Am frühen Nachmittag des Vortages der Feier fanden sich die hohen Beamten, der Stadtkommandant und die übrige Beamtenschaft auf dem Opfergelände ein und nahmen östlich vom Altar Aufstellung. Der Großanrufer (Ta-chu) ließ darauf die Opfertiere zur Inspektion vorführen. War dann das Urteil „fett" abgegeben, umwand der Gehilfe des Ta-chu, der Ta-chu-ling, die Tiere mit Stricken, hob die Hand und sagte: „Fertig". Sie wurden zum Schlachtraum abgeführt und geschlachtet; dann füllte man zwei flache Gefäße mit Blut und Haaren. Eines davon stellte man vor die Tafel des „hehren Himmelsgottes", das andere vor die des Dynastiesippenahns. Die eigentliche Opferfeier begann am folgenden Tag früh vor Sonnenaufgang. Zunächst ließ der Ta-chu-ling vor allen Tafeln in den vorgeschriebenen Gefäßen Opferspeise anbieten und überall die Sitzmatten auslegen. Pünktlich zu Beginn der dritten Morgenwache (d. h. um drei Uhr morgens) legte der Kaiser Zeremonialkleidung an, bestieg den Wagen und fuhr zum Osteingang des Opferplatzes. Zugleich wurde allgemeiner Alarmzustand verkündet. Der Großzeremonialmeister (T'ai-ch'ang) und sein Gefolge geleiteten die Majestät zu einer schwarzen Umzäunung innerhalb der Opferstelle. Der Ta-chu-ling kniete nieder, ergriff eine Kürbisflasche und besprengte den Boden mit Wein. Der Kaiser verbeugte sich zweimal und blieb dann aufrecht stehen. Die Beamtenschaft verneigte sich zweimal und verharrte tief zu Boden geneigt auf den Knien. Der Zeremonialdirigent rief: „Anfangen!" Daraufhin führte man den Kaiser zum südlichen Altaraufgang. Dort streifte er die Fußbekleidung ab und stieg zum Altar hinauf. Ein Palastjunker reinigte den Opferbecher, übergab ihn dem Kaiser und schenkte den aus vergorener Rispenhirse hergestellten Opferwein ein. Der Kaiser vollzog dann das „erste Anbieten" vor den Tafeln des „hehren Himmelsgottes" und des Ahnherrn der Dynastie durch zweimaliges Verbeugen und einmalige Verneigung bis zum Boden. Der Ta-chu-ling goß den „Glückswein" ein und bot ihn kniend dem Kaiser dar. Nachdem dieser getrunken hatte, schritt er, begleitet vom Zeremonialmeister usw., den Ostaufgang hinunter. Das „zweite Anbieten" wurde vom Zeremonialmeister und das dritte vom Bewirtungsminister ausgeführt. Darauf geleitete der Großanrufer, indem er

Wein auf den Boden sprengte, die Götter und Geister südwärts aus dem Altarplatz hinaus. Der Zeremonialdirigent hob die Hand und wies die Beamtenschaft an, sich zu verneigen und niederzuwerfen. Der Kaiser wusch sich die Hände. Der Zeremonialdirigent rief: „Aufstehen!" Dann knieten die Begleiter des Zeremonialmeisters wieder nieder und verkündeten: „Die Opferhandlung ist beendet."

Anschließend wurde das Brandopfer (Liao) vollzogen. Der Kaiser wurde zum Altar dieses Zeremoniells hingeleitet und nahm südwärts gewandt beim Ostaufgang Aufstellung. Der Großanrufer plazierte runde Jadestücke, Opfertierfleisch, Wein und Speisen auf einen vorbereiteten Scheiterhaufen. Der Zeremonialdirigent hob die Hand und befahl: „Anzünden!" Drei Männer mit brennenden Fackeln stiegen hinauf und setzten das Holz in Brand. Der Ta-chu-ling und seine Begleiter kamen vom Altar herunter. Von der Ost- und Westseite warfen je zwanzig Leute Fackeln auf den Altar. Wenn das Feuer etwa halb abgebrannt war, verkündeten die Begleiter des Zeremonialmeisters, daß alles vorüber sei. Der Kaiser trat in einem leichten Wagen den Heimweg an. Der Alarmzustand im Palast- und Stadtbereich wurde aufgehoben.

War der Kaiser, was unter den Ts'ao-Wei und Chinn häufig der Fall war, durch Geschäfte verhindert, dann wurde die Zeremonie von den drei obersten Würdenträgern abgehalten. Das „erste Anbieten" übernahm dabei der Kriegsminister.

Ähnlich verlief auch das der Erde dargebrachte Nordaußenopfer, nur daß dabei die Opfergaben und Opfertiere vergraben wurden. Das Ende der Zeremonie wurde verkündet, wenn die Grube zur Hälfte mit Erde gefüllt war.

b. Sonnenfinsternisrituale

Immer mehr in Verfall gerieten, so wenigstens scheint es, die alten Sonderkulte für die Sonne und den Mond, obgleich noch auf der Po-hu-Konferenz festgestellt worden war, daß der Herrscher den Himmel als Vater, die Erde als Mutter, die Sonne als älteren Bruder und den Mond als ältere Schwester betrachten solle. Wahrscheinlich setzte sich eine Ansicht durch, daß durch den Einschluß von Sonne und Mond in das allgemeine, große Himmelsopfer im Südaußenbezirk diesen Gottheiten Genüge geleistet wäre.

Anderseits war eine Sonnenfinsternis immer noch eine Staatsangelegenheit. Schon drei Tage vorher wurde innerhalb und außerhalb des Palastes Kriegsrecht verkündet. Alle Beamten mußten, um dem Yang-Prinzip zu helfen, rote (Diener-)Mützen tragen. Wenn die Sonne sich zu verfinstern begann, legte der Kaiser weiße Trauerkleidung an und ging nicht in die Regierungshalle. Es wurde allgemeiner Großalarm gegeben. Der Großhistoriograph begab sich auf die Ling-t'ai (Himmelsbeobachtungswarte) und beobachtete alle Verände-

rungen der Sonne. Bei den Toren schlug man die Trommeln, und alle Palast-
diener setzten rote Mützen auf, gürteten Schwerter um und hielten sich bereit.
Das Amtspersonal vom Sekretär aufwärts stellte sich mit Schwertern in der
Hand vor die Türen der Amtsräume, und die Runden der Palastwache wurden
verstärkt. Wenn die Sonne wieder normal schien, hörte all das auf. In alter
Zeit wurde dazu besonders beim Erdaltar getrommelt, um das Yin-Prinzip
einzuschüchtern.

Während die allgemeinen Regeln für das große Südaußenopfer mehr oder
weniger festgelegt waren, bestand hinsichtlich der erst später dazugekom-
menen religiösen Rituale große Unsicherheit. Diese zeigte sich besonders bei
der Seidenzuchtzeremonie, die, danach zu urteilen, sicherlich erst während
der Han-Zeit aufgekommen war. Man war sich nämlich nicht einmal darüber
einig, wo sie stattfinden solle, d. h. ob der Altar für die dabei verehrte „Erste
Seidenraupenzüchterin" im Norden, Westen, Südosten oder gegenüber dem
Altar des „Ersten Landmanns" zu stehen habe. Letzterer wurde bekanntlich
bei der Pflügezeremonie des Kaisers verehrt.

c. Konfuzianische Kulte im engeren Sinne

Bildung und Gesittung waren das Wirksamste, was die Chinesen der Ost-
Chinn- und Liu-Sung-Dynastie den nomadischen Fremdvölkern, die etwa
seit 317 den Norden des alten Han-Reiches beherrschten, entgegenzusetzen
hatten. So lesen wir in einem langen Erguß im Sung-shu (Kap. 14) über die
Notwendigkeit, das Schulwesen zu verbessern: „Wenn Rite und Musik, Administration und Gerichtswesen überall zum Besten aller ausgebreitet werden,
... dann wird tierische Gesinnung ihr Gesicht ändern, man wird lernen, höf-
lich zu grüßen und zurückzutreten. Mühelos wird die ganze Welt Folge leisten ... Nichts ist deshalb wichtiger als Rite und Studium (der konfuzianischen
Klassiker)."

Für eine Darstellung der chinesischen Staatsreligion wäre diese Bemerkung
allerdings nun nicht von Belang. Doch führten diese Bestrebungen zum Aufkommen von zwei Staatskulten, von denen der eine, nämlich der für Konfuzius und seine 72 Schüler, uns bereits bekannt ist (s. S. 139).

Schon die Ts'ao-Wei ließen den alten Tempel in seinem Heimatort Ch'ü-fu
(Shantung) wiederherstellen und hundert Familien zu seiner Wartung und
Pflege dort ansiedeln. Damit wurde Konfuzius als großer Lehrer und Lebens-
former des Ostens bestätigt.

Um den Kult fest zu etablieren, wurde der jeweils älteste Sohn seiner Nach-
kommen zum Tsung-shêng-hou („Graf zur Verehrung des Heiligen") ernannt.
Unter dem ersten Chinn-Kaiser änderte man diesen Titel in Fêng-shêng-t'ing-
hou („Graf der Darbietung im heiligen Pavillon") Im Jahre 325 erhielt der
Träger dieses Titels in allen vier Jahreszeiten amtliche Zuteilungen für die
Opfer an seinen Ahnherrn.

Auch die Liu-Sung setzten die Ehrungen für Konfuzius und seine Nachkommen fort. Sie scheinen aber mit letzteren wenig Glück gehabt zu haben, denn nicht weniger als vier von ihnen mußte der Ehrentitel wegen begangener Straftaten aberkannt werden[18].

Im Zusammenhang mit diesem Ahnenkult für den heiligen Lehrer Konfuzius steht ein anderer Kult, der *Shih-tien* („Trinkopferausgießen") genannt wurde. Er galt dem „ersten Heiligen und ersten Lehrer", worunter man Konfuzius und seinen Schüler *Yen Hui* zu verstehen hat. Er bestand in einem Opfer mit anschließendem Gastmahl und wurde in der Pi-yung-Halle abgehalten. Hauptperson war dabei meist der Kronprinz, mit dessen Studienbeginn die Feier in Verbindung stand.

Dieser Shih-tien-Kult scheint überhaupt erst unter der Chinn-Dynastie in der zweiten Hälfte des dritten Jhs. aufgekommen zu sein[19].

Die Liu-Sung-Dynastie wurde von der sogenannten Süd-Ch'i-Dynastie (479–501) abgelöst. Ebensowenig wie ihre Vorgänger oder auch ihre Nachfolger vermochten es die *Ch'i*, die Staatsreligion in eine endgültige, klare Form zu bringen. Schuld daran waren die unaufhörlichen kriegerischen Auseinandersetzungen mit dem Nord-Staat der *Toba-Wei* und die Intrigen im Inneren.

Aber wie wankend und kurzlebig die Staatsgebilde jener Zeit auch gewesen sein mögen, hinsichtlich ihrer Verwaltung ruhten sie durchgehend auf einer Beamtenschaft, die sich ständig aus den alten konfuzianischen Sippen ergänzte. Und unter diesen Sippen gab es immer solche, die sich auf die Kenntnis der Riten spezialisiert hatten. Die prominenten Vertreter dieser Sippen sind es, die sich um die Erhaltung und gegebenenfalls um den weiteren Ausbau der großen Staatsopfer und Zeremoniale bemühten. Für sie bedeuteten diese die Hauptrepräsentation der von ihnen aufgebauten und vertretenen Zivilisation und Gesellschaft.

d. Entwicklung unter der Süd-Ch'i-Dynastie

Aus den Kreisen dieser Ritensachverständigen stammt nun auch wieder die in das Geschichtswerk der *Ch'i*-Dynastie, das *Nan-Ch'i-shu*, aufgenommene Monographie über das Ritualwesen (Kap. 9). Auch sie enthält, wie ihre Vorgängerinnen, in der Hauptsache Darlegungen über die korrekte Ausführung der Riten, ohne jedoch – übrigens ebenso wie die im Sung-shu – wesentlich Neues zu bringen. Auffällig ist allerdings, daß hier öfters die Riten, wie sie zur Han-Zeit bestanden, als Ausgangspunkt der historischen Begründung genommen werden. Es könnte sein, daß man sich hinsichtlich dieser, jetzt als Idealstaat betrachteten, Dynastie auf sichererem Boden fühlte, als ihn die Ritenwerke der weiter zurückliegenden Chou darstellten, wenn auch nicht zu über-

18 AaO, Kap. 8, S. 66.
19 AaO, Kap. 8, S. 53/54.

sehen ist, daß sich die Zitate aus diesen wie ein roter Faden durch das Ganze hindurchziehen. Anderseits wird aber auch keineswegs verkannt, daß die Han in der Ausführung mancher Riten unkorrekt gewesen waren. Dies betrifft vor allem ihren Ahnendienst, der als „widersprechend den Klassikern" und „sich abkehrend vom Alten" bezeichnet wird.

Von gewissem Interesse sind in dieser Monographie die Auseinandersetzungen über die Abfolge der großen Opferhandlungen, die natürlich nach ihrer Wichtigkeit geordnet wurden. Als Richtlinie diente hierbei das Jahr 124 n. Chr. Gemäß diesem Vorbild sollte am 13. Tag nach Neujahr das Südaußenopfer *(Nan-chiao)* stattfinden, am 14. Tag das Nordaußenopfer *(Pei-chiao)*, am 15. Tag die *Ming-t'ang*-Zeremonie, am 16. Tag das große Ahnenopfer und am 17. Tag die Feier für den Gründerahn. Für den Kaiser und die hohe Beamtenschaft war diese rasche Abfolge der fünf wichtigsten Staatsfeiern sicherlich recht anstrengend, ganz abgesehen davon, daß dabei alle Staatsgeschäfte ruhten.

Dies wurde deshalb auch von den Ch'i nicht übernommen. Man stellte nämlich fest, daß diese Zeremonien jeweils nur an einem Tag vollzogen werden durften, in dessen Kombination der zyklischen Zeichen das achte Stammzeichen *Hsin* vorkam. Damit aber wurde ein Zwischenraum von je zehn Tagen zwischen die einzelnen Feiern gelegt.

Zum erstenmal erfahren wir nun auch, daß innerhalb der Ritenschule abweichende Meinungen darüber bestanden, an wen sich eigentlich das große Südaußenopfer richte. Nach Ansicht des berühmten und viel zitierten *Chêng Hsüan* war „Shang-ti (Obergott) nur eine andere Bezeichnung für den Himmel". „Zwischen den Benennungen Ti (Gott) und T'ien (Himmel) gibt es keinen Unterschied."

Dem stand die Meinung aus den Kreisen des nicht minder berühmten *Chih Yü* gegenüber: „Shang-ti ist nicht T'ien (Himmel). Die Leute des Altertums haben das klar dargelegt."

Für die Ausführung der heiligen Handlung war dies Problem jedoch unwesentlich.

Eine gewisse Aufwertung scheint der Kult für Sonne und Mond erfahren zu haben. Denn der damals hauptsächlich maßgebende Sachkenner *Ho T'ung-chih* vertrat die Ansicht, daß die Sonne die „Essenz des großen Yang" und der Mond die „des großen Yin" sei. Nach der Tag- und Nachtgleiche im Frühling strecke sich der Yang-Odem und nach der im Herbst der Yin-Odem. Und dies würde von Himmel und Erde zu ihrem Neubeginn (d. h. der Winter- und Sommersonnenwende) benutzt, und deshalb würden anläßlich dieser die großen Opfer gebracht. „Die Feiern für Sonne und Mond stehen deshalb an zweiter Stelle hinter denen für Himmel und Erde." Seit dem Beginn der Chinn-Dynastie aber habe man sie vernachlässigt. Jetzt wurde die feierliche Begrüßung der Sonne und des Mondes am Morgen des Frühlingsäquinoktiums respektive am Abend des Herbstäquinoktiums durch den dazu festlich gekleideten Kaiser wieder aufgenommen.

e. Ming-t'ang-Feier

Wir haben eben gesehen, wie die Ming-t'ang-Feier zwischen die großen Außenopfer und den kaiserlichen Ahnendienst eingereiht wurde. Dem Charakter dieser Halle (s. S. 110) entspricht dies durchaus. Bekanntlich diente sie sowohl der kosmischen als auch der politischen Aktivität des Kaisers und bildete über den lebenden Vertreter der Dynastie hin eine Art Bindeglied zwischen den Göttern und den kaiserlichen Ahnen. Der Tempel für die letzteren hatte denselben Grundriß wie die Ming-t'ang.

Es scheint, daß gerade diese Halle unter der auf die Nan-Ch'i folgenden *Liang*-Dynastie (502–556) eine gewisse Bedeutung erlangte, was zum Beispiel daraus zu ersehen ist, daß die fünf Agenzienkaiser aus dem Südaußenopfer entfernt und nur in der Ming-t'ang verehrt wurden. Als Grund wurde angegeben, man wolle die doppelte Beopferung vermeiden. Dafür wurden die zwölf Tierkreiszeichen in das Südaußenopfer eingeschlossen.

Dies könnte vielleicht mit der religiösen Haltung des ersten Kaisers zusammenhängen, der ein strenggläubiger Buddhist war. Daraus erklärt sich seine Abneigung gegen alle Blutopfer. Aus den großen Außenopfern waren diese aber nicht gut herauszunehmen. Anscheinend hat er deshalb auch nur einmal bei seinem Regierungsantritt ein Südaußenopfer voll durchgeführt. Die Ming-t'ang-Feier aber wurde von ihm dahin abgeändert, daß kein Tier dabei geopfert und nur vegetarische Speisen benutzt werden durften. Im übrigen errichtete er die Ming-t'ang gemäß den alten Plänen mit zwölf Räumen für die Monate. In ihrer Mitte standen aber jetzt die „Sechs Hochehrwürdigen" (s. o. S. 169) und um diese herum die fünf Agenzienkaiser, denen je ein Mensch-Kaiser aus der kaiserlichen Sippe beigesellt wurde. In fünf kleinen Sonderräumen befanden sich die Helfer der Gottkaiser[20].

Die vegetarische Diät des Buddhismus wurde auch für den kaiserlichen Ahnendienst eingeführt. In einer Verordnung vom Jahre 517 heißt es, wenn man auch jetzt kein Frischfleisch mehr zu den Opfern verwende, so doch immer noch Streifen getrockneten Fleisches. Auch dies sei zu unterlassen und nur noch Gemüsenahrung anzubieten. Somit wurde das Dörrfleisch durch ein ähnlich aussehendes Gebäck ersetzt. Im Ahnentempel gab es von da an keine Blutopfer mehr[21].

Unter demselben Kaiser drang auch zum erstenmal die typische Art der buddhistischen Verehrung, das Weihrauchabbrennen, in die Staatsreligion ein. Und zwar wurden dem Charakter der verschiedenen Feiern entsprechend verschiedene Arten von Weihrauch gebraucht[22].

20 AaO, Kap. 7, S. 95/96.   21 AaO, Kap. 8, S. 22.   22 AaO, Kap. 7, S. 116.

Dies zeigt bereits die bedrängte Lage an, in der sich das Konfuzianertum damals befand. Da nämlich die Buddhisten auch des Lesens und Schreibens kundig waren, hätten sie ohne weiteres die Staatsverwaltung übernehmen können. Die historische Wendung, daß China ein buddhistischer Staat geworden wäre, lag, wie wir später noch im einzelnen sehen werden, damals durchaus im Bereich des Möglichen.

4. Toba-Wei

Wie aber standen nun die Dinge im Norden, wo ein turko-mongolischer Stammesstaat, die *Toba-Wei*-Dynastie (385–550), an der Macht war?

Auch das Geschichtswerk dieser Dynastie, das *Wei-shu*, enthält eine Monographie über die Riten (Kap. 108). Die darin vorgebrachten Materialien wurden jedoch gesammelt und gesichtet von konfuzianischen Ritualisten. Diese waren, wie kaum anders zu erwarten, bemüht, alle religiösen Handlungen der Toba-Kaiser unter dem Gesichtspunkt der chinesischen Staatsriten zu sehen. Bezeichnend dafür ist bereits der erste Satz dieser Monographie: „Im Himmel ist nichts heller als Sonne und Mond, und unter den Menschen ist nichts heller als Gesittung und Zeremonial." Der Kompilator des Kapitels gehörte sicherlich zur konservativen Ritenschule, denn seiner Ansicht nach haben nach Vernichtung der konfuzianischen Klassiker durch die Ch'in die Han diese Schriften nur in verdorbener Form erhalten. Der eigentliche Leitfaden der Gesittung sei deshalb bei den *Hsia*, *Yin* und *Chou* (den drei ältesten Dynastien) zu suchen. Wie er jedoch an deren Riten ohne schriftliche Überlieferung herankommen zu können glaubte, bleibt ein ungelöstes Rätsel.

Seiner Darstellung nach haben die Toba-Wei-Kaiser bereits, als sie noch „auf dem Rücken der Pferde" ihr Reich eroberten, dies nach chinesischem Muster zu ordnen versucht, was allerdings zunächst nur in den „gröbsten Formen" geschah.

Dementgegen ist es aber sehr wahrscheinlich, daß die ersten Kaiser der Toba schwankten, ob sie ihren Staat in religiöser Hinsicht auf buddhistischer oder taoistischer Grundlage errichten sollten; denn dies waren die tatsächlich herrschenden Religionen.

Um 493/94 wurde die Hauptstadt der Toba aus dem Norden nach Lo-yang verlegt. Das bedeutete, daß sich die bildungstragenden konfuzianischen Sippen in der Verwaltung durchgesetzt hatten und die Sinisierung der Toba im Gange war.

Der Vorgang spiegelt sich wider in den Aufzeichnungen der Ritenmonographie. So lesen wir, daß im Jahre 488 der Kaiser wahrscheinlich zum erstenmal im chinesischen Ornat beim Rundhügel das Südaußenopfer ordnungsgemäß darbrachte. Zugleich setzen nun auch hier die üblichen, langatmigen

Diskussionen über die bei den Ritualhandlungen zu beachtenden Einzel-
vorschriften ein.

Was aber lernen wir über die religiösen Verhältnisse vor dieser Zeit?

Wir wissen, daß alle Nomadenvölker im Norden seit alters den „Himmel"
(T'ien) verehrten, ja, es wäre möglich, daß die Himmelsverehrung überhaupt
von ihnen aus ihren Anfang nahm. Unter Himmel wäre dabei wohl ursprünglich der Schamanenhimmel zu verstehen, der mit Hilfe einer (sieben- oder)
neunsprossigen Leiter zu erreichen war.

Es ist deshalb auch verständlich, daß der erste Toba-Kaiser dem „Himmel"
von seiner Reichsgründung Mitteilung machte. Aber schon einige Jahre später,
nämlich unter dem Jahr 398, lesen wir, daß der Kaiser anläßlich der Haupt-
stadtgründung ein weiteres Ankündungsopfer an „Himmel und Erde" vollzog.
Die Meldung begann mit folgenden Worten: „Ich, der kaiserliche Diener
Kuei, möchte mittels eines ,schwarzen Tiermännchens' den magischen Mächten
des hehren Himmels und der Fürstin Erde Mitteilung machen. Der hohe Himmel möge den Auftrag herabsenden und meine Ahnen schützen..." Bei dieser Gelegenheit wurde auch festgestellt, daß die Dynastie die Regierung des
Huang-ti (Gelb-Kaisers) fortsetzend durch das Agens Erde bestehe. Ebenso
erfahren wir, daß der Kaiser persönlich im Jahre 399 ein Südaußenopfer
darbrachte, das anscheinend ganz im chinesischen Stil verlief. Die Tafel
des T'ien (Himmel) stand dabei an höchster Stelle auf dem Altar und ihr
gegenüber die des Ahnherrn der Toba, darunter folgten dann die fünf
Agenzienkaiser, die Sterngötter usw., wie sie oben verschiedentlich aufgezählt
wurden.

Es ist durchaus möglich, daß diese „chinesische" Aufmachung der Opferfeier den Zweck verfolgte zu demonstrieren, daß die Toba Anspruch auf das
ganze Reich zu erheben begannen. Und so wird auch in den Staatsriten der
Toba, soweit sie in der Monographie aufgezeichnet werden, schon vor 486
eine sinisierende Tendenz aufzuweisen versucht.

Trotzdem aber gibt es einige Züge, die nicht recht in dieses Bild zunehmender Ritualisierung im konfuzianischen Sinn passen. Einer davon ist, daß das
Hauptopfertier der Toba nicht das Rind war, sondern das Pferd. Das erklärt
sich aus ihrer nomadischen Herkunft. Die Rangfolge der Opfertiere war Pferd,
Rind, Schaf. Anderseits begegnen wir in diesem Zusammenhang auch wieder
dem Hund, der zu jener Zeit aus dem chinesischen Opferdienst völlig verschwunden zu sein scheint.

Bezeichnender noch aber ist die Rolle, die bei diesen religiösen Handlungen
jetzt wieder die *Wu* (Schamanen) spielen. Bei gewissen Opfern für die kaiserlichen Ahnen scheint die ganze Zeremonie überhaupt in ihren Händen gelegen zu haben, was ja der eigentlichen, ältesten Funktion der Wu, wie ich sie
oben (s. S. 25) zu schildern versuchte, sehr gut entsprechen würde.

Auch bei dem Außenopfer von 405, das merkwürdigerweise im westlichen

Vorgelände der Hauptstadt auf einem viereckigen Altar dargebracht wurde, schlugen weibliche Wu die Trommeln.

Im Einklang mit diesem Auftreten des in China aus dem Staatskult verbannten Wuismus könnte eine deutlich zu erkennende Vorliebe der Toba für die uns von den vorchristlichen Ch'in her bekannten Bergopfer stehen. Diese machte sich im Jahre 460 besonders bemerkbar.

Aus all diesem könnte man den Schluß ziehen, daß die unter den Toba vereinigten turko-mongolischen Stämme ursprünglich dem Wuismus (Schamanismus) anhingen. Die Toba selber glaubten, ihren Ursprung aus einer Steinhöhle in den nordostsibirischen Wäldern genommen zu haben, und schickten alljährlich eine Abordnung von Würdenträgern zur Verehrung dorthin. Leider erfahren wir nichts darüber, wie diese im einzelnen vor sich ging.

Zum Schluß sei hier noch kurz bemerkt, daß der erste Vorstoß des Buddhismus in die offizielle Religion des Tobastaates im Jahre 472 erfolgte. Auf Betreiben des Kaisers *Hsiao-wên* wurden alle Blutopfer verboten, denn „die Götter und Geister sind weise und aufrecht, sie erfreuen sich an Tugendkraft und Zuverlässigkeit, wie wäre ihnen an Schlachtopfern gelegen?"

Zu diesem Entschluß mag natürlich auch der Umstand mit beigetragen haben, daß damals jährlich auf 1075 Opferstellen 75 500 Tiere geopfert wurden. Mit anderen Worten gesagt: die uneingeschränkte Schlachtopferreligion wurde zu teuer. Aber etwa um 500 ergab sich, daß der Buddhismus infolge zahlreicher Steinhöhlenbauten und der Errichtung von übergroßen Buddhastatuen auch nicht billiger war[23]. Damit jedoch wurde der schließliche Sieg einer auf einige große Schaustellungen beschränkten Staatsreligion im Sinne des Konfuzianismus vorbereitet.

B. Der Taoismus

Schon im Abschnitt über den Taoismus der Han-Zeit habe ich angedeutet (s. S. 149), daß diese Geisteshaltung ganz verschiedene Formen annahm je nach dem sozialen Milieu, in dem sie auftrat. Aber allen diesen sehr unterschiedlichen Strömungen war letzten Endes eines gemeinsam, nämlich die sehr unbestimmte Konzeption des im Grunde genommen unbegreifbaren *Tao*, die, vage gesagt, von einem abstrakten „Universalprinzip" bis zu einem mit Persönlichkeit begabten Gott reichte.

Eine dieser „taoistischen" Gruppen können wir jedoch aus einer Geschichte der Religion von vornherein ausschließen. Das sind jene, die in den Texten

23 *Têng Chih-ch'êng* (1954), Bd. II, S. 175.

beschrieben werden als solche, die „Chuang-tzû und Lao-tzû liebten". Denn das bedeutete nicht, daß sie sich wie die echten, gläubigen Taoisten allerlei Praktiken hingaben und dabei taoistische Gottheiten verehrten. Es ging ihnen fast ausschließlich um den gedanklichen Gehalt der nach diesen berühmten Taoisten benannten Werke, den sie in langen Gesprächen rational auszudeuten und zu vertiefen suchten. Mit anderen Worten – sie waren Vertreter einer an Chuang-tzû und Lao-tzû anknüpfenden philosophischen Spekulation. Hinsichtlich dieser habe ich bereits angedeutet (s. S. 156), daß sie in einem Weltbild ohne Gott gipfelte. Alles, was war, kam aus dem Leeren und endete wieder im Leeren. Unter solchen Gesichtspunkten durchforschten sie die von ihnen bevorzugten Werke. Es ist sogar anzunehmen, daß das Werk Chuang-tzû überhaupt erst unter ihrer Bearbeitung die Form erhielt, in der es heute vorliegt.

Bis auf wenige Ausnahmen hatten sie Staatsämter inne und gehören letzten Endes überhaupt in das Milieu des rationalisierenden Konfuzianertums, wie „taoistisch" ihre Gedankengänge auch manchmal anmuten mögen.

Eines aber ist hier doch zu bemerken. Aus dieser Gruppe kam nämlich eine vehemente Reaktion gegen den Ritualismus, die sich in den bizarrsten Formen äußerte und sich besonders gegen die starren Sitten und Riten innerhalb der Großfamilie richtete.

In der kritischen Zeit um die Wende des dritten und vierten Jhs. scheint diese Bewegung am stärksten um sich gegriffen zu haben. Und der Kompilator der Chinn-Geschichte hält sie für einen der Hauptgründe für den Untergang der ersten Chinn-Dynastie (West-Chinn): „Gesittung und Gesetz, Strafen und Verwaltung kamen dadurch zu Schaden. Wie Wasser, so sammelte es sich und durchbrach die Dämme, wie Feuer, das sich vom Opferfeuerhaufen entfernt, so breitete es sich aus."[24]

Dies zeigt deutlich, daß die Rite oder Gesittung (Li), gipfelnd in den großen Staatsopfern, von den Konfuzianern als wichtigster Grundpfeiler der Staatsordnung angesehen wurde.

1. Pao-p'u-tzû

Auch *Ko Hung* (284–336), der hervorragendste Vertreter einer im eigentlichen Sinn taoistischen Gruppe, gehörte zur bildungstragenden Gesellschaftsschicht. Während jedoch die Vertreter der vorgenannten Gruppe meistens Abkömmlinge reicher Familien mit großem Grundbesitz waren, scheint er aus wesentlich einfacheren Verhältnissen zu kommen. In seiner Biographie heißt es, daß er sich in seiner Jugend durch Feuerholzsammeln die Mittel zur Beschaffung von Schreibmaterial erwerben und selbst das Feld bestellen mußte.

24 Chinn-shu, Kap. 5 (Ende).

Tatsächlich entstammte er einer Sphäre, die ich mutatis mutandis als „kleinbürgerlich" zu bezeichnen versucht bin. Im damaligen China möchte ich damit den Status einer Familie charakterisieren, deren Vorfahren zwar höhere Staatsämter bekleidet hatten, es aber anscheinend nicht verstanden oder verschmähten, dadurch Reichtümer zu erwerben.

Die Familie Ko kam zumal durch den frühen Tod des Vaters in schwere wirtschaftliche Bedrängnis; Ko Hung wurde dadurch daran gehindert, schon in frühester Jugend, wie es an sich üblich war, seinen Bildungsgang zu beginnen. Infolge der kriegerischen Wirren der Zeit war auch die Bibliothek seines Vaters größtenteils zerstreut worden. Erst mit sechzehn Jahren nahm er das Studium der konfuzianischen Klassiker auf, hat es jedoch darin, seinem eigenen Zugeständnis nach, zu nichts Rechtem gebracht. Er beschäftigte sich deshalb bald mit Wahrsagekünsten, fand aber auch in diesen keine Befriedigung. Nach einer kurzen, aber, wie es scheint, erfolgreichen militärischen Laufbahn erhielt er etwa im 46. Lebensjahr eine Präbende von 200 Haushaltungen in seinem Heimatort *Chu-jung* (in Kiangsu, südlich des Yangtse). Damals hatte er sich bereits seit längerer Zeit den taoistischen Gesundheits- und Lebensverlängerungspraktiken zugewandt, besonders der Alchemie. Von dieser und den anderen Praktiken habe ich bereits berichtet (s. S. 149).

Das von ihm hinterlassene Werk trägt in Anlehnung an eine Phrase im Tao-tê ching (Kap. 19) den Titel *Pao-p'u-tzû*, „der Meister, der sich an das Einfache hält". Er selbst beschreibt den Inhalt wie folgt: „Im ersten Teil, der inneren Sektion, berichte ich von den Göttern und Genien, von Rezepten und Medizinen, Geistern und Mirakeln, Verwandlungen, Pflege des Lebens, Lebensverlängerung, der Austreibung böser Einflüsse und der Abwehr von Unheil. Dieser Teil gehört der taoistischen Schule an." Im zweiten Teil, „der äußeren Sektion", behandelt Ko Hung dagegen die innergesellschaftlichen Angelegenheiten und weist ihn der konfuzianischen Schule zu.

Tatsächlich enthält sein Werk eine Summa des alten chinesischen Han-Wissens, das im Süden eine Zuflucht gefunden hatte und sich merklich von dem sich im Norden ausbreitenden, buddhistisch beeinflußten, neumodischen Wissen, vor allem von der *Hsüan-hsüeh* („dem dunklen oder mysteriösen Studium"), in der alle neuen Geistesströmungen sich eklektisch vereinigt zu haben scheinen, unterschied.

Wir sehen, daß es für ihn zwei große Bereiche gab, den des Alltags, in dem der Mensch in der Gesellschaft seinen Amtspflichten oder seinem Handwerk nachging, und einen, in dem er zu Wesen anderer Art und zu sich selber als Individuum in Beziehung trat, sozusagen also ein sozialer, konfuzianischer und ein religiöser, taoistischer Bereich [25]. Beide aber treffen sich im Menschen.

---

[25] Man wird hier erinnert an eine Stelle im Tao-tê ching, Kap. 33: „Wer die Menschen erkennt, ist weise, wer sich selbst erkennt, ist erleuchtet." Mit anderen Wor-

Und so zeigt Ko Hung, wie sich in einer Person die moralischen Anforderungen einer Amtskarriere im konfuzianischen Sinn mit der privaten Sphäre taoistischer, religiöser Betätigung vereinigen lassen. Er selber versteht die Stellung der beiden Kreise zueinander etwa so: „Taoismus ist die Wurzel und der Ausgangspunkt, Konfuzianismus ist das aus diesem entwachsende Ende (Gezweig)." [26]

Aus dem ersten Kapitel des Pao-p'u-tzû ergibt sich, daß Ko Hung an ein allumfassendes und allgegenwärtiges Wesen glaubte, das von ihm *Hsüan* (Mysterium) [27] genannt wird. Von diesem heißt es etwa: „Hsüan ist der erste Urahn des Existierenden und der große Ahnherr [28] der unendlichen Differenzierungen ... Gestützt auf die Myriaden der Lebewesen bildet er das Dasein, sich anvertrauend dem Verborgenen und der Stille bildet er das Nichtdasein [29] ... Deshalb wo Hsüan ist, da ist ewige Freude, wo Hsüan sich abwendet, zerbricht das Gerät (d. h. der Körper), und seine (inneren) Götter gehen fort."

Das Mysterium Hsüan ist natürlich *Tao,* das uns hier als ein allerhaltender, mit Persönlichkeit ausgestatteter Gott gegenübertritt. Dies geht klar hervor aus der oben nicht mit zitierten Bemerkung, daß „Zufüllen es nicht zum Überlaufen bringen und Ausschöpfen es nicht zu leeren vermag", was eine bekannte Charakterisierung des Tao, zum Beispiel bei Chuang-tzû (Kap. 17) und Huai-nan-tzû (Kap. 1), ist. Aber auch schon der Fortgang dieses Hymnus, wie man den Inhalt dieses Kapitels wohl nennen kann, beweist es: „Der ‚Mysteriöse Tao' (Hsüan-Tao) wird im Inneren erlangt und im Kontakt mit dem Äußeren bewahrt [30]. Wer von ihm Gebrauch macht, ist göttlich (oder ein Gott), wer ihn vernachlässigt, wird ein Instrument (d. h. ein Ding, das in völlig einseitiger Anwendung verbraucht wird)." Wer ihn erlangt, wird hochgeehrt auch ohne Amtstitel, wer ihn verkörpert, wird reich auch ohne (irdische) Schätze.

Wir haben es hier also ganz offensichtlich mit einem Gott zu tun, der der Gott aller Götter ist und an dem jeder lebende Mensch teilhat. Es steht im Ermessen des einzelnen, sich diesem Gott zu- oder sich von ihm abzuwenden.

Wer aber diesen Gott erfaßt und erkannt hat, greift nicht mehr ein in das Walten der Natur, sondern läßt Edelsteine ungeschliffen, so wie sie sind, und tötet keine Schildkröte, um ihr Schild zu Orakelzwecken zu benutzen. Er über-

ten: die höchste ethische (?) Stufe der sozialen Sphäre ist die Weisheit, die der anderen die Erleuchtung.
26 Pao-p'u-tzû, Kap. 10.
27 Von *J. R. Ware* (1966), übersetzt mit „God".
28 Tao-tê ching, Kap. 4.
29 Tao-tê ching, Kap. 40: „Alle Lebewesen unter dem Himmel entstehen im Dasein. Dasein aber entsteht im Nichtsein." Man sieht auch hier die Einteilung in zwei Bereiche.
30 So mein Text, Ausg. Ssû-pu pei-yao. *Ware* übersetzt: „... lost through externals ...", was konsequenter wäre.

nimmt auch nicht um eines armseligen Einkommens willen „die Freuden und Sorgen eines Amtspostens" und entfernt sich schweigend von den großen Staatsfeiern, kurz, er lebt das Leben eines mit seinem bescheidenen Los zufriedenen, ländlichen „Kleinbürgers", wie wir es vielleicht ausdrücken würden.

Bezeichnenderweise treffen wir hier auch auf den Ausdruck Ch'üan-chên, der sich erstmalig wohl im Chuang-tzû (Kap. 29) findet und etwa mit „das Wahrhafte heil und ganz erhalten oder machen" wiedergegeben werden könnte [31]. Er wurde später zur Bezeichnung einer weit verbreiteten taoistischen Schule, deren Hauptbestreben es war, ganz im Sinne von Ko Hung ein dem Treiben der Welt abgewandtes, naturgemäßes Leben zu führen.

Der hier von Ko Hung emphatisch angesprochene Tao-Gott hatte besonders im Süden des damaligen China zahlreiche Anhänger unter den Gebildeten. So lesen wir zum Beispiel vom Stadtkommandanten von Kuei-chi (d. h. Shao-hsing in Chekiang) Wang Ning-chih, einem Sohn des berühmten Kalligraphen Wang Hsi-chih (321–379), daß er, als die Stadt im Jahre 399 von Rebellen angegriffen wurde, sich in seinen Meditationsraum zurückzog und den Ta-Tao um Hilfe anflehte. Von diesem erhielt er auf sein Gebet hin die Zusage, daß alle wichtigen strategischen Punkte mit Geistersoldaten besetzt werden würden. Natürlich erwies sich dies als völlig wirkungslos gegen die Angreifer.

Nicht übergehen möchte ich hier einen kleinen Seitenhieb des Ko Hung auf seine Gegner im Norden, die er als „Aufbringer entwurzelter Gebräuche", d. h. unchinesischer Sitten, bezeichnet. Dies zielt ab auf die Buddhisten, aber auch auf die im Anfang dieses Abschnittes kurz beschriebene „taoistische" Gruppe. Im Gegensatz zu dieser ist ihm Tao eben kein ungreifbares, neutrales Prinzip, sondern ein höchst lebendiger und wirksamer Gott.

Im folgenden Kapitel des Pao-p'u-tzû tritt Ko Hung ebenso wie Mo Ti in der vorchristlichen Zeit für die Existenz von Göttern und Genien ein, um im weiteren eingehend alle Methoden zu behandeln, wie man den Gott-Teil in sich pflegen, entwickeln und bewahren kann, um möglichst lange Zeit zu leben oder in ein göttergleiches, unsterbliches Wesen umgewandelt zu werden. Aber leider: „die gewöhnlichen Menschen sind nicht imstande, das Wahre (d. h. Tao) zu bewahren", da sie ihren Begierden und Trieben nicht Einhalt gebieten können [32].

Übrigens konnten bei ihm diejenigen, die den Göttlichkeitsstatus erlangt hatten, schließlich in ein Paradies gelangen, das „Größte Reinheit" genannt wurde. Man erinnert sich dabei, daß die oben angedeuteten Praktiken ja letzten Endes und im allgemeinen Purifikationen waren. Es gab aber nicht

---

31 *Ware*, S. 31: „Maintaining God (truth) intact ..."
32 Pao-p'u-tzû, Kap. 9; *Ware*, S. 152.

nur e i n Paradies, sondern man hatte die Wahl zwischen mehreren. So konnte man auch auffliegen in das „Purpurhimmelsgewölbe" oder sich auf eine der Mirakelinseln oder auf den Wunderberg Pan-t'ung begeben[33].

Die Bedeutung des Ko Hung für die Geschichte der taoistischen Religion liegt aber noch in etwas anderem. In seinem Werk lesen wir zum erstenmal von einer Sammlung von mehr als 200 taoistischen Werken, die er vermutlich von seinem Lehrer *Chêng Yin*, einem ehemaligen Konfuzianer, übernommen hat. Allerdings scheint Ko Hung diese Sammlung nicht aus bibliophilen Gründen zusammengebracht zu haben, sondern in erster Linie deshalb, weil er an die große Heilswirkung dieser Schriften und an die von Amulettschriftzeichen überhaupt für alle unglücklichen Zufälligkeiten des Lebens glaubte[34]. Er hat sich deshalb auch nicht bemüht, diese Texte bibliothekarisch zu ordnen. Nichtsdestoweniger haben wir hier vielleicht einen ersten Grundstock des späteren taoistischen Kanons vor uns.

Alles in allem gewinnt man aus dem Pao-p'u-tzû den Eindruck, daß ein im Grunde konfuzianisch geschulter Denker bemüht ist, eine Art Ordnung in die Vielfalt der taoistischen Methoden zu bringen und diese „wissenschaftlich" rational zu fundieren. Anderseits zeigt Ko Hung keinerlei Ehrgeiz, seine Heilslehren anderen aufzudrängen oder so wie Chang Lu darauf ein Staatswesen zu begründen. Selbstgenügsam und zufrieden mit wenigem mochte er nur für seine Person einen Vorteil davon erwarten. Das ist es, warum ich versucht bin, ihn „kleinbürgerlich" zu nennen.

2. Wu-tou-mi- und Küstentaoismus

Als dritte soll hier eine Gruppe folgen, die wir oben (s. S. 147) als *Wu-tou-mi-Tao* („Fünf-Scheffel-Reis-Tao") oder *T'ien-shih-Tao* („Himmelslehrer-Tao") kurz beschrieben haben. Diese Richtung war nach Niederwerfung des Gelbturbanaufstandes und der Annexion des Chang Lu-Staates durch Ts'ao-Wei keineswegs abgetan. Sie bestand vielmehr lebhaft weiter und faßte in allen Schichten der damaligen Gesellschaft Fuß, ausgenommen natürlich die eingefleischten konfuzianischen Kreise. Man kann sie mit gutem Recht als die vorherrschende Religion des dritten und vierten Jahrhunderts betrachten.

Vielleicht wäre an dieser Stelle etwas zu rektifizieren. Es könnte sein, daß man aus der vorausgehenden Beschreibung den Eindruck gewonnen hätte, es handele sich hier ausschließlich um eine Religion der ungebildeten untersten Bevölkerung. Dies trifft nur bedingt zu. Die Volksmassen wurden wohl durch sie in Bewegung gesetzt, die Führung aber lag bei einigen Sippen, die im

33 Pao-p'u-tzû, Kap. 10; *Ware*, S. 175.
34 AaO, Kap. 19.

Gegensatz zu den konfuzianischen als Träger einer taoistischen Bildung angesprochen werden müssen. Der Machtkampf zwischen den verwaltungskundigen, dem Staatsleben zugewandten Konfuzianern einerseits und der dem Studium des Makro- und Mikrokosmos und ihren geheimen Mächten und Zusammenhängen zugewandten Taoisten anderseits war mit der Übernahme des Administrationswesens durch die ersteren im Verlauf der ersten Han-Zeit keineswegs abgeschlossen. Mächtige und führende Sippen traten sehr spürbar für die taoistische Religion ein.

Der bekannte Gelehrte Ch'ên Yin-k'o hat in einer mit historischen Materialien gut unterbauten Arbeit versucht, den Nachweis zu erbringen, daß alle diese taoistischen Sippen einen gemeinsamen geographischen Ursprung haben, nämlich die Landschaft *Lang-yeh* in Shantung. Diese aber stieß im Westen an das Heimatland des Konfuzius, den alten Staat Lu. Somit ist es nicht verwunderlich, wenn wir unter diesen Sippen auch einen Seitenzweig der Familie K'ung antreffen. Allein dieser Einbruch in die konfuzianische Gründersippe zeigt, wie stark diese Religion damals war.

Von Lang-yeh aus verbreitete sich der *T'ien-shih*-Taoismus nach Süden und Westen. Wir haben *Chang Chio* und *Chang Lu* als Hauptträger der Ausdehnung in westlicher Richtung kennengelernt. Nach Süden wurde er gebracht durch *Yü Chi*. Dieser muß in dem San-kuo-Staat Wu (222–280), der fast alle Landesteile südlich des Yangtse umfaßte, ein außerordentlich großes Ansehen genossen haben, denn wo immer er sich in einer Stadt zeigte, rannte alles auf die Straße, um ihn anzustaunen. Charakteristika seiner Lehre waren Meditationsräume und Heilungen durch geweihtes Wasser, was beides wir bereits erwähnt haben. Dazu übte er das Weihrauchabbrennen aus, was er natürlich vom Buddhismus, der sich damals nur wenig vom Taoismus unterschied, übernommen hatte.

Es gibt zumindest ein Beispiel dafür, daß die Chinn-Dynastie in einem Staat mit einer Bürokratie, die von schriftkundigen Wu-tou-mi-Taoisten dominiert wurde, hätte umgewandelt werden können. Im Jahre 301 gelangt nämlich ein Usurpator, der Prinz Lun von Chao, für einige Monate auf den Thron. Da er selber Analphabet war, bediente er sich eines schriftkundigen Ratgebers namens *Sun Hsiu*, der in taoistischen Kreisen eine führende Rolle spielte. Anscheinend bekam dieser durch magische Praktiken – z. B. „Geisterreden" aus dem Mund des Ahnherrn und Dynastiegründers Ssû-ma I, Beschwörungen von Göttern und anderes – seinen Herrn völlig in die Hand und veranlaßte ihn durch günstige Voraussagen, seine Umsturzpläne in die Tat umzusetzen. Auch der kommandierende General des Prinzen Chang Lin war Taoist, und seine militärischen Maßnahmen wurden weitgehend nach magischen Gesichtspunkten getroffen. Hätte das Unternehmen einen nachhaltigen Erfolg gehabt, wäre wahrscheinlich unter Ausschaltung der Konfuzianer ein Staatsgebilde entstanden, das viele Züge des oben beschriebenen Chang Lu-

Staates aufgewiesen hätte. Die konfuzianische Geschichtsschreibung läßt natürlich das ganze Ereignis im ungünstigsten Licht erscheinen[35].

Aber auch mit anderen, friedlicheren Mitteln bemühte sich der Wu-tou-mi-Taoismus, seinen Einfluß im Staat zu vergrößern. Seine Anhänger traten nämlich immer dann in den Vordergrund, wenn der kaiserliche Nachwuchs ausblieb und damit die Thronfolge in Gefahr geriet.

Ein Fall dieser Art ergab sich unter dem Kaiser *Chien-wên* (371–373). Man ließ deshalb den Taoisten *Hsü Mai* holen, dessen Fähigkeiten von den Höflingen gerühmt wurden. Dieser empfahl die „Methode der ausgeweiteten Kopulation", d. h. daß sich der Verkehr des Kaisers nicht nur auf seine derzeitige Favoritin beschränken solle. Schließlich wurde durch einen Physiognomen eine Palastdienerin ausgemacht, die von großer Gestalt und dunkler Hautfarbe war, was nach dem damaligen Geschmack als ausgesprochen häßlich galt. Mit dieser zeugte der Kaiser zwei Söhne und eine Tochter. Einer der Söhne wurde sein Nachfolger, der Kaiser *Hsiao-wu* (373–396), der, wie nicht anders zu erwarten, ebenso wie sein Bruder, der Prinz *Tao-tzû,* ein großer Freund des Taoismus wurde.

Auch die revolutionäre Strömung des Taoismus, der wir in Gestalt der Gelbturbane begegnet sind (s. S. 142), kommt jetzt wieder zum Vorschein. Hervorragendster Vertreter ist *Sun Ên,* der von 399 an bis zu seinem Ende im Jahre 402 der Chinn-Regierung schwer zu schaffen machte.

Er war ein Nachkomme des eben genannten Sun Hsiu. Sein Onkel *Sun T'ai* war ein berühmter Wundermann der Südostgegend und wurde von seinen zahlreichen Anhängern wie eine Art göttliches Wesen verehrt. Es scheint auch, daß in seinen Gemeinden gegenseitige Hilfeleistung und vielleicht sogar eine Art Gütergemeinschaft bestand. Jedenfalls erhielt er von den reichen Sippen große materielle Unterstützung. Sie überließen ihm sogar ihre Kinder zur Erziehung. Seine Beziehungen reichten bis hinauf in die Kreise um den Kaiser. Er hatte übrigens auch mehrere Ämter inne und war zuletzt Militärgouverneur eines Teiles von Chekiang. Die anwachsenden Aufstände im Chinn-Staat brachten ihn wohl zu der Überzeugung, daß ein großer politischer Umschwung, d. h. ein Dynastiewechsel, bevorstehe. Er gab deshalb entsprechende Prophezeiungen aus und sammelte eine Streitmacht. Dies bewog die Regierung jedoch, ihn festnehmen und mitsamt seinen sechs Söhnen hinrichten zu lassen.

Sein Neffe Sun Ên entkam aufs Meer und begann seinerseits aus Rache für seinen Onkel zu rebellieren.

Auch ihm schwebte höchstwahrscheinlich die Gründung eines utopischen, taoistischen Staatswesens vor. Er selber empfand sich als Inkarnation eines Wassergottes oder als Abgesandter eines der Götterreiche vor der chinesischen

---

35 Chinn-shu, S. 1080–1085.

Ostküste. Deshalb stürzte er sich nach dem Fehlschlag seines Unternehmens mit allen seinen männlichen und weiblichen Anhängern ins Meer, um zu diesem Wasserparadies zurückzukehren[36].

Er war der letzte bedeutende Vertreter eines auf selbständige Staatsgründung ausgehenden religiösen Taoismus.

Obgleich von Sun T'ai und Sun Ên nicht berichtet wird, daß sie sich als „vom Himmel gesandte Lehrer" (T'ien-shih) bezeichneten, können wir aber wohl annehmen, daß sie von ihren Anhängern dafür gehalten wurden. Anderseits aber wissen wir, daß mehrere magisch-religiöse Führer sich diesen Titel zulegten. Unter ihnen befand sich übrigens auch eine Frau. Diese war mit einem höheren Beamten, nämlich dem Sekretär der Beamtenschaft in der Hauptstadt, verheiratet. Sie verstand sich auf „Embryonalatmung und taoistische Alchemie", d. h. sie konnte sich von äußerer Atmung und Nahrungsaufnahme unabhängig machen. Dazu „trug sie beständig ein gelbes Gewand und gab sich das Aussehen eines Himmelslehrers (T'ien-shih)"[37].

Dies aber zeigt, daß die Traditionsfolge des T'ien-shih-Tao damals noch keineswegs eindeutig auf die mit Chang Tao-ling begonnene Linie festgelegt war, sondern sich erst viel später im Wettbewerb mit allerlei Konkurrenten durchsetzte.

3. K'ou Ch'ien-chih

Besonders zu bemerken ist hier der T'ien-shih K'ou Ch'ien-chih (gest. 449), dem vom dritten Toba-Wei-Kaiser dieser Titel offiziell zuerkannt wurde.

K'ou Ch'ien-chih ist eine der markantesten taoistischen Persönlichkeiten jener Zeit. Er war der Abkömmling einer reichen und angesehenen Sippe, die ihren Ursprung im taoistischen Staat des Chang Lu hatte. Er begann seine Studien und Übungen in Einsamkeit am heiligen Berg Sung (in Honan). Wir lesen über seinen Werdegang folgendes: K'ou Ch'ien-chih sagte von sich selbst, daß er einen Wahrhaftmenschen namens Ch'êng-kung Hsing und dann auch Lao-tzû selbst getroffen habe und von ihnen zum Himmelslehrer (T'ien-shih) ernannt und mit einer wichtigen Schrift über die innezuhaltenden Gebote beschenkt worden sei. Außerdem wurde er von einer Jademaid (Yü-nü) über die Methode des Atemschluckens (Embryonalatmung) und der taoistischen Gymnastik belehrt und konnte sich deshalb „des Genusses von Getreide" enthalten. „Sein Odem war gesund, sein Körper leicht, sein Aussehen frisch." Er hatte mehr als zehn Schüler, die alle seine Künste zu erlernen bestrebt waren. Später begegnete er dem „Gottmenschen" Li Pu, einem Nachkommen des Lao-tzû, und bekam von ihm eine Schrift über die Ausführung von

---

36 *W. Eichhorn:* Description of the rebellion of Sun Ên and earlier Taoist rebellions, in: MIO, II, 2 (1954).
37 Chinn-shu, Kap. 84, S. 1438.

Amulettzeichen, das wirkungsvolle Beschwören von Geistern und die Herstellung der Unsterblichkeitspille sowie das Rezept einer Brühe aus acht Sorten von Edelsteinen, die für die Lebensverlängerung höchst wirksam war. Durch solche Künste wurde er in weiten Kreisen bekannt und berühmt [38].

Der Toba-Kaiser *T'ai-wu* (424–452) ließ ihm Geschenke überbringen und zog ihn und andere Taoisten, insgesamt etwa 120 Leute, in der Hauptstadt zusammen, wo sie einen Tempel errichteten, der mit den Figuren der taoistischen Heiligen und des höchsten Gottes *T'ien-tsun* („Himmelseminenz"), der hier vielleicht zum erstenmal auftritt, ausgestattet wurde. Der Kaiser erhielt persönlich in einem feierlichen Akt von K'ou Ch'ien-chih ein *Fu-lu*, d. h. ein Vertrags- oder Bestallungsschreiben aus der taoistischen Götterwelt und eine Art Bestätigung seines Ming (Mandat des Himmels).

Unzweifelhaft war damals der Taoismus die vorherrschende Religion im Toba-Wei-Staat, und die Übergabe dieses Fu-lu an den Kaiser bedeutete seine Anerkennung durch den taoistischen Klerus.

Auch die folgenden Kaiser empfingen ein solches Anerkennungsschreiben von den Göttern; der Brauch der Überreichung solcher Fu-lu erlosch erst mit dem Ende der Toba-Zeit.

Es ist bezeichnend, daß in der Ritenmonographie der Toba-Wei nichts von dieser Anerkennung der Inthronisation durch die Taoisten erwähnt wird. Ebenso wird verschwiegen, daß der Kaiser *Hsiao-wên* (471–499) nach Verlegung der Hauptstadt nach Lo-yang auch dort wieder auf dem Gelände des großen Südaußenopfers einen taoistischen Altar errichten ließ. Bei allen religiösen Staatsfeiern trat übrigens ein taoistischer Chor von mehr als hundert Sängern auf.

Im übrigen erwies sich K'ou Ch'ien-chih als religiöser Reformer. Er war bemüht, den Taoismus von allen vulgären und obszönen Praktiken – z. B. Waschen mit Urin, Sich-im-Schmutz-Wälzen, Gemeinschaftssexualpraktiken – zu säubern und ihn dadurch in den Augen der Gebildeten dem Buddhismus ebenbürtig zu machen. Er erweist sich als Fortsetzer der oben (s. S. 143–148) beschriebenen Richtung des Chang Lu, zu der er auch seiner Abstammung nach in Beziehung stand.

Aber auch dieser „Himmelslehrer" im Norden hat ebensowenig wie die Sun im Südosten sein Amt an Nachfolger weiterzugeben vermocht. Es blieb dies, wie bereits bemerkt, schließlich der Sippe Chang vorbehalten.

4. T'ao Hung-ching

Ein weiterer wichtiger Vertreter des Taoismus war *T'ao Hung-ching* (452 bis 536). In seiner Biographie heißt es, daß er schon mit zehn Jahren Tag und

---

38 Sui-shu, Kap. 35, S. 535.

Nacht die Aufzeichnungen des Ko Hung über Götter und Geister studierte. Bekannt wurde ein Ausspruch von ihm: „Wenn ich die klaren Wolken ansehe und die helle Sonne betrachte, dann bin ich mir dessen nicht bewußt, daß sie weit weg sind." [39] Er blieb unverheiratet, widmete sein ganzes Leben den Studien und fühlte sich beschämt, wenn er irgend etwas nicht wußte. Seine auffallende Erscheinung und große Gelehrsamkeit bewirkten, daß man ihn an den Hof zog und mit der Prinzenerziehung betraute. Aber schon im Jahre 492 bat er um seine Entlassung und zog sich als Einsiedler in ein Gebirge zurück, in dem früher bereits die drei Brüder Mao [40] Zuflucht gefunden hatten. Er sammelte eine beträchtliche Schar von Schülern um sich, unter denen sich auch der Kronprinz befand. Im Jahre 499 wurde ein dreistöckiges Gebäude für ihn errichtet. Im obersten Stock wohnte er selber, darunter seine Schüler und im untersten die zahlreichen Besucher, die kamen, um mit ihm zu diskutieren. Da er auch in dieser Abgeschlossenheit oft von der Regierung um Rat angegangen wurde, sprach man von ihm als „der Minister in den Bergen". Es war dies wieder eine andere Art der Taoisten, ihren Einfluß auf die Regierung auszuüben: ein weiser, alter Mann in einer Einsiedelei, nach dessen Ratschlägen der Kaiser regierte.

Hauptwerk des T'ao Hung-ching ist das schwerverständliche *Chên-kao* (etwa „Feierliche Eröffnungen der Wahrhaftmenschen" [41]). Der Inhalt besteht zum weitaus größten Teil aus Revelationen, die nachts von solchen männlichen und weiblichen Taoisten, die in ein götterartiges Dasein eingetreten waren, abgegeben wurden.

Man denkt dabei an unsere spiritistischen Séancen. Und so ähnlich wird man sich auch die Art und Weise, wie diese Mitteilungen zustande kamen, vorstellen müssen. Die Bekleidung und Insignien der auftretenden Geister werden meist eingehend beschrieben, so daß man den Eindruck wirklicher Begegnungen erhält. Oft scheinen regelrechte Versammlungen von männlichen und weiblichen „Wahrhaftmenschen" stattgefunden zu haben. So heißt es zum Beispiel: „Sechster Monat, sechzehnter Tag, nachts. Herabsteigen von acht Wahrhaftmenschen." [42]

Von den Unterhaltungen wurde dann das Wichtigste aufgezeichnet. Diese Niederschriften gehen zurück auf zwei Persönlichkeiten, *Yang Hsi* (330–386) und *Hsü Mi* (gest. 373), die wahrscheinlich zu ihrer Zeit einer taoistischen Gruppe angehörten, die sich am Mao-Gebirge (bei Nanking) niedergelassen hatte und vornehmlich das Studium eines nicht mehr vorhandenen „Sutra der höchsten Reinheit" betrieb. Ihre Notizen wurden von einem anderen berühmten Taoisten, *Ku Huan* (gest. 485), gesammelt und schließlich von T'ao Hung-ching geordnet und herausgegeben [43].

39 Nan-shih, Kap. 76, S. 872–874.
40 Siehe S. 155.
41 Über den Begriff „Wahrhaftmensch" s. o. S. 83.

42 Chên-kao, Kap. 16.
43 *Schipper* (1965), S. 11/12.

Nicht nur sein Wohnsitz, sondern auch das ausgedehnte Nachrichtenwesen über die Verhältnisse in der taoistischen Geister- und Götterwelt bringen T'ao Hung-ching in Verbindung mit der *Mao-shan*-Richtung (s. S. 154/55). Die enge Beziehung zu weiblichen Gottheiten spielt auch hier wieder eine merkliche Rolle und scheint überhaupt die Vorbedingung zur Aufnahme in die Götterwelt gewesen zu sein. So hat der eben genannte Yang Hsi als „Lehrerin" die „Dame vom Südgipfel", namens *Wei Hua-ts'un*, die in dieser Schulrichtung wohl eine Art Patriarchenrolle innehatte. Wahrscheinlich begann mit ihr eine Neubelebung der Mao-shan-Schule.

Es muß eine sonderbare Atmosphäre gewesen sein, in der diese Mao-shan-Gruppe lebte. Die nächtlichen Zusammenkünfte zwischen Göttern, Geistern und Menschen erinnern sehr an den alten Wuismus. Jedenfalls wurde die Schranke zwischen Gott und Mensch, die gedacht war, den engeren Beziehungen dieser beiden Welten ein Ende zu bereiten, wieder aufgehoben.

Über die Rangordnung in der Götterwelt erfahren wir, daß an alleroberster Stelle ein *T'ai-shang* („Allerhöchster") stand, dessen Ursprung direkt auf Tao zurückgeht und durch den man überhaupt erst um Tao weiß. Als „Wahrhaftmensch der obersten Reinheit" ist er der Lehrer des Huang-ti und des Lao-tzû. Lao-tzû wird auch „jüngerer Bruder des Allerhöchsten" genannt. Er ist der „Wahrhaftmensch des obersten Giebels"[44]. An diese schließen sich dann die zahlreichen anderen Genien und „Wahrhaftmenschen" an.

Wir begegnen hier der Lehre von den *San-Ch'ing*, den „Drei Reinen". Es waren dies die Jadereinheituranfangs-Himmelseminenz *(Yü-ch'ing yüan-shih t'ien-tsun)*, der Oberreinheitzauberkraftkleinod-Taofürst *(Shang-ch'ing ling-pao Tao-chün)* und der Größtreinheitalleroberster-Fürst Lao *(T'ai-ch'ing t'ai-shang Lao-chün)*. Diese drei Götter stehen an der Spitze von drei Sphären der Reinheit: Jadereinheit, Obere Reinheit und Größte Reinheit. In die erste dieser Sphären gelangten die *Shêng* (Heiligen), in die zweite die „Wahrhaftmenschen" *(Chên-jên)* und in die dritte die Genien *(Hsien)*.

Es ist ohne weiteres ersichtlich, daß dies eine Nachahmung der buddhistischen *Trikāya*-Lehre ist. Denn der eigentliche Lao-tzû, der auf Erden wandelte, war erst auf der dritten Stufe als Lao-chün (Fürst Lao) anzutreffen.

Wann diese Dreiteilung aufkam, konnte ich nicht feststellen. Es ist aber wahrscheinlich, daß sie schon Ko Hung bekannt war.

Von der Himmelslehrer(T'ien-shih)-Tao-Richtung setzt sich dieser Taoismus deutlich ab. Vor allem hält man hier von Chang Lu und besonders von den in seinen Kreisen gepflegten Sexualpraktiken (?) überhaupt nichts. Sie sind unwirksam und schädlich: „Ich (d. h. der Wahrhaftmensch der Reinheit und Leere, der hier spricht) habe sie oft praktizieren sehen, aber sie führen zum

44 Chên-kao, Kap. 57.

Erlöschen (des Nachwuchses). Ich habe nie bemerkt, daß man damit Leben erzeugt hätte."[45]

Anderseits hat dagegen diese Gruppe ein sehr enges Verhältnis zum Buddhismus. Dies zeigt sich u. a. darin, daß eine Anzahl von Stellen aus dem Sutra der 42 Abschnitte[46] in den Revelationen vorgetragen wird. Damit aber nähern wir uns wieder den Ideen des späteren Ch'üan-chên-Taoismus, der neben seiner Pflege des aus dem Getriebe der Welt zurückgezogenen, natürlichen Lebens zugleich auch die Versöhnung und den Ausgleich mit anderen religiösen Richtungen erstrebte.

Aus alledem ergibt sich, daß wir am Ende der Periode der Trennung in Nord- und Südstaaten drei große Richtungen des Taoismus unterscheiden können:

1. den *T'ien-shih*(„Himmelslehrer")-Taoismus, dessen Hauptspezialität der Dämonenzwang war,

2. die Richtung des *Ko Hung*, die sich vornehmlich mit Alchemie und Diät befaßte, und

3. die eben kurz beschriebene *Mao-shan*-Schule, deren Charakteristikum die Revelationen waren.

Dazu ist zu bemerken, daß die Grenzen dieser Gruppen keineswegs scharf, sondern durchaus fließend waren. Im allgemeinen werden sie alle unter der Bezeichnung *Chêng-i* („Gradheit und Einheit") zusammengefaßt.

C. Der Buddhismus

1. Rasche Ausbreitung des Buddhismus

Während zu Beginn der Periode der Trennung von Nord und Süd der Taoismus die vorherrschende Religion war, hatte am Ende dieser Epoche der Buddhismus ihn weitgehend aus dieser Stellung verdrängt.

Das Erstarken des Buddhismus macht sich an allerlei Anzeichen bemerkbar. So zum Beispiel daran, daß seine Missionare etwa um die Mitte des dritten nachchristlichen Jahrhunderts begannen, die Bemerkung in der Hagiographie des Lao-tzû „Er ging nach Westen über die Fließende-Sand-Wüste und bekehrte die Barbaren" als einen später von den Taoisten absichtlich eingefügten, gefälschten Zusatz zu bezeichnen. Der Buddha brauchte nicht mehr durch Identifizierung mit dem Hauptheiligen des Taoismus in China legitimiert zu

45 AaO, S. 15.
46 S. o. S. 157.

werden. Im Jahre 340 wurde das Sūtra „Lao-tzû bekehrt die Barbaren" von dem berühmten Buddhisten *Fa-tsu (Po Yüan)* als Fälschung angeprangert und sein taoistischer Verfasser *Wang Fou* dafür in der buddhistischen Hölle in Fesseln gelegt.

Zugleich tauchte auch in buddhistischen Kreisen eine Art Gegenlegende auf. Sie knüpfte an den indischen König *Aśoka* (etwa 274–237 v. Chr.) an. Dieser hatte auf Grund seiner Heiligkeit und vortrefflichen Eigenschaften seinen Einfluß über den gesamten Erdteil Jambudvīpa ausgedehnt. Zu diesem gehörte aber auch China. Außerdem hatte Aśoka in seinem gesamten Herrschaftsbereich Zehntausende von Buddhareliquien verteilen lassen.

Somit begann also auf dem Boden Chinas die Suche nach Relikten aus der Zeit des Königs Aśoka. Und diese fanden sich bald in beträchtlicher Anzahl in Form von goldenen Statuen, Stūparesten und Buddhareliquien aller nur möglichen Art, die sich meist durch ein Leuchten über der Stelle, an der sie verborgen waren, anzeigten. So bemerkte im Jahre 325 ein Fischer an der Südostküste von China einen Glanz über dem Wasser. Er warf dort sein Netz aus und zog eine Statue des *Bodhisattva Mañjuśrī* („König des Wortes", Schutzpatron der Gelehrten) heraus. Diese trug die Bemerkung „verfertigt von Aśoka". Wie ein anderer solcher Fund, der im Jahre 394 bei Chiang-ling (im heutigen Hupei) gemacht wurde, bewies, waren diese Inschriften oft stilgerecht in Brāhmī (Fan-shu) abgefaßt. Dazu kamen zahlreiche Reste der von Aśoka in China errichteten 84 000 Stūpa, auf deren mutmaßlichen Standorten man oft Klöster errichtete. Ein buddhistischer Mönch *Hui-ta,* dessen Laienname *Liu Sa-ho* war und der während einer schweren Krankheit im Traum von einem Buddhistenmönch aufgefordert wurde, sich zur Aśoka-Pagode in Kuei-chi zu begeben, zu bereuen und zu bekennen, wandte sich nach seiner wunderbaren Genesung mit allen Kräften der „Aśokaforschung" zu. In einer Nacht hörte er plötzlich unterirdisches Glockenläuten und, nachdem dies immer intensiver geworden war, kam drei Tage später eine über anderthalb Meter hohe, kostbare Pagode, ausgestattet mit Buddhabildern und allem Zubehör, aus dem Erdboden heraus[47]. Dies war der Anfang einer ganzen Serie von ihm gemachter Aśokafunde.

Schließlich wäre hier auch die Übersetzung der legendären Geschichte des Königs Aśoka gegen Ende des dritten Jahrhunderts durch den parthischen Mönch *An Fa-ch'in* zu erwähnen.

Der Buddhismus drang auf drei sozialen Ebenen vor. Ganz unten in den Landgemeinden entstanden um kleine Gruppen von drei bis fünf Mönchen Vereinigungen, die man als Konkurrenz der oben verschiedentlich beschriebenen taoistischen Gemeinden betrachten kann. Über diese erhoben sich die von reichen Familien unterhaltenen Klöster in den Städten, deren Mönche in

---

47 Taishō, 49, S. 518 a und b. Andere Version diese Legende aaO, S. 338b.

jeder Hinsicht besser gestellt waren. An oberster Stelle standen die großen Klöster in der Hauptstadt, oft vom Kaiser gefördert und mit besonderen Privilegien ausgestattet[48].

Aus dieser sozialen Gliederung ist bereits zu ersehen, daß mit der zunehmenden Menge der Bekenner des Buddhismus Reibereien zwischen der besser gestellten Schicht der Mönche und den armen Mönchen auf dem Land aufkommen mußten. Am bemerkenswertesten ist hier wohl der Aufstand der sogenannten *Mahāyāna*-Rebellen im Jahre 515. Von ihrer primitiven Auffassung des Buddhismus zeugt, daß den Aufständischen das Töten von Menschen heilige Pflicht war und gemäß der Anzahl der Erschlagenen die religiösen Ränge verteilt wurden. Außerdem nahmen sie wie die Taoisten Wundermedizinen ein, durch die sie wohl unverwundbar zu werden glaubten.

Natürlich werden wir am besten informiert über die Vorgänge in den beiden oberen Schichten. U. a. gibt es darüber die chronologische Darstellung des Mönches *Chih-p'an*, nämlich das zwischen 1258 und 1269 kompilierte *Fo-tsu t'ung-chi* („Durchgehende Aufzeichnungen über die Patriarchen des Buddhismus"), fortgesetzt bis 1358 von *Huang Nien-ch'ang*. Meine nachfolgenden Angaben habe ich zum großen Teil dieser Quelle entnommen[49].

Eine kleine Vorstellung von der Größe der Klöster erhalten wir aus einer Notiz unter dem Jahre 395. Damals wurden auf Veranlassung des mächtigen Gouverneurs *Huan Ch'ung* in Hunan von dem „Dharma-Meister" *Tan-i* zwei einander gegenüberliegende Klöster gegründet, deren jedes an die zehntausend Wohnraumeinheiten (Chien) umfaßte. In ihnen waren für gewöhnlich zehntausend Mönche untergebracht, dazu während der sommerlichen Regenzeit noch eintausend Wandermönche in zwei besonderen Unterklöstern. Außer diesen gab es noch zehn kleinere angeschlossene Lesehallen, Tempel und Kapellen. Beständig waren 53 Mönche mit Predigt und Unterweisung beschäftigt.

Damit aber war die Anzahl derer, die sich in einem solchen Kloster aufhielten, nicht erschöpft; denn dazu kamen allerlei Diener und auch Klostersklaven. Ein Mehrfaches der Zahl der Mönche betrug ferner die der das Kloster umgebenden Laienanhängerschaft (Upāsaka). Viele davon standen zum Kloster in einem Schuldverhältnis, da dieses den Ackerbau- und Gewerbetreibenden gegenüber oft als eine Art Kreditinstitut fungierte.

Während zu Beginn der Epoche, etwa um 316, die Zahl der Buddhisten im Chinn-Reich mit ungefähr viertausend angegeben wird, zählen sie jetzt schon nach Zehntausenden und am Ende der Periode, gegen 570, sogar nach Millionen.

Daraus aber ist leicht zu verstehen, daß die Regierungen der anwachsenden

48 *Gernet* (1956), S. 1/2.
49 Taishō, 49, S. 338–359.

Masse der Bekenner des neuen Glaubens gegenüber nicht indifferent bleiben konnten.

So lesen wir denn, daß im Jahre 401 in Ch'ang-an (die Stadt war damals in den Händen von Yao Hsing, der sich König eines Späteren-Ch'in-Staates nannte) wegen der großen Menge der Mönche und Nonnen ein Mönch zum *Kuo-sêng-chêng* („Landesmönchsvorstand") ernannt wurde. Im Beamtenrang war dieser etwa gleich einem persönlichen Berater des Kaisers, und als Insignien wurden ihm ein „Widderwagen und zwei Begleitläufer" zugeteilt. Außer diesem Vorstand gab es auch noch die *Sêng-Lu* („Mönchskontrolleure"), die den Untergruppen der kirchlichen Organisation vorstanden. Auf dritter Stufe folgten dann die *Yüeh-ch'ung-pan* („Funktionäre, die allen gefällig waren"), d. h. die Mönchsvorstände in den großen Klöstern, die mit der Wahrnehmung der weltlichen Geschäfte des Klosters beauftragt waren. Jedem von diesen kirchlichen Würdenträgern wurden dreißig steuer- und dienstpflichtbefreite Waffenträger als Schutzwache beigegeben [50].

Wir stoßen jedoch hier nicht zum erstenmal auf diese vom Staat angeordnete kirchenähnliche Organisation (von mir im folgenden einfach mit „Kirche" bezeichnet). Im Toba-Wei-Staat wurde 396 ein *Sha-mên-t'ung* („Kontrolleur der Mönche") ernannt, dem dieser *Kuo-sêng-chêng* im Süden entsprechen dürfte.

Dieser „Landesmönchsvorstand", auch „Reichsmönchsvorstand" [51] oder auch einfach „Herr der Mönche" *(Sêng-chu)* genannt, war der wichtigste Repräsentant der buddhistischen Kirche gegenüber dem Staat, eine Stellung, die von den Taoisten mit ihrem „Himmelslehrer" (T'ien-shih) angestrebt wurde.

Während er im allgemeinen die Gesamtheit der Kirche, nämlich die Mönche und die seit 343 zugelassenen Nonnen, repräsentierte, kam es aber auch vor, daß die Nonnen, die ja streng von den Mönchen getrennt sein sollten, ihre eigene Vertretung hatten. So wurde etwa um 435 [52] auch eine *Ni-sêng-chêng* („Vorsteherin der Nonnen") eingesetzt. Doch scheint dies fast ein einmaliger Fall zu sein.

Wie wichtig diese Funktion des Mönchsvorstandes tatsächlich war, erhellt daraus, daß der erste Kaiser der Liang-Dynastie (502–556) die Absicht hatte, dies Amt als „Laien-Mönchsvorstand" *(Pai-i sêng-chêng)* selbst zu übernehmen, um, wie er sagte, von Regierungs wegen die Mönche einer strengeren Zucht zu unterwerfen. Mit anderen Worten gesagt: er verfolgte das Ziel, Kirchen- und Staatsrecht zu vereinigen.

Während seiner ganzen Regierung (502–549) zeigte dieser Herrscher eine

---

50 AaO, 49, S. 341c und 529b.
51 Mit diesem Titel versuchte der sechste Kaiser der Liu-Sung-Dynastie im Jahre 465 die Buddhisten aller Länder auf seine Seite zu ziehen.
52 Nach anderen Quellen aber erst etwa 466. Vgl. *Ho Kuang-chung*.

ausgesprochene Vorliebe für den Buddhismus, was ihn u. a. dazu veranlaßte, den Taoismus zu unterdrücken.

Im Jahre 518 ließ er alle taoistischen Klöster und Tempel schließen und befahl den ordinierten Taoisten, ins Laiendasein zurückzutreten. Der berühmte Taoist *T'ao Hung-ching* wurde wohl unter dem Druck dieser Verfolgung, um unangenehmen Maßnahmen zu entgehen, dazu veranlaßt, im Jahre 516 die buddhistischen Gelübde abzulegen.

Schon bei seinem Regierungsantritt hatte der Kaiser geäußert, daß von den „sechsundneunzig Geistessaaten" nur der Buddhismus die Wahrheit besitze, alle übrigen seien verwerflich. Der obersten Beamtenschaft hatte er nahegelegt, sich zum Buddhismus zu bekehren, denn „alle seien zur Erleuchtung berufen". Lao-tzû, Chou-kung und Konfuzius seien zwar „Schüler des Buddha" gewesen, die Auswirkungen ihrer Lehren aber seien übel [53]. Im Jahre 520 ließ der Kaiser auf dem Palastgelände einen Mahāyāna-Altar errichten und nahm selbst die Gelübde auf sich.

Zu dieser Zeit offenbarte er auch seine Absicht, Kirchenoberhaupt zu werden. Von diesem Vorhaben wurde er jedoch abgebracht, da ihm der berühmte Buddhist *Chih-tsang* erklärte, daß das Buddhadharma („Gesetz des Buddha") in seiner ganzen Weite und Tiefe von einem Laien niemals erfaßt werden könne und die Staatsgesetze auf die Mönche nicht anwendbar seien, weil sich sonst das Schisma des Devadatta [54] wiederholen würde. Die rechtliche Trennung von Kirche und Staat blieb also zugunsten der ersteren bestehen.

Dieser Kaiser war es auch, der, wie wir (s. o. S. 176) gesehen haben, die Blutopfer der Staatskulte abschaffte. Er trat außerdem, überwältigt von seiner tiefgläubigen Hingabe an Buddha, des öfteren als einfacher Mönch in das Kloster der Hauptstadt ein. Jedesmal mußte er von der Beamtenschaft durch unsinnig hohe Geldsummen wieder zur Weiterführung der Regierungsgeschäfte freigekauft werden.

So absurd uns dies Verhalten des Kaisers auch erscheinen mag, so könnte ihm doch eine sinnvolle politische Berechnung zugrunde gelegen haben. Die Buddhisten bildeten damals sicherlich eine internationale Schicht, die sich durch alle Staaten im Norden und Süden hindurchzog. Buddhisten dienten auch als Dolmetscher bei zwischenstaatlichen Verhandlungen, ganz abgesehen davon, daß sie die wichtigsten Verbindungsleute zu den Staaten im Westen von China waren. Wenn es einem der Herrscher gelang, sich zum Haupt aller Buddhagläubigen zu machen, mußte das zweifellos große politische Vorteile mit sich bringen.

Dies wäre auch der Ausweg aus einem anderen Dilemma gewesen, das dadurch entstand, daß die buddhistische Kirche den Standpunkt vertrat, der

---

53 Taishō, 49, S. 545a.
54 *Bareau* (1964), S. 16.

Mönch, der ja aus der Sphäre des weltlichen Daseins ausgeschieden war, sei nicht gehalten, der weltlichen Autorität, d. h. dem Herrscher als Staatsoberhaupt, seine Reverenz zu erweisen. Nach einer langen, seit 340 andauernden Auseinandersetzung zwischen den Vertretern der weltlichen Macht und dem buddhistischen Klerus, die 402 mit neuer Schärfe entbrannte, war im Jahre 404 tatsächlich durch ein Edikt festgelegt worden, daß die Mönche dem weltlichen Herrscher keine Ehrfurchtsbezeugung schuldig seien, d. h. daß die Priesterschaft vom Staat unabhängig sein sollte.

Wenn dies zunächst so aussah, als ob sich nun weltlicher und kirchlicher Sektor auf gleicher Ebene gegenüberstünden, so zeigte sich doch bald, daß es tatsächlich ein Sieg der Kirche war. „Denn Himmel und Erde können zwar die Lebewesen erzeugen und der weltliche Herrscher kann sie in Ordnung halten, aber nur durch den von Buddha gewiesenen Weg der Reinigung und Befreiung können sie Nirvāṇa[55] erreichen."

Es ist darum nicht verwunderlich, daß die Mönche begannen, sich allerlei Freiheiten herauszunehmen. Als im Jahre 464 verordnet wurde, die Mönche hätten den Kaiser doch wieder zu grüßen, zog sich einer der führenden aus der Hauptstadt zurück, indem er sagte: „Seit ich das Familienleben aufgab, bin ich Mönch. Was gehen mich die Angelegenheiten des Königs an?" Tatsächlich wurde die Verordnung wahrscheinlich auf Grund dieses und anderer Proteste im Jahre 465 wieder aufgehoben.

Unter dem eben erwähnten Liang-Kaiser war es den Mönchen erlaubt, sich überall auf dem Palastgrund frei zu bewegen. Dies benutzte der ebenfalls schon genannte Chih-tsang, um sich eines Tages auf dem kaiserlichen Thronsessel niederzulassen. Auf die Vorhaltungen seiner Begleiter bemerkte er, daß er als ein Nachkomme des Čakravartin Dīpamkara ein gewisses Recht auf den Thron und außerdem keine Angst habe, hingerichtet zu werden, denn ein Weiterleben sei ihm unter allen Umständen sicher. Der Kaiser ließ ihm die Sache hingehen.

Im Norden, wo sich unter den Toba-Wei der Buddhismus etwas früher entfaltete, wurde dieser Widerspruch zwischen Staat und Kirche auf andere Weise gelöst. Unter dem Kaiser T'ai-tsung (409–423), der in seiner religiösen Zuneigung zwischen Taoismus und Buddhismus schwankte. kam der damals gerade ernannte „Kontrolleur der Mönche" Fa-kuo auf die Idee, den Kaiser als den „Buddha der Gegenwart" zu bezeichnen. Wenn er also dem Kaiser seine Reverenz erwies, dann verehrte er nicht das weltliche Staatsoberhaupt, sondern den Buddha. Wahrscheinlich war dies auch ein Schachzug, um den Buddhismus vor dem zunehmenden Druck des Taoismus zu bewahren, denn es war genau in der Zeit vor der durch K'ou Ch'ien-chih und den ihm befreundeten Minister Ts'ui Hao, einen fanatischen Buddhistenhasser, inszenierten

55 AaO, S. 53/54.

C. Der Buddhismus

Verfolgung. Diese Ernennung des Kaisers zum Buddha könnte also aus einem gewissen Schwächegefühl des Klerus heraus erfolgt sein. In den Südstaaten hat man, soweit ich es übersehen kann, niemals an eine solche Lösung gedacht. Als dort der Gegensatz von Staat und buddhistischer Kirche akut wurde, war letztere bereits so erstarkt, daß sie, wie wir eben gesehen haben, den Kaiser in seine Schranken zurückweisen konnte.

2. Widerstände gegen den Buddhismus

Die Verselbständigung und das Anwachsen des Buddhismus gingen natürlich auf Kosten der zunächst vorherrschenden Religion, des Taoismus, vor sich Dieser wurde in allen Schichtungen der Gesellschaft angegriffen und zurückgedrängt. Während oben die Buddhisten sich um die Gunst der Kaiser bewarben und bei Hofe einnisteten, entstand unten den taoistischen Praktikern eine heftige Konkurrenz durch buddhistische Heilkünstler und Wahrsager.

So ist es ohne weiteres zu verstehen, daß die Taoisten, wenn sie auch einerseits die zugkräftigen Methoden und Praktiken des Buddhismus übernahmen, anderseits seiner Ausbreitung so sehr als möglich entgegenzuwirken versuchten. So erklärten sie immer wieder, der Buddhismus sei eine dem chinesischen Wesen fremde Religion, von Barbaren gemacht und nur für Barbaren geeignet.

Ausgelöst wurde die oft erwähnte Buddhistenverfolgung vom Jahre 446 dadurch, daß der Toba-Kaiser bei Niederwerfung eines Aufstandes in einem Kloster in Ch'ang-an Brauereigeräte, Waffen und Räume für rituelle Entjungferungen entdeckte. Treibende Kraft war jedoch weniger der taoistische T'ien-shih („Himmelslehrer") K'ou Ch'ien-shih, dem wahrscheinlich mehr daran lag, die Buddhisten und ihre Heiligtümer unversehrt seiner Kirche einund unterzuordnen, als vielmehr der Minister Ts'ui Hao. Dieser bezeichnete die Lehren des Buddhismus als „unsinniges und großspuriges Gerede, das nicht der menschlichen Natur Rechnung trage". Der Kaiser erließ auf sein Betreiben ein Edikt, in dem es hieß, daß „das Falsche verjagt und das Wahre gefestigt" werden müsse. „Von jetzt an solle jeder, der es wage, dem Barbarengott zu dienen und von ihm Statuen aus Lehm oder Kupfer herzustellen, hingerichtet werden. Alle Personen vom Hochadel abwärts, die den buddhistischen Mönchen Unterhalt und Unterkunft gewährten, sollten dies von einem bestimmten Termin an einstellen", sonst drohe auch ihnen die Todesstrafe. Sämtliche buddhistischen Standbilder und Texte seien zu vernichten[56].

Der Schaden, der durch diese Verordnung entstand, war allerdings nicht allzu groß. Denn einmal versteckten und vergruben die Mönche sofort alle

56 Taishō, 49, S. 537c.

Statuen und Texte. Viele von ihnen tarnten sich als Heilpraktiker und Wahrsager. Außerdem setzte sich der sehr buddhistenfreundliche Kronprinz für sie ein.

Im Jahre 453 nach dem Tode des Kaisers wurde die Verfolgung sofort beendet. Zugleich wurden auch wieder neue Buddhastatuen gegossen. Der im Gang befindliche wirtschaftliche und politische Aufstieg des Buddhismus im Toba-Wei-Staat war durch diesen Zwischenakt kaum behindert worden.

Auch ein anderes Ereignis dieser Art, das am Ende dieser Epoche im Jahre 574 im Staat Nord-Chou (556–581) stattfand, scheint keine nachhaltige negative Auswirkung gehabt zu haben. Die Maßnahmen richteten sich übrigens gegen Buddhisten und Taoisten zugleich. Ihr voraus gingen Diskussionen über die drei Geistesströmungen Konfuzianismus, Taoismus und Buddhismus, an denen im Jahre 573 der Kaiser persönlich teilnahm. Er bestimmte, daß die Rangfolge Konfuzianismus, Taoismus, Buddhismus sein sollte.

Schon vorher im Jahre 569 hatte ein Taoist versucht, die Buddhisten auszuschalten, indem er ein prophetisches Wort in Umlauf setzte, daß die „Schwarzgekleideten" (d. h. die Buddhistenmönche) einmal an die Stelle der Kaiser treten würden. Dies war nach dem, was wir eben darlegten, auch keineswegs völlig unwahrscheinlich und stellte gewissermaßen die Reaktion auf eine von dem berühmten Buddhisten Tao-an vorgetragene These dar, daß Konfuzianismus und Taoismus „Lehren des Äußeren" seien, der Buddhismus dagegen die „Lehre des Inneren". Dies sollte besagen, daß sich die beiden ersteren nur mit der „Rettung des Gestalteten (Existierenden, d. h. des Körperhaften)" befaßten, letzterer aber mit der Rettung des „Geistigen".[57] Aber wie diese Aussage auch immer zu deuten ist, sie zeigt, daß die Buddhisten sich bemühten, eine dominierende Sonderstellung einzunehmen, denn selbstverständlich stand das „Geistige" hoch über dem „gestalteten" Körperlichen.

Der Kaiser, der den Standpunkt der konfuzianischen Moral vertrat, wandte sich vor allem dagegen, daß die Mönche ihrer Pietätspflicht gegenüber den Eltern nicht nachkämen, was mit dem im Staat gültigen Gesetz unvereinbar sei. Außerdem sagte er wörtlich: „Die sechs Klassiker des Konfuzianismus sind das, was sich für die Menschheit am besten eignet. Der tatsächliche Buddha hat kein Abbild, und vergebens verehrt man seine Stūpa und Tempel. Das dumme Volk im gläubigen Gehorsam spendet umsonst seine Wertsachen (dafür)." Man solle also die Texte und Abbilder vernichten und die Mönche zwingen, zu ihren Familien zurückzukehren.

Dagegen machte der Dharmameister *Hui-yüan* (?) geltend: „Wenn Pratimā (Abbild des Buddha) kein Zuneigungsgefühl (in den Gläubigen) erzeugt, dann bringt seine Verehrung (natürlich) auch kein Glück. Aber wie steht es dann um die Figuren im kaiserlichen Ahnentempel? Die flößen doch wohl Zunei-

57 Taishō, 52, S. 136c.

gung ein." Darauf der Kaiser: „Der Buddhismus ist ausländischer Art, darum muß er fort. Der Ahnendienst jedoch besteht zwar seit uralten Zeiten, aber ich halte ihn auch nicht für richtig und möchte ihn abschaffen." Hui-yüan: „Wenn man wegen Fremdherkunft etwas Nützliches verwirft, dann wäre zu bemerken, daß die Lehre des Konfuzius aus Lu (Shantung) stammt und deshalb hier im fernen Westen des Reiches auch nicht geduldet werden sollte. Wenn aber der Ahnendienst ausgeschaltet wird, dann sind die klassischen konfuzianischen Schriften zwecklos. Und wenn man auf Konfuzianismus, Taoismus und Buddhismus zugleich verzichtet, womit hält man dann das Land in Ordnung?" Der Kaiser entgegnete darauf, daß sein Gebiet immer unter der Kultureinwirkung des Chou-Reiches gestanden habe. Demgegenüber weist Hui-yüan darauf hin, daß noch früher ganz China den Einfluß des Čakravartin (Aśoka) genossen habe.

Wir treffen hier also auf einen Kaiser, der vom Standpunkt eines radikalen Rationalismus aus die Religion als Ganzes abschaffen möchte, und auf einen Buddhisten, der sie unter Hinweis auf ihre reglementierende Funktion für das Leben der Staatsbevölkerung verteidigt.

Im Anschluß an diese Diskussion faßte der Kaiser den Entschluß, aus vielleicht „kulturpolitischen" Gründen zunächst nur den Buddhismus zu beseitigen. Da sich aber in den öffentlichen Disputen die führenden Taoisten ihren buddhistischen Gegnern als nur schlecht gewachsen zeigten, ließ er im Jahre 574 beide Religionen verbieten und ihre Standbilder und Texte vernichten. Etwa zweihunderttausend buddhistische und taoistische Mönche wurden gezwungen, ins Laiendasein zurückzutreten. Damit verbunden war auch ein Verbot aller anderen „häretischen Kulte", die jedoch nicht weiter beschrieben werden.

Auch als dieser Kaiser im Jahre 576/77 den Nord-Ch'i-Staat eroberte, ließ er dort ebenfalls die buddhistischen Heiligtümer zerstören und säkularisierte einige hundert Mönche und Nonnen.

Aber bereits unter seinem Nachfolger wurden diese Erlasse gegen die Religionen gemildert und schließlich aufgehoben.

Man sieht aus dem zuletzt Erwähnten, daß sich auch in den Reihen des Konfuzianismus gegen den mehr und mehr erstarkenden Buddhismus Widerstand erhob. Dieser war vor allem begründet in der Tatsache, daß die Buddhisten als gebildete, des Lesens und Schreibens kundige Leute begannen, den Konfuzianern auf ihrem ureigenen Gebiet, nämlich der Staatsverwaltung, gefährlich zu werden. Wir lesen, daß um 409 im Toba-Wei-Staat erstmalig ein Mönch, Fa-kuo, der bereits „Kontrolleur der Mönche" war, auf einen Ministerposten berufen wurde. Und „dies war der Anfang davon, daß Mönche zivile Ämter erhielten" [58].

Etwa um dieselbe Zeit wurden auch im Süden säkularisierte Mönche als

_____

58 AaO, 49, S. 353c.

Verwaltungsbeamte eingesetzt[59]. Und in der Periode Yüan-chia (424–452) wurde im Liu-Sung-Staat ein Mönch als „schwarzgekleider Minister" zu Beratungen in Regierungsangelegenheiten zugezogen[60].

Mögen dies auch vielleicht verhältnismäßig seltene Fälle gewesen sein, sie bildeten nichtsdestoweniger einen bemerkenswerten Einbruch in die Monopolstellung des Konfuzianismus.

Es ist deshalb nicht verwunderlich, daß sich auch aus dessen Reihen Stimmen erhoben, die ähnlich, wie wir das bereits von den Taoisten berichtet haben, die Übernahme des Staates durch die Buddhisten voraussagten.

Bezeichnenderweise tritt diese Besorgnis in einer Eingabe aus der Zeit des buddhistischen ersten Liang-Kaisers am deutlichsten zutage: „Es gibt (jetzt) über hunderttausend Mönche und Nonnen, die bewegliche und unbewegliche Werte und fruchtbare Ländereien besitzen. Und so wie die Priester sich mit Anhängern umgeben, so ziehen die Nonnen angenommene Pflegetöchter auf. Etwa die Hälfte der Bevölkerung haben sie in der Hand. Es steht zu befürchten, daß bald überall Klöster entstehen und in allen Familien Mönche sein werden und kein Fußbreit Boden und kein Mensch mehr dem Staat gehören wird."[61] Tatsächlich hätte damals der Buddhismus durch eine Art internationaler Friedensbewegung vielleicht das ganze Reich unter sich einigen können.

Es gab sogar eine diesbezügliche buddhistische Theorie, die darauf abzielte, das weltliche Strafgesetz außer Wirkung zu setzen: „Wenn ein Mann ein Gutes tut, dann eliminiert er dadurch ein Übel. Eliminiert er aber ein Übel, dann setzt er ein Strafgesetz außer Funktion. Wenn so ein Strafgesetz in der kleinsten sozialen Gemeinschaft, der Familie, außer Funktion gesetzt wird, dann bedeutet das, daß im ganzen Land zehntausend dieser Gesetze außer Funktion gesetzt werden."[62] Das aber wäre dann der Zustand T'ai-p'ing („Allgemeiner Friede"). Praktisch würde also das Gesetz Buddhas (Fo-fa) an die Stelle der Staatsgesetze treten und der weltliche Staat auf friedlichem Weg in einen Kirchenstaat überführt werden.

Natürlich richteten die Konfuzianer ihren Angriff auch gegen die buddhistische Lehre. Erinnern wir uns einmal kurz an das, was von den Chinesen als die markantesten Züge des Buddhismus angesehen wurden: „Das leere Nichtdasein halten sie für das Verehrungswürdigste Sie schätzen Güte, Mitleid und Nichttöten. Sie glauben, daß nach dem Tod des Menschen sein aus feinster Materie bestehender Shên („Geist" oder „Seele") nicht vergeht, sondern wieder Gestalt annimmt, und daß dabei die im Leben begangenen guten und bösen Taten ihren entsprechenden Lohn erhalten."[63]

59 *Zürcher* (1959), S. 214.
60 *Liebenthal* (1952), S. 366.
61 *Ch'ien Mu:* Kuo-shih ta-kang, Shanghai 1960, S. 264.
62 Taishō, 49, S. 345a.
63 AaO, 49, S. 330b.

Gegen dies letztere führten die Konfuzianer an, dieser Geist (oder diese Seele) entstehe und vergehe zusammen mit dem Körper.

Nach Ansicht der Chinesen gab es im Grunde nichts, das nicht aus irgend einer Art von Materie bestand. Infolgedessen glaubten sie auch nicht an eine Unsterblichkeit im Sinne von ewiger Unvernichtbarkeit, sondern das Leben aller Wesen, auch das der Götter, Geister und Seelen, war letztlich begrenzt, wenn es auch die normale Lebensdauer um ein Vielfaches übertraf.

Es war deshalb für den Chinesen sehr schwer, mit einem durchaus immateriellen und unpersönlichen Wesensbegriff wie *Karma* [64] fertig zu werden. Aus dem eben angeführten Zitat ergibt sich, daß dies für die Chinesen auch nur im Sinne von Feinstmaterie oder Feinstemanation annehmbar war. Die Übertragung des Karman wurde damit zum Übergang der aus Feinstmaterie bestehenden Seele von einem Körper in einen anderen.

Für die Konfuzianer aber war dies – noch mehr als die Lehren der Taoisten von der Überführung des Körpers in einen Dauerzustand – eine ausgesprochene Absurdität.

Jedoch auch die Gegenseite fand gute Argumente für ihre Sache aus der konfuzianischen Literatur selbst. So wies man zum Beispiel hin auf den heiligen *Shun*, dessen Vater, eine wahre Verbrechernatur, seinem Sohn zwar die körperliche Existenz gegeben habe, nicht aber die Seele, durch die Shun befähigt wurde, eines der wichtigsten Vorbilder für konfuzianische Moral überhaupt zu werden. [65]

Jedenfalls war die konfuzianische Spekulation außerstande, den Siegeszug des Buddhismus aufzuhalten.

Die Gefahr, daß der chinesische Staat zu einem buddhistischen werden würde, konnte auch von denen, die seinen administrativen Grundstock bildeten, zunächst noch nicht endgültig abgewehrt werden.

3. Rechtliche Stellung des Buddhismus

Ich habe im vorausgehenden Abschnitt verschiedentlich darauf hingewiesen, daß die Reibungen zwischen Staat und Buddhismus in der Hauptsache dadurch hervorgerufen wurden, daß die Mönche Anspruch auf eine rechtliche Sonderstellung erhoben.

Diese leiteten sie daraus ab, daß einer, der den Schritt *Chu-chia* („Austritt aus der Familie") getan habe [66], nicht mehr der weltlichen Gerichtsbarkeit der

---

64 *Bareau* (1964), S. 40/41 und *Liebenthal*, aaO, S. 396.
65 *Liebenthal*, S. 383.
66 „So wie die Flüsse ihre Namen verlieren, wenn sie ins Meer eintreten, so wird einer aus den großen Geschlechtern, wenn er ins Kloster geht, zum ‚Śakya-Samen'" (d. h. Schüler des Buddha). S. Ch'u-hsüeh chi, Peking 1962, S. 557.

Regierung, sondern dem Vinaya (Mönchsdisziplin) unterworfen sei. Konsequenterweise war er befreit vom Zwangsdienst und im allgemeinen auch von allen Abgaben. Das aber brachte, wie bereits im vorhergehenden angedeutet, eine Reihe von Problemen mit sich, die zumal dann dringlich wurden, wenn der Strom derer, die in die Klöster strebten, zu sehr anschwoll. Ein Mittel, diesem Andrang zu steuern, war die Registrierung der Mönche, die etwa um 400 begonnen haben könnte. Ein anderes war die Zulassungsbegrenzung für Novizen, von der ich nicht feststellen konnte, wann und wo sie zum erstenmal geübt wurde.

Es scheint, daß Probleme dieser Art besonders im Nord-Staat Toba-Wei auftraten, weil dort die Mönche sich weniger mit gelehrten Diskussionen als vielmehr mit den praktischen Seiten der Religion abgaben. Während sie sich einerseits um glückliche Wiedergeburt bemühten, strebten sie anderseits nach Vermögen und Profit. Die Tempel wurden dabei mehr und mehr zu Geschäftsabschlußplätzen. Dies führte natürlich zu einer erheblichen Machtstellung der buddhistischen Kirche, was wiederum in der Gründung vieler und großer Tempel zum Ausdruck kam. Bald begannen diese, Reichtümer anzusammeln.

Es ist kennzeichnend für das rasche Anwachsen der Buddhisten, daß um 477 in der alten Toba-Hauptstadt ungefähr einhundert buddhistische Klöster, Tempel und Heiligtümer bestanden, im Jahre 534 in der Hauptstadt Lo-yang jedoch bereits deren 1367 gezählt wurden. Dem parallel geht die Erhöhung der Aufnahmerate für buddhistische Novizen. Während in der Zeit von 452 bis 465, also unmittelbar nach der Verfolgung, in einem großen Bezirk fünfzig und in einem kleinen vierzig Personen jährlich in die Klöster eintreten durften, waren dies im Jahre 492 bereits hundert für einen großen, fünfzig für einen mittleren und zwanzig für einen kleinen Bezirk.

Aber diese Zahlen entsprachen nicht den Tatsachen; denn bald zeigte es sich, daß sich Zulassungsbeschränkungen dieser Art gar nicht streng durchführen ließen. Im Jahre 517 wurden trotz der Begrenzung auf hundert Personen in einem großen Bezirk im Durchschnitt etwa dreihundert, in einem mittleren zweihundert und in einem kleinen hundert Personen ordiniert. Der Bezirksmönchsvorstand und die Karmadāna der Klöster wählten in Verbindung mit den Behörden die ihnen geeignet erscheinenden Leute einfach aus. Daneben aber gab es noch eine größere Anzahl von solchen, die vom Kaiser, von der Kaiserin, den Prinzen und Ministern „persönlich hinübergerettet" wurden, d. h. deren Ordination unter der Protektion dieser Mächtigen gesondert vollzogen wurde, was natürlich für letztere ein besonderes religiöses Verdienst darstellte. Schließlich kam dazu noch eine unbestimmte Menge von heimlichen, illegalen Ordinationen, gegen die die Regierung bereits im Jahre 486 einzuschreiten versuchte.

Die Situation am Ende der Toba-Zeit wird etwa wie folgt geschildert: „Es gibt keinen Ort, wo nicht buddhistische Mönche und Heiligtümer anzutreffen wären. Sie füllen die Städte und schieben sich in die Viertel der Schlächter und Weinhändler hinein", was natürlich auf Grund des buddhistischen Töte- und Alkoholverbotes strikt zu vermeiden war. „Manchmal tun sich drei bis fünf Mönchlein zusammen und machen (irgendwo in einem Stadtviertel) ein Kloster auf, so daß es vorkommt, daß die religiösen Gesänge sich unter den Vordächern mit den Geräuschen des Schlachtens vermischen. Die Buddhastatuen und Stūpa sind umhüllt vom Geruch des getöteten Fleisches. Die reine Erkenntnis versinkt in Begierden . . . Die unteren Beamten folgen der herkömmlichen Praktik, und wenn nur die Mönche sich an die Vorschriften halten, werden keine Fragen weiter gestellt."

Auch außerhalb der Städte dominierte der Buddhismus, und die Mönche eigneten sich nicht selten Felder und Gebäude der Landbevölkerung an. Kurz gesagt bedeutete das, daß das Mönchsdasein damals eine relativ sorgenfreie und vorteilhafte Existenz war, zu der die Menschen in Massen hinstrebten. Kein Wunder, daß der Staat sich weiter bemühte, diese Flut einzudämmen.

Schon 486 kam ein Regierungserlaß heraus, daß solche Personen, die sich fälschlich als „auf dem Heilsweg begriffen" ausgaben, tatsächlich aber nur den Steuern und Zwangsdienstleistungen entgehen wollten, sofort in den Laienstand zurückversetzt werden sollten.

Ein weiteres Gesetz wurde im Jahre 517 unter der an sich sehr buddhafreundlichen Kaiserin *Hu* erlassen: „Von jetzt an ist es unzulässig, daß männliche und weibliche Sklaven in die Klöster eintreten. Die Prinzen und die Angehörigen des Hochadels dürfen keine diesbezüglichen Bittgesuche mehr einreichen. Zuwiderhandelnde werden wegen ,Widerstand gegen eine kaiserliche Verordnung' unter Anklage gestellt." Die soziale Lage der Sklaven machte es ohne weiteres verständlich, daß sie besonders an einer Aufnahme unter die Mönche interessiert waren.

Diesem Gesetz folgte bald ein weiteres: „Von jetzt an sollen alle, die illegal ordiniert wurden, wegen ,Widerstand gegen eine kaiserliche Verordnung' unter Anklage gestellt werden. Der Nachbarschaftsvorstand (d. h. ein Vorstand von fünf Haushaltungen) wird als Hauptschuldiger betrachtet. Der Weiler- (25 Haushalte) und der Ortsverbandsvorstand (500 Haushalte) werden um einen Grad geringer bestraft. Wenn in einem Kreis fünfzehn Personen, in einem Zivil- oder Militärbezirk dreißig Personen illegal ordiniert wurden, dann wird der Kreis- beziehungsweise der Bezirksvorstand seines Amtes enthoben. Die Zivil- und Militärbeamten werden gemäß ihrem Dienstrang mitangeklagt. Der illegal Ordinierte wird zu Zwangsdienst im Bezirk verurteilt."

Diese Gesetze, die auf Verringerung der Anzahl der Mönche abzielten, waren unter anderem die Folge wiederholter Beschwerden über den übermäßig anwachsenden Reichtum der Klöster.

Dieser wiederum kam meist dadurch zustande, daß die Mönche das Getreide, das ihnen im Toba-Wei-Staat etwa von 469 an zu dem Zweck geliefert wurde, es zu speichern und in Notzeiten an die Bevölkerung auszuteilen, für sich selbst nutzbar machten, indem sie es gegen Zinsen ausliehen.

Im Jahre 509 wird in einer Eingabe des Mönchvorstandes *Hui-shên*, der ja für das Wohlverhalten der Buddhisten dem Staat gegenüber verantwortlich war, darauf hingewiesen, daß sich unter den Mönchen allerlei Mißstände bemerkbar machten, die gegen die Staatsgesetze verstießen. Die *Karmadāna*, *Sthavira* und Klostervorstände erließen alle ihre eigenen Vorschriften, wobei sie ausschließlich das buddhistische Vinaya im Auge hätten. Aber die in die Klöster aufgenommenen Personen hielten sich nicht an das Gesetz. Sie sammelten die acht unreinen Dinge, d. h. Gold, Silber, männliche und weibliche Sklaven, Äcker und Getreide, Handelsgüter und Tiere. Neuerdings benutzten die Mönche das Triratna-Eigentum (d. h. den Klosterbesitz), um gewinnbringende Anleihen bis über die Bezirksgrenzen hinaus zu vergeben.

Aus einem Edikt des Jahres 511 erfahren wir, daß die Klöster für ausgeliehenes *Sānghika-Getreide* (d. h. dem Kloster geliefertes Getreide) im Einverständnis mit den Lokalbehörden Zinsen forderten, die an Höhe das ausgeliehene Kapital übertrafen und die Schulden ohne Rücksicht auf gute oder schlechte Ernte eintrieben. Manchmal änderten sie auch zu ihren Gunsten die Kontrakte. Kurzum, die Klöster, zusammen mit den örtlichen Funktionären, beuteten die naive Landbevölkerung, so weit es irgend ging, aus.

Um diesen Mißbräuchen einen Riegel vorzuschieben, wurde im selben Jahr das Sānghika-Getreide der Aufsicht der Provinzbehörde unterstellt, d. h. der willkürlichen Handhabung durch die Mönche entzogen.

Um überhaupt das gesamte Mönchswesen besser unter Kontrolle zu bekommen, errichtete man in Toba-Wei etwa um 460 neben dem bereits genannten „Kontrolleur der Mönche" *(Sha-mên-t'ung)* und seinen Unterfunktionären ein besonderes Aufsichtsamt *(Chien-fu,* bald umbenannt in *Chao-hsüan,* „Leuchtendes Mysterium"), in dem über alle die Mönchsgemeinde (Samgha) betreffenden Angelegenheiten in Hauptstadt und Provinz entschieden wurde. Ihm präsidierte ein Vorstand *(Ta-t'ung),* dessen Vertreter und drei *Karmadāna* der Hauptstadt, anscheinend also alles Angehörige der höheren Geistlichkeit.

Im Jahre 508 erging dazu folgende Verordnung: „So wie Buddhisten und Laien verschieden sind, so sind es auch die für sie gültigen Gesetze ... Wenn von heute an Mönche einen Mord oder ein noch schwereres Verbrechen begehen, werden sie nach gewöhnlichem Recht abgeurteilt. Alle anderen Straftaten werden vom Chao-hsüan-Amt nach der Mönchsdisziplin (Vinaya) behandelt." [67] Es hatten sich nämlich inzwischen viele verbrecherische Elemente in die Klöster eingeschlichen.

Im folgenden Jahr reichte der „Kontrolleur der Mönche", *Hui-shên*, der

67 *Ware* (1933), S. 157/58.

Regierung einen weiteren Vorschlag ein: ausländische Mönche, die damals in so großer Anzahl in Lo-yang waren, daß ihnen um 510 ein eigenes Kloster errichtet wurde, sollten, wenn sie Anstoß erregten und nicht repatriiert werden konnten, nach den 493 aufgesetzten „Regulationen für Mönche" abgeurteilt werden. Diese „Regulationen" enthielten 47 Sektionen. Durch sie wurde die Stellung der Religion oder, wenn man so will, der Kirche im Staat festgelegt. Jedenfalls waren sie ein Produkt des „Kontrollers der Mönche" und des eben genannten Aufsichtsamtes, natürlich in Zusammenarbeit mit der Beamtenschaft.

Aus alledem geht hervor, daß über die Mönche im allgemeinen nach dem Vinaya und diesen „Regulationen" Recht gesprochen wurde. Sie empfingen also zunächst wenigstens nicht die vom Staatsgesetz vorgeschriebenen Strafen. Die schlimmste Strafe, die sie zu erwarten hatten, war Ausschluß aus der Mönchsgemeinschaft (Samgha) und damit Rücküberführung ins Laiendasein und in die Sphäre des gewöhnlichen Strafrechts.

Für fromme und gefügige Naturen mochten die Klosterregeln durchaus genügen. Für die unruhigen und aufsässigen Laienelemente in den Klöstern aber bildeten sie keine Abschreckung.

In der Eingabe eines Mönchkontrolleurs heißt es deshalb, die Klostergesetze dürften nicht auf die Laien in den Klöstern angewandt werden. Diese sollten, wenn sie Verbrechen begingen, den Staatsbehörden übergeben werden. Dies zeigt, daß sich Leute dem Kloster unterstellten, die eigentlich gar nicht zur Mönchsgemeinde gehörten. Sie taten dies natürlich, um der weltlichen Gerichtsbarkeit zu entgehen, da die Samgha-Gesetze wesentlich milder waren.

Andere Maßnahmen richteten sich gegen die Wandermönche, die sowohl in sozialer als auch in politischer Hinsicht ein höchst unsicheres Element darstellten. Sie waren es nämlich, die rebellische Stimmungen verbreiteten und Nachrichten über die Grenzen hinüber vermittelten.

Im Jahre 472 erging deshalb ein Erlaß, daß die Fünfergruppen, d. h. die unterste Organisationseinheit der Bevölkerung, keine unregistrierten Mönche aufnehmen dürfe. Ließen sich solche blicken, dann wären sie sofort dem nächsten Militärposten zu übergeben.

Mönche, die mit Missionsaufgaben unter der Landbevölkerung betraut waren, hatten im Besitz eines Schreibens von ihrem zuständigen Karmadāna (Wei-na) zu sein. Im Hauptstadtbereich mußten sie einen von einem dort maßgebenden Karmadāna abgestempelten Paß haben.

Alle, die dem zuwiderhandelten, wurden nach dem Strafgesetz bestraft.

Schließlich wurde auch der Bau von Klöstern und Tempeln von Staats wegen einer Einschränkung unterworfen. Dieser stellte durch den erheblichen Materialverbrauch und die hohen Kosten für die in ihnen aufgestellten oder von ihnen betreuten Buddhastatuen eine schwere Belastung der Wirtschaft dar. Dies Problem trat auf, seit die Buddhisten ihre Klöster und Einsiedeleien mehr und mehr von den heiligen Bergen fort in die Städte verlegten, wo sich ihnen wesentlich bessere Einkunftsmöglichkeiten boten.

Etwa um das Jahr 509 wurde festgelegt, daß zur Gründung eines Klosters mindestens 50 Mönche beisammen sein und diese um Baugenehmigung einkommen müßten, eine Bestimmung, die anscheinend aber nur geringen Erfolg zeitigte.

In den Städten machte sich die rasch anwachsende buddhistische Bautätigkeit immer unangenehmer bemerkbar. Jedenfalls wurden die Gewerbetreibenden in zunehmendem Maße dadurch beengt. So treffen wir denn auf Anordnungen, daß die Tempel und Heiligtümer aus den Städten wieder hinaus ins offene Land verlegt werden sollten. Manchmal wurde auch eine Zusammenlegung kleiner Klöster vorgenommen.

Aber all dies half nur wenig, da auf Grund der gegen Ende der Toba-Wei zunehmenden Unruhen alles in die Klöster strömte, um sich und seine Habe hinter den Klostermauern in Sicherheit zu bringen. Diese stellten, so scheint es, in politisch unsicheren Zeiten ein einigermaßen verläßliches Asyl dar, was sich aus dem „internationalen" Charakter des Buddhismus leicht erklären läßt.[68]

Alles in allem haben wir also am Ende dieser Epoche drei Rechtssphären vor uns:

Erstens das *Vinaya*, das in den Texten oft als *Nei-lü* („inneres Gesetz") auftritt und dem Eingriff des Staates völlig entzogen war.

Zweitens das Staatsgesetz, dem – wenigstens in der Theorie – alle Staatsbürger unterworfen sein sollten.

Drittens die Mönchsregulationen *(Sêng-chih)*, die eine Art Kontaktsphäre zwischen den beiden ersteren darstellten. Hier war es, wo der Staat seinen Einfluß auf die Sphäre des Religiösen geltend machte und allmählich auszudehnen bestrebt war.

4. Religiöse Entwicklung des Buddhismus

Die religiöse Entwicklung des Buddhismus betrifft in erster Linie das *Vinaya*.

Man muß immer im Auge behalten, daß der Buddhismus zunächst in sehr vager und primitiver Form Eingang in China fand. Auch nach seiner Trennung vom Taoismus änderte sich daran wenig.

Die chinesischen Buddhisten ließen sich das Haupt scheren und hielten sich an das Töteverbot. Mehr aber auch nicht. Zwischen Priestern und Laienanhängern war nur wenig Unterschied.

68 Zum ganzen Abschnitt vgl. *T'ang Yung-t'ung* (1955, Bd. II), S. 512–528.

C. Der Buddhismus

Erst etwa vom Jahre 250 an kam eine genauere Kenntnis des Vinaya auf. Sie wurde gefördert durch die Übersetzung des *Prātimokṣasūtra*, eines Werkes über Mönchsdisziplin des *Hīnayāna*-Buddhismus, durch *Dharmakala*, der auch eine Eingabe machte, daß von jetzt an Novizen die (fünf) Gelübde auf sich nehmen sollten.

Aber noch im Jahre 294 übte der indische Mönch *Jīvaka* Kritik an der prächtigen Kleidung der chinesischen Mönche in Lo-yang, die „dem Vinaya und der Idee des Buddha" zuwiderlaufe.[69]

Erst um 434 lesen wir, daß der indische Missionar *Guṇabhadra* in einem Hauptstadtkloster einen „Altar der Verbote" *(Chieh-t'an)* errichten ließ, vor dem oder auf dem die Gelübde abgelegt wurden. Anscheinend war dieser der erste seiner Art in China, und wahrscheinlich beginnt damit erst die ordnungsgemäße Ordination der Mönche und Nonnen.

Aber Vinaya und der chinesische Buddhismus überhaupt wurden auf eine neue, höhere Stufe gehoben durch die Tätigkeit des berühmten Dharmameisters *Hui-yüan* (334–417).

Er war chinesischer Abkunft und begann wie üblich mit dem Studium der chinesischen Klassiker, ging aber bald zu Lao-tzû und Chuang-tzû über und bekehrte sich schließlich zum Buddhismus.

Er wurde ein Schüler des ebenso berühmten *Tao-an* (312–383). Dieser war es, der den chinesischen Buddhismus aus seinem Primitivstadium, in dem das Hauptgewicht auf psychophysischen Übungen zum Zwecke der Erreichung des Trancezustandes *(Dhyāna)* lag, heraushob. Er sammelte als erster die vorhandene buddhistische Übersetzungsliteratur und katalogisierte sie. In seinen Exegesen zu den buddhistischen Schriften durchbrach er die bis dahin herrschende Methode, buddhistische Gedankengänge einfach in chinesische umzudeuten, indem er versuchte, den eigentlichen Sinn der Texte so genau wie möglich wiederzugeben.

Er vollzog auch die Umstellung des chinesischen Buddhismus vom Hīnayāna zum *Mahāyāna*, d. h. aus einer Mischung von buddhistischem Yoga und taoistischen Praktiken zum buddhistischen Gnostizismus, womit er den Buddhismus für die gebildeten Schichten annehmbar und attraktiv machte. Er verschärfte die Klosterdisziplin und führte für alle Mönche den gemeinsamen Namen *Shih* (Śākya) ein.

Ihm ist ferner das Aufkommen des Kultes des *Maitreya*-Buddha, d. h. des nächst-kommenden Buddha, zu verdanken. Dieser hält sich, so heißt es, bis zu seiner letzten Wiedergeburt im Tuṣita-Himmel auf. Tao-an versammelte etwa um 370 sieben seiner Schüler vor einem Standbild des Maitreya und legte zusammen mit ihnen einen Eid ab, daß, wenn einer von ihnen den Tuṣita-Himmel erreicht habe, er alles daran setzen würde, die anderen nach-

69 Taishō, 49, S. 518, b.

207

zuziehen, damit ihnen allen zugleich die letzten Zweifel vom Maitreya gelöst würden.

Dieser Maitreya wurde bald mit der chinesischen Lehre von den periodischen Welterneuerungen in Zusammenhang gebracht und mit seinem Auftreten in der Welt die Hoffnung auf Abhilfe aller Nöte verbunden. Damit aber wird der Maitreyaglaube zum Hintergrund zahlreicher Aufstände, die sämtlich eine Verbesserung sozialer Übel erstrebten.

Hui-yüan, der Schüler des Tao-an, gründete ein großes buddhistisches Zentrum am Lu-shan (Gebirge im nördlichen Kiangsi), das, aus Mönchen und Laien bestehend, bald einen Mittelpunkt des geistigen Lebens im Süden bildete; denn in ihm fanden sich neben den eigentlichen Buddhisten auch namhafte Vertreter anderer Geistesrichtungen, die den politischen Unruhen zu entgehen suchten, zusammen. Dort entstand die Weißlotos-Gesellschaft *(Pai-lien-sheh)*[70], der sowohl Mönche als auch Laien angehörten. Die Mitglieder verpflichteten sich zu einem Leben in Reinheit und Keuschheit. Einhundertunddreiundzwanzig Mann hoch versammelten sie sich im Jahre 402 vor einem Standbild des *Buddha Amitābha* („Buddha des unendlichen Lichtes") und schworen, daß sie einander helfen wollten, bis jeder von ihnen das „glückliche Land" *(Sukhāvatī)* im Westen erreicht habe, damit sie gemeinsam „die große Urform (des Amitābha) betrachten und ihre Herzen sich dem reinen Glanze öffnen" könnten.

Es handelt sich also um eine Vereinigung zum Zweck der Kollektiverlösung. Sie unterschied sich von der des Tao-an ganz wesentlich dadurch, daß jene eine rein klösterliche Angelegenheit ordinierter Mönche war, während in diese alle ohne Unterschied aufgenommen wurden, die überhaupt nach Erlösung strebten.

Anderseits zeichnete sich der Buddhismus des Hui-yüan dadurch aus, daß es ihm um die Sichtbarkeit der Verehrungsobjekte ging. Dies führte schließlich zu einer Methode, die *Nien-Fo,* „denken an den Buddha" oder besser „den Buddha denken", genannt wurde. Sie bestand darin, daß man sich so intensiv auf Buddha konzentrierte, daß man ihn schließlich visionär vor sich sah. Dies war wohl eine der Hauptpraktiken der Weißlotos-Gesellschaft.

Natürlich war eine genaue Kenntnis des Aussehens des Buddha Voraussetzung. Und so brachten die buddhistischen Pilger aus Indien nicht nur heilige Texte mit, sondern auch Abbildungen, an denen man seine Vorstellung von der äußeren Erscheinung des Buddha ständig korrigieren konnte.

Hui-yüan zeigte sich auch als Neuerer auf dem Gebiet des Gottesdienstes. Bisher vollzog sich dieser in Anrufen, Prostrationen und mechanischen Rezitationen aus den Sutren. Jetzt wurde von ihm eine reguläre Predigt eingeführt, in der er wichtige Themen des Buddhismus erläuterte.[71]

Diese Schriftauslegungen wurden ermöglicht, weil inzwischen die anfäng-

---

70 AaO, 49, S. 525, b.   71 *Zürcher* (1959), S. 209/10.

C. Der Buddhismus

lich spärliche und höchst unvollkommene buddhistische Literatur wesentlich verbessert worden war. Und dies wieder war die Folge der von chinesischen Pilgern aus Indien mitgebrachten Texte, die jetzt mit wesentlich größerer Sorgfalt übersetzt wurden als vordem, wo einfach ein Inder aus dem Gedächtnis ein Sūtra rezitierte und ein Chinese es so, wie er es verstand, auf Chinesisch zu Papier brachte.[72]

Diese Reisen „zur Suche nach Sūtren" beginnen in der zweiten Hälfte des dritten Jahrhunderts. Der bekannteste Indienpilger dieser Art war *Fa-hsien*, der im Jahre 398 China verließ und 414 zurückkehrte. Von ihm stammt u. a. die Übersetzung einer Mahāyāna-Version des *Mahāparinirvāṇa*, d. h. des Sūtra über den Eintritt in Nirvāṇa.

Die buddhistische Übersetzertätigkeit erhielt einen neuen Aufschwung durch *Kumārajīva* (344–413), der einer der fruchtbarsten Übersetzer überhaupt war. Ihm ist es zu verdanken, daß sich jetzt sogar der Staat dieser Tätigkeit annahm und sogenannte „Übersetzungsplätze" *(I-ch'ang)* einrichtete, wo unter dem Schutz der Regierung von buddhistischen Arbeitsgruppen die Texte übertragen wurden.[73] Außerdem wurde durch ihn endgültig der chinesische Buddhismus in seiner Hauptströmung auf die Mahāyāna-Schule festgelegt. Von seiner propagandistischen Aktivität können wir uns ein Bild machen, wenn wir erfahren, daß er seine Übersetzung zugleich mehreren hundert Nachschreibern diktierte. In einer Zeit, in der Bücher nur durch Kopieren verbreitet wurden, sicherte dies seinen Werken natürlich eine bis dahin unerhörte Breitenwirkung.

Es würde zu weit führen, hier auch nur einen Teil der von Kumārajīva übersetzten Texte aufzuführen. Auf einen davon möchte ich jedoch kurz hinweisen, nämlich auf das *Saddharmapuṇḍarīkasūtra*, das „Sūtra vom Lotos der wahren Lehre". Es ist dies ein buddhistisches Werk, das in China weiteste Verbreitung gefunden hat und zum Beispiel noch in der Sung-Zeit zur Examination der Novizen benutzt wurde.

Dies Sūtra enthält die wichtigsten Lehren des Mahāyāna, d. h. des großen Fahrzeugs, auf dem alle zum Heil übersetzen können, im Gegensatz zum kleinen Fahrzeug (Hīnayāna), das nur der Individualrettung dient. Die Methoden, durch die man das Heil erlangt, gehen dabei von der Predigt der rechten Lehre bis zu Wundermitteln, durch die das angestrebte Ziel ähnlich wie bei den taoistischen Alchimisten ohne große Anstrengung erreicht werden konnte. Zugleich kommt damit nun auch der Kult der *Bodhisattva*, d. h. der „zum Buddha Bestimmten", in Mode. Die bekannteste dieser Persönlichkeiten ist der Bodhisattva *Avalokiteśvara*, der in China zur weiblichen *Kuan-yin* oder *Kuan-shih-yin*, „die auf die Gebete der Welt achtet", wurde.

72 Betr. Einzelheiten s. *W. Fuchs: Zur technischen Organisation der Übersetzung buddhistischer Schriften ins Chinesische*, in: Asia Major, 6 (1930), S. 84.
73 AaO, S. 88/89.

Der Eintritt ins Paradies wird jetzt nicht so sehr durch gute Taten als durch den Glauben bewirkt. Schließlich genügt dazu einfach das Aussprechen des Namens Amitābha.

Das Saddharmapuṇḍarīka wurde bereits im Jahre 286 von *Dharmarakṣa (Chu-fa-hu)* übersetzt. *Kumārajīvas* Übersetzung ist die dritte und entstand etwa um 406. Eine vierte erweiterte Übersetzung wurde schließlich im Jahre 601 angefertigt. Allein diese Tatsache zeigt, welche Bedeutung jenem Sūtra im chinesischen Buddhismus zukommt.

Eine der sonderbarsten Blüten, die der fanatisierte buddhistische Glaubenseifer trieb, waren die Selbstverbrennungen. Diese beginnen etwa um 425 und stehen in Beziehung zu dem eben genannten Lotossūtra. Dort wird im 12. Kapitel die Legende des Bodhisattva *Bhaiṣajyarāja* mitgeteilt, der sich aus Dankbarkeit für seine Erlösung mit Öl und Weihrauch übergoß und seinen Körper als lebende Kerze dem Buddha darbrachte. Er fand zahlreiche Nachahmer, die sich unter Rezitation der auf den genannten Bodhisattva bezüglichen Stellen aus dem Saddharmapuṇḍarīkasūtra auf Scheiterhaufen setzten und verbrannten.

Anscheinend spielten aber dabei oft auch weniger ideale Motive mit. Da nämlich solche Selbstverbrennungen im allgemeinen öffentlich und nach vorheriger Ankündigung vor sich gingen und natürlich eine große Menge von Schaulustigen anzogen, waren sie zugleich auch eine höchst geeignete Gelegenheit, um von den Zuschauern Gaben zu erbitten.

Im Jahre 463 gelang es sogar einem Mönch durch Selbstverbrennung in einem Ölbehälter zu erreichen, daß auf kaiserlichen Befehl ein Kloster für Bhaiṣajyarāja erbaut wurde.

In die hier behandelte Epoche fällt schließlich das Aufkommen der sogenannten *Ch'an-* oder *Dhyāna*-Schule. Ch'an ist eigentlich die fünfte *Pāramitā*, d. h. eines der Mittel zur Erreichung des Nirvāṇa. In der Ch'an-Schule wird Dhyāna (Meditation) als Hauptmittel der Erlösung angesehen und zu einem komplizierten System ausgebaut. Damit aber konnte man auf das lange und mühsame Studium der Sūtren verzichten, denn die Meditation stellte demgegenüber einen direkteren Heilsweg dar. Durch tiefe Einsicht in das eigene Wesen erlangte man die Erleuchtung (Bodhi) und wurde damit zum Buddha. Die Erleuchtung aber geschah plötzlich und schlagartig, allerdings vorbereitet durch ein langes, aufmerksames Warten. Als Begründer der Schule, die erst in der folgenden Epoche sich voll entfaltete, wird der Dharmameister *Bodhidharma* angesehen, der um 479 oder 520 aus Süd-Indien auf dem Seeweg nach China kam.

Im großen Überblick zeigt sich also die Entwicklung dieser Epoche zunächst als Ausbau des Vinaya, Übergang von der Individualerlösung zur Kollektiverlösung mit Hilfe der bereits Geretteten, vom „schweren Weg" des Studiums zum „leichten Weg" der Erleuchtung.

VI. DIE RELIGION DER SUI-T'ANG- UND SUNG-ZEIT

Die Wiedervereinigung des Reiches ab 589 durch die Sui-Dynastie ist der Auftakt zu der wohl glänzendsten Epoche der chinesischen Geschichte und zu einer kulturellen Entwicklung, die erst im 13. Jh. durch den Einbruch der Mongolen entscheidend unterbrochen wurde.

Es ist aber auch ein neues Volk, das jetzt als Träger der chinesischen Geschichte auftritt. In das Han-Volk, das sich aus den Staaten der vorchristlichen Zeit gebildet hatte, waren von allen Seiten, vornehmlich aber aus dem Norden und Nordwesten, viele fremde Elemente eingedrungen, die den alten aus den eigentlich chinesischen Sippen bestehenden Kern merklich bedrängten.

Der bemerkenswerteste Vorgang im ersten Teil dieses neuen Geschichtsabschnitts ist deshalb die Auseinandersetzung zwischen der aus den Nordstaaten der Trennungszeit überkommenen und auf nichtchinesischen Ursprung zurückgehenden Militäraristokratie mit den alten konfuzianischen, bildungstragenden Sippen. Sie endete mit dem Sieg der letzteren. Dieser allerdings brachte nun auch wieder eine Verlagerung der militärischen Macht aus dem Reichszentrum an die Grenzen mit sich, und dort an der Peripherie kamen die mächtigen Männer empor, die der fast 300 Jahre währenden T'ang-Dynastie schließlich ein Ende bereiteten.

Nach einer knappen Übergangsperiode von fünf kurzlebigen Dynastien folgt die Sung-Dynastie, die, so kann man wohl sagen, einen Höhepunkt der chinesischen Kulturentwicklung darstellt.

Wichtig für die Religiosität im T'ang-Staat ist die neuerliche Ausdehnung des Reiches besonders nach Westen hin. Von dort dringen jetzt mehrere neue Religionen in China ein.

Die Sung-Dynastie dagegen stellt demgegenüber mehr eine Zeit der spekulativen Selbstbesinnung dar. In die nunmehr auftretenden philosophischen Systeme werden eine Reihe aus religiösem Boden entwachsene Ideen, die inzwischen gedankliches Allgemeingut geworden waren, verarbeitet.

A. Sui T'ang (581–907)

1. Der Staatskult (Sui und vorher)

Während in der Nach-Han-Zeit auftretende Ritualprobleme durch einen oder mehrere hervorragende Ritenkenner oder deren Schüler entschieden wurden, treten jetzt am Anfang der Dynastie jedoch auch mehrmals in deren Verlauf auf kaiserlichen Befehl hin amtliche Kommissionen zusammen, die aus der ständig anschwellenden Ritenliteratur das für die neue Zeit Passende aussuchen und in einem Handbuch zusammenstellen mußten. Zur Sui-Zeit stand diese Kommission unter der Direktion des Vorstandes des kaiserlichen Ahnendienstes *Niu Hung*. Das unter ihm kompilierte Werk trug den Titel *Wu-li* („die fünf Arten der Rite") und enthielt 130 Abschnitte. Es war also ein Opus von recht ansehnlichem Umfang.

Das Dilemma solcher Arbeitsgruppen lag, wie bereits oben mehrfach angedeutet (s. S. 124, 137), im allgemeinen darin, daß das Bestreben nach „Wiederherstellung" der Riten in ihrer „alten, echten Form" mit den Erfordernissen der Gegenwart, die meist auf Vereinfachung und Verbilligung hinausliefen, vereinbart werden mußte.

Anscheinend betraute man erstmalig (?) unter den *Liang* (502–556) eine Gruppe konfuzianischer Ritualisten mit der Abfassung eines solchen *Ta-tien*, d. h. eines amtlichen Ritenkodex, für die regierende Dynastie. Dabei zeigte es sich, daß unter den Gelehrten bereits ein Spezialistentum für die einzelnen Sparten der Rite (Li) bestand. Es gab nämlich je einen Fachmann für die „glückbringenden Riten" (d. h. in erster Linie die großen Staatsopfer), die Trauerriten, die militärischen Riten (d. h. Paraden, Wettschießen usw.), die Bewirtungsriten und die Heiratsriten[1].

Die Ritenordnung der *Sui* stellt eine Auswahl aus den Ritualvorschriften der unmittelbar vorausgehenden Dynastien dar. Dabei scheinen mir aber die Dynastien *Ch'i* (479–501), *Liang* (502–556) und *Ch'ên* (557–588), d. h. die Südstaaten als Hauptträger der alten chinesischen Tradition, etwas bevorzugt zu werden. Überhaupt nicht genannt wird, soweit ich feststellen kann, die *Toba-Wei*-Dynastie, wohl aber deren Nachfolgestaaten *Pei-Ch'i* (550–579) und *Pei-Chou* (557–581), deren Verwaltungswesen für die Sui maßgebend gewesen zu sein scheint. Anderseits findet sich aber in dem Geschichtswerk *Tzû-ch'ih t'ung-chien* eine Bemerkung, daß sich der „Herr von Sui" von der Administration der Chou ab- und der alten Verwaltung von Han und Ts'ao-Wei zugewandt habe.[2] Von den Pei-Chou übernahmen die Sui jedoch die

---

1 Sui-shu, Kap. 6 (Li-i chih, 1).
2 Bd. III, S. 5433/34.

Tendenz, das alte klassische Opferwesen, so wie im Chou-li aufgezeichnet, wiederherzustellen.

a. Das Ritenministerium

So stoßen wir jetzt auch auf das in Weiterbildung des Ämterwesens der Pei-Chou eingerichtete Ritenministerium *(Li-pu)*. Es hatte vier Unterabteilungen, die, wenn sie auch schon vorher in dieser oder einer ähnlichen Form vorkamen, nunmehr unter einem Ministerialdirektor *(Shang-shu)* zusammengefaßt wurden.

Die erste dieser Abteilungen war das *Li-pu* (Ritenamt) im eigentlichen Sinn. Ihm unterstand ganz allgemein die Aufsicht über die korrekte Haltung der Beamtenschaft. Diese wiederum beruhte auf der Kenntnis der klassischen Schriften. Und somit finden wir hier zunächst das Prüfungswesen aufgeführt. Ferner hatte dieses Amt die Aufsicht über die Einzelausführung der Rituale sowie über das gesamte Etikettewesen. Dazu gehörten beispielsweise auch die Tabuzeichen, die dem Kaiser oder den Beamten gegenüber zu gebrauchenden Anreden, die Festsetzung der bei Staatsangelegenheiten zu tragenden Kleidung, Schmuckstücke usw., anderseits aber auch das Musikwesen und die Klassifizierung der bekanntgewordenen Vorzeichen.

Die nächste Abteilung, das *Tz'û-pu* (Opferamt), kontrollierte die Staatsreligion und das Religionswesen überhaupt. Ausgenommen allerdings war der kaiserliche Ahnendienst, der einem besonderen Amt *T'ai-ch'ang-ssû* (etwa „Ewigkeitstempel") unterstand.

Dann folgte das *Shan-pu* („Verpflegungsamt"), das die Aufsicht über alle bei den Opfern verwendeten Tiere und Speisen, aber auch der dabei benutzten Gefäße hatte. Dieses Amt gab auch die Nahrungszuteilungen an die Angehörigen der kaiserlichen Sippe aus.

Als letztes gehört hierher das Amt für die Bewirtung der Staatsgäste, über dessen Beziehung zu den Staatsriten bereits eine Bemerkung gemacht wurde (s. S. 123).

Das wichtigste Amt in diesem Zusammenhang ist natürlich das zweite, das Opferamt *(Tz'û-pu)*. Es befaßte sich in erster Linie mit den großen Staatsfeiern.

b. Einteilung der Opfer

Die Opfer wurden ihrem Gegenstand nach in vier Gruppen eingeteilt: Opfer an die Himmelsgötter, Opfer an die Erdgottheiten, Darbietungen an die Geister der Toten und Trankopfer an den ersten Heiligen und den ersten Lehrer. Dem dabei stattfindenden Aufwand nach unterschied man Opfer erster, zweiter und dritter Klasse. Opfer der ersten Klasse wurden vollzogen für *Hao-t'ien shang-ti* und die Gottkaiser der fünf Weltgegenden, für die Erdgottheit und den vergöttlichten Reichserdboden *(Shên-chou)* sowie für die kaiserlichen

Ahnen; Opfer der zweiten Klasse für Sonne, Mond, die Sterngötter, die Boden- und Erntegottheiten, die früheren Kaiser und Könige, die großen heiligen Berge und Gewässer, den kaiserlichen Erdgott (am Zeremonialpflügefeld), die erste Seidenzüchterin, für Konfuzius und seine Schüler sowie im Tempel des Kronprinzen (?). Opfer der dritten Klasse brachte man den untergeordneten Sterngöttern, dem Schicksalsgott *(Szû-ming)*, dem Wind- und dem Regenmeister, den Gottheiten der Bergwälder, Flüsse und Marschen sowie den Lokalbodengöttern. Zu dieser letzten Kategorie gehören auch die Libationen für den ersten Lehrer usw., die ausschließlich eine Angelegenheit der konfuzianischen Gelehrtenschaft waren.

Aus der Ritenmonographie (Sui-shu, Kap. 6) erfahren wir dazu, daß die Opfertiere für die Opfer erster Klasse 90 Tage lang im Stall gemästet werden sollten, die für die zweite Klasse 30 und die für die dritte Klasse zehn Tage lang. Die Opfertiere durften nicht geschlagen werden. Wenn eines vorher verendete, wurde es vergraben. Alles in allem dürften beim großen Südaußenopfer allein über 20 Tiere (Kälber, Schafe und Schweine) geopfert worden sein.

Unterschiedlich war auch die Anzahl der Tage, die der Kaiser und die an den Ritualen teilnehmenden Beamten, die bei den Feiern der ersten Klasse feierlich im Staatssekretariat vereidigt wurden, auf ihre Kasteiung zu verwenden hatten. Während der Hauptfeier beim Südaußenaltar durften öffentlich weder Trauerkleider getragen noch Krankenbesuche gemacht werden. Ebenso wurden keine Todesurteile gefällt oder irgend etwas unternommen, was der Purifikation abträglich sein konnte. Vom Prozessionsweg entfernte die Polizei alles Unreine und alle Trauernden. Auch das bei einem Todesfall obligate Klagegeschrei mußte, sofern es hörbar laut war, unterbleiben. Das Ganze war also auf feierliche Freude abgestimmt, um den hohen Himmelsgästen zu zeigen, wie glücklich das Volk unter dem gerade regierenden Herrscher lebte.

Alle Opfer der ersten Klasse wurden vom Kaiser persönlich vollzogen. Doch beschränkte sich seine Tätigkeit im großen ganzen auf das „erste Anbieten". Das „zweite Anbieten" wurde dabei vom *T'ai-wei* („Generalkommandeur der Heere", d. h. dem höchsten und geehrtesten Beamten des Reichs), das dritte vom Chef des Palastbewirtungswesens *(Kuang-lu-ch'ing)* ausgeübt. War der Kaiser nicht zugegen, dann verschob sich diese Reihenfolge in der Art, daß der T'ai-wei das erste, der Vorstand des kaiserlichen Ahnendienstes *(T'ai-ch'ang-ch'ing)* das zweite und der Kuang-lu-ch'ing wieder das dritte Anbieten übernahm.

Hauptopfer war nach wie vor das große Südaußenopfer *(Nan-chiao)* zur Wintersonnenwende, das auf dem „Rundhügel" an *Hao-t'ien shang-ti* gerichtet wurde.

Wie schon früher angedeutet, handelt es sich hier um eine grandiose und höchst zeremonielle Begegnung zweier Welten, auf der einen Seite die Dynastie mit ihrem Hofstaat, auf der anderen der Himmel mit seiner Götterorganisation. Gastgeber war der regierende Kaiser mit seinen Ministern als Helfern. An oberster Stelle auf dem Altar, abgesondert von allen übrigen, stand deshalb die Repräsentation des Hao-t'ien shang-ti, ihm gegenüber die des würdigsten Vertreters unter den Ahnen des Kaisers (d. h. im allgemeinen des Dynastiegründers), denn „alle Wesen haben ihre Wurzel im Himmel und die Menschen im Urahnherrn".[3]

Zu diesem obersten Himmelsgott gehörte natürlich ein zahlreiches Gefolge, gegliedert in „innere", „mittlere" und „äußere" Diener oder Amtsträger, die in Nebenopfern mitbewirtet werden mußten. Die Plazierung war etwa so: Unterhalb der beiden eben genannten obersten Teilnehmer standen auf einer Ebene die Gottkaiser der fünf Gegenden, Sonne und Mond, darunter die Götter der wichtigsten Sterne, der Milchstraße und die „inneren" Diener, darunter die 28 Götter des chinesischen Tierkreises und die „mittleren" Diener; um den Fuß des Altars aber innerhalb einer inneren Umkreisung hatten die „äußeren" Diener und zwischen dieser und dem äußeren Rand des Altargeländes die Masse der übrigen Sterne in einer Anzahl von 360 ihren Platz.[4] Aus den in den Quellen angeführten Zahlen ergäbe sich, daß insgesamt ungefähr 700 größere und kleinere Gottheiten bewirtet wurden, was etwa der Hälfte der zur zweiten Han-Zeit beopferten entsprechen könnte.

Die übrigen religiösen Staatshandlungen verteilten sich über das ganze Jahr. So fand, um nur einige herauszugreifen, im ersten Monat des Jahres am „Rundhügel" die Bitte um gute Ernte statt, ebenfalls verbunden mit einem Opfer an den dafür zuständigen Hao-t'ien shang-ti und an die fünf Gottkaiser der Weltgegenden. Im Sommer wurden dieselben Götter und einige andere mehr beopfert, um rechtzeitigen Regen zu erlangen. Zur Sommersonnenwende verehrte man die Haupterdgottheit beim „Vierechügel" sowie den Reichserdbodengott und die Götter der großen heiligen Berge und Gewässer, insgesamt 70 an der Zahl.

c. *Altarstätten*

Altarstätten gab es jetzt auf allen vier Seiten außerhalb der Hauptstadt, von denen uns die Südaußenopferstätte aus dem bisherigen Gang der Darstellung am besten bekannt ist. Wir erfahren, daß sie zehn chinesische Meilen, also fünf bis sechs Kilometer, vom Kaiserpalast entfernt war. Auf solche Distanzangaben über die Lage der Opferstätten stoßen wir öfter. Sie sind wichtig mit Hinsicht auf die bei derartigen Feiern entstehenden politischen und finanziellen Risiken.

3 Sui-shu, Kap. 6 (Li-i chih, 1).
4 AaO.

Auf dem Nordaußenaltar wurden zur Sommersonnenwende die verschiedenen Erdgottheiten, ebenfalls auf verschiedene Plattformen verteilt, in der für sie üblichen Art beopfert. Die „Erdgottheit des chinesischen Reichsbodens" erhielt dazu auch am selben Ort ein Spezialopfer im ersten Wintermonat, ebenso der Schwarzkaiser, d. h. der Gott des Agens Wasser und des Nordens.

Der Ostaußenaltar diente in erster Linie dem Empfang der Sonne zur Frühlingstagundnachtgleiche, der Westaußenaltar dem Empfang des Mondes zur Herbsttagundnachtgleiche.

Auf diesen Altären fanden wohl auch jene Feiern statt, die man als *Ying-ch'i* („Einholung des Odems") bezeichnete. Sie richteten sich an den Kaiser des für die jeweilige Jahreszeit maßgebenden Agens. Der Odem der etwas schwer zu behandelnden fünften Jahreszeit wurde im Hochsommer am „Tag, an dem die Erde König war" (d. h. an einem Tag mit zentraler Stellung im Jahreslauf), eingeholt. Die Feier erfolgte auf einem besonderen Altar im Süden.

Auch an den Zwischenrichtungen wurden religiöse Zeremonien abgehalten, so für den Windmeister am Nordostwinkel der Stadtmauer, für den Regenmeister am Südwestwinkel, für den Sterngott der Körnerfrüchte *(Ling-hsing)* im Südostwinkel und für die Schicksalsgötter im Nordwestwinkel. Die Feiern waren in dieser Reihenfolge auf die Anfänge der vier Jahreszeiten verteilt.

Diesem *Tz'û-pu* (Opferamt) unterstand natürlich auch die Aufsicht über das taoistische und buddhistische Klosterwesen und die Registrierung der Mönche. In den folgenden Abschnitten wird darüber im einzelnen gehandelt werden.

Während ich diese allgemeinen Angaben über die Staatsreligion der hier behandelten Epoche dem *Ta-T'ang liu-tien* [5] entnommen habe, lassen sich dazu noch einige weitere, hier interessierende Informationen aus den Ritenkapiteln der Dynastiegeschichten schöpfen [6].

Auffällig ist zunächst, daß jetzt in diesen Monographien die Beschreibung der Riten (Li) gekoppelt wird mit dem schwer wiederzugebenden Begriff *Yi*, d. h. Einzelbestimmungen, die sich aber im allgemeinen nur auf die bei den Riten verwendeten Gefährte, Gefäße und Gewänder beziehen. Dies ist ebenfalls daraus zu verstehen, daß der konfuzianische Ritualismus eindeutig das Feld der Staatsreligion beherrschte, was eben auch seinen Ausdruck im Zustandekommen des gerade kurz behandelten Ritenministeriums (Li-pu) fand. Diese neue Kombination bewirkte natürlich ein merkliches Anschwellen dieser Monographien.

---

5 Kap. 4. Das Ta-T'ang liu-tien ist eine zusammenfassende Darstellung des Administrationswesens der T'ang-Dynastie. Es entstand etwa in der Zeit zwischen 722 und 738/39.
6 Sui-shu, Kap. 6–12, und Chiu T'ang-shu, Kap. 21–27.

d. T'ai-i

Wenn wir bisher wenig von dem zur Han-Zeit vielgenannten *T'ai-i* („Alleinen") gehört haben, so könnte das daher rühren, daß er als einer der Sterngötter unter den anderen Sterngöttern mitgeführt wurde. In der Ritenmonographie der Sui-Dynastie finden wir vor den Göttern der Gestirne aufgezählt den *T'ai-i* („Alleinen") und den *T'ien-i* („Himmelseinen"). Dieser letztere wohnte im Sternbild „Purpurpalast", dem ja die Nan-chiao-Altarstätte nachgebildet war. „Der Himmelsgott T'ien-i präsidierte über den Krieg und kannte der Menschen Heil und Unheil. Wenn er hell leuchtete, dann waren Yin und Yang in Harmonie, die Lebewesen gediehen und der Herr der Menschheit hatte in seinen Unternehmen Glück. Wenn es anders war, bedeutete das Unheil." [7]

Südlich von ihm befand sich der an erster Stelle genannte T'ai-i. Er präsidierte über 16 Geisterboten (?), kannte sich aus mit Wind, Regen, Flut und Dürre, Krieg, Hungersnot und Epidemien und wußte, wo Katastrophen auftreten würden [8]. Wurde beobachtet, daß er nicht hell war oder den Ort änderte, dann stand eine Katastrophe bevor.

Es ist aber wohl zu bezweifeln, daß wir hier den alten, von den Taoisten besonders hoch verehrten T'ai-i-Gott vor uns haben. Denn er rangiert unter Hao-t'ien shang-ti und unter den fünf Agenziengottkaisern. Es scheint auch, daß er unter seinen Sterngöttern nicht immer an erster Stelle stand. Höchstens handelt es sich um einen Abglanz des alten T'ai-i-Kultes.

e. Kān-shêng-ti

Ferner begegnet uns jetzt die Verehrung des *Kān-ti* oder *Kān-shêng-ti* („Lebensanregekaiser"). Es war dies einer der fünf Agenzienkaiser, der aber unter ihnen eine Sonderstellung einnahm. Diese konnte auf zwei verschiedenen Ansichten beruhen.

Einmal kann man unter Kān-ti den Agenskaiser verstehen, der im Frühling das im Winter erstarrte Leben wieder in Gang setzt. Das aber wäre der Agenskaiser des Holzes und des Ostens mit dem Namen *Ling-wei-yang*. Und so haben wir wahrscheinlich den Kān-ti der Dynastie Ch'ên (557–588) und der Dynastie Pei-Ch'i (550–579) zu verstehen. In diesem Fall steht der Kān-ti in einer natürlichen Verbindung zu den Erd- und Erntegottheiten.

Unter den Sui dagegen wurde ein anderer Agenskaiser, nämlich der des Agens Feuer, dessen Name *Ch'ih-piao-nu* war, verehrt. Dies aber beruhte darauf, daß die Sui im Agens Feuer herrschten und deshalb mit diesem in einem besonderen Zusammenhang standen. Bei der Geburt des Begründers der Sui-Dynastie, Yang Chien, im Jahre 540 füllte sich die Stube der Wöch-

---

7 ChWTTT, Bd. VIII, S. 3340.
8 Sui-shu, Kap. 19 (T'ien-wên chih).

nerin in einem Buddhistenkloster mit purpurnem Nebel, und eine der Nonnen sagte, ein ungewöhnlicher Mensch habe das Licht der Welt erblickt.

Was sich hier bemerkbar gemacht hatte, war der Agensgottkaiser des Feuers, der damit in eine besondere Beziehung zur regierenden Sippe trat. Er stellte, wenn man so will, das lebende, religiöse Band zwischen der regierenden Dynastie und den Himmelsgöttern dar und mußte deshalb natürlich vor den anderen Agenziengöttern in einem besonderen Kult verehrt werden[9].

Historisch gesehen ist diese Art des Kān-shêng-ti natürlich eine Verknüpfung der alten (oft totemistischen) Geburtslegenden der großen Kaiser des Altertums mit der in der vorchristlichen Zeit in Mode gekommenen Yin-Yang-Fünf-Agenzien-Welterklärung. Der Begriff des Kān-ti ist also sowohl in der einen als auch in der anderen Bedeutung sicher wesentlich älter, wenn er auch erst jetzt in den Ritenmonographien aufzutreten scheint.

f. Schamanen

Auffällig ist ferner, daß unter den Sui nun auch wieder Schamanen (Wu) auftreten. Es scheint, daß sie eine gewisse Rolle im Ahnendienst spielten. Jedenfalls lesen wir, daß weibliche Schamanen „das familiäre Umgangszeremoniell zwischen den (weiblichen) Angehörigen der kaiserlichen Sippe zusammenfaßten (?)".[10] Was man sich dabei eigentlich vorstellen soll, bleibt unklar. Aber an sich wäre uns ja die Beziehung von Schamanismus und Ahnendienst nicht unbekannt. Es könnte dies aber auch ein Residuum der Ch'ên-Dynastie sein, das unter den Sui weiterbestand, denn im Tzŭ-ch'ih t'ung-chien[11] lesen wir unter dem Jahr 584, daß im inneren Palast der Ch'ên häretische Opfer stattfanden und in den Frauengemächern Schamaninnen trommelten und tanzten. Vielleicht handelt es sich dabei jedoch nur um die Marotte einer Favoritin des Kaisers.

Ein Schamane wurde auch im Jahre 594 mit den Opfern für die vier großen Gewässer am Wu-shan (in Nord-Hupei) betraut, was ebenfalls im Sinne der Funktionen des altchinesischen Wuismus (Schamanismus) lag.

Wenn wir aber dazu nun im Ta-T'ang liu-tien lesen, daß damals im Rahmen des kaiserlichen Ahnendienstes von einem „Wu-Meister" oder „Wu-Direktor" die Rede ist, dann ist das wohl nur als ein Versuch zu bewerten, die alten Ämter und Funktionen des Chou-li (s. S. 62) wieder einzuführen. Ob sie unter den T'ang, so wie aufgezählt, tatsächlich bestanden haben, erscheint zumindest zweifelhaft.

Auch weibliche Taoisten werden jetzt tätig. Als nämlich in der Zeit 605 bis 618 am heiligen Nordberg Hêng-shan (in Hopei) Opfer nach Art der T'ai-shan-Opfer eingerichtet wurden, beauftragte man zehn weibliche Taoisten

9 Sui-shu, Kap. 6. Vgl. auch Mon. Ser., Bd. XXIII (1964), S. 224–227.
10 Sui-shu, Kap. 7 (Li-i chih, 1).
11 Vol. III, S. 5478.

damit, innerhalb des Altargeländes eine taoistische Sternmesse abzuhalten. Dies war also einer der Fälle, in denen Taoisten im religiösen Staatsdienst beschäftigt wurden. Von dem taoistischen Sängerchor, dessen sich die Toba bei ihren Staatsopfern bedienten, habe ich bereits (s. S. 188) berichtet.

Etwas sehr Sonderbares ist der für die Pei-Ch'i und Pei-Chou, also die beiden unmittelbar vorausgehenden Norddynastien, bezeugte Kult für den *Hu-t'ien* („Barbarenhimmel"). Leider kann ich darüber nichts weiter ausmachen. Es scheint aber ein Kult gewesen zu sein, der darauf berechnet war, die Unterstützung der Westländer, d. h. der Turko-Mongolen und der Tibeter, zu erlangen. Es war ein Einbruch des Barbarentums, und der Verfasser der Ritenmonographie im Sui-shu bemerkt dazu, daß dieser Kult so obszön und pervertiert gewesen sei, daß er einfach nicht beschrieben werden könne. Têng Chih-ch'êng ist der Ansicht, daß es sich um einen mazdäischen Kult handele[11a].

Wahrscheinlich waren damals eine ganze Menge unchinesischer Barbarengebräuche eingedrungen, so daß der Begründer der Sui-Dynastie schon mehrere Jahre vor der endgültigen Machtübernahme seinem damaligen Ritenminister Niu Hung den Auftrag gab, das Ritenwesen völlig neu zu ordnen.

g. *Nomadengötter, Kao-mei und Regenbitte*

Auf die Nachahmung des Chou-li geht auch die neuerliche Verehrung von vier weiteren Gottheiten zurück, die, so wenigstens scheint es, seit dem Ende der Chou-Zeit ausgesetzt hatte. Es waren dies der *Maa-tsu* („Pferdeahn"), der *Hsien-muh* („Erster Hirte"), der *Maa-sheh* („Pferdeerdgott") und der *Maa-pu* („Pferdeschritt").[12]

Der Maa-tsu war der Gott einer Sternkonstellation, die auch *Fang* („Haus") genannt und als „Himmelsspeicher" angesehen wurde. Anscheinend war er der Schutzgott der Fohlen; deshalb wurde ihm im Frühling geopfert[13].

Der Hsien-muh war, wie sein Name besagt, der „Erste Hirte" und verstand sich auf das Verschneiden der Pferde. Das Opfer für ihn lag im Sommer.[14]

Maa-sheh dagegen war der erste, der Pferde zum Reiten benutzte. Der Name soll sich daraus erklären, daß früher auf einem Weideareal von bestimmtem Umfang ein Altar für das Opfer an *Hou-t'u* („Fürstin" oder „Fürst Erde") errichtet und der „Erste Reiter" dabei mitbedacht wurde.[15] Das Opfer fand im Herbst statt.

Der Maa-pu, dem im Winter geopfert wurde, war der Gott der Pferdekrankheiten und für die Pferdezucht also besonders wichtig. Die Heilung

---

11a Bd. III, S. 294–296.
12 T'ung-chih lüeh, IX, S. 92/93.
13 ChWTTT, VIII, S. 3393.
14 Chou-li, Kap. 8.
15 ChWTTT, XXXVII, S. 16340.

dieser Krankheiten lag vor alters in den Händen eines „Pferdeschaman" *(Maa-wu)*. Wurde das Pferd unter seiner Behandlung gesund, erhielt er vom Stallmeister eine Entlohnung, starb es, mußte er den Preis des Pferdes bezahlen.[16]

Unter den Sui wurde am Beginn eines Feldzuges im Jahre 611 dem Maatsu an der Nordmauer von Chi-chou (in Hopei) ein Altar errichtet und darauf ein Opfer mit anschließendem Brandopfer dargebracht. Zugleich opferten die Offiziere und Beamten auch dem Hsien-mu und dem Maa-pu. Es gab bei diesen Feiern keine Musik mit Glocken und Trommeln. Nach ihrem Vollzug empfingen die Generäle vom Kaiser ihre Aufträge, und das Heer setzte sich in Bewegung.[17]

Sicherlich waren das Gottheiten, die der Atmosphäre des nomadischen Hirtentums entsprachen. Als sich in der ausgehenden Chou-Zeit und unter der Han-Dynastie der Bürokratismus ausbildete und mehr und mehr durchsetzte, traten die mit diesen Göttern verbundenen Kulte im selben Maß in den Hintergrund. Daß sie jetzt wieder ausgeübt wurden, könnte sowohl auf der Imitation des Chou-li als auch auf dem nachwirkenden Einfluß der Nomadenvölker im Norden während der Nord-Süd-Trennung und auf der besonderen Wichtigkeit der Kavallerie in der Kriegsführung beruhen. Jedenfalls verfügte der Staat über große Pferdezuchten, aus denen die Remonten für die Armee und den Postdienst beschafft wurden.

Es lag deshalb auf der Hand, daß man diesen Gottheiten beim Auszug in den Krieg opferte. Bei Ausreisen des Kaisers wurde dazu, wie das wohl zu allen Zeiten üblich war, dem Shang-ti ein Opfer nach Art der gewöhnlichen Vorgeländeopfer, dem Erdgott ein Hügelopfer und den kaiserlichen Ahnen ein Ankündigungsopfer gebracht. Unterwegs wurde allen berühmten Bergen und Gewässern, an denen der kaiserliche Zug vorbeikam, geopfert.

Jetzt erhalten wir auch einige nähere Nachrichten über die Geschichte der Verehrung des *Kao-mei* („des hohen Heiratsvermittlers"). Anscheinend war dieser Kult unter Han Wu-ti bei Hof eingeführt worden, als diesem mit 29 Jahren ein Kronprinz beschert wurde. Der Kaiser ließ vor Freude darüber bei der südlichen Hauptstadtmauer einen Altar errichten, der wahrscheinlich aus einem großen Stein bestand, der so in den Boden eingegraben wurde, daß nur ein Teil davon herausragte. Im Jahre 296 zur Zeit des zweiten Kaisers der Chinn-Dynastie spaltete sich dieser Stein in zwei Teile. Daraufhin wurden die Sachverständigen befragt und stellten fest, daß über einen Kult dieser Art in den klassischen Schriften nichts vermerkt sei. Er wurde deshalb nicht wieder aufgenommen.

Erst unter den Liu-Sung wurde bei Arbeiten am Ahnentempel ein Stein

16 Chou-li, Kap. 8.
17 Sui-shu, Kap. 8 (Li-i chih, 3).

entdeckt, der von dem bekannten Kenner Lu Ch'êng als der alte Stein des Han Wu-ti bezeichnet wurde. Darauf begann man, diesen Kult im Yangtse-gebiet wieder auszuüben.

Die Sui übernahmen den Kao-mei-Kult von den Pei-Ch'i. Genauso wie unter den Han fand die Feier auf einem Altar im südlichen Vorgelände der Hauptstadt an dem Tag, „an dem die Schwalben kamen", statt. Sie stand etwa auf einer Stufe mit den Opfern für die Schutzgötter des kaiserlichen Palastes, für den Wind- und den Regenmeister und ähnlichen Gottheiten. Der Kaiser selbst vollzog das erste Anbieten, die Kaiserin des zweite und die erste Palastdame das dritte. Nach ihr kamen dann die Konkubinen höheren Ranges[18].

Von Interesse sind ferner die Maßnahmen, durch die man Regen herbei-zuführen suchte. Sie nehmen in der Ritenmonographie einen verhältnismäßig großen Raum ein[19]. Auch hier wird zunächst wieder ein historischer Rückblick gegeben, der mit der Liang-Dynastie (502–556) beginnt.

Die große Regenbittzeremonie wurde nur dann ausgeführt, wenn vier Monate lang Dürre geherrscht hatte. Sie gehörte also zunächst nicht zu den regelmäßig wiederkehrenden religiösen Staatshandlungen. Sie wurde damit eingeleitet, daß der Kaiser sich den „Sieben Geschäften" widmete. Deren erstes war, daß er in „ungerechte Prozeßverfahren und nachlässige Amts-führung" eingriff, das zweite die Unterstützung der Witwen, Waisen usw., das dritte die Herabsetzung der Frondienste und Abgaben, das vierte die Förderung der Tüchtigen und Guten, das fünfte die Ausmerzung von Hab-sucht und Korruption, das sechste die amtliche Förderung der Verbindung junger Männer und Mädchen und die Sorge um die Unverheirateten und das siebente die Abstinenz des Kaisers von wohlschmeckenden Gerichten. Half dies nicht, dann richtete der Kaiser sieben Tage später ein Bittgebet an die Erd- und Erntegottheiten, nach weiteren sieben Tagen eines an die Gott-heiten der Berge und Gewässer, um sie zu veranlassen, Wolken zu bilden. War auch das umsonst, dann ließ er ein Bittgebet an alle seine Ahnen und sieben Tage danach eines an alle dahingegangenen Minister ergehen, die der Menschheit Nutzen gebracht hatten. Erst wenn auch das vergeblich war, dann kam es sieben Tage darauf zu der großen Regenbittzeremonie, die sich direkt an die Shang-ti (Obergötter) wandte. Sie fand statt auf einem kreisrunden Altar, der im südlichen Vorstadtgelände links von der großen Nan-chiao-Opferstätte auf einem von bösen Geistern und bösen Einflüssen purifizierten und exorzierten Platz errichtet wurde. Auf diesem standen die Repräsenta-tionstafeln der fünf Agenzienkaiser und die der entsprechenden fünf legen-dären Menschenkaiser, jeder auf der ihm zukommenden Seite. Ihnen stellte

18 AaO, Kap. 7.
19 AaO, Kap. 7.

man den wichtigsten Ahnherrn der Dynastie gegenüber, und zwar erhielt dieser seinen Platz südlich vom *Ch'ing-ti* („Grünkaiser"), d. h. dem Gottkaiser des Ostens, des Holzes und des Frühlings, dem wahrscheinlich eine besondere Rolle bei der Regenerzeugung zukam. Bei dieser Feier führten 64 Knaben einen Tanz auf. Sie trugen dabei dunkelfarbige Kleidung und formierten acht Reihen. In den Händen hielten sie Federschirme und sangen das Lied *Yün-han* („Milchstraße")[20], wie das bei solchen Gelegenheiten anscheinend allgemein üblich war. Wenn danach dann tatsächlich Regen fiel, schloß man sofort ein großes Dankopfer an.

Das eben beschriebene Verfahren wurde in diesem Umfang ausgeübt, wenn es sich um eine das Hauptstadtgebiet oder eine allgemeine, das ganze Land betreffende Dürre handelte. Wurde dagegen nur ein kleinerer Landesteil davon betroffen, dann reduzierten sich die „Sieben Geschäfte" für den dort regierenden Beamten auf fünf, nämlich auf das mildernde Eingreifen in die Prozesse, die Versorgung der vereinsamten Witwen und Waisen, die Reduktion der Frondienstleistungen, die Förderung der Tüchtigen und die Beseitigung der Korruption. Die Bezirks- und Kreisvorstände unterzogen sich einer dreitägigen Purifikation und Kasteiung und richteten dann ein Bittgebet an die Erd- und Erntegottheiten. Führte dies keinen Regen herbei, dann wurden die Kasteiung und das Bittgebet wiederholt. Kam nach dreimaliger Wiederholung kein Regen, dann wurden alle Berg- und Wassergottheiten innerhalb des betreffenden Gebiets durch Bittgebete angegangen. Trat Regenfall ein, schloß sich sofort wieder ein Dankzeremoniell an.

Unter den Liang und Ch'ên mußten sich die am Regenbittzeremonial teilnehmenden Beamten auch einer inneren Reinigung unterziehen, die dadurch gefördert wurde, daß man ihnen am Tag vor Beginn der Kasteiung eine gewisse abführende Droge verabfolgte.

Als im Jahre 510 die Regenbittzeremonie stattfinden sollte, meinte der Kaiser, es sei unsinnig, wenn man den dem Yin-Prinzip nahestehenden Regen im Süden, wo Yang am stärksten sei, erbitte. Im Osten dagegen sei das Yang-Prinzip noch schwach und dazu nehme dort die Lebensförderung ihren Anfang. Die Regenbittzeremonie wurde also in das östliche Vorstadtgelände verlegt.

Im Jahre 511 schloß man der Zeremonie ein Brandopfer an. Das aber löste sofort den Protest der Sachverständigen aus, die argumentierten, daß man mit Feuer nicht um Wasser bitten könne. Aus dem klassischen Schrifttum ließe sich allenfalls ein Vergrabungsopfer rechtfertigen. Das Brandopfer wurde demgemäß wieder eingestellt.

Von den Sui wurde das Regenbitten etwa wie im vorhergehenden berichtet übernommen. Allerdings errichteten sie den entsprechenden Altar wieder im

---

20 *J. Legge*, Bd. IV, The She King, S. 528.

Süden. Die Feier wurde abgehalten, wenn im ersten Sommermonat kein Regen fiel. Nach dem Herbstäquinoktium traten einfache Gebete an ihre Stelle. Bald wurde sie übrigens eine Dauereinrichtung.

Zu den eben geschilderten Maßnahmen zur Herbeiführung des Regens erfahren wir jetzt noch folgendes: Man „verlegte den Markt" (wie das bei Landestrauer der Fall war), erließ Schlachtverbot, der Kaiser legte Trauerkleidung an, ging nicht in die Palasthaupthalle, verringerte die Gerichte seiner Tafel, schaffte die Musikvergnügungen ab und hielt von Zeit zu Zeit unter freiem Himmel Regierungssitzungen ab. Die Beamten zerbrachen Schirme und Fächer, d. h. Gegenstände, mit denen man den Regen von sich abhielt, und ließen die Bevölkerung Erddrachen herstellen.

So wie gegen Dürre gab es auch Maßnahmen gegen zuviel Regen. Man veranstaltete dann bei allen Toren der Hauptstadt ein Opfer kleineren Formats, das *Ying* genannt und allgemein bei Naturkatastrophen, aber auch bei Pestilenzen, dargebracht wurde. Wenn nach dreimaligem Ying-Opfer der Regen nicht aufhörte, dann sprach man ein Bittgebet an die Gottheiten der Berge und Gewässer sowie an die Boden- und Erntegottheiten. Wenn auch das nichts half, kam als letztes Mittel ein Bittzeremonial im kaiserlichen Ahnentempel, gerichtet an den „Heiligen Boden Chinas" *(Shên-chou).* Daraus, daß man zum Aufhören eines Dauerregens merklich weniger tat als zur Beendigung einer Dürre, kann man ersehen, daß letztere viel häufiger vorkam und ungleich mehr Schaden anrichtete als ersterer.

Die Sui förderten, wie bereits bemerkt, die Tendenz, das klassische Opferwesen der Chou wieder aufleben zu lassen. Da ihre Sippe und der Hochadel vielfach fremdes, unchinesisches Blut in sich hatten, mochte ihnen daran gelegen sein zu beweisen, daß sie sich als Träger der eigentlichen, alten Chou-Kultur fühlten, im Gegensatz vielleicht zu den rein chinesischen Traditionalisten der Han-Kultur.

Dabei aber trafen die Sui auf manche Schwierigkeit, wie die folgende Diskussion über die Libation im Ahnentempel zeigt. Der Ahnendienstdirektor *Ho T'ung-chih* brachte nämlich vor, daß der große Ritenkenner *Chêng Hsüan* (127–200) geäußert habe, beim Opferritual des Himmelssohnes und der Lehensfürsten sei zuerst dem Totenrepräsentanten (s. o. S. 62) eine Libation dargebracht worden und dann erst habe man die Opfertiere hereingeführt. Außerdem habe der Herrscher persönlich die Libation vollzogen und nicht, wie das jetzt der Fall sei, der „Großanrufer". Zumindest sollte also diese Libation vom höchsten Beamten, dem *T'ai-wei,* vollzogen werden.

Der Kaiser antwortete, der Repräsentant habe den Zweck gehabt, den Ahnengeistern als Manifestationsstütze zu dienen. Jetzt aber gäbe es diesen Repräsentanten nicht mehr und somit sei auch die Libation hinfällig.

T'ung-chih erwiderte, die Idee der großen Ritualisten *Ma Jung* (79–166) und *Chêng Hsüan* sei gewesen, daß die Libation zwar dem Repräsentanten dargebracht wurde, tatsächlich aber dem Herbeibitten der Geister diente. Wenn es auch jetzt den Repräsentanten nicht mehr gäbe, so müßten doch die Geister nach wie vor herbeigebeten werden.

Darauf entgegnete der Kaiser, dann solle das ganze Opferritual, das ursprünglich auf diesen Repräsentanten basiert war, jetzt auf den Ort, zu dem die Geister hin gebeten würden, zugeschnitten werden.

Eine Lösung der Kontroverse wurde erst unter dem Nachfolger des inzwischen verstorbenen Ho T'ung-chih erzielt. Sie bestand darin, daß der T'ai-wei anstelle des dafür als zu gering erachteten Großanrufers die Libation vollzog und dann auch die Opfertiere hereinführen ließ. Der Totenrepräsentant kam also nicht wieder auf.[21]

Ich bringe dies teilweise auch wieder als Beispiel dafür, worum es in den Diskussionen um die staatlichen religiösen Handlungen ging. Ausschlaggebend war meist die äußere Form; der Inhalt der Rituale war beinahe unerheblich.

2. Staatskult (T'ang)

Im Jahre 618 übernahm die Sippe Li den Thron und begründete die Dynastie T'ang. Die Änderung wurde vom Justizminister auf dem südlichen Außenaltar dem Himmel mitgeteilt.

Von Interesse für unser Thema ist, wie jetzt die Funktion des Ritus in der diesbezüglichen Monographie philosophisch erklärt wird: „Der Mensch wird geboren und befindet sich in Ruhe. Das ist seine ihm vom Himmel gegebene Natur. Er empfängt den Einfluß der ihn umgebenden Dinge und wird dadurch in Aktivität versetzt. Das ist das Begehren in seiner Natur. Wenn dies Begehren ohne Begrenzung ist, dann entsteht Unheil und Wirrnis. Da der Heilige (Konfuzius) fürchtete, daß das Böse frei schalten und walten würde, machte er die Musik, um die menschliche Natur zu harmonisieren, und die regulierenden Riten, um das Emotionalleben zu ordnen." (Ich unterlasse es, diese Argumentation auf ihren Ideengehalt hin zu analysieren.)

a. Kān-shêng-ti

Da die T'ang im Agens Erde regierten, sollte man annehmen, daß ihr „Lebensanregekaiser" (Kān-shêng-ti) der entsprechende Gottkaiser namens Han-shu-niu gewesen sei. Es ist aber so, daß sie unter Kān-ti zunächst den Agenskaiser des Holzes und des Ostens Ling-wei-yang verstanden. Denn sie brachten ihm ein Opfer im ersten Frühlingsmonat auf dem Südaußenaltar (Nan-chiao) in Verbindung mit einem Bittopfer um gute Ernte.

Erst etwa im Jahre 651 begann eine Diskussion darüber, ob dies korrekt

21 Sui-shu, Kap. 7.

sei. Sie wurde geführt unter dem Vorsitz des Ritenministers *Hsü Ching-tsung* und begann wieder mit der Sechs-Himmel-Theorie des Chêng Hsüan, die sich allem Anschein nach im Laufe der Zeiten behauptet hatte. Sie ging bekanntlich davon aus, daß zwar im Sternbild des Großen Bären ein oberster Himmelsgott namens *Yao-p'o-pao* wohne, daß es daneben aber auch noch im Sternbild Ta-wei fünf weitere Himmelsgötter, bestehend aus der feinsten Emanation der fünf Agenzien, gäbe. Ihre entsprechenden irdischen Gegenstücke waren die fünf alten, legendären Kaiser der Konfuzianer. Diese fünf weiteren Himmelsgötter mußten auf den vier großen, um die Hauptstadt gelegenen Altarstätten verehrt werden.

Dieser Ansicht, die meist kurz als die „Sechs-Himmelstheorie" bezeichnet wird, folgend, opferte man auf dem Rundhügel im Süden dem *Hao-t'ien shang-ti*, alias *Yao-p'o-pao*, und dazu auf einer besonderen Südaltarstätte (Nan-chiao) dem *Kān-ti* im Sternbild *T'ai-wei*, alias *Ling-wei-yang*. Außerdem gab es noch ein Spezialopfer an die Fünf Agenzienkaiser in der Ming-t'ang.

Das alles wird nunmehr wieder als auf den absurden, apokryphischen Texten der Wei-shu beruhend verworfen. Rundhügelopfer und Nan-chiao-Opfer werden als ein einziges Opfer betrachtet, das an den Hao-t'ien shang-ti gerichtet wird. Dazu kam im Jahre 689 ein kaiserlicher Erlaß heraus, in dem es hieß, daß von jetzt an beim Ritual der Chiao-Opfer nur der Hao-t'ien shang-ti die Bezeichnung T'ien („Himmel") erhalten dürfe, die Fünf Agenzienkaiser aber die Anrede Ti („Gottkaiser") führen sollten.[22] Letztere waren, wie man es später ausdrückte, bloß die Untertanen der ersteren.

Danach gab es also auf der obersten Plattform des Altars nur einen Gott, den *Hao-t'ien shang-ti*[23], mit seinem Gegenüber, dem wichtigsten Ahn des Kaiserhauses, und darunter eine Stufe tiefer die Fünf Agenzienkaiser, die damit also den Gestirnen, Sonne, Mond usw. gleichgestellt wurden, kurz, es war jetzt die Anordnung wie unter der Sui-Dynastie (s. S. 215). Wirklich geändert wurde also eigentlich recht wenig, denn auch aus dem Ming-t'ang-Dienst entfernte man, soweit ich feststellen kann, die Fünf Agenzienkaiser nur vorübergehend.

Außerdem wurden sie jeder als Kān-ti am Beginn der Saison, für die er eben die „Anregung" gab, bei den Feiern zur „Einholung des Saisonodems" verehrt.

Der eigentliche Kān-shêng-ti der T'ang aber müßte, wie gesagt, der Gott-

---

22 T'ang hui-yao, S. 205.
23 An Hand von Stellen im I-ching findet sich im Chiu T'ang-shu folgende Formulierung: „Sonne und Mond sind an den Himmel geheftet wie die Körnerfrüchte, Pflanzen und Bäume an die Erde", oder: „Im Himmel sind es die Erscheinungen, auf der Erde die Gestaltungen, damit wird aber hinreichend klar, daß die Gestirne nicht der eigentliche Himmel und Pflanzen und Bäume nicht die Erde sind" (Chiu T'ang-shu, Kap. 21, Li-i chih, 1).

kaiser des Agens Erde gewesen sein, obgleich ich ihn weder als solchen erwähnt noch ein „gelbes Erdwunder" bei der Geburt des ersten Kaisers, Li
Yüan, finden kann. Es wäre aber möglich, daß ihm bei den großen Opferfesten
in der Ming-t'ang, die man allerdings erst im Jahre 688 unter der Kaiserin
Wu Tsê-t'ien errichtete, eine Sonderstellung zugewiesen wurde.[24]

b. Fêng-shan-Opfer

Die bemerkenswerteste Neuheit der Staatsreligion unter den T'ang aber
war das Wiederaufleben der Fêng-shan-Feier. Schon unter den Sui waren in
dieser Hinsicht Ansätze gemacht worden. Im Jahre 594 drängten die hohen
Beamten den Kaiser, das Fêng-shan-Ritual zu vollziehen. Dieser weigerte sich
zwar, stimmte aber einer Ausreise zum T'ai-shan zu. Dort ließ er am Fuße des
Berges einen Altar im Stil Nan-chiao und einen Brandopferaltar errichten.
Im Frühling des Jahres 595 brachte er auf diesem ein Opfer an den Himmel
und bat um Beendigung der Dürre, die seit dem vergangenen Jahr in den
Provinzen am mittleren Huangho herrschte. Zugleich opferte er nun auch dem
lebenspendenden Gottkaiser des Ostens, dem Grünkaiser. Nach den Feiern
wurde eine Amnestie verkündet, wie sie nach Nan-chiao-Opfern üblich war.
Im Grunde war dies vielleicht die Fortsetzung der Opferrundreisen zu den
heiligen Bergen, wie sie unter den Pei-Ch'i wieder üblich geworden waren.

Bereits der zweite Kaiser der T'ang spielte seit 632 mit der Absicht, ein
Fêng-shan-Opfer zu vollziehen, wurde aber zunächst von der Ausführung abgehalten, weil das Zeremonial nicht in allen Einzelheiten feststand, noch mehr
aber dadurch, daß der Vorstand des geheimen Staatsarchivs *Wei Chêng* auf
die großen Kosten hinwies, die ein solches Unternehmen mit sich brächte.
Seiner Berechnung nach müßten dabei tausend Wagen und zehntausend Berit-
tene aufgeboten werden. Dazu kämen die Kosten für die Zeltlager und die
Belästigung der Bevölkerung mehrerer Bezirke durch Frondienstleistungen.
Das Volk sei noch von den ausgestandenen Kriegswirren zu erschöpft und zu
spärlich, um ihm solche Auslagen zuzumuten.

Dies gibt einen Begriff von dem Aufwand, den ein Unternehmen dieser Art
mit sich brachte. Es ist deshalb auch kaum verwunderlich, daß sich die Regierung nur selten zu seiner Abhaltung entschloß.

Im Jahre 637 drängte die Beamtenschaft wieder auf Vollzug des Fêng-shan-
Opfers. Der Kaiser lehnte wiederum ab, ließ aber von da an Untersuchungen
über die Einzelheiten der exakten Ausführung anstellen. Es ergab sich dabei,
daß das Ritual aus mehreren Teilen bestehe. Zunächst müsse es den Göttern
angekündigt und respektvoll um Audienz bei ihnen nachgesucht werden. Dies
geschehe auf einem Altar am Fuße des T'ai-shan. Erst dann würde der Berg
bestiegen und dort auf seinem Gipfel das Ritual Fêng, d. h. die feierliche

24 T'ang hui-yao, S. 284.

Deponierung der Erfolgsmeldung an den Himmel in einer Steintruhe, voll-zogen. Darauf folge nach dem Abstieg das Opfer Shan an die Erdgottheiten und die Schlußaudienz des Kaisers.

Aber erst im Sommer des Jahres 641 entschloß sich der Kaiser zu einer An-kündigung, daß dieses Ritual im zweiten Monat des kommenden Jahres statt-finden solle. Es kam aber nicht dazu, wohl wegen der dauernden Kämpfe an der Nordost- und Nordwestgrenze des Reiches. Erst im Jahre 646 ließ sich der Kaiser dazu bewegen, an Aufbruch zu denken, und sandte seine Leibgarde voraus nach Lo-yang. Als er aber im zweiten Monat des Jahres 647 selbst nachfolgen wollte, erkrankte er an einer Erklältung. Dazu gesellten sich im weiteren Verlauf des Jahres eine größere Wasserkatastrophe in Hopei und das unglückverkündende Erscheinen eines Kometen. Das Unternehmen wurde deshalb abgesagt.

Im Jahre 649 starb der Kaiser.

Erst unter seinem Nachfolger *Kao-tsung* kam im Jahre 666 das Fêng-shan-Opfer tatsächlich zustande. Die T'ang-Dynastie war damals auf der Höhe ihrer Machtentfaltung. Bereits im 12. Monat des Vorjahres brach der kaiser-liche Zug auf und erreichte etwa einen Monat später den T'ai-shan. Dort ließen die Beamten am Südfuß des Berges einen Rundaltar, auf dem Berg-gipfel den Fêng-Altar und auf dem Vorhügel Shê-shou-shan einen Viereck-altar errichten. Der Fêng-Altar war ebenso wie der Rundaltar auf seinem Gipfel grün und an den vier Seiten mit der jeweils entsprechenden Farbe be-kleidet. Der Viereckaltar dagegen war oben gelb (Farbe der Erde und der Mitte).

Vorausgehend wurden alle Teilnehmer vereidigt, sich unter Strafandrohung einer siebentägigen Purifikation zu unterziehen. Der Kaiser verbrachte seine sieben Reinigungstage in einer Reiseunterkunft. Die Nacht vor dem Aufstieg diente der Purifikation aller sonstigen Teilnehmer, darunter der fremden Ge-sandten.

Im ersten Monat des neuen Jahres brachte der Kaiser das Ankündigungs-opfer an Hao-t'ien shang-ti und begann noch am selben Tag den Aufstieg. Am folgenden Tag fand das Ritual auf dem Berggipfel statt. Anscheinend bestand dies nur im Versiegeln der Jadetafeln in ihrem Behälter.

Am nächsten Tag stieg der Kaiser wieder vom T'ai-shan ab und brachte das Shan-Opfer an die Erdgottheiten. Dabei wurde das zweite Anbieten von der Kaiserin Wu Tsê-t'ien und das dritte und letzte von der obersten Hof-dame vollzogen. Anschließend an die Feier wurde eine Reichsamnestie er-lassen und eine neue Regierungsdevise, nämlich *Ch'ien-fêng* („Himmels-siegel"), verkündet.

Anscheinend hatte der Kaiser die Absicht, wie aus der grünen Oberfläche (Farbe des Ostens) des Altars geschlossen werden kann, nach diesem glück-lichen Vollzug des Fêng-shan-Opfers auf den anderen heiligen Bergen ähnliche Rituale zu vollziehen, d. h. den gesamten Komplex der großen Bergopfer wieder zu beleben. Er brachte jedoch diesen Vorsatz nicht mehr zur Ausführung. Ein Versuch dazu wurde von der berüchtigten Kaiserin *Wu Tsê-t'ien* unternommen, als sie 697 ein Fêng-Opfer auf dem heiligen Berg der Mitte, Sung-shan, veranstaltete.

Das große Fêng-shan-Ritual wurde während der T'ang-Zeit nur noch einmal wiederholt, nämlich im Jahre 725 unter dem Kaiser Hsüan-tsung, der übrigens auch schon im Jahre 722 das alte Han-Zeit-Opfer an die Hou-t'u bei Fên-yin wieder vollzogen hatte. Obwohl diese Veranstaltung in ihren Grundzügen der vorausgehenden glich, wurden in langwierigen Diskussionen so viele Änderungen der Einzelausführungen vorgebracht und durchgesetzt, daß man die Feier durchaus als historisch einmaliges Ereignis ansehen kann, so wie ihre Vorgänger alle ebenfalls betrachtet werden sollten.

Etwas ist erwähnenswert. Der Kaiser fragte nämlich, warum der Text auf den Jadetafeln geheimgehalten werden müsse. Ihm wurde zur Antwort, daß dies eine Privatkommunikation des Kaisers mit den Göttern sei, in der ersterer vielleicht um langes Leben oder Aufnahme unter die Genien einkomme.[25] Hsüan-tsung erwiderte, daß er nur um das Wohl seines Volkes bitte, und das brauche nicht geheimgehalten zu werden.

Erst mit dieser „Öffentlichkeit" der Fêng-Fürbitte geht das Fêng-shan-Ritual völlig in die religiöse Sphäre des konfuzianischen Ritualismus ein, während es bis dahin immer noch einen Hauch von Taoismus an sich hatte. Auch die T'ai-p'ing-Erfolgsmeldung, die ja auf der Po-hu-Konferenz als Sinn dieses Rituals festgestellt worden war, blieb etwas Geheimes, und T'ai-p'ing selbst war immer ebensosehr mit dem Taoismus wie mit dem Konfuzianismus verknüpft.

Unter diesem letzten Gesichtspunkt gesehen, sind die Fêng-shan-Feiern Höhepunkte der chinesischen Geschichte, die als solche nicht eigentlich eine Entwicklung zeigt, sondern nur eine Bewegung auf diesen dabei gemeldeten Idealzustand (T'ai-p'ing) hin oder von ihm fort.

Zum letzten Mal wurde das Fêng-shan-Ritual abgehalten im Jahre 1008 unter der Dynastie Sung. Wir werden später nochmals darauf zu sprechen kommen. Von da an aber werden seitens der Kaiser nur noch gelegentliche Gebete und Fürbitten an den T'ai-shan gerichtet.

Man könnte das Erlöschen der Fêng-shan-Rituale auf die zunehmende Ritualisierung und Bürokratisierung der chinesischen Staatskulte zurückführen. Mir aber scheint, der Hauptgrund war, daß diese Veranstaltungen trotz ihrer sicherlich weitreichenden propagandistischen Wirkung einfach zu teuer wurden.

---

25 Man sieht hier die Nachwirkung des ersten Fêng-shan-Opfers von Han Wu-ti.

A. Sui T'ang (581–907)

3. Der Taoismus

Wenn wir an die Geschichte des T'ang-Zeit-Taoismus und -Buddhismus herangehen, müssen wir bei beiden Religionen unterscheiden die amtliche Darstellung der wichtigsten, diese Religionen betreffenden Formen, Verhältnisse und Ereignisse und ihre innere Entwicklung. Ich will versuchen, von beidem einen Eindruck zu vermitteln.

a. Amtliche und öffentliche Aspekte, Zeremoniale

Zunächst möchte ich hier einige summarische Angaben aus dem uns bereits bekannten *Ta-T'ang liu-tien* (Kap. 4) anführen, die sich wohl auf die Zeit der Entstehung dieses Werkes zwischen 722 und 738/39 beziehen. Danach gab es im Reich 1687 Taoistenklöster. Davon waren 1137 mit Mönchen und 550 mit Nonnen besetzt. Jedes Kloster *(Kuan)* hatte einen Abt *(Kuan-chu)*, einen religiösen Lehrer *(Shang-tso)* und einen *Chien-chai* („Fastenaufseher"), der wahrscheinlich für die korrekte Aufführung der Mönche Sorge trug. Es gab außerdem folgende hierarchische Rangstufen der religiösen Perfektion: *Fa-shih* („Lehrer des Gesetzes"), *Wei-i shih* („Lehrer der würdigen Haltung"), *Lü-shih* („Lehrer der Disziplin"). Außerdem sprach man von einem Taoisten, „dessen Tugend hoch und dessen Gedanken völlig geklärt waren" als „Lehrer der Übung" oder „der Purifikation" *(Lien-shih)*. Dieser letztere Titel konnte ebenfalls an Nonnen vergeben werden.[26]

Wir erhalten jetzt auch einen Überblick über die wichtigsten Rituale der Taoisten. Es werden deren sieben aufgezählt:

Erstens die *Chin-lu chai* („Fastenfeier der goldenen Amulettzeichen"). Dazu wurde eine komplizierte und reich ausgestattete, dreistufige Altarfläche geschaffen, ähnlich der der Nan-chiao-Rituale. Die Unterteilungen wurden durch Bündel aus Hundegras markiert und reichlich mit heiligen Bildern und Symbolen besetzt. Die Feier selbst fand fünf- (oder sechs?)mal im Jahr statt, wobei gemäß der Saison eine wechselnde Zahl von Lichtern angezündet wurde. Sie konnte aber auch auf (kaiserlichen) Wunsch hin zu beliebiger Zeit abgehalten werden. Sie diente dazu, „Yin und Yang zu harmonisieren", Katastrophen und Unheil abzuwehren und für Kaiser, Könige und ihre Länder Glück und Segen herbeizuführen. Oft dauerte sie mehrere Tage lang, da ein großes Programm von Anrufen, Bitten und Gebeten abzuwickeln war.

Zweitens die *Huang-lu chai* („Fastenfeier der gelben Amulettzeichen"). Diese wurde in der 15. Nacht des ersten, siebten und zehnten Monats veranstaltet. Dabei zitierte man die Götter des Himmels, der Erde und der Menschen herbei und hielt für sie eine taoistische Messe ab. Auch bei dieser spielte das Aufstellen von Opferspeisen und Lichtern eine Rolle. Die Feier diente der

26 ChWTTT, XXVI, S. 11217.

Buße und der Aufklärung als Vorbereitung für die Rettung der Seelen und die Aufnahme unter die Genien.

Drittens die *Ming-chên chai* („Fastenfeier zur Erleuchtung des Wahrhaften"). Dabei sollten dadurch, daß man selbst fastete oder sich einer gewissen Pein unterzog, „frühere Schicksale gerettet werden".[27]

Viertens die *San-yüan chai* („Fastenfeier der drei Urprinzipien", d. h. Himmel, Erde, Wasser). Dabei wurden am 15. Tag des ersten Monats der „Himmelsbeamte", am 15. Tag des siebten Monats der „Erdbeamte" und am 15. Tag des zehnten Monats der „Wasserbeamte" verehrt, weil diese an jenen Tagen im Himmel Rechenschaft über die ihnen unterstellte Menschenwelt ablegten. Es waren dies Beicht- und Sühnerituale, die zu dem Zweck veranstaltet wurden, die Abrechnung mit dem „himmlischen Aufsichtsamt" über Verdienste und Verfehlungen des Einzelnen zu verbessern.[27a] Sie bildeten den Auftakt zu den nächtlichen Feiern der Huang-lu chai.

Fünftens die *Pa-chieh chai* („Fastenfeier der acht Abschnitte"). Die acht Abschnitte waren je zwei Tage in jeder Jahreszeit, die ungefähr auf deren Anfang und Ende fielen. Dieses Ritual diente der Lebensverlängerung und der Aufnahme unter die Unsterblichen.

Sechstens die *T'u-t'an chai* („Fastenfeier des Schlammes und der Kohle"). Dies waren recht drastische Bußübungen, bei denen sich die Teilnehmer über und über mit schwarzem Schlamm beschmierten.[28]

Siebentens die *Tzŭ-jan chai* („Fastenfeier des Soseins" oder „der Natur"). Diese diente in der Hauptsache zum Herbeiflehen von Glück und Segen für alle Lebewesen.[29]

Die hergerichteten Altarflächen waren an sich ziemlich klein. Deshalb fanden alle diese Feiern mit beschränkter Teilnehmerzahl statt. Natürlich waren sie dabei aber umgeben von einer großen Menge von Zuschauern. Solche Feiern dienten zugleich auch der Purifikation und Initiation von Novizen. Diese übergaben dabei ihrem Lehrer neben den obligaten Geschenken einen goldenen Reifen, der in zwei Teile gebrochen wurde. Von diesen behielt der Schüler einen als Vertragszeichen. Außerdem wurde ihm eine je nach seiner religiösen Einstufung verschiedene, magisch wirksame Amulettschrift überreicht, die er von da an immer an seinem Gürtel hängend als Kennzeichen seiner neuen Würde an sich trug (vgl. Sui-shu, Kap. 35). Dies war das Zeremonial des „Tao-Empfangens".

---

27 Tzŭ-chih t'ung-chien, S. 8370. Diese „Fastenfeiern der Amulettzeichen" werden auch einfach beschrieben als Feier der „goldenen", „jadenen" und „gelben" Zeichen. Die erstere diente dem Wohl des Kaisers und seiner Sippe, die zweite dem allgemeinen Volkswohl und die dritte der Rettung der Seelen aus den „neun unterirdischen" Regionen.

27a Taishō, 52, S. 567.

28 *Maspero* (1950), S. 159/60.

29 Es gibt andere, ausführlichere Aufzählungen dieser Fastenfeiern. Vgl. z. B. Yünchi ch'i-ch'ien, Kap. 37.

A. Sui T'ang (581–907)

Für Dank und Gebet oder Fürbitte standen den Taoisten drei Ausdrucksmittel zu Gebote. Einmal gab es da, wie das auch bei den großen konfuzianischen Staatsfeiern der Fall war, die Verlesung oder Rezitation von besonders auf den Zweck der Feier zugeschnittenen literarischen Kompositionen oder, wenn man so will, von Adressen an die herbeigerufenen Gottheiten. Zum anderen hatte man die Darbietung von Opfern, die zum Teil auf Schüsseln ausgelegt oder auch verbrannt wurden. Dies Opferritual hieß *Chiao*. Bei ihm spielte das Aufstellen von Lämpchen und Kerzen eine große Rolle. Als letztes kam dazu die uralte Sitte des Vergrabens, das die Opfergaben den Erdgottheiten nahebringen sollte.

Man ersieht daraus wieder, daß die religiösen Ausdrucksformen der eigentlich chinesischen Religionen nicht sonderlich voneinander verschieden waren. Nur mit dem Buddhismus kamen infolge der Enthaltung von alkoholischen Getränken und des Töteverbotes abweichende religiöse Gebräuche auf.

Eine spezifisch taoistische Form der Fürbitte, die zur T'ang-Zeit in Mode kam, war das Aussetzen von Täfelchen mit dem Schriftsatz der Bitte in Grotten, Abgründen und Schluchten, wo sie dann von beigegebenen kleinen Golddrachen aufgenommen und zum obersten Taoistengott, dem *T'ien-tsun* („Himmelseminenz"), der im Verlauf der Trennung von Nord und Süd den T'ai-i („Alleinen") als Obergott abgelöst hatte, gebracht wurden.[30] Je reicher und höhergestellt der Bittsteller war, aus um so wertvollerem und dauerhafterem Material waren die Täfelchen und die kleinen Drachen verfertigt.

Während der T'ang-Zeit, aber auch später wurden ab und zu Feiern zur Deponierung solcher Bittäfelchen und Drachen bei den großen heiligen Bergen vom Kaiser angeordnet und bildeten natürlich für die dortigen Klöster und Tempel eine willkommene Einnahmequelle. Ja, vom Jahre 736 an wurde dies Ritual für den ersten Frühlingsmonat als stehende Einrichtung festgelegt. Beamte, die mit der Staatspost reisten, überbrachten die Täfelchen und Drachen. (Übrigens wurden die fünf wichtigsten unter den Götterboten etwa ab 714 zum Gegenstand eines eigenen vom Kaiser im Palastbereich eingerichteten Kultes, der später auch in die Provinzen übergriff und sich bis ans Ende der T'ang-Zeit erhielt.) Die mit diesen Deponierungen verbundenen Feiern wurden gewöhnlich eingeleitet durch ein „Fastenritual der goldenen Amulettzeichen" *(Chin-lu chai)* und ein Chiao-Opfer.

Man kann vielleicht das Aussetzen solcher Täfelchen als eine Art verkleinertes und entsprechend den damaligen, taoistischen Vorstellungen verändertes Fêng-shan-Ritual ansehen.

Diese religiöse Sitte scheint übrigens im Zusammenhang zu stehen mit einem System heiliger Stätten, die *Tung-t'ien* (etwa „Durchdringen zum Himmel" oder „Grottenhimmel", d. h. das Gesamtuniversum zusammengefaßt in

---

30 E. *Chavannes:* Le jet des dragons.

einer Grotte[30a]) genannt wurden. Es waren dies Höhlen, Grotten und Schluchten in den (heiligen) Bergen, die von Genien oder Unsterblichen (Hsien) bewohnt wurden, die ihrerseits wieder durch sonderbeauftragte Götterboten mit
der himmlischen Götterwelt in Verbindung standen. Gleich zu Beginn der
T'ang-Dynastie kam ein geographisches System von 36 solcher heiligen Stätten auf. von denen die meisten in Chekiang, Kiangsi und Hunan, also in Süd-
china, zu finden waren.[31] Diesem System von 36 Stätten voraus geht ein anderes von nur zehn solcher Plätze. Daneben gab es aber auch noch 36 *Ching-lu*
(„Hütten der Stille"), 72 *Fu-ti* („Stätten des Segens") und 24 *Ling-hua*, d. h.
Plätze, an denen „wunderbare Verwandlungen" stattgefunden hatten.[32]

Wir stoßen hier auf eine typisch taoistische Geographie, deren Stätten das
ganze Reich überzogen. Sie tritt jetzt zur T'ang-Zeit nicht zum erstenmal auf,
sondern läßt sich, sofern man sich die Mühe macht, wahrscheinlich weit nach
rückwärts zu dem von mir kurz behandelten System der heiligen Berge und
vielleicht bis zum Shan-hai ching (s. o. S. 70) verfolgen.

Fest anerkannt als Begründer der taoistischen Religion erscheint nunmehr
Lao-tzû, der vermeintliche Verfasser des *Tao-tê ching*. Der „Himmelslehrer"
Chang Tao-ling wird dagegen als Ausbreiter oder Missionar der Lehre be-
trachtet.

Lao-tzû wurde, so will es die Legende, unter der Dynastie Yin (Shāng)
geboren und bekleidete unter der Dynastie Chou das Amt eines Archivars.
Sein Familienname war bekanntlich Li und, da die Kaisersippe der T'ang
denselben Namen trug, wurde dies von den Taoisten sofort dazu benutzt, ihre
Stellung im Staat zu festigen und zu verbessern.

Im Jahre 620 begegnete einem Taogläubigen in den „Widderhorn"-Bergen
(in Shansi) ein würdiger alter Herr, der auf einem weißen Roß mit roter
Mähne ritt. Er sagte: „Überbringe dem Himmelssohn der T'ang diese meine
Worte: ,Ich bin Dein Ahnherr. Wenn Du in diesem Jahr alle Gegner besiegt
und den Frieden hergestellt hast, dann sollen sich Deine Nachkommen tausend
Jahre lang der Reichsherrschaft erfreuen.'"

Der Kaiser ließ an der Stelle dieser Begegnung einen Tempel erbauen und
im Jahre 666 erhielt Lao-tzû den Ehrentitel „Hehrer Kaiser des allerhöchsten
Uranfanges" *(T'ai-shang hsüan-yüan huang-ti)*, dem später noch einige weitere Epitheta beigefügt wurden, bis schließlich ein Titel zustande kam, der in
Übersetzung etwa lautet: „Großheiliger, höchster, hehrer Kaiser des Groß-
Tao-Goldturmes des Uranfangs" *(Ta-shêng kao-shang ta-Tao chin-ch'üeh
hsüan-yüan huang-ti)*.

Es ist wohl kaum nötig zu bemerken, daß dieser Hinweis auf die Verwandt-

---

30a *Stein* (1942), S. 43.
31 AaO, S. 133.
32 Vgl. Tao-tsang, Heft 331, 1, und *Fu Ch'in-chia* (1937), S. 110 und o. S. 147, Einteilung des Chang-Lu-Staates.

schaft des Kaisers mit Lao-tzû an die Stelle der Fu-lu-Bestallungen der Toba trat.

Tatsächlich hat dies persönliche Auftreten des Begründers des Taoismus seinen Zweck erfüllt und bis zum Ende der Dynastie den Taoisten eine gewisse Begünstigung von seiten der Regierung gesichert, unterbrochen durch die Herrschaft der Kaiserin *Wu* (690–705), die dem Buddhismus zugeneigt war.

Besonders seit der Regierung des Kaisers *Hsüan-tsung* (712–755) macht sich diese Bevorzugung der Taoisten bemerkbar. Lao-tzû erschien dem Kaiser im Jahre 741 in einem Traum und teilte ihm mit, daß sich an einer gewissen Stelle südwestlich der Hauptstadt eine Statue von ihm befinde. Diese wurde auch prompt aufgefunden und eingeholt. Nach ihr ließ der Kaiser das „wahre Porträt" des Lao-tzû herstellen und verteilte Kopien davon an alle auf kaiserlichen Befehl neu errichtete Taoistentempel in den Provinzen, die nach der gültigen Regierungsdevise *K'ai-yüan* („Eröffnen den Anfang") benannt waren. Im selben Jahr wurden die zu Klassikern erhobenen taoistischen Werke für Examina zugelassen. Außerdem bestimmte ein Regierungserlaß, daß in Anbetracht dessen, daß Tao höchlichst zu verehren sei, die Mönche und Nonnen nicht mehr der entwürdigenden Prügelstrafe unterworfen werden dürften.[33] Die Strafzumessung solle nach dem Taoismus-Dekret (?)[34] erfolgen und nicht mehr dem Ermessen der Bezirks- und Kreisbeamten überlassen bleiben.

Bei den saisonalen Speisedarbietungen an die kaiserlichen Ahnen wurde zuerst der Hsüan-yüan-Tempel, d. h. der des Lao-tzû, bedacht, ebenso bei dem Ahnenopfer, das dem Nan-chiao-Ritual vorauszugehen pflegte.

Die Verwandtschaft des Kaisers mit Lao-tzû führte schließlich dazu, daß im Jahre 736, beziehungsweise 737, die Taoisten dem Amt der kaiserlichen Sippe *(Tsung-chêng szû)* unterstellt wurden[35], während man die Buddhisten erst dem *Hung-lu szû* (Fremdenempfangsamt) und dann (737) wieder dem *Tz'û-pu* (Opferamt) zuordnete. Das war eine klare Trennung in der Behandlung der beiden Religionen.

Im Jahre 742 gründete man außerdem in den beiden Hauptstädten Ch'ang-an und Lo-yang Akademien für „das Studium des ehrwürdigen Mysteriums", d. h. Tao. Lehrstätten für diese „Wissenschaft" *(Chung-hsüan hsüeh)* bestanden seit 741 in allen Lao-tzû-Tempeln. An den beiden Akademien studierten je 100 Schüler, die man dann im Ritualdienst für die kaiserlichen Ahnen einsetzte. 743 wurde diesen Ausbildungsstätten ein Amt *(Shu)* angeschlossen, dem anscheinend alle Religionsangelegenheiten unterstanden. Es scheint aber, daß diese Maßnahme nicht von Dauer war und nach einigen Jahren (743?) alles wieder seinen alten, normalen Gang ging.

---

33 Taishō, 49, S. 375.
34 T'ang hui-yao, S. 865.
35 *Fu Ch'in-chia* (1937), S. 175; T'ang hui-yao, S. 1028. Lt. Taishō, 49, S. 369a, erfolgte diese Unterstellung bereits unter dem Kaiser Kao-tsung (650–683).

Zur bevorzugten Stellung des Taoismus trug ferner vor allem der Umstand bei, daß mehrfach kaiserliche Prinzessinnen und Hofdamen als taoistische Nonnen in Klöster eintraten, die man, manchmal gegen den Protest der Beamtenschaft, speziell für sie errichtete. Es kam sogar vor, daß höhere Staatsbeamte Taoisten wurden.

Eine für den Taoismus außerordentlich wichtige und bemerkenswerte Entscheidung wurde im Jahre 721 getroffen. Der bekannte Taoist *Ssû-ma Ch'êng-chên* vom T'ien-t'ai-Gebirge (in Chekiang) machte damals eine Eingabe an die Regierung, in der er folgendes vorbrachte: Die Gottheiten, die man durch die Opfer bei den fünf heiligen Bergen verehre, die Berg- und Waldgeister, seien keine echten und wahren Götter. Aber auf jedem der fünf Berge befände sich ein „Amt des Durchdringens (zu den Göttern)" und zu jedem stiege je ein „Wahrhaftmensch *(Chên-jên)* der obersten Reinheit" herab, um dort die Geschäfte wahrzunehmen. Diese seien es, die die Bergströme, Wind und Regen und die Abfolge von Yin- und Yang-Odem regulierten. Diese Geschäftsführer trügen kaiserliche Kopfbedeckung und Kleidung. Er bäte darum, ihnen Verehrungsstätten einzurichten. Dem wurde stattgegeben.

Wir erkennen in diesen Fünf Himmelsboten ohne Schwierigkeit die Götter der Fünf Agenzien wieder. Als Beweis dient der Umstand, daß als „Wahrhaftmensch" des T'ai-shan der „Grünkaiser", d. h. der Gottkaiser des Agens Holz, genannt wird. Die anderen trugen natürlich kaiserliche Gewänder in der jedem Agens zukommenden Farbe.[36]

Die Taoisten bemächtigten sich somit der Fünf Agenziengötter, auf deren Rolle im religiösen Staatsritual verschiedentlich hingewiesen wurde. Hier werden sie, die in taoistischer Betrachtung als fünffache Emanation des *Lao-chün* zu verstehen sind, zu Abgesandten oder Geschäftsführern des taoistischen Götterhimmels, der durch sie sämtliche untergeordneten Geister und Gottheiten der Gebirge und Gewässer beherrschte. Mit anderen Worten gesagt übernahmen die Taoisten die Aufsicht über alle jene kleinen, um die Berge und Gewässer da und dort aufspringenden Lokalkulte, die, aus allen möglichen Ritualen gemischt, sich oft keiner der vom Staat geduldeten und beaufsichtigten Religionen eindeutig zuordnen ließen.

Ebenso wie die Buddhisten hatten auch die Taoisten auf amtliche Anweisung hin hervorragende Vertreter ihrer Religion, im allgemeinen die Vorstände der großen Klöster, mit der verantwortlichen Vertretung gegenüber den Staatsorganen beauftragt. Natürlich hatten dabei auch wieder die Vorsteher der großen Tempel in den Hauptstädten einen Vorrang vor denen in den Provinzstädten und diese wieder vor denen der größeren und kleineren Heiligtümer in ihrem Bereich.

So entstand eine Art von System religiöser Amtsträger, die überall von

36 *Chavannes:* Le jet des dragons, S. 200 und S. 197a.

ler Beamtenschaft kontrolliert und zur Rechenschaft gezogen werden konnten.)er Staat übte auf diese Weise eine umfassende Kontrolle über die Religionen ius, ohne direkt in deren Belange einzugreifen. Dazu gehörte u. a., daß (etwa ib 729) alle drei Jahre ein Verzeichnis sämtlicher taoistischen und buddhisti- ichen Mönche und Nonnen in dreifacher Ausfertigung eingereicht werden nußte. Ein Exemplar der Liste ging an das Opferamt (Tzû-pu), ein zweites in das Bewirtungsamt (Hung-lu, eigentlich aber wohl an das Shan-pu, Ver- iflegungsamt), dem die Fremden (zeitweilig, d. h. bis 694, 736 und 845 auch Jie Buddhisten) unterstanden, das dritte blieb bei der ausstellenden Behörde. Is gab auch eine Reihe von Bestimmungen über die Rückversetzung in den Laienstand. Diese erfolgte bei Verstößen gegen die vorgeschriebene Kleidung, ;roßspurigem Auftreten, Trunkenheit und Prügelei, beim Abhalten von Ge- iagen, für Prophezeiungen und bei Benutzung von Klosternahrungsmitteln als Zuteilung an Beamte zwecks Cliquenbildung. Noch höhere Strafe, nämlich rerschärfter Arbeitsdienst, stand darauf, daß sich Mönche unter dem Vorwand religiöser Werbung von Tür zu Tür als Kuppler oder Heiratsvermittler be- ätigten, gegen die Speiseverbote verstießen, an Glücksspielen teilnahmen, die Klostervorstände beschimpften und gewaltsam in deren Schlafräume ein- lrangen.

Alles dies zeigt, daß auch für den Taoismus eine religiöse Organisation)estand, die man mit Recht als eine Art „Kirche" bezeichnen kann.

Eine weitere Folge dieser Organisation ist meiner Ansicht nach das Be- itreben, in die reichlich verworrenen Himmels- und Göttervorstellungen des Taoismus eine Art System oder Ordnung zu bringen oder, sagen wir, die wichtigsten ideellen Merkmale der Kirche amtlich festzulegen.

So wird im *Ta-T'ang liu-tien* (Kap. 4) hinsichtlich des Taoismus folgendes iusgeführt: Die Taoisten glauben, daß zwischen Yin und Yang, d. h. den iußersten Polen des Existierenden, repräsentiert durch Himmel und Erde, 36 Himmel [37] und in jedem von ihnen 36 Paläste existieren. Jeder dieser Paläste iat einen Vorstand. Der alleroberste von diesen heißt „Grenzenlose Höchst- :minenz" *(Wu-chi chih-tsun)*, der nächstfolgende „Eminenz der höchsten Wahr- iaftigkeit" *(Ta-chih chên-tsun)*. Danach kommt die „Wahrhafteminenz des)edeckenden Himmels, der tragenden Erde, des Yin und des Yang" *(T'ien-fu i-tsai Yin-Yang chên-tsun)* und dann die „Wahrhafteminenz der großen Gradheit" *(Hung[?]-chêng chên-tsun)*. Über allen diesen stand aber wohl der)ben bereits genannte *T'ien-tsun* („Himmelseminenz"). Dieser war der „Schöp- ier der Tao-Methoden" und „stand direkt vor dem Eingang zum großen Mysterium" *(Tao)* [38].

Anscheinend hatte jeder dieser Vorstände die Direktion über neun Himmel.

---

37 Es gab auch ein System mit 32 Himmeln. Vgl. *Chavannes: Le jet des dragons,* S. 199b, und Taishō, 52, S. 561/62.
38 Taishō, 52, S. 559.

Das in den Titeln auftretende Wort *Chên* könnte darauf hinweisen, daß es sich letzten Endes um avancierte taoistische *Chên-jên* („Wahrhaftmenschen" s. o. S. 83) handelt.

Zur T'ang-Zeit im Jahre 744 kommt nun verwirrenderweise auch ein Kult „der Neun Himmel" auf, genauer gesagt der „Werten Götter der Neun Himmel". Diese Himmel haben jedenfalls mit den eben genannten nichts zu tun und entstammen einer ganz anderen Atmosphäre. Zu diesen Himmeln gehören nämlich Zahlen, und diese ergeben, auf die Himmelsrichtungen verteilt, folgendes Schema:

	N 6 (T'ai-i)	
NW 9		NO 3
W 8	Mitte 5	O 2
SW 7	(T'ien-fu)	SO 1
	S 4 (T'ien-i)	

Dies aber ist eine Anordnung von Zahlen, die über Kreuz addiert jeweils 15 ergibt, und wir werden dadurch in den Bereich jener Zahlenmystik geführt, auf die bereits kurz hingewiesen wurde (s. o. S. 129).

In diesem Zusammenhang interessant ist aber die Tatsache, daß wir hier den *T'ai-i* (Alleinen) als den infolge seiner Stellung im Norden wahrscheinlich vornehmsten Gott antreffen. Die Mitte wurde eingenommen von einem Gott, der *T'ien-fu* („Himmelsvertragsteil") hieß und der Süden von dem *T'ien-i* („Himmelseinem"), der uns (s. o. S. 217) auch kein Unbekannter mehr ist.

Man könnte vielleicht an eine Art Wiederaufleben des T'ai-i-Kultes denken. Die Neun Götter aber waren Gehilfen des *Hao-t'ien shang-ti*, übten ihren Einfluß auf Dürre und Flut sowie den Ernteausfall aus und wehrten Katastrophen ab. Die Opfer für sie fanden zunächst in Gegenwart des Kaisers auf einem Altar im östlichen Vorgelände statt und wurden anscheinend bis 842 fortgesetzt [38a].

Wir erhalten jetzt auch eine für den Taoismus – so bin ich versucht zu sagen – „amtlich beglaubigte" Definition von *Tao*. Sie stützt sich auf eine der wohl ältesten Stellen im Tao-tê ching (Kap. 25) und versteht unter Tao ein (vielleicht tierhaftes) Lebewesen, das gleichzeitig „chaotisch und vollendet" ist, also etwa einen Initiator der kosmischen Ordnung, der Urchaos und Kosmos zugleich ist. Dies Lebewesen *(Wu)* war „vor Himmel und Erde" und ist, weil in ständiger Wandlung vom Chaos zum Kosmos und umgekehrt begriffen, unsichtbar, unhörbar und ungreifbar. Trotzdem aber hat der Taoist die

---

38a T'ang hui-yao, S. 256 ff. Die große Rolle, die die Taoisten während der Trennungszeit im Kalenderwesen, das man als ihr Monopol ansprechen kann, spielten, habe ich hier in dieser Geschichte der Religion bewußt übergangen, obgleich dies eine ihrer wichtigsten Möglichkeiten war, politischen Einfluß zu gewinnen.

Möglichkeit, sich direkt oder indirekt mit diesem Gottwesen in Verbindung zu setzen[39]. Hauptbedingung ist, daß er jede Verstrickung in das Böse meidet und sich öfter einer innerlichen und äußerlichen Reinigung unterzieht. Dann kann es ihm gelingen, am hellen Tag gen Himmel zu fahren oder lange auf Erden zu leben.

Vom Tao heißt es auch, es habe die drei Uranfänge (Himmel, Erde, Wasser), diese wieder hätten die neun Speicher und diese die 120 Amtsstellen. „Alles dies sind Orte, wo die Gottheiten ihren Amtsgeschäften obliegen." Die drei Amtsführer der ersteren waren natürlich die höchsten. Die untersten Amtsstellen waren so verteilt, daß auf den Himmel 36 kamen, was der oben kurz beschriebenen Einteilung entspräche. Erde und Wasser hatten dagegen je 42 Stellen.

Das Ganze zeigt, daß der irdischen Bürokratie eine alle Teile des Universums beherrschende, göttliche Administration gegenüberstand.[40]

Zu den Angaben im Ta-T'ang liu-tien kommt schließlich noch eine kurze Aufzählung von taoistischen Praktiken betreffend Alchemie, Amulettzauber, Heilung mittels Weihwasser, Dämonenaustreibung usw.

Das wären alles Merkmale, die als religiöser Grundbestand des Taoismus von der Staatsbürokratie festgestellt wurden.

Tatsächlich gehen die Angaben des Ta-T'ang liu-tien fast alle zurück auf den berühmten K'ou Ch'ien-chih und die Aufzeichnungen über den Taoismus im letzten Kapitel der Geschichte des Toba-Wei-Reiches. Wahrscheinlich war dies der Zeitpunkt, an dem die taoistische Religion am intensivsten mit der regierenden Schicht in Berührung gekommen war.

In der T'ang-Zeit beginnt nun auch jene sonderbare Korrespondenz des Kaisers mit den Bewohnern des Himmels, d. h. in diesem Fall mit seinem Urahn Lao-tzǔ[41]. Im Jahre 742 erscheint letzterer im Palastviertel von Ch'ang-an und gibt bekannt, daß er beim alten Haus des Paßhüters Yin Hsi, dem bekanntlich seinerzeit das Tao-tê ching übergeben wurde, ein Amulettschreiben auf Metall hinterlegt habe. Dieses wird tatsächlich gefunden und feierlich eingeholt. Das Ereignis wird als so wichtig angesehen, daß die Regierungsdevise in „Himmelskleinod" (T'ien-pao) geändert wurde. Dafür fliegt im Jahre 745 die Bittschrift des Kaisers um Wohlergehen seines Volkes während einer taoistischen Feier im Palast direkt vom Altar hinauf in den Himmel.

Überhaupt scheint der damalige Kaiser Hsüan-tsung ein besonderer Liebling seines Ahnherrn gewesen zu sein. Es verging kaum ein Jahr, in dem

---

39 Man beachte, daß Tao nicht „den Menschen nach seinem Bilde" schuf. Das taoistische Tao ist, da es alle Gestalten annehmen kann, an sich selbst gestaltlos. Es ist der unfaßbare, aber lebendige Urgrund, aus dem die Götter und alles, was existiert, durch Emanation hervorgeht und in den alles wieder zurücksinkt.
40 *Chavannes:* Le jet des dragons, S. 204/05.
41 Die Korrespondenz zwischen Göttern und Menschen ist aber viel älter. Vgl. z. B. *Ware* (1966), S. 313.

letzterer sich nicht bemerkbar gemacht hätte. Öfters erschien er persönlich auf einer purpurfarbenen Wolke mit Musik und Wohlgerüchen, umgeben von jungen Dienern und Jademaiden. Allerdings wurde er nur von den Taoisten des Chung-hsüan-Amtes oder wichtigen Vertretern der Religion in den Klöstern der heiligen Berge wahrgenommen[42], niemals vom Kaiser selbst, außer im Traum.

Bei Hofe muß es von Taoisten nur so gewimmelt haben. Aus dem Jahre 821 erhalten wir eine Zahl von 1000 ordinierten Taoisten, die im „Palast der größten Reinheit" (T'ai-ch'ing kung) untergebracht waren. Leider kann ich von diesem „Palast" nur feststellen, daß er vordem „Purpurgiebelpalast" (Tzŭ-chi kung) hieß und im Jahre 743 umbenannt wurde. Er befand sich oberhalb oder über dem kaiserlichen Ahnentempel und war also der Tempel des Ahnherrn Lao-tzŭ.

Die Taoisten mischten sich in der ausgehenden T'ang-Zeit auch in die Politik, indem sie mehrere der Kaiser mittels ihrer Unsterblichkeitstränke etwas beschleunigt in das Reich der Götter und Genien überführten.

b. Innere Entwicklung

Was nun die innere Entwicklung des Taoismus betrifft, so scheinen bemerkenswerte neue Schulrichtungen nicht aufgekommen zu sein. Der Taoismus hatte anscheinend zu viel Boden an den Buddhismus verloren. Er war weitgehend zu einer Religion einerseits der die Natureinsamkeit liebenden Einsiedler und Mönche, anderseits der Zauberer und Wundermänner geworden.

Trotzdem wurde das taoistische Schrifttum, in dem jetzt eine Menge aus dem Buddhismus übernommene religiöse Ideen, wie zum Beispiel die Kalpa-Idee, auftreten, kräftig vermehrt, und eine Reihe taoistischer Persönlichkeiten machte von sich reden.

Erwähnt werden sollte hier zunächst ein Taoist aus der Übergangszeit, d. h. der zweiten Hälfte des 6. Jhs., Sung Wên-ming, der ebenso wie sein Vorgänger K'ou Ch'ien-shih versuchte, den Taoismus mit Hinsicht auf die feinere Ethik des Buddhismus zu reformieren, indem er für die taoistischen Mönche das Zölibat einzuführen bestrebt war. Er hatte allerdings zunächst nur wenig Erfolg damit. Er war übrigens auch derjenige, der alte, offenbarte und in antiquierter Inspirationsschrift (Yü-tzŭ) geschriebene taoistische Texte in die gewöhnliche, leicht lesbare Kursivschrift übertrug.[43]

Ein anderer bemerkenswerter Vertreter des Taoismus war Sun Szŭ-miao, dessen Geburt noch in die Zeit der Pai-Chao-Dynastie (557–581) fiel. Die Unruhen der Übergangszeit veranlaßten ihn, sich als Einsiedler am T'ai-pai-Berg südlich von Ch'ang-an niederzulassen. Unter den T'ang berief man ihn

---

42 Vgl. Ts'ê-fu yüan-kuei, S. 597–605.
43 Taishō, 52, S. 561. Er wird deshalb von den Buddhisten als Fälscher großen Stiles angesehen.

an den Hof, wo er sich aber allem Anschein nach nicht sonderlich wohl fühlte, obgleich eine Reihe bekannter Gelehrter zu ihm kam, um von ihm unterrichtet zu werden. Er wurde von seinen Zeitgenossen der *Chêng-i*-Richtung („Gradheit und Einheit") zugerechnet. In der Hauptsache befaßte er sich mit Krankheitsheilung und Lebensverlängerung. Hinsichtlich der letzteren muß er großen Erfolg gehabt haben, denn es heißt, er sei 150 Jahre alt geworden. Deshalb wurde er von den Bearbeitern der Geschichte der Dynastien Ch'i bis Sui (550–618) öfter um Rat angegangen. Er berichtete ihnen dann historische Einzelheiten, als ob er persönlich dabei zugegen gewesen wäre. Dies wirft natürlich, wenn es wahr sein sollte, ein sonderbares Licht auf die chinesische Geschichtsschreibung jener Tage. Er war merkwürdigerweise auch bei den Buddhisten sehr gut angeschrieben. Man nannte ihn in diesen Kreisen sogar den *Vimalakīrti* seiner Zeit.

Ein weiterer hervorragender Vertreter des Taoismus war *Ssû-ma Ch'êng-chên* (oder *-chêng*), dessen Leben in das siebte und achte Jahrhundert fällt. Wenn es richtig ist, daß Sun Ssû-miao im Jahre 682 starb, könnte er diesem also noch begegnet sein.

Ssû-ma Ch'êng-chên ist uns bereits bekannt als derjenige, der durch seine Eingabe die lokalen Kleinkulte unter taoistische Kontrolle brachte. Er war berühmt als Kalligraph und lebte in einer Einsiedelei im T'ien-t'ai-Gebirge (in Chekiang). Durch seinen Lehrer *P'an Shih-chêng* [44] wurde er mit den Chêng-i-Methoden des Taoismus bekannt gemacht und soll nach Aussage des letzteren die vierte Generation nach T'ao Hung-ching (s. o. S. 188) repräsentieren. Meiner Ansicht nach bildet diese Traditionslinie eine Sonderrichtung innerhalb des Chêng-i-Taoismus. Unter dieser Bezeichnung werden bekanntlich alle Lebensverlängerungspraktiken sowie der Amulettzauber und der Umgang mit Göttern, Geistern und Dämonen zusammengefaßt. Sicherlich gehört T'ao Hung-ching mehr in die Mao-shan-Gruppe dieser Art des Taoismus als zu irgendeiner anderen, wie fließend die Übergänge auch gewesen sein mögen. Außerdem wird ja durch die Äußerung des P'an Shih-chêng ganz deutlich gemacht, daß für ihn T'ao Hung-ching den Beginn einer neuen Patriarchenlinie darstellt. Diese aber ist verknüpft mit dem Mao-shan, wie sich aus der Biographie eines anderen T'ang-Taoisten namens *Wang Yüan-chih*, der ausdrücklich als zur Traditionslinie „des T'ao Hung-ching vom Maoshan" gehörig bezeichnet wird, ergibt. [45]

Ssû-ma Chêng-chên ist auch bekannt geworden wegen eines politischen Gesprächs mit dem Kaiser *Jui-tsung* (710–712), in welchem er darlegte, daß man den Staat genauso wie den menschlichen Körper nach der taoistischen Methode

---

44 Auch dieser war einer der berühmten Taoisten jener Zeit und Fortsetzer der Lehre von den „Drei Reinheiten" (s. o. S. 190). Mehrere namhafte Taoisten zählten zu seinen Schülern, s. Chiu T'ang-shu, Kap. 192, S. 2560a.
45 Chiu T'ang-shu, Kap. 192, S. 2558a.

Wu-wei („Nicht-Handeln", „Sich jeder Eigenaktion enthalten") behandeln müsse, etwa so, wie ich es oben (s. S. 106—109) in den Ausführungen über den politischen Taoismus darzustellen versucht habe. Auch er erreichte ein Alter von 89 Jahren und wurde kanonisiert als „Herr der wahrhaften Einheit" *(Chên-i hsien-shêng)*. Außerdem führte er den Ehrentitel *T'ien-shih* („Himmelslehrer").

Ein sehr wichtiger Vertreter des T'ang-Taoismus ist ferner *Lü Yen,* besser bekannt als *Lü Tung-pin* oder Patriarch *Lü,* dessen Leben in die Zeit 755 bis 805 fällt. Auch er war einer jener taoistischen Magier und Wundermänner, die sich auf die Chêng-i-Künste verstanden. Von ihnen unterscheidet er sich aber dadurch, daß er der Verfasser eines umfangreichen Moralkodex ist.

Wahrscheinlich entwickelte sich dieser allmählich aus den fünf Grundverboten des (buddhistisch orientierten) Taoismus: nicht töten, keinen Alkohol trinken, nicht lügen, nicht stehlen und nicht huren. Diesen wieder standen zunächst die zehn Verdienste gegenüber: Vater und Mutter ehren, treu dem Fürsten und dem Lehrer dienen, Mitleid mit allen Lebewesen haben, Unrecht mit Geduld ertragen, Böses verhüten, sich für andere opfern, Lebewesen freilassen und pflegen, Nutzbäume pflanzen, verlassene Brunnen neben der Straße absichern und Brücken bauen, Nutzen stiften und Ungläubige bekehren, die heiligen Schriften studieren und regelmäßig Gefäße mit Weihrauch und Speisen darbringen.[46]

Durch den wesentlich erweiterten Kodex des Lü Yen wurde das Leben des gläubigen Taoisten bis in die kleinsten Kleinigkeiten und für alle Bereiche des Lebens geregelt. Wenn diese lange Liste der Gebote und Verbote auch echt chinesisch mit dem Benehmen in der Großfamilie beginnt, so beziehen sich doch die meisten Vorschriften auf das Verhalten gegenüber den Mitmenschen im öffentlichen Leben. Zum Beispiel wurde es als Verdienst angerechnet, wenn ein Geschäftsmann beim Auffädeln der Münzschnüre die volle Zahl gab. Entgegen den oft überbetonten Sexualpraktiken der Taoisten zeigt sich hier, daß der wahrhaft Gläubige von puritanischer Keuschheit zu sein hatte. Er durfte nie, auch dann nicht, wenn er allein war, nackt umhergehen. Tausend Verdienste erwarb sich der, der zeit seines Lebens niemals die Ehe brach, und unbegrenztes Verschulden traf den Verfasser unzüchtiger Schriften und den Maler obszöner Bilder. Allein schon das Anblicken weiblicher Personen wurde als Vergehen betrachtet. Da nun für alle Gebote und Verbote Plus- und Minuspunkte angesetzt wurden, war es dem Taoisten möglich, durch tägliche Buchführung über sein Verhalten festzustellen, wie sein moralischer Kredit- oder Debetbestand war.[47]

---

46 Yün-chi ch'i-ch'ien, Kap. 37.
47 *Wieger* (1927), S. 579–588. Ich gehe hier nicht ein auf den berühmten Traktat Kan-ying pien („Traktat von Lohn und Strafe"), dessen Abfassung wohl vor Lü Yen liegt und eine Vorstufe seines Kodex darstellt.

Dadurch, daß dieser Moralkodex vorwiegend auf das Verhalten im Alltags-
leben zugeschnitten war, unterschied er sich von dem der Buddhisten, der sich
in erster Linie auf das Mönchsleben im Kloster und erst in zweiter Linie auf
das der Laienanhänger außerhalb des Klosters bezog.

Für uns aber zeigt sich hier wieder, daß der konfuzianische Ritualismus
oder die „Religion des guten Staatsbürgers", wie er einmal von Ku Hung-
ming genannt wurde, nicht die einzige Art der Lebensreglementierung in
China war. Die taoistische Lebensformung stand neben der konfuzianischen,
die ja im allgemeinen nur für die gehobene Gesellschaftsschicht der Gentry
verbindlich war, und auch neben der buddhistischen.

Ebenso sollten wir allmählich anerkennen, daß es außer der „konfuzianisch
gebildeten" Klasse auch eine „taoistisch gebildete" und eine „buddhistisch
gebildete" gab, die erst in ihrer Gesamtheit den wahren Eindruck von der
chinesischen Gesellschaft vermitteln.

Lü Yen wurde wegen seiner großen religiösen Verdienste später unter die
acht Unsterblichen der Yüan-Zeit aufgenommen und zum Gildengott der
Tuschemacher auserwählt. Sein kanonischer Name war „Wahrhaftmensch des
reinen Yang" *(Shun-Yang chên-jên)*. Er wurde eine Hauptfigur in den taoistisch gefärbten Geheimreligionen.

4. Der Buddhismus

In dem Abschnitt über den Buddhismus der Nord-Süd-Trennung habe ich
aufzuzeigen versucht, wie dieser in Ablösung des Taoismus zur vorherrschenden Religion in China wurde. Ich habe ebenfalls darauf hingewiesen, daß er
zu dieser Zeit des Zerfalls in mehrere Staaten eine Art geistiges Band der
auseinanderstrebenden und sich bekämpfenden Teile bildete.

a. Buddhismus und Staatspolitik

Es lag deshalb für den Begründer der neuerlichen Reichseinheit unter der
Dynastie Sui schon an sich nahe zu versuchen, den Buddhismus als einigendes
Band der in kultureller Hinsicht ungleichen Teile zu benutzen. Dazu kam,
daß er in seiner Jugend unter der Obhut einer buddhistischen Nonne stand
und dem Buddhismus deshalb mehr zuneigte als dem Konfuzianismus, dem
er nur insofern stattgab, als er sich bemühte, seinem Staat die vom orthodoxen
Konfuzianismus geforderte Fassade zu geben. Dies geschah natürlich mit Rücksicht auf die administrativen Fähigkeiten der diesem anhängenden Sippen.

Die Absicht des Sui-Kaisers, die neue Reichseinheit in religiöser Hinsicht
auf den Buddhismus zu begründen, wird ersichtlich aus einer Proklamation
vom Jahre 581. In dieser sagt er von sich selbst, daß er „mit den Waffen eines
Čakravartin die Ideen der höchsten Güte", d. h. des Buddha, „ausbreite".

Deshalb betrachte er seine Kriegswaffen als mit „Weihrauch und Blumen", d. h. mit den buddhistischen Opferdingen, auf einer Stufe stehend. Und er würde mit ihrer Hilfe aus dieser Welt des Sichtbaren „das reine Land" des Buddha machen.[47a] Im Jahre 584 erklärte er einem ihm von früher befreundeten Dharmameister (Fa-shih) in Lo-yang gegenüber, daß „er der Himmelssohn (Kaiser) der gewöhnlichen Menschen, der Dharmameister aber der Himmelssohn der Gläubigen sei", und er beauftragte ihn, jeden, der sich vom ordinären Leben trennen wolle, „zu retten", d. h. zu ordinieren. Ferner sagte er zu einem, der dazu gewisse Zweifel äußerte, wahrscheinlich weil der Sui-Kaiser trotz aller Vorliebe für den Buddhismus die scharfe Kirchenkontrolle, die sich unter den Toba-Wei herausgebildet hatte, übernahm: „Der Dharmameister bekehrt die Leute zum Guten, ich halte sie davon ab, Böses zu tun. Im Grunde ist unsere Absicht ein und dieselbe." [48]

Das erinnert an die Atmosphäre, die wir unter dem ersten Liang-Kaiser kennengelernt haben (s. o. S. 195).

Hier kommt jedoch noch ein anderer Gesichtspunkt hinzu. Damals im Jahre 584 war der Süden des Reiches noch nicht unterworfen. Der Kaiser präsentierte sich also als der gerechte Herrscher, dessen Krieg im Namen der Güte und Menschlichkeit geführt wurde. Dies sollte natürlich seinen Eindruck auf die großen buddhistischen Gemeinden jenseits des Yangtse nicht verfehlen. Faktisch versuchte der Kaiser, in den Ruf zu kommen, eine Art neuer Aśoka zu sein.

Leider waren aber die Buddhisten im Süden ihrem Herrscherhaus, das ebenfalls ihre Kirche begünstigte, treu ergeben und unterstützten die Aufstände der Bevölkerung gegen den Eroberer aus dem Norden. Dieser ordnete deshalb im Jahre 590 nach Unterwerfung des Südens an, daß alle Buddhisten sich aufs neue der Ordination unterziehen sollten.

Dies alles zeigt, daß der Buddhismus in jener Zeit ein politischer Faktor war, mit dem alle, die um die Macht rangen, zu rechnen hatten.

Der erste Sui-Kaiser wollte in klarer Erkenntnis der geistigen Situation seiner Zeit deshalb die buddhistische Kirche zur Grundlage einer neuen, einheitlichen chinesischen Gesellschaft machen. Er ordnete an, daß Mönche und Nonnen nicht nach dem Laiengesetz abgeurteilt werden dürften, und unterstützte ihre intensive Bekehrungstätigkeit in jeder nur möglichen Weise. Diese Bestrebungen hatten u. a. eine neue Welle von Aśoka-Funden im Gefolge.

Es erwies sich jedoch am Ende, daß der Buddhismus – jedenfalls wegen seiner Weltabgewandtheit – nicht fähig war, Träger einer Staatsorganistion zu werden. Er konnte wohl die Konzeption eines Weltreiches (*Jambudvīpa*), nicht aber dieses selbst schaffen und mußte schließlich ebenso wie der Taoismus

---

47a *Wright* (1965), S. 67.
48 Taishō, 49, S. 359.

den konfuzianischen Sippen das Feld der Verwaltung und Staatsführung überlassen.[49]

Dies blieb nicht der einzige Versuch, in jener Zeit aus China einen buddhistischen Staat zu machen. Ein weiterer wurde unternommen von der berühmten oder berüchtigten Kaiserin *Wu (Tsê-t'ien)*. Im Jahre 690 setzte sie sich an die Stelle des 22 Jahre alten Kaisers und änderte den Namen der Dynastie um in *Chou*. Im ersten Monat des Jahres 691 vollzog sie in der neuerbauten Ming-t'ang das Opfer an Hao-t'ien shang-ti. Im selben Jahr verordnete sie, daß die Buddhisten vor den Taoisten den Vortritt haben sollten.

Es heißt, daß sie von den Buddhisten als Verkörperung des Maitreya-Buddha angesehen wurde und deshalb berufen wäre, den Weltteil Jambudvīpa zu beherrschen.[50] Im Jahre 693 nahm sie den Titel „Goldrad drehender heiliger Götterkaiser" *(Suvarṇa-čakra-vartirājā)* an und bewies dadurch, daß es ihr darum ging, ein buddhistisches Weltreich zu errichten. Bei ihren Audienzen wurden die *sapta ratna*, d. h. die sieben Kostbarkeiten eines *čakravartin*, in der Halle ausgebreitet. Anscheinend blieb dies auch nicht ohne Wirkung auf die an das Reich angrenzenden Barbarenvölkern, besonders jene im Westen. Diese spendeten ihr nämlich eine „Himmelsachsensäule" aus Kupfer, die vor dem südlichen Palasttor Aufstellung fand. Wahrscheinlich brachte dies zum Ausdruck, daß man die Hauptstadt der Kaiserin Wu, Lo-yang, als den Mittelpunkt der Welt betrachte.

Auch der Buddha selbst scheint schließlich aufgetreten zu sein, denn im Jahre 701 wurden bei Ch'êng-chou (im Nordwesten des Reichs) seine Fußspuren gefunden. Ob alt oder frisch wird nicht gesagt, wohl aber, daß sie sehr groß waren, so wie die Götterspuren der ausgehenden Chou- und der Ch'in-Zeit. Das Ereignis wurde als so wichtig angesehen, daß die Regierungsdevise in *Ta-tsu* („Groß-Fuß") geändert wurde.[51]

Nach dem Tod des Mönches *Huai-i*, des Günstlings der Kaiserin Wu, scheint ihre Vorliebe für den Buddhismus sehr nachgelassen zu haben. Im Jahre 700 legte sie ihren buddhistischen Titel ab. Zur selben Zeit etwa wurde das von ihr 692 für das ganze Reich erlassene Schlacht- und Fischfangverbot aufgehoben. Da die Bevölkerung im Süden zum großen Teil auf Fischfang angewiesen war und im Nordwesten hauptsächlich von Fleisch lebte, hatte dies Verbot viel Unruhe und Unzufriedenheit verursacht. Es heißt sogar, daß es zu Hungersnöten geführt habe.

Der wichtigste Grund aber für die Aufgabe dieser Pläne eines großen buddhistischen Weltreiches waren die gewaltigen Ausgaben für Tempel, Buddhastatuen und dgl., die den Staatshaushalt fühlbar belasteten. Im Jahre 704 wurden deshalb, wie auch schon einmal vorher, die buddhistischen Mönche

---

49 *A. F. Wright*, in: *Fairbank*, Chinese thought and institutions, S. 71–104.
50 *O. Franke*: Geschichte des chinesischen Reiches, II, S. 417.
51 Taishō, 49, S. 370.

und Nonnen gezwungen, Geld- und Arbeitsbeiträge zu einer Kolossalstatue des Buddha für das berühmte „Weißpferdkloster" in Lo-yang zu leisten. Die Bevölkerung dagegen wurde sowohl mit Abgaben als auch von Dienstleistungen für dies Unternehmen verschont.

Auf die Kaiserin Wu folgte die ebenfalls buddhistenfreundliche Kaiserin *Wei*. Dann aber kam der taoistenfreundliche T'ang-Kaiser *Hsüan-tsung* an die Regierung. Damit nahm die Vorzugsbehandlung des Buddhismus ein Ende. Im Jahre 714 erließ er eine Verordnung, daß die Beamten alle Mönche und Nonnen überprüfen sollten mit dem Ziel, deren Zahl zu verringern. Tatsächlich wurden etwa 12 000 von ihnen gezwungen, in den Laienstand zurückzutreten. Trotzdem blieb die Macht der buddhistischen Kirche ungebrochen, bis es zu der großen Religionsverfolgung vom Jahre 845 kam, mit der wir uns anschließend befassen werden.

b. Opposition gegen den Buddhismus

Die Opposition gegen den Buddhismus regte sich schon bald nach Beginn der T'ang-Dynastie. Sie begann mit einer Eingabe des Ministers *Fu Yih* (554 bis 639), der nach Angabe der Buddhisten in seiner Jugend ein Anhänger des Taoismus gewesen sein soll.

In seinem Memorandum heißt es, daß die Buddhisten die Leute veranlaßten, gegenüber dem Herrscher illoyal zu sein (denn sie glaubten, daß sie alles, Erfolg und Mißerfolg, dem Buddha und nicht dem Kaiser verdankten) und gegenüber den Eltern pietätlos, denn sie ließen sich den Kopf scheren, anstatt den ganzen Körper so heil zu erhalten, wie er ihnen von Vater und Mutter übergeben wurde. Die Mönche und Nonnen „treiben sich herum, erschleichen sich Speise, ändern ihre Kleidung und drücken sich von Steuern und Abgaben". Sie sind, so würden wir heute sagen, Gammler, die auf Kosten der Gesellschaft ein faules und gutes Leben führen.

Fu Yih wendete sich in erster Linie gegen die wirtschaftlichen Schäden, die durch die Buddhisten im Staatshaushalt entstanden. Er erreichte, daß der erste T'ang-Kaiser im Jahre 626 beschloß, die Buddhisten einer scharfen Kontrolle zu unterwerfen, um alle unlauteren Elemente, besonders die illegal ordinierten, auszumerzen. Doch kam der Plan nicht zur Ausführung, weil der Kaiser starb.[52]

Der bekannteste Gegner des Buddhismus aber ist der Literat *Han Yü*, der sich 819 in einem wegen seines Stils hoch geschätzten Essay gegen die feierliche Einholung eines berühmten Buddhafingerknochens wandte. In diesem Schriftstück heißt es, daß die Leute von religiösem Fanatismus erfaßt seien, sich zu Tausenden Köpfe und Finger versengten, ihre Kleider auf den Weg breiteten und ihr Geld in den Tempeln verstreuten. Aber der, für den sie das

---

52 Taishō, 49, S. 362–363a; 564.

täten, Buddha, sei „barbarischer Herkunft und seine Sprache sei anders als die der Chinesen". Er, Han Yü, beantrage deshalb, daß der Knochen den Beamten übergeben und von diesen ins Wasser oder Feuer geworfen werde. „Sollte der Buddha tatsächlich übernatürliche Kräfte besitzen, ... so möge alle Vergeltung gerechterweise mich treffen." [53] Der Fingerknochen gehörte einem Kloster in Fêng-hsiang (westlich der Hauptstadt Ch'ang-an). Dies besaß eine Pagode, in der diese Relique aufbewahrt wurde. Nur alle 30 Jahre öffnete man die Aufbewahrungsstätte, und dann wurde der Knochen in einer prunkvollen Prozession in den kaiserlichen Palast überführt, wo er drei Tage lang blieb, bevor man ihn ebenso feierlich wieder zurückbrachte. Dies war wohl eines der größten Kirchenfeste jener Zeit, und die Jahre, in denen die Pagode geöffnet wurde, galten als große Glücksjahre. Die Prozession erregte die Glaubenswut der Masse in einem Maße, wie man das sonst nur aus Indien gewohnt ist.[54]

Die Eingabe erforderte deshalb, wie man sich leicht vorstellen kann, ein außergewöhnlich hohes Maß von Zivilcourage. Ihr Erfolg war, daß man Han Yü in eine ungesunde Gegend verbannte. Er wurde damit das Opfer einer Interessenclique, bestehend aus den führenden Buddhisten der Hauptstadt, den Damen der kaiserlichen inneren Gemächer und deren Verwandtschaft, sowie der Eunuchen, die dem Kaiser, der, wie ein Edikt von 807 gegen die amtlich nicht zugelassenen Mönche zeigt, nicht unbedingt buddhistenfreundlich war, als Geheimpolizei dienten.

Aber auch nach dem Tode Han Yü's meldeten sich weitere antibuddhistische Stimmen aus der konfuzianischen Gelehrtenschaft. So richtet der Literat Sun Ch'iao im Jahre 851, also in der Zeit des Wiederaufbaus des durch die Verfolgung von 845 angeschlagenen Buddhismus, einen Brief an den Kaiser, in dem er ausführte, daß im Volk die Männer das Feld bestellten und die Frauen für Kleidung sorgten, es ihnen aber nicht möglich sei, sich satt zu essen und warm zu kleiden. Dagegen säßen die Mönche in ihren prächtigen Klöstern und hätten Überfluß an allem. Im allgemeinen könnten zehn Familien aus dem Volk kaum die Bedürfnisse eines Mönches zufriedenstellen. Er fordere deshalb, daß man die während der Verfolgung säkularisierten Mönche nicht wieder ordiniere und zerstörte Klöster nicht wieder aufbaue.

Der Kaiser nahm das übel auf.

Im Jahre 852 aber stießen die Minister hinsichtlich der Einschränkung der Ordinationen und des Klosterbaus erneut vor, weil dieser „zu übermäßigen Ausgaben" führe. Sie baten um scharfe Kontrolle der Zulassung zu den Ordinationen.

Diese wurde nunmehr durch Verordnung festgelegt.[55]

---

53 *Reischauer* (1963), S. 221–223.
54 *Gernet* (1956), S. 230.
55 Taishō, 49, S. 387.

c. Wirtschaftliche Stellung des Buddhismus

Wenn wir uns das alles vor Augen halten, dann fällt uns auf, daß eine neue Note in die Auseinandersetzungen zwischen Staat und Kirche gekommen ist. Während zur Zeit der Trennung in Nord und Süd die Kirche bemüht war, ihren Einfluß im Volk dazu zu benutzen, um ihre eigene Autorität über die der Staatsorgane zu setzen, verlagern sich die Konflikte jetzt auf das Gebiet der Wirtschaft.

Der Reichtum der Klöster und Tempel muß während der T'ang-Zeit in einem solchen Maße zugenommen haben, daß tatsächlich der Staatshaushalt dadurch gefährdet wurde. Es stand zu befürchten, daß die Kirche ihre Vormachtstellung im Staat, die sie auf rechtlichem Gebiet nicht erreichen konnte, durch ihre Macht in der Volkswirtschaft durchsetzen würde.

Besonders im unveräußerlichen *Triratna*-Eigentum, dem permanenten Allgemeingut der Mönchsgemeinschaft, war in den Klöstern ein Besitzstand zusammengekommen, der sich durch die Aktivität der Mönche ständig vermehrte, ohne einer rigorosen Abgabenbelastung ausgesetzt zu sein. Völlige Abgabenfreiheit war allerdings durchaus nicht die Regel. Dieser Besitz umfaßte heilige Schriften, Klostergebäude, Statuen aus Kupfer oder Bronze, die nicht selten mit Gold überzogen waren, Kultgeräte, Sklaven, Tiere und Ländereien.[56] Letztere waren oft verpachtet und brachten Geld ein. In manchen Fällen besaßen die Klöster auch Kornmühlen und Ölpressen. Wenn auch erstere einer gewissen Besteuerung durch die Staatsbehörde unterworfen waren und letztere vornehmlich dem Ölverbrauch der ewigen Lampen dienten, so führte der Verkauf ihrer Produkte doch den Klöstern auch wieder reichliche Einnahmen zu.

Das Triratna-Eigentum war heilig und jeder, der sich an ihm vergriff, wurde bestraft. So lesen wir von einem Abt, der starb, indem er wie ein Rind brüllte. Dies war das Zeichen einer bösen Wiedergeburt als Strafe dafür, daß er sich an den Permanentgütern des Klosters vergangen hatte.

Zum Triratna-Eigentum gehörten ebenfalls die auf dem Klostergrund erzeugten Nahrungsmittel für die Mönche. Deshalb wurde im Jahre 660 ein Mönch krank und starb, als er seine Verwandten mit Klosterfrüchten bewirtet hatte. „So ist das Verbot Buddhas: Alles Geld, Korn, Gemüse, alle Früchte, Geräte, Möbel, Wohnungen, Berge und Felder sind Eigentum der Mönchsgemeinde (samgha) und dürfen nicht dem privaten Verbrauch zugeführt werden."[57]

Außer auf den bereits erwähnten Wegen vermehrte sich der Reichtum der Mönche durch große Stiftungen reicher Laien, aber auch von seiten des Staates. Letzterer wandte allerdings seine Gaben im allgemeinen nur den staatlich

56 *Gernet* (1956), S. 63.
57 Taishō, 49, S. 369; 367b; *Gernet* (1956), S. 68/69.

anerkannten und auf staatliche Anordnung hin erbauten Klöstern zu. Deren Mönche standen gewissermaßen im Dienste der Regierung und hatten die Aufgabe, sich mit ihren religiösen Mitteln für das Wohl und den Fortbestand der Dynastie einzusetzen. Häufig mußten sie zur Abwehr einer Dürre oder zur Erlangung guter Ernten Dauerprozessionen um die Heiligenbilder über mehrere Tage und Nächte hin und Dauerbetdienste abhalten. Der halbamtliche Charakter dieser Mönche geht daraus hervor, daß sie da und dort mit öffentlichen Arbeiten wie Reisverlesen beauftragt wurden.[58]

Auch diese Klöster waren es, die mit der Abhaltung von Ordinationen nach vorausgehender Examination betraut wurden. Letztere waren eines der Mittel, den Zustrom zur Geistlichkeit etwas zu verringern, denn die Anforderungen, die dabei gestellt wurden, waren ziemlich hoch. So mußten zum Beispiel im Jahre 825 die männlichen Novizen 150 Seiten eines Sutra auswendig aufsagen und die weiblichen 100 Seiten einwandfrei rezitieren.[59] Die wesentlich leichtere Anforderung an letztere erklärt sich wohl daraus, daß Frauen im Werktagsleben entbehrlicher schienen als Männer.

Allerdings gab es nach der großen und verheerenden Rebellion der Jahre 755–761 auch die Möglichkeit, Ordinationsurkunden, wie sie zumindest seit 747 von jedem ordinierten Buddhisten an seinem Leib getragen werden mußten, zu kaufen. Doch mußte auch bei ihrem Erwerb eine – allerdings wesentlich erleichterte – Prüfung abgelegt werden, die man jedoch als bloße Formangelegenheit ansehen kann.[60] Es handelt sich hier jedoch um eine nur vorübergehende Notmaßnahme zur Deckung der durch die Unruhen verursachten ungeheuren Ausgaben.

Neben dieser staatlich anerkannten und zeitweilig geförderten buddhistischen Kirche bestand noch eine andere, die vom Staat nur geduldet wurde. Es waren dies kleine Klöster, Heiligtümer und Eremitagen, die überall, vom Volk unterhalten, aufkamen, aber keine durch ein großes Stirnschild gekennzeichnete amtliche Anerkennung erwerben konnten. Gerade diese, der behördlichen Kontrolle nicht unterworfene, buddhistische Kirche war es, die durch zeitweiligen Massenzulauf im Volk wirtschaftliche Schäden verursachte. Sie ist deshalb auch von Zeit zu Zeit scharfen Restriktionsmaßnahmen, Säkularisierungen und Abbruch von Tempeln usw. unterzogen worden.

Die großen vom Staat geförderten Klöster dagegen trieben oft einen unerhörten Aufwand an prunkvollen Zeremonien und religiösen Schaustellungen. Die in zahlreichen Andachtshallen aufgestellten Statuen verursachten wiederholt eine Metallverknappung, die sich auf den Umlauf an Münzgeld sehr ungünstig auswirkte. Bei gewissen Lichterfesten für Buddha wurden „Lampenräder" oder „Lampentürme" von etwa 60 m Höhe mit mehr als

58 *Reischauer* (1963), S. 129/30.
59 Taishō, 49, S. 384.
60 Taishō, 49, S. 376; *Gernet* (1956), S. 50.

500 Metallampen errichtet. Es gab sogar regelrechte Ausstellungen von kostbaren Heiligenbildern. Natürlich diente dies alles der religiösen Propaganda, und der Aufwand wurde durch die Spenden der Gläubigen um ein Vielfaches wieder eingebracht. Als besonders ergiebig für die Mönchsgemeinschaft erwiesen sich die großen Fastenfeiern. Dabei erhielten nach vorausgehender Andachtsübung oft mehrere tausend Mönche und Laienanhänger eine vegetarische Mahlzeit. Die Kosten für solche Veranstaltungen trugen reiche Spender, nicht selten auch die Staatskasse. Nach jeder solchen Feier wurden an alle Mönche und Novizen gemäß ihrer Rangfolge Kupfermünzen verteilt.[61]

Dies aber zeigt uns an, daß neben dem allgemeinen Triratna-Eigentum jeder Mönch seinen Privatbesitz hatte. Dadurch aber ergab sich, wie mir scheint, für den Staat eine Möglichkeit einzugreifen, während der allgemeine Klosterbesitz, vor allem natürlich der der großen, vom Staat begünstigten Klöster, dem Zugriff der Behörden weitgehend entzogen war.

Allerdings war auch ein Mönch während seines Lebens im Kloster, im allgemeinen wenigstens, von allen Pflichten und Abgaben an den Staat befreit. Wie aber war das nach seinem Tode mit dem Nachlaß? In der Regel fiel dabei das, was er bei seinem Eintritt in die religiöse Gemeinschaft mitgebracht hatte, an die Familie, die er verlassen hatte, zurück, während das neu Hinzugekommene zum Teil zum Triratna-Eigentum geschlagen, zum Teil unter seine Mitmönche verteilt wurde.

Es gibt freilich einen Erlaß vom Jahre 784, den ich als Eingriff der Staatsbehörde in die Hinterlassenschaft eines Mönches interpretieren möchte. Ich bin versucht, den nicht leicht verständlichen Wortlaut etwa folgendermaßen wiederzugeben: „Erlaß betreffend die Güter und Werte eines verstorbenen Mönches: Was seit alters im Kloster war, wird aufgenommen und nach Abzug der Begräbniskosten an die betreffende Mönchsgemeinde verteilt. Neu Hinzugekommenes wird unter Berücksichtigung der Umstände von den Behörden eingezogen, ebenso das (vom Erbe), was Streitigkeiten veranlaßt. Zugleich höre man jetzt auf, sich auf die Erfahrung der drei Klostervorstände zu verlassen (?), sondern stütze sich einheitlich auf das geschriebene Gesetz für ‚Nachlaßverteilung‘."[62]

Ich nehme an, daß man von einem Mönch nicht erwartete, daß er seinen Besitzstand mehren würde. Geschah dies jedoch, dann hatte er gegen das Armutsgelübde verstoßen, und der Staat beanspruchte das für sich, was hinzugekommen war.

Überhaupt versuchte die Regierung damals, mehr Einfluß auf die Vorgänge hinter den Klostermauern zu gewinnen. Schon im vorhergehenden Jahr 783

---

61 *Reischauer* (1963), 182/83.
62 Taishō, 49, S. 379.

war ein Erlaß herausgekommen, daß die Ordinationsausweise solcher Mönche, die in Strafsachen verwickelt waren, durch den Klostervorstand der Lokalbehörde, in der Hauptstadt aber dem Opferamt (Tz'û-pu) zur Vernichtung einzureichen seien.

Natürlich hatte der Staat großes Interesse daran, daß die Klöster nicht zum Versteck strafbarer Personen wurden, ebensosehr auch daran, daß die Klosterinsassen nicht zu große Reichtümer ansammelten. Daß letzteres gar nicht selten der Fall war, zeigt zum Beispiel der Nachlaß des bekannten Mönches *Pu-k'ung (Amoghavajra)*, der unter anderem 87 Unzen Gold und mehr als 220 Unzen Silber sowie Rinder, Ländereien, Wagen und zahlreiche Schmuck- und Gebrauchsgegenstände besessen hatte[63]. Im allgemeinen aber bestand die Hinterlassenschaft eines Mönches aus Tuchballen, die in den Klöstern an Stelle des Geldes als Zahlungsmittel benutzt wurden.

Die Probleme, die dem T'ang-Staat von seiten der buddhistischen Kirche erwuchsen, waren also in erster Linie wirtschaftlicher Art. Es ist deswegen verständlich, daß sich die große Verfolgung von 844/45 hauptsächlich gegen deren Besitzstand richtete. Es ging um einen umfassenden Eingriff in das bis dahin ziemlich unangetastete Triratna-Eigentum der in und um die Hauptstädte gelegenen Klöster.

d. Die Verfolgung von 844/45

Innerer Anlaß für den Ausbruch der Verfolgung war der Gegensatz zwischen dem Anhang der Kaiserinnen und den Eunuchen einerseits und der konfuzianischen Bürokratie anderseits. Der Kaiser, der sich zwar von Anfang an feindlich gegen die Manichäer, aber nicht gegen die Buddhisten zeigte, stellte sich entschieden auf die Seite der Bürokratie und damit auf die Seite der antibuddhistischen Opposition, von der ich im Vorhergehenden einige Proben beigebracht habe.

Kennzeichnend ist die Liquidierung eines mächtigen Eunuchen, dem der Kaiser insofern verpflichtet war, als er durch dessen Fürsprache den Thron erlangt hatte. Der Eunuch war daraufhin zu einer außergewöhnlichen Machtstellung aufgestiegen. Er kam zu Fall infolge einer die Majestät des Kaisers schwer beleidigenden Äußerung seines Adoptivsohnes. „Dreißig Karren brauchten mehr als einen Monat, um die von ihm angesammelten Schätze in die Palastspeicher zu überführen."

Mit der Machtstellung der Eunuchen fiel auch die der buddhistischen Kirche. Der Staat benutzte dies zu einer umfassenden Beschlagnahme des Kirchenbesitzes. So wurden etwa 5 400 000 Hektar Klosterland und alles Privateigentum der ordinierten Mönche und Nonnen eingezogen. Man nahm der Kirche auch ihre Arbeitskräfte, nämlich 150 000 Klosterklaven. Die uns recht hoch

63 *Gernet* (1956), S. 77.

erscheinende Zahl dieser hauptsächlich für die Reinigung der Klosterräume bestimmten Dienstkräfte erklärt sich daraus, daß nach fehlgeschlagenen Aufständen die zum Tode verurteilten Rebellen oft durch einen Gnadenakt der buddhistischen Kirche zum Geschenk gemacht wurden. Jetzt wurden sie teils in die Armee gesteckt, teils an reiche Leute verkauft oder den Palastsklaven zugeteilt.[64] Ähnlich verfuhr man mit Mönchen, die keinen Ordinationsausweis des Opferamtes (Tz'û-pu) vorzeigen konnten. Insgesamt sollen etwa 260 500 Mönche und Nonnen säkularisiert worden sein. An die 4600 Klöster wurden abgerissen. Von den Standbildern schälte man das Gold ab und brachte es in die kaiserlichen Schatzspeicher. Aus den Bronze- und Kupferstatuen, Kesseln usw. wurden Münzen gegossen, aus dem Eisen allerlei Gebrauchsgeräte angefertigt. Kurz, alles, was wieder der Volkswirtschaft dienlich gemacht werden konnte, wurde den Klöstern fortgenommen.

Dieser Eingriff in das Triratna-Eigentum und den Besitz der Mönche bewirkte meiner Ansicht nach, daß die buddhistische Kirche nach der Verfolgung nicht wieder ihre alte Machtstellung erreichte. Der Glaube an die absolute Sicherheit der Güter hinter den Klostermauern war zu sehr erschüttert worden. Der Staat oder, besser gesagt, die konfuzianische Bildungsschicht wachte eifersüchtig darüber, daß neben ihr nicht noch eine andere nichtproduzierende Gruppe die Volkswirtschaft zu sehr belastete.

In religiöser Hinsicht richtete die Verfolgung, obwohl sie zeitweise von den alten Feinden des Buddhismus, den Taoisten, angeheizt wurde, bedeutend weniger Schaden an, als man im allgemeinen anzunehmen pflegt. In manchen Teilen des Reiches fand sie überhaupt nicht statt, ja wurde sogar ihre Durchführung verhindert. In den Hauptstädten Ch'ang-an und Lo-yang blieben je vier Buddhistenklöster mit je 30 Mönchen oder Nonnen bestehen und in den großen Provinzstädten je eines. Auch das Dienstpersonal wurde nicht völlig entzogen, denn ein Mönch durfte einen Sklaven und eine Nonne zwei Sklavinnen behalten.[65]

Es gab auch noch einen wichtigen Faktor, der bewirkte, daß die Schärfe der Verfolgung herabgemildert wurde, nämlich die karitative Tätigkeit der buddhistischen Kirche. Die Umwelt bestand für den gläubigen Buddhisten aus drei großen Aktivitätsfeldern: Der Buddha, die Heiligen und die Gemeinde bildeten das Feld respektvoller Verehrung. Die Glaubenslehrer und die Eltern bildeten das Feld zur Betätigung freundlichen Wohlwollens. Und die Armen und Kranken bildeten das Feld der Mildtätigkeit. Letzteres war der Grund dafür, daß die buddhistischen Klöster schon immer bemüht waren, Hungernde zu speisen und Kranke zu pflegen. Etwa von der Dynastie Sui an führte dies zum Aufkommen von an die Klöster angeschlossenen Krankenhäusern und

64 *Reischauer* (1963), S. 252.
65 Taishō, 49, S. 386; *Reischauer* (1963), S. 216–267.

Speiseanstalten für die Armen. Zur Zeit der Verfolgung waren diese Institutionen bereits so entwickelt, daß man nicht mehr auf sie verzichten konnte. Auf Antrag des Ministers *Li Tê-yü* wurden deshalb den vom Staat zugelassenen Klöstern 27 bis 54 Hektar Land zugestanden, damit sie ihre karitativen Einrichtungen aufrechterhalten konnten.[66]

Außerdem scheint der Hauptsturm der Verfolgung schon im Jahre 845 vorübergewesen zu sein, denn 846 wurden in den beiden Hälften der Hauptstädte wieder je acht neue Klöster den bestehenden hinzugefügt und an die Mönche und Nonnen vom Opferamt Ordinationsausweise ausgegeben. Im selben Jahr wurden auch die Haupthetzer aus den Reihen der Taoisten gefangen gesetzt und abgeurteilt. Die buddhistische Kirche erhielt vom Staat wieder den Auftrag, an den Landestrauertagen für die verstorbenen Kaiser Messen zu lesen. Unter dem neuen Kaiser Hsüan-tsung begann im Jahre 847 ein umfassender Wiederaufbau der Klöster, Tempel und Heiligtümer. Im Jahre 848 kam sogar ein Erlaß heraus, der die buddhistischen Klöster vor den längeren oder kürzeren Einlagerungen reisender Staatsbeamter schützte, die sie in öffentliche Herbergen umzuwandeln drohten.[67]

Und 873 wird bereits wieder der berühmte Buddhaknochen aus Fêng-hsiang mit einem sich über 300 chinesische Meilen hinziehenden Geleitzug eingeholt. Der Kaiser soll dazu geäußert haben: „Nachdem ich dies (den Knochen) in diesem Leben sehen durfte, werde ich ohne Bedauern sterben." [68]

Am Ende der T'ang-Zeit stand der Buddhismus wieder fast genauso da wie am Anfang der Periode. Wirklich geschädigt wurden durch die Verfolgung nur die neuen Fremdreligionen wie der Manichäismus und der Nestorianismus, von denen weiter unten noch die Rede sein wird.

e. Staat und Kirche

Wenn ich hervorzuheben versuchte, daß die historische Bewegung des Buddhismus zur T'ang-Zeit hauptsächlich auf wirtschaftlichem Gebiet vor sich ging, soll damit nicht gesagt sein, daß der alte Streit um den Vorrang zwischen Staat und Kirche sich nicht mehr bemerkbar gemacht hätte. Er nimmt jetzt eine Wendung auf rein äußerliche Grußformalitäten hin. Nach buddhistischer Ansicht haben bekanntlich die, die „aus der Familie ausgeschieden sind" *(ch'u-chia),* denen, die „in der Familie stehen" *(tsai-chia),* gegenüber keine Grußpflicht, wohl aber sollen die Eltern ihren Sohn als Mönch grüßen. Dies war natürlich eine Sitte, die der Grundhaltung der konfuzianischen Ethik, in der die Kindespietät ein Hauptpfeiler war, diametral zuwiderlief. Zu erwähnen ist weiter, daß die Entbindung der Buddhisten von der Grußpflicht gegenüber den Eltern zugleich auch die gegenüber dem Kaiser, dem

---

66 *Gernet* (1956), S. 214–218; T'ang hui-yao, S. 683.
67 Taishō, 49, S. 387; *Reischauer* (1963), S. 151.
68 Taishō, 49, S. 389.

Vater des gesamten Volkes, einschloß, was u. a. zur Folge hatte, daß in den buddhistischen Schriften die Staatstabuzeichen, d. h. die persönlichen Namen der Kaiser, nicht vermieden zu werden brauchten .

Zur T'ang-Zeit wurde die Frage bald in dem einen, bald in anderem Sinn entschieden. So hatten im Jahre 631 zum Beispiel die Ordinierten der buddhistischen und taoistischen Religion auf Grund eines Regierungserlasses die Eltern zu grüßen.[69] Im Jahre 839 dagegen blieben die Vertreter der beiden Religionen bei Verlesung eines kaiserlichen Mandatschreibens aufrecht stehen, während alle anderen sich verneigen mußten.[70]

Ein weiterer Streitpunkt war, welche Religion vor der anderen den Vorrang haben sollte. Ich habe in diesem und dem vorausgehenden Abschnitt einige Bemerkungen darüber gemacht, möchte aber an dieser Stelle nochmals den buddhistischen Standpunkt aufführen. Nach diesem ist Buddha gleich der Sonne, Lao-tzû gleich dem Mond und die Konfuzianer sind gleich den fünf Planeten. In buddhistischen Augen war die Bevorzugung der Taoisten durch den ersten T'ang-Kaiser ein Verstoß gegen die Weltordnung und die gute Sitte (Li).[71]

In diesem Zusammenhang wird auch wieder das oben erwähnte Werk „Lao-tzû bekehrt die Barbaren" von den Buddhisten schwer angegriffen. Im Jahre 668 erreichen sie, daß es als offenbare Fälschung eingezogen und vernichtet werden soll.[72] Daß dies jedoch ohne den gewünschten Erfolg blieb, zeigt ein weiterer diesbezüglicher Vorstoß der Buddhisten im Jahre 705.

f. Religiöse Entwicklung

Was nun die religiöse Entwicklung des Buddhismus betrifft, so steht sie im ersten Teil der T'ang-Zeit vorwiegend unter dem Eindruck des berühmten Pilgermönches *Hsüan-tsang (Tripitaka)*[73]. Dieser hatte im Jahre 629 das T'ang-Reich illegalerweise verlassen und war nach einer abenteuerlichen Reise durch Turkestan und Indien, wo er erfolgreich für den Mahāyāna-Buddhismus warb, beladen mit Sanskrittexten und Buddhabildern 645 zurückgekehrt. Er wurde vom Kaiser empfangen, der ihm im Palast in Ch'ang-an ein Übersetzungsbüro einrichten ließ. Es heißt, daß er seinen Einfluß bei Hof sofort dazu benutzt habe zu veranlassen, daß eine im Jahre 655 erlassene Bestimmung, nach der Mönche und Nonnen dem üblichen Zivilgerichtsverfahren zu unterwerfen seien, aufgehoben wurde.

Hsüan-tsang war besonders interessiert am *Yoga sāstra,* dem umfangreichen

---

69 Taishō, 49, S. 364.
70 *Reischauer* (1963), S. 115/16.
71 Taishō, 49, S. 369.
72 Taishō, 49, S. 368.
73 Es scheint, daß die allgemeine Benennung der ordinierten Buddhisten mit Shih (Sākya), die im 4. Jh. aufkam, allmählich durch San-tsang (Tripitaka) abgelöst wurde.

Hauptwerk der idealistischen Schule des Buddhismus. Dessen Grundidee ist, daß Außendinge nicht existieren. Denn Realität kommt allein dem Bewußtsein zu, durch dessen Aktivität die Dinge um uns her entstehen. Und schließlich betrachtete man dann auch das Bewußtsein selbst als etwas Irreales. Urheber dieser Lehre soll der Buddha der Zukunft, der Maitreya-Buddha (s. o. S. 207), selbst gewesen sein. Ihn ließ Hsüan-tsang noch kurz vor seinem Tod 664 von der versammelten Mönchsgemeinde anrufen.

Aus Gedankengängen dieser Art erklärt sich wohl auch seine Ansicht von den drei Buddhas, dem anscheinend wirklichen Buddha der scheinbar realen irdischen Existenz, dem Buddha in Kommunikation mit den Bodhisattvas im Vor-Nirvāṇa-Himmel und dem transzendentalen, im Nirvāṇa verschwundenen Buddha. Es war klar, daß dieser letztere nicht mehr erreichbar war und man sich besser an den Maitreya wandte, der im Tuṣita-Himmel seiner letzten Wiedergeburt als irdischer Buddha entgegensah. Sonderbarerweise fand die Lehre des Yoga śāstra in China selbst wenig Boden und verschwand um 733 fast gänzlich. Sie bildete aber die Grundlage ausgedehnter Schulen in Japan und Korea.[73a]

Nicht völlig neu ist der etwa ab 716 mehr und mehr in Mode kommende Tantrismus, d. h. eine buddhistische Richtung, die sich besonders mit magischen Formeln in Form von Gesten *(Mudrā)* oder Beschwörungen *(Dhāraṇī)* befaßte. In China entwickelten sich diese zu einer Konkurrenz für die Zauberzeichen und Zauberformeln der Taoisten. So wie diese letzteren im Schriftbild gewisser magisch wirksamer Zeichen ein Mittel besaßen, die Umwelt zu beeinflussen, so die Tantristen in den Lautkombinationen ihrer Zaubersprüche. Denn so wie in der chinesischen Schrift die Realität der Dinge eingefangen und den Zwecken der Menschen dienlich gemacht werden konnte, so im Lautbild der Wörter in Indien.

Ebenso wie die Taoisten der mit *Chang Tao-ling* beginnenden Richtung verfügten auch die Tantristen über ein sehr reichliches Arrangement von Göttern in Gestalt von Buddhas, Bodhisattvas usw., die ihre speziellen Zuständigkeitsbereiche hatten und in allen Notfällen angerufen werden konnten.

Bereits einer der ersten Missionare aus Indien, *Fo-t'u-têng*, hatte im Jahre 310 durch Rezitation einer Formel in seiner Almosenschale plötzlich Lotosblumen erblühen lassen als erfolgreiche Gegendemonstration gegen taoistische Zaubertricks. Eines der wirksamsten Wundermittel aber war, daß man durch Aufsagen von Dhāraṇī Tote wieder zum Leben bringen konnte, wie dies von einem Mönch aus Turkestan um 639 demonstriert worden sein soll.[74] Überhaupt war eine der Haupteinnahmequellen dieser Richtung, daß sie Mittel an der Hand hatte, das Schicksal der Seelen im Jenseits zu beeinflussen, vor

73a *Waley* (1952), bes. S. 60 und 133.
74 Taishō, 49, S. 365 und 594.

allem eben ihre mißliche Lage in der Unterwelt, wo sie Strafen ableisten mußten, zu verbessern.

Hauptvertreter dieser Richtung war ein Mönch aus Ceylon, der bereits genannte *Pu-k'ung san-tsang (Amoghavajra Tripitaka)*, der um 732 zum erstenmal in China auftaucht als der Schüler eines „Landesmeisters der Scheitelbenetzung"[75] in Ch'ang-an. Er begibt sich wieder nach Indien und kehrt 741 mit zahlreichen Tantra-Texten auf dem Seeweg über Kuang-chou, das die Haupteinfallspforte des Tantrismus gewesen zu sein scheint, zurück. Es heißt, er habe sofort bei seiner Ankunft eine religiöse Versammlung zur „Scheitelbenetzung" abgehalten und durch persönliches Einwirken des Bodhisattva *Mañjuśri* an die zehn Millionen (!) Menschen „gerettet". Im folgenden Jahr wehrte er einen räuberischen Einfall der Sogdier ab, indem er am Himmel den zweiten Sohn des nördlichen Himmelskönigs, d. h. eines der vier Himmelskönige, die sich ihm 742–46 offenbarten[76], in voller Rüstung erscheinen und die Bogensehnen der Feinde von „Metallratten" zernagen ließ. Diese Tat für das Staatswohl bewirkte, daß Pu-k'ung im Jahre 746 dem Kaiser persönlich seine „Taufzeremonie" vorführen durfte. Aus dem Tagebuch des japanischen Pilgermönches *Ennin*, der sich selbst diesem Ritual unterzog, wissen wir, daß dabei dem Täufling fünf Flaschen Wasser über den Kopf gegossen wurden, um ihm „das Gesetz zu übermitteln". Er berichtet auch, daß zu seiner Zeit etwa um 841–843 in zwei Klosteranlagen der Hauptstadt Taufzeremonien dieser Art „zugunsten der Nation" abgehalten wurden.[77] Anscheinend war es ein Ritual, das den Weg zur heilsamen und nützlichen Einwirkung der mystischen Praktiken des Tantrismus öffnete. Wir dürfen dabei aber wohl nicht an eine Art Purifikationsrite denken. Es handelt sich wahrscheinlich um eine Nachahmung der Weihe indischer Prinzen am Tag ihrer Anerkennung. Sie machte den Täufling zu einer Art Sohn des Buddha, „geboren aus dessen Mund".

Pu-k'ung war einer der gefeiertesten Wundermänner seiner Zeit. Er konnte Regen erzeugen, Taifune beschwichtigen, 765 wehrt er wieder einen gefährlichen Tibetereinfall ab, und 769 beschwört er mit Erfolg einen Kometen. Kein Wunder, daß er als reicher Mann, hochgeehrt und tiefbetrauert vom Kaiser, im Jahre 774 starb.[78]

Ihm ist es zu verdanken, daß der Tantrismus die buddhistische Moderichtung der T'ang-Zeit wurde. Wiederholt lesen wir, daß japanische Mönche ausschließlich zu seinem Studium die gefährliche Reise nach China unternahmen.[79]

---

75 Taishō, 49, S. 374. Dessen religiöser Name ist Chin-kang-chih san-tsang. Er gilt als 5. Patriarch der Schule überhaupt und als 1. Patriarch der chinesischen Schule. Pu-k'ung ist 6. bzw. 2. Patriarch. S. auch aaO S. 295–97.
76 *Soothill* (1961), S. 145/46.   78 Taishō, 49, S. 375–379.
77 *Reischauer* (1963), S. 17, 178, 187.   79 Z. B. Taishō, 49, S. 380–387.

Er hängt zusammen mit der Verehrung des Bodhisattva Mañjuśri und dem großen Kloster- und Tempelkomplex am *Wu-t'ai-shan* („Fünf-Terrassen-Berg" in Shansi).

Mañjuśri, chinesisch *Wên-shu (-shih-li)*, ist die Verkörperung der Weisheit. Sein Name wird gedeutet als „wundersames" oder „universales Haupt". Oft wird er auf einem Löwen reitend dargestellt.

Sein Zusammenhang mit dem Wu-t'ai-shan in China ist dadurch gegeben, daß man dies Gebirge als den „kalten Berg des Nordens", seinen eigentlichen Aufenthalt, betrachtete.

Wann aber der Wu-t'ai-shan zum Zentrum dieses Tantrismus wurde, läßt sich nicht sagen. Buddhistische Heiligtümer gab es dort etwa seit Ende des fünften Jahrhunderts. In der T'ang-Zeit erhielt dieser Berg und seine Anlagen eine gewisse Bedeutung dadurch, daß der Kaiser im Jahre 763, als die Tibeter vorübergehend Ch'ang-an einnahmen, dort Zuflucht suchte. Seinen Dank stattete er dadurch ab, daß er die Halle des Mañjuśri ausbessern und mit vergoldeten Kupferziegeln decken ließ.

Derselbe Kaiser führte die ebenfalls von Pu-k'ung neubelebte *Ullambana*-Feier, d. h. eine Art buddhistisches Allerseelenfest am 15. Tag des 7. Monats, bei Hofe ein.

Ein anderes großes Zentrum des Buddhismus war das *T'ien-t'ai* („Himmelsterrassen")-Gebirge in der Nähe von Hangchou in Südchina. Hier wurde besonders die Meditation gepflegt und dabei eine Methode ausgebildet, die *Chih-kuan* („Anhalten und Schauen") genannt wurde. Es geht dabei, kurz gesagt, darum, daß man nach Ausschalten aller störenden Einflüsse „anhält" oder innerlich zur Ruhe kommt. Sobald man dies Stadium erreicht hat, beginnt dann die Tiefschau. In der T'ang-Zeit erhält diese bereits kurz charakterisierte Schule große Bedeutung und breitet sich unter dem Namen *Tendai* nach Japan aus.

Ganz allgemein läßt sich aber sagen, daß diese verschiedenen Strömungen im Buddhismus der T'ang-Zeit sich oft nur wenig voneinander unterschieden. Meist handelt es sich nur um die Bevorzugung eines bestimmten Sūtra oder der Zugehörigkeit zu einer bestimmten Patriarchenlinie. Es sind mehr religiöse Schattierungen als Sekten, und die Verhältnisse in China sind in dieser Hinsicht von denen in Japan sehr verschieden. Von wirklichen großen Neufassungen oder neuen Wendungen des Buddhismus kann man wohl kaum reden, eher von wechselnden Modeströmungen.

5. Die Fremdreligionen

a. Die Nestorianer

Die T'ang-Zeit beginnt mit großer Duldsamkeit gegenüber allen Religionen. Kennzeichnend ist ein Edikt des zweiten T'ang-Kaisers vom Jahre 635:

„Tao (der rechte Weg) hat keinen unabänderlich festliegenden Namen und der Heilige nicht immer dieselbe Inkarnation. Je nach der Gegend (und den Umständen) eröffnet sich eine Lehre (Religion), damit ausnahmslos alle Lebewesen gerettet werden.

Der persische Mönch A-lo-pên brachte von fern her die Lehre seiner Heiligen Schrift, um sie hier in unserer Hauptstadt vorzulegen. Im großen ganzen läuft seine Lehre auf folgendes hinaus: Das Urmysterium ist ohne Aktivität. Vollendung des (zugemessenen) Lebens ist das Wichtigste. Rettend die Lebewesen nützt man den Menschen.

Die Verbreitung dieser Lehre im Reich soll erlaubt werden. Die Behörden haben bereits im I-ning-Stadtviertel einen Tempel dafür errichtet und 21 Mönche darin ordiniert."

Dies wäre eine der ersten Nachrichten über das Auftreten der Nestorianer in China. Die mehr als kärgliche Beschreibung des Inhalts dieser Lehre läßt mehr an die neue Abart eines buddhistisch beeinflußten Taoismus als an eine Fremdreligion denken. Auch die Verwendung des Terminus *T'ien-tsun* (s. o. S. 188) zur Wiedergabe von „Herr im Himmel" und der Begriff *Hsü-k'ung* („Leerheit") als Gleichnis für Gott sind recht suggestiv.[80] Außerdem heißt es in der berühmten Inschrift von *Hsi-an-fu:* „Der wahre und ewige Weg (Tao) ist geheimnisvoll und schwierig zu benennen", was der ersten Zeile im Tao-tê ching fast genau entspricht.[81]

Über die Ausbreitung des Nestorianismus werden wir durch ein Edikt vom Jahre 745 belehrt: „Die persische Lehre der heiligen Schrift hat ihren Ursprung in Ta-Ch'in (d. h. im Oströmischen Reich) und wird seit langem in China überliefert und praktiziert. Deshalb hat man den für diese Lehre errichteten Tempeln zunächst die Bezeichnung ‚Persisch' gegeben. Damit aber die Leute ihren wahren Ursprung erkennen, soll man die beiden Persertempel in der Hauptstadt umbenennen in Ta-Ch'in-Tempel. Ebenso verfahre man mit allen solchen Tempeln in den Provinzen."

Es gab also vielerorts Nestorianertempel. Zweifelhaft bleibt allerdings, ob die dazugehörigen Gemeinden aus Chinesen oder nur aus Fremden bestanden. Denn die chinesischen Regierungsorgane waren fast ausschließlich nur an der Kontrolle der neuen Religion interessiert.

Die „Leuchtende Lehre", wie der Nestorianismus in China genannt wurde, erfreute sich unter den ersten T'ang-Kaisern eines gewissen Wohlwollens, vielleicht weil sie dazu angetan schien, die durch die langdauernden Kriegswirren aufgeregten Gemüter zu beruhigen und ihre Begünstigung die Händler aus den Westländern wieder nach China zog. Im Jahre 744 erhielten die Nestorianerklöster vom Kaiser selbst geschriebene Stirntafeln, was sie sozusagen als „staatlich anerkannt" legitimierte.

80 S. The Chinese Nestorian Scriptures, Kyoto 1931.
81 *Têng Chih-ch'êng* (1954), Bd. III, S. 292.

Bereits kurz nach 635 lagen gute, allgemein gehaltene Darstellungen der Lehre der Nestorianer in chinesischer Sprache vor, und die Möglichkeit, sich eingehender zu informieren, war damit also gegeben.

In sinologischen Kreisen aber erhielt dieser erste Einbruch des Christentums in China eine besondere Bedeutung durch die Inschrift auf dem berühmten Nestorianermonument, das im Jahre 781 in *Ch'ang-an (Hsi-an-fu)* errichtet und im Jahre 1625 dort wieder entdeckt wurde.[82]

Haupthindernis für eine größere Ausbreitung des Nestorianismus war die Gegnerschaft der Buddhisten und Taoisten, die durch ihre Wundertaten im Volk viel größeren Eindruck machten. Der Nestorianismus blieb deshalb auch im großen ganzen die Angelegenheit eines kleinen Kreises der Intelligenz am Kaiserhof. Im Volk faßte er kaum Fuß, was insofern etwas erstaunlich ist, als es von den Nestorianern vielleicht mit Recht heißt: „Sie hielten sich keine Sklaven und Hoch und Niedrig galt ihnen gleich. Sie sammelten keine Reichtümer ..."[83] Aber Ideen dieser Art waren der T'ang-Bevölkerung wahrscheinlich etwas zu Befremdliches.

Es ist nach dem oben Gesagten nicht weiter verwunderlich, daß die Reste des Nestorianismus nach der Verfolgung von 843–45 allmählich vom Taoismus aufgesogen wurden. Im Zusammenhang damit ist es eine ungelöste Frage, ob die Aufnahme von Jesus und Maria unter die Heiligen des Taoismus, die sicherlich für die späte Ming-Zeit nachweisbar ist, nicht doch schon viel früher unter dem Einfluß der Nestorianer erfolgte.

b. Die Manichäer

Die größte Verbreitung unter den jetzt eindringenden Fremdreligionen erlangte zunächst der Manichäismus. Er kam etwa um dieselbe Zeit wie der Nestorianismus nach China. Jedenfalls erwähnt das *Fo-tsu t'ung-chi* den Namen *Moni (Mani)* erstmalig unter dem Jahr 631. Da er dabei aber eng verbunden wird mit *Huo-hsien,* dem „himmlischen Feuergott", besteht die Wahrscheinlichkeit, daß es sich mehr um den Mazdaismus handelt, der von den älteren chinesischen Autoren mit dem Manichäismus oft in eins genommen wird. Stichhaltiger ist eine Notiz vom Jahre 694 im selben Werk, die uns über die Ankunft eines Manichäerpriesters in der T'ang-Hauptstadt informiert. Dieser brachte das „Sūtra der beiden Prinzipien" (Licht und Dunkel) dieser „Irreligion" mit sich. Im Anschluß daran werden aus dem Werk eines Sung-Buddhisten die Hauptcharakteristika dieser Lehre aufgeführt. Nach chinesischer Ansicht bestehen diese darin: Männer und Frauen der Mani-Bekenner dürfen sich nicht heiraten und, wenn sie sich umfassen, nicht miteinander reden. Wenn sie krank sind, dürfen sie keine Medizin einnehmen, denn „Mani ist das einzige Heilmittel". Wenn sie sterben, werden sie nackt begraben, denn

---

82 Dazu *Saeki* (1951).
83 *Saeki* (1951).

257

sie dürfen nicht mehr aus dem Leben mitnehmen, als sie in dieses mitgebracht haben. Sie essen keine Lauchpflanzen sowie andere stark riechenden Gemüse und kein Fleisch. Sie trinken auch keine alkoholischen Getränke. „Bei Tag schlafen sie und nachts erheben sie sich".[84] Sie bezeugen ihren Glauben durch das Abbrennen von Weihrauch und anderer Parfüme. Bei ihren (heimlichen) Treffen nennen sie sich untereinander „Gutfreund" (oder „Freund des Guten"). Sie behaupten, daß sie im Gegensatz zu der buddhistischen Dhyāna-Schule im Besitz des wahren Dhyāna sind und die „Samen der Erleuchtung" im Herzen tragen, die dann (plötzlich) bei ihnen aufkeimen. „Fragt man sie, was nach dem Tod mit ihnen wird, dann sagen sie: Wir leben nicht im Himmel und gehen nicht in die Erde ein, wir streben nicht nach Buddhatum und werden auch nicht wiedergeboren, wir gehen direkt (ins Licht) über." [85] Wir erfahren ferner, daß die Vertreter dieser Religion eine besondere, weiße (?) Kleidung trugen, sich auch des Genusses von Butter und Milch enthielten und am Tag nur ein Mahl einnahmen, daß ihre Gemeinden sich „Gesellschaft der Licht-Religion" nannten und den „weißgekleideten Buddha" verehrten. Dies war nach Ansicht der Manichäer der fünfte Buddha und sein Name war Mâr Mâni.

Anderseits scheint auch diese Religion, ähnlich wie der Buddhismus, den Versuch gemacht zu haben, mit Hilfe des Taoismus in China Eingang zu finden. In dem von den Buddhisten fanatisch bekämpften Werk „Lao-tzŭ bekehrt die Barbaren" taucht nämlich plötzlich eine Stelle auf, die besagt, daß Lao-tzŭ in dem Westland Suristan als königlicher Prinz wieder in die Welt heruntersstieg, dann aber seine Anwartschaft auf den Thron und seine Familie aufgab, um sich als Mâr Mâni der Religion zu widmen.

Trotzdem hatte der Manichäismus zunächst wenig Erfolg im T'ang-Staat. Die Teilnahme an seinen Feiern war den chinesischen Untertanen nicht erlaubt. Er blieb ausgemacht eine Fremdreligion.

Dies änderte sich aber auf Grund von zwei Umständen. Einmal kam zu Tage, daß die Manichäer ausgezeichnete Kenner der Astronomie waren, die am Kaiserhof bekanntlich eine große Rolle spielte.

Im Jahre 719 erhielt der Kaiser aus Tokharistan einen manichäischen Groß-Mushê (Lehrer) mit vorzüglichen astronomischen Kenntnissen. Diesem errichtete man zunächst zum persönlichen Gebrauch einen Tempel seiner Religion. Im Jahre 732 wurde dann, wohl auf Betreiben dieses Mushê, den Manichäern freie Religionsausübung auch unter der T'ang-Bevölkerung zugestanden.

Die Chinesen verdanken den Manichäern unter anderem die Kenntnis der

84 Wahrscheinlich bezieht sich dies zunächst darauf, daß die Manichäer bei Sonnenuntergang gemeinsam ein Mahl einnahmen, später natürlich auf ihre geheimen Zusammenkünfte.
85 Traité Manichéen (1913), S. 315–324.

planetarischen Siebentagewoche. Die Bezeichnung *Mi (mir)* für Sonntag hat sich in Teilen Chinas (Fukien) bis in die Gegenwart hinein erhalten.

Der andere wichtige Umstand war, daß um 762 der Khagan der Uiguren zum Manichäismus bekehrt wurde.

Die Uiguren hatten den T'ang-Staat vom Untergang, dem er durch die Rebellion des An Lu-shan nahegebracht worden war, praktisch gerettet und besaßen nun eine ungeheure Machtstellung. Damit aber erlangte auch der Manichäismus die politische Unterstützung, die ihm bis dahin gefehlt hatte. Seine Missionare benutzten dies, um ihre Lehre im großen Stil auszubreiten. Damit verbunden war natürlich auch eine gewaltige Bereicherung der manichäischen Klöster, was, wie leicht verständlich, die Eifersucht der anderen Kirchen erregte.

Im Jahre 839 aber begann der Niedergang der Macht der Uiguren, und 842 unterwarf sich ein großer Teil von ihnen den T'ang. Damit aber war auch das Schicksal der Manichäer besiegelt.

Die Verfolgung der Fremdreligionen richtete sich in erster Linie gegen sie. Im Jahre 843 kam ein kaiserlicher Erlaß heraus, demzufolge die Tempel, Landgüter, Häuser und anderen Liegenschaften sowie alle sonstigen Werte der Manichäer von den Behörden beschlagnahmt werden sollten. Auch das Verschieben der Besitzungen an Scheineigentümer („Schattenbeschlagnahmen") wurden aufs strengste geahndet. Zugleich löste man die Gemeinden auf, zwang die Priester, ins Laiendasein zurückzutreten und sich aus den Hauptstädten zu entfernen. Alle manichäische Literatur mußte eingezogen und verbrannt werden. In einem weiteren Edikt wurde die Zerstörung sämtlicher Heiligtümer des Manichäismus im ganzen Reich angeordnet.

In dem kaiserlichen Erlaß wird kein Zweifel daran gelassen, daß diese Verfolgung die Folge der Entmachtung der Uiguren war. Es ist auch ziemlich sicher, daß ein großer Teil der uigurischen Manichäerpriester und -nonnen bei der Verfolgung umkam.

Trotz dieses schweren Schlages wurde aber der Manichäismus in China nicht sofort völlig ausgelöscht. In den Winkeln des Reiches, besonders in Fukien, hielten sich noch mehrere Jahrhunderte lang kleine manichäische Gemeinden. Es sind dies die Leute, die „sich bei Nacht versammeln und am Morgen auseinandergehen".

In einer großen Erhebung vom Jahre 1120, die den Untergang der ersten Sung-Dynastie einleitete, kommen sie an die Oberfläche der Geschichte. Es scheint, daß damals der ganze Südosten Chinas, besonders eben Chekiang und Fukien, durchsetzt war mit Manichäergemeinden, deren Mitglieder sich „Schüler" nannten und überall unautorisierte Heiligtümer, die „Abstinenzhallen" *(Chai-t'ang)* oder auch einfach „Buddhahallen" *(Fo-t'ang)* genannt wurden, errichtet hatten.

Nach Niederwerfung dieses Aufstandes aber verschwinden die Manichäer nach und nach völlig aus der chinesischen Geschichte. Was sie hinterließen, wurde wieder vom tiefen Sammelbecken des Taoismus aufgenommen.

c. Die Mazdäer

Eng verknüpft mit dem Manichäismus ist in der chinesischen Literatur der Mazdaismus, d. h. der wohl im großen ganzen auf Zoroaster zurückgehende Kult des „Himmels- und Feuergottes". Während die Manichäer, wenigstens solange die Uiguren an der Macht waren, staatliche Unterstützung für ihre Tempel und Klöster erhielten, scheint dies bei den Mazdäern niemals der Fall gewesen zu sein. Sie mußten sich selbst tragen. Sie beschafften ihren Unterhalt durch allerlei Wundertaten, unter denen eine der bekanntesten die war, daß sich einer ihrer Vertreter den Bauch aufschlitzte, seine Gedärme herausnahm, wieder hineinpraktizierte und durch Bestreichen mit Spucke die Wunde zum sofortigen Verheilen brachte. Natürlich entrichteten die Zuschauer dieses Tricks ihre Gaben zum Unterhalt des betreffenden kleinen Tempels. Dieses gräßliche Wunder wurde übrigens nicht nur von Männern, sondern auch von ausländischen Nonnen vorgeführt. Eine etwas mehr auf gehobenere Gesellschaftsschichten berechnete Einkommensquelle war „das Anzünden von Lampen" im Tempel. Die Heiligtümer der Mazdäer waren übrigens von denen der Buddhisten so wenig unterschieden, daß sie oft mit diesen verwechselt wurden. Feuerkulte scheinen vor allem im Nordwesten des Reiches bestanden zu haben. In den Städten dort wurden viermal im Jahr Feiern abgehalten, bei denen im Mazdäertempel ein großes Feuer entzündet wurde. Auch in den Häusern wurden dabei überall Lichter aufgestellt, so daß man wohl von „Lichterfesten" reden könnte.[86]

Die Hauptursache für das Aufkommen dieser Feuerkulte waren die Handelsbeziehungen zu den Westländern, und die Feuergottempel dienten wohl ebensosehr der Unterbringung der Fremden in der Hauptstadt wie den Kulthandlungen.

Eine Zeitlang bestand auch ein besonderes Amt für alle Fremdreligionen, das Sa-pao-fu, in einem Tempel von Ch'ang-an. Es war mit ausländischen Feuerkultpriestern besetzt, die die Angelegenheiten dieser Kulte den chinesischen Behörden gegenüber wahrnahmen. Auch hier zeigt sich wieder das Bestreben, diese ausländischen Religionen durch eine einheitliche Vertretung unter staatliche Kontrolle zu bringen, ohne sich direkt in ihre Angelegenheiten einzumischen.

Die Verfolgung von 843–45 machte natürlich auch mit diesen Feuerkulten ein Ende, obgleich sich ein kleiner, bedeutungsloser Tempel dafür noch in der Sung-Hauptstadt nachweisen läßt.

---

86 Monumenta Serindica, Bd. II, Fasz. 1, S. 10.

d. Die Mohammedaner

Zur T'ang-Zeit tritt nun auch erstmalig der Islam in China auf. So wie beim Buddhismus sind auch die Anfänge dieser Religion auf dem Reichsboden mit Legenden umrankt worden, die ihren Stoff sowohl von dem berühmten Traum des Kaisers Ming-ti der Hou-Han-Dynastie von dem „goldenen Mann" im Westen als auch von der christlichen Erzählung von den drei Königen aus dem Morgenland hernehmen.

Der Islam kam auf zwei Wegen nach China, auf dem Seeweg über Kanfu (Kanton) und dem Landweg über Turkestan. Während die mohammedanische Kolonie in Kanton, wo damals auch Nestorianer, Mazdäer und erstmalig Juden zu finden waren, wohl fast ausschließlich aus Kaufleuten bestand, waren die auf dem Landweg eindringenden Mohammedaner Söldner in der Armee, die von der T'ang-Regierung um 756 gegen den Rebellen An Lu-shan aufgeboten wurde.

Im Jahre 879 fiel Kanton dem Rebellen Huang Ch'ao in die Hand, der es fast völlig zerstören ließ. Dabei wurden auch alle dort bestehenden Religionsgemeinschaften vernichtet.

Summarisch wäre festzustellen, daß es sich bei den Trägern dieser Fremdreligionen, wie schon oben bemerkt, fast ausschließlich um Händler und Kaufleute (beim Islam aber auch um Söldner) handelt. Deshalb verbreiteten sich diese Lehren entlang den großen Handelswegen. Ihre Gemeinden fanden sich hauptsächlich in den bedeutenden Handelsstädten. Ihre Tempel und Heiligtümer dienten nicht nur der Kultausübung, sondern waren wohl ebensosehr Unterkünfte für die Karawanen und Unterhaltungsstätten für die Reisenden. Abgesehen vom Manichäismus faßten die hier kurz beschriebenen Fremdreligionen in der chinesischen Bevölkerung kaum Fuß.

Angesichts dieser Tatsache ist es interessant festzustellen, wie mit abnehmender Wichtigkeit und Profitabilität des Handels für die T'ang auch die anfängliche religiöse Duldsamkeit immer geringer wurde. Die Liquidierung der reichgewordenen fremden Kaufleute und der mit ihnen verbundenen Kulte und Heiligtümer bot sich schließlich zur Aufbesserung der zerrütteten Staatsfinanzen geradezu an.

Die Religiosität des T'ang-Volkes war vornehmlich Wunderglaube. Auch in den gehobenen Kreisen der Gesellschaft war das nicht anders, wie zum Beispiel die große Rolle, die die taoistischen Lebenselixiere am Kaiserhof spielten, zeigt.

Die Propaganda der Religionen war deshalb darauf abgestellt, sich gegenseitig an Wundertaten zu überbieten. Ein Beispiel aus dem Fo-tsu t'ung-chi möge diesem etwas Farbe geben: Im Jahre 774 kommt ein taoistischer Wundermann an den Hof, der den Trick kannte, eine aus scharfgeschliffenen Schwertern bestehende Leiter hinaufzusteigen, ohne sich zu verletzen. Das ließ natürlich die Buddhisten nicht ruhen; sie wählten einen aus ihrer Mitte, der es ihm gleichtun sollte. Dieser rezitierte ein bestimmtes Dhāranī und stieg ebenfalls unverletzt die Leiter hinauf und hinunter. Aber nicht genug damit ließ er dann im Palasthof ein großes Feuer entzünden, trat mitten in dieses hinein und forderte den Taoisten auf, ihm zu folgen. Dieser schwitzte vor Angst und „mochte gar nicht recht hinsehen". Also haushoher Sieg des Buddhismus über den Taoismus.[87]

Man kann sich leicht vorstellen, mit welchen Mitteln auf den Tempelhöfen und Märkten um die Gläubigkeit der Massen und um ihre Beiträge gerungen wurde. Die großen, vom Staat unterstützten Tempel hatten es natürlich nicht nötig, an diesem Treiben teilzunehmen.

Eine andere hier interessierende Sache waren die Disputationen vor dem Kaiser. Wir haben vorausgehend (s. S. 198) gesehen, wie dabei über die Stellung oder das Schicksal einer Religion entschieden wurde.

Jetzt änderten diese Diskussionen ihren Charakter insofern, als sie in der Hauptsache nur zur Unterhaltung und Belustigung des Kaiserhofes veranstaltet wurden. Sie entarteten zu Wettbewerben in Wortgewandtheit und Mutterwitz.

Ein gutes Beispiel dafür bietet das Verhör, das ein hoher Buddhist (Titel: Landesmeister) im Jahre 768 vor dem Hof mit einem Gebirgler anstellte, der behauptete, perfekte Kenntnis der Berge, der Lokalitäten (Ti), der Schrift und der Arithmetik zu haben.

Die erste Frage des Buddhisten war: „Ist der Berg, an dem du wohnst, männlich oder weiblich?"[88] Der Gefragte wußte nichts zu antworten.

Der Buddhist zeigte auf einen Ort (Ti)[89] über der Palasthalle und fragte: „Was ist was für ein Ort?" Der Mann sagte: „Lassen Sie mich es berechnen, dann weiß ich es." Als nächstes zog der Fragende eine gerade Linie auf dem Boden und sagte: „Welches Schriftzeichen ist das?" Die Antwort war natürlich: „Das Schriftzeichen für eins (Yi)." Darauf der Buddhist: „Ein Strich über dem Boden (T'u 土) ergibt aber doch wohl das Zeichen Wang (王 ‚König')." Die letzte Frage war: „Drei mehr sieben ist wieviel?"[90] Der Gebirgler antwortete: „Einundzwanzig." Darauf der Buddhist: „So mögt ihr in euren Bergen rechnen, aber hier ist drei mehr sieben gleich zehn." Dann fragte er den Mann: „Verstehst Du dich sonst noch auf etwas?" Die Antwort war: „Auch wenn ich

---

87 Taishō, 49, S. 604–829.
88 Die uns sonderbar anmutende Frage ist im Chinesischen insofern zulässig, als alles entweder zu Yin (dunkel, weiblich) oder zu Yang (hell, männlich) gehört. Die beste Antwort wäre vielleicht gewesen: „Sowohl als auch", denn Yin bezeichnet ja eigentlich die Bergschattenseite und Yang die Bergsonnenseite.
89 Das Zeichen Ti, um das es sich hier dreht, hat die Bedeutungen „Erde, Erdboden, Ort, Lokalität, Stelle, Position". Die korrekte Antwort wäre wohl gewesen: „Shang, oben."
90 Im Chinesischen ist diese Frage einfach: „Drei sieben wieviel?"

noch andere Fähigkeiten hätte, ich wagte nicht, vor Ihnen davon zu reden."
„Selbst wenn Du noch andere Kenntnisse hast", sagte der Buddhist, „sie sind
alle nicht stichhaltig." Dann wandte er sich an den Kaiser und sagte: „Ich
fragte diesen Mann nach Bergen, nach Lokalität (Ti), Schriftzeichen und Zahlen. Er wußte nichts. Wo haben Majestät diesen Dummkopf her?" [91]
Dies Beispiel zeigt deutlich, daß diese Wortwettkämpfe bei Hofe nicht mehr
völlig ernst zu nehmen waren.

B. Wu-tai (908–960)

Wu-tai ist die Bezeichnung für eine kurze Übergangsperiode, die durch die
Sung-Dynastie beendet wird. Fünf Dynastien (Wu-tai) lösten sich dabei so
rasch ab, daß keine richtig Fuß fassen konnte. Die Zeit war erfüllt von politischen Wirren und Kämpfen, die einen seit Jahrhunderten nicht mehr erleb-
ten kulturellen Tiefstand nach sich zogen. Es gab Kaiser nicht-chinesischer Abstammung, die weder lesen noch schreiben konnten. Charakteristisch für die
Zustände ist, daß in den historischen Texten mehrmals Fälle erwähnt werden,
in denen Menschenfleisch als Truppenverpflegung ausgeteilt wurde.
Große und neue religiöse Entwicklungen sind von einer solchen Zeit kaum
zu erwarten. Trotzdem ist aber auch hier einiges zu erwähnen.
Interessant ist zunächst zu bemerken, wie sich der religiöse Gehalt der großen Südaußenopfer abschwächt. Sie bedeuten jetzt in erster Linie die Proklamation der staatlichen Selbständigkeit. Die politische oder, besser gesagt, pro-
pagandistische Wirkung dieser Kulthandlungen wird jedoch als so wichtig
angesehen, daß sie selbst gegen den Einwand, daß ihre Ausführung den Staat
wirtschaftlich zu sehr schädigen könnte, durchgeführt werden.[92] Im übrigen bewirkte der Umstand, daß sich der effektive Machtbereich dieser Dynastien in
jedem Fall nur wenig über die weitere Umgebung der Hauptstadt hinaus
erstreckte, verbunden mit ihrer kurzen Lebensdauer, daß sich der Staatskult
gar nicht voll entfalten konnte.
So stellte ich zum Beispiel fest, daß anscheinend nur unter der letzten dieser
Dynastien, der Späteren-Chou-Dynastie (951–59), im Jahre 953 Altäre für die
Boden- und Erntegottheiten errichtet wurden.
Etwas mehr läßt sich zur Geschichte des Buddhismus beibringen.
Ich habe früher darauf hingewiesen, daß der Buddhismus zur Zeit der
Nord-Süd-Trennung eine Art internationales Band zwischen den Staaten
jener Zeit bildete. In der Wu-tai-Periode scheint der Buddhismus diese Rolle

---

91 Taishō, 49, S. 378 und 601.
92 Tzŭ-chih t'ung-chien, IV, S. 8869.

nicht wieder aufgenommen zu haben, wenngleich gewisse Maßnahmen eines Beherrschers von Min (Fukien) vom Jahre 928 und des ersten Kaisers der Späteren-Chin-Dynastie (936–46) erkennen lassen, daß die Idee der Zusammenfassung des Reiches unter der Ägide der buddhistischen Kirche doch nicht ganz erloschen war.[93]

Gleich am Anfang dieser Epoche stoßen wir demgegenüber auf eine historische Nachricht, daß die Buddhisten um den Sieg des Staates, dem sie angehörten, beteten. Dies zeigt natürlich, daß sie in die jeweiligen nationalen Interessen eingespannt waren.

Daraus folgt auch die sehr herabgesetzte Wirksamkeit der buddhistischen Asyle. Im Jahre 926 wird eine Kaiserin der Späteren-T'ang-Dynastie in dem Nonnenkloster, in dem sie Zuflucht suchte, ermordet. Ebenso erging es im selben Jahr einem verfolgten Prinzen, der ohne Rücksicht auf die Heiligkeit eines buddhistischen Klosters in diesem von Offizieren niedergemacht wird. Es kamen auch Fälle vor, in denen Nonnen mit Gewalt aus den Klöstern zurückgeholt und zu Nebenfrauen gemacht wurden.[94] Wahrscheinlich waren die buddhistischen Heiligtümer von staatsfeindlichen Elementen zu oft als Unterschlupf benutzt worden. Nur die weit entlegenen Bergklöster scheinen in solchen Situationen noch einigen Schutz geboten zu haben.

Auch die wirtschaftliche Macht der Kirche, die, wie oben dargelegt, das Hauptangriffsziel der großen Verfolgung von 844/45 war, erreichte nicht mehr den Stand der T'ang-Zeit. Vor allem gilt dies für die Klöster, Kultstätten und Tempel auf dem Land, die sich die Mittel für ihren Unterhalt selbst beschaffen mußten.

So lesen wir, daß ein buddhistischer Mönch ein Auge opferte, um seinem Kloster zu helfen.[95] Andere setzten sich schweren Verbrennungen aus, trieben sich Nägel durch Hände und Füße, schnitten sich öffentlich ein Glied ab, kurz benutzten jede Art von Selbstverstümmelung oder, wie es genannt wurde, „Wegwerfen des Körpers", um die Mittel für ihre Existenz sicherzustellen. Besonders beliebt scheinen dabei Schaustellungen gewesen zu sein, bei denen sich ein Mönch kleine Lämpchen in die Haut hakte und dann wie eine Art lebender Christbaum vor der Menge paradierte, eine Schaustellung, die übrigens bald verboten wurde. Außerdem gab es eine Reihe religiöser Schwindeleien, durch die „die Erscheinung verändert" oder die Seelen Verstorbener „zur Umkehr bewogen" wurden. Kurz und gut, die Buddhisten befanden sich in einer Lage, die sie zwang, den Bestand ihrer Klöster und Heiligtümer mit allen erfolgversprechenden, guten und bösen Mitteln zu sichern.

War die Unterhaltsbeschaffung der Klöster ein Motiv für diese Verstümmelungen, so kam in weiteren Kreisen des Volkes ein anderes, noch stärkeres

93 Taishō, 49, S. 391.
94 Tzŭ-chih t'ung-chien, IV, S. 8979, und de Mailla, VII, S. 252 und S. 292.
95 Tzŭ-chih t'ung-chien, IV, S. 8687.

dazu, nämlich das Bestreben, sich den öffentlichen Dienstleistungen zu entziehen. Es braucht nicht besonders hervorgehoben zu werden, daß in einer Zeit ununterbrochener Kämpfe die Bevölkerung dauernd zum Militärdienst und zu Transporten aller Art herangezogen wurde. Um dem zu entgehen, gab es nur ein sicheres Mittel, die physische Unfähigkeit, solche Dienste zu erfüllen. Daher müssen geradezu Wellen der Selbstverstümmelung durch die Untertanenschaft gegangen sein.

Ebenso selbstverständlich ist es, daß die Regierungen dieser Unsitte entgegenzuwirken versuchten.

Wenn sie auch die Selbstverstümmelungen nicht völlig unterbinden konnten, so wurden diese doch mit immer schärferen Strafen geahndet. Diese Maßnahmen erreichten einen Höhepunkt während der Buddhistenverfolgung vom Jahre 955, die als die vierte ihrer Art angesehen wird.[96]

Wie auch ihre Vorgänger richtete sie sich in erster Linie gegen die illegal errichteten Klöster und Tempel sowie gegen das Überhandnehmen der unautorisierten Ordinationen. Schon im Jahre 926 wurden Schritte in dieser Hinsicht ergriffen, indem laut „den Dekreten und Präzedenzfällen für die buddhistische Kirche" Ordinationen nur auf den amtlich zugelassenen Altären *(Kuan-t'an)* erfolgen durften.[97] Die staatliche Kontrolle der Kirche wurde in der Folge mehrfach verschärft, bis sie im Jahre 955 einen Höhepunkt erreichte oder, besser gesagt, die einschränkenden Bestimmungen rigoros zur Anwendung kamen. In einer Quelle heißt es, daß „die seit früher bestehenden Übel mittels der alten Bestimmungen" unterbunden werden sollten.[98]

Die Flucht der Dienstfähigen in die Klöster scheint damals einen gewissen Höhepunkt erreicht zu haben. Vor allem waren es Deserteure und andere straffällige Elemente, die dort Unterschlupf suchten. Um die Maßnahmen wirksamer zu machen, wurde jede Neugründung von kleinen Klöstern und Kultstätten in den Gebirgen und abgelegenen Örtlichkeiten, wo sich natürlich die besten Versteckmöglichkeiten boten, untersagt. Die Äbte oder Äbtissinnen solcher Stätten erhielten eine Strafe von drei Jahren Arbeitsdienst. Ihre Mönche und Nonnen traten ins Laiendasein zurück.[99] Nach Durchkämmung der buddhistischen Kultstätten sollen etwas über 6000 Mönche und Nonnen übriggeblieben sein.[100]

Die Zulassung zu den staatlich anerkannten Klöstern wurde von der Zustimmung der Großeltern, der Eltern und praktisch der ganzen Verwandtschaft abhängig gemacht. Das Zulassungsalter betrug allerdings für die Knaben nur 15 und für die Mädchen nur 13 Jahre. Doch waren die Examens-

96 Taishō, 19, S. 393.
97 Wu-tai hui-yan, S. 149.
98 *de Groot* (1901, Neudruck 1963), S. 72.
99 Wu-tai hui-yao, S. 150.
100 *de Mailla*, S. 445.

anforderungen anderseits wieder so hoch, daß tatsächlich nur ein sehr geringer Teil die Prüfungen bestehen konnte.

Wie auch in vorausgehenden Fällen, diente dies Vorgehen gegen die buddhistische Kirche ebenfalls wieder der Beschaffung von Kupfer, das man zum Münzguß dringend benötigte. Allerdings wurde jetzt der Abgabezwang auf alle Kreise des Volkes ausgedehnt, und jeder, der mehr als fünf Chin (etwa 3400 g) dieses Metalls im Besitz hatte, mit der Todesstrafe bedroht.

Der Kaiser selbst versuchte, diese Maßnahme als nicht gegen den Buddha gerichtet darzustellen, denn diese Kupferstatuen seien ja nicht diesem gleichzusetzen.[101]

Unter dem ersten Sung-Kaiser wurden fünf Jahre später die gegen die Errichtung von Klöstern und den Guß von Buddhastatuen gerichteten Bestimmungen bereits wieder gemildert und durch eine Massenordination die Klöster wieder mit Insassen aufgefüllt.

C. Sung-Dynastie (Nord-Sung 960–1126, Süd-Sung 1126–1279)

Wenn die Sung auch niemals die Machtstellung und die Ausdehnung des Reiches wie unter den T'ang erreichten, so vollzog sich aber unter ihnen eine, ich möchte sagen, nationale Konsolidierung, die einen neuen kulturellen Höhepunkt des Chinesentums mit sich brachte. Erst jetzt wurde dem Buddhismus, der, nachdem er sich vom Taoismus getrennt hatte, doch für die bildungstragende Schicht eine Art Fremdkörper blieb, ein eigenständiges, der chinesischen Spekulation entspringendes, metaphysisch-ethisches System gegenübergestellt.

Während in der T'ang-Zeit die eingedrungenen nicht-chinesischen Elemente des nomadischen Reiteradels assimiliert und zurückgedrängt wurden und der innere Konflikt mit der Besetzung der maßgebenden Staatsämter durch die traditionstragende konfuzianische Gelehrtenschaft endete, wird die Sung-Zeit beherrscht von Gegensätzen innerhalb der Beamtenschaft selbst. Grob gesagt handelt es sich dabei um eine Gruppe in der höheren Beamtenschaft, deren Mitglieder im allgemeinen reiche Latifundienbesitzer waren, und eine Gruppe von Inhabern niederer Ämter, deren Stärke die Fachkenntnis war.

Mir scheint nun, daß die Gegensätze dieser beiden Gruppen auch ins Religiöse reflektieren.

Die Repräsentanten der ersten Gruppe waren nämlich offensichtlich sehr darauf bedacht, den Kaiser von Zeit zu Zeit deutlich merken zu lassen, daß

---

101 Taishō, 49, S. 392.

es über ihm noch eine höhere Autorität, „den Himmel", gab, dem er sich unterzuordnen habe. Dies kam u. a. dadurch zum Ausdruck, daß der Kaiser, wie das schon immer üblich war, bei anhaltender Dürre und anderen Naturkatastrophen seine Lebenshaltung in einer Weise einschränken mußte, die manchmal einer scharfen Kasteiung gleichkam.

Demgegenüber vertrat man in den Kreisen der zweitgenannten Gruppe die Ansicht, daß Naturkatastrophen und sonderbare Vorkommnisse völlig im Gang der Natur lägen und keinerlei Beziehung zum Erfolg oder Mißerfolg von Regierungsmaßnahmen hätten und diese Einschränkungen also sinnlos seien.

Eine ähnliche Gesinnung läßt sich auch dem Ritualismus gegenüber erkennen. Anläßlich einer Diskussion über die Ming-t'ang äußerte sich der Kaiser *Jên-tsung:* „Die Rite ist weder vom Himmel herabgekommen noch aus der Erde emporgestiegen, sie folgt den Bedürfnissen der Menschen." [102] Dies richtete sich gegen eine Behauptung, daß an der traditionellen, klassischen Form der Rituale wegen ihres heiligen Charakters nichts geändert werden dürfe.

Die Latifundienbesitzer aber wollten den alten Glauben, daß der Himmel durch Naturkatastrophen den Kaiser von unheilvollen Entscheidungen abzuhalten bestrebt sei, dazu benutzen, die von ihren Gegnern geplanten neuen Gesetze zu verhindern, da sie von ihnen mit Recht eine Minderung ihrer Macht und ihres Besitzes fürchteten.

Der Standpunkt der Gegenpartei zeigt, daß in ihren Kreisen eine Aufklärung herrschte, die sich von der überkommenen Tradition der Konfuzianer weitgehend freigemacht hatte. An Stelle der vom Himmel als Lohn oder Strafe gedachten Schickungen von Heil und Unheil traten vernünftige, auf menschlicher Intelligenz beruhende Planungen, die durch Gesetze in die Tat umgesetzt werden sollten.

Dieser fast modern anmutenden Aufklärung eines kleinen Kreises der sozialen Oberschicht stand in den breiten Massen des Volkes ein geradezu unbegrenzter Glaube an Götter, Geister, Dämonen und Mirakel aller Art gegenüber.

Und zwischen diesen beiden Polen spannt sich die farbenreiche Skala der Sung-Religiosität, im ganzen also eine Situation, die keineswegs auf China beschränkt, sondern eigentlich als allgemein bestehend anzusehen ist.

Weiterhin wäre darauf hinzuweisen, daß in dieser Epoche das Sung-Reich nicht der einzige Staat auf dem alten chinesischen Reichsboden war. Im Norden hatte sich etwa ab 907 das Reich der *Khitan,* vielleicht ein mongolischer *Hsien-pi*-Stamm aus dem Gebiet des *Schira-muren,* gebildet. Sie nannten ihre Dynastie *Liao.* Diese wurde im Jahre 1125 abgelöst von den *Jurtschen,*

102 Tzŭ-chih t'ung-chien kang-mu, Forts., Kap. 6, S. 8r, und Sung hui-yao, I, S. 903a.

die ihrerseits den *(Chin*(Gold)-Staat gründeten. Dazu kommt noch ein von dem tangutischen Stamm der *Hsi-hsia* begründeter Staat im Nordwesten, der 1228 endete.

Da es sich hier nicht um Chinesen im eigentlichen Sinn handelt, kann man ihre religiösen Verhältnisse in diesem Zusammenhang unbeachtet lassen. In großen Zügen gesehen fußten sie auf dem im ganzen Norden verbreiteten Schamanismus. Doch wurde dieser immer mehr vom Buddhismus verdrängt oder umgeformt und aufgesogen, so daß wir wohl berechtigt sind, von vornehmlich buddhistischen Staaten zu reden.

1. Der Staatskult

Angenommen, man könnte eine Höchstausbildung des rituellen chinesischen Staatskultes als einer Art Oberbau über das gesamte Reichskultwesen feststellen, dann möchte ich diese, vielleicht mit einigem Vorbehalt, für die Sung-Zeit in Anspruch nehmen.[103] Zum erstenmal beherrschten die Vertreter eines recht toleranten Konfuzianismus die oberste Schicht der Gesellschaft, ohne sich von einem religiösen oder politischen Gegner behindert zu sehen. Die Rangstreitigkeiten zwischen den drei führenden Geistesrichtungen Konfuzianismus, Taoismus und Buddhismus, auf die ich in meinen vorausgehenden Ausführungen verschiedentlich hingewiesen habe, beschränkten sich auf die beiden letzteren, die sich ja, wie wir gesehen haben, zu „Kirchen" entwickelt hatten. Die konfuzianische Geisteselite bezog jetzt im allerdings ziemlich synkretistischen Neokonfuzianismus ihre eigene Stellung und konnte sich damit in weltanschaulicher Hinsicht aus dem Streit der Kirchen heraushalten.

Unter dieser Konstellation aber hatte der in der geistig führenden Schicht vorherrschende Ritualismus freie Bahn und konnte das Staatskultwesen zu einer eindrucksvollen Repräsentation und Propaganda für den kulturellen Hochstand des Sung-Staates ausgestalten. Und sicherlich ist es auch der Sung-Dynastie über lange Zeit hin gelungen, zumindest den Anschein der geistig-religiösen Überlegenheit über die Nachbarvölker zu bewahren, wenngleich die von ihr an diese gezahlten Beschwichtigungstribute eine andere Sprache sprechen mögen.

Ich möchte behaupten, daß die Sung-Kaiser von Anfang an großen Wert auf die religiös-rituelle Fundierung ihrer Dynastie legten, wogegen bei der Gründung anderer Dynastien die militärische Sicherung im Vordergrund stand. Die Politik des Sung-Staates wies sich auch bald im Gegensatz zu der der T'ang als defensiv aus. Und dies zeigt sich eben auch darin, daß der Staats-

103 *Eichhorn:* Wiedereinrichtung der Staatsreligion . . ., 1964, S. 210.

kult besonders umfassend und korrekt im Sinn der damaligen Ritenkenner eingerichtet wurde.

An sich bildet die Periode Sui-T'ang-Sung in vieler Hinsicht, besonders auf den Gebieten der Verwaltung und des Rechtswesens, eine Einheit. Und dies gilt natürlich bis zu einem gewissen Grad auch für das Staatsritual. Aber die Sung erreichten gegenüber den T'ang auf diesem letzten Gebiet im Sinn des Ritualismus nochmals eine weitere Vollendung. Meiner Ansicht nach sind die Sung-Riten die am intensivsten durchgearbeiteten und stellen somit tatsächlich einen Höhepunkt dar, auch wenn dabei noch die ursprünglich unkonfuzianischen Ritualeinschiebsel beibehalten wurden.

Von dem Ming-Ritualkenner *K'o Wei-ch'i* wird in seiner neukompilierten Sung-Geschichte *(Sung-shih hsin-pien)* folgendes Urteil gefällt: „In der T'ang-Periode Kai-yüan (713–41) wurde eine amtliche Aufzeichnung der Riten angefertigt, der man nachrühmte, daß sie bis in die Einzelheiten vollständig sei. Sie geht aber am Kern der Sache vorbei. Doch ist ihre literarische Ausführung bemerkenswert. Während der Wu-tai-Periode lösten sich politische Katastrophen in ununterbrochener Folge ab. Li (die Rite) wurde deshalb nur oberflächlich bearbeitet. Erst nachdem der erste Sung-Kaiser T'ai-tsu auf den Thron gekommen war, rekompilierte Nieh Ch'ung-i das Werk San-li t'u (‚Illustrationen zu den drei Li-Klassikern‘)." Diesem ersten Werk folgten bald zahlreiche andere nach, die von beauftragten Sachkennern mit Hilfe einer Schar von Mitarbeitern zusammengestellt wurden. Unter den Kompilatoren finden sich die Namen hochberühmter Gelehrter wie *Ou-yang Hsiu*, Verfasser einer Geschichte der Wu-tai-Periode, und *Chu Hsi*, der mit seiner Philosophie alle Kulturvölker des Fernen Ostens beeinflußt hat.[104] Mehrere dieser Ritenwerke, besonders eines aus dem Pinsel des Ou-yang Hsiu, befaßten sich speziell mit Änderungen und Neuerungen im gesamten Zeremonialwesen. Trotz der historischen Abhängigkeit von den Vorgängern, besonders den T'ang, könnte man deshalb das Sung-Staatsritual in vieler Hinsicht als Neukonzeption betrachten.

Bemerkenswert ist ferner auch, daß unter dem dritten Sung-Kaiser eine spezielle Amtsstelle, „der Hof für Rite und Etikette", eingesetzt wurde, wobei wieder ein bezeichnendes Licht auf die toleranten religiösen Verhältnisse jener Zeit fällt, wenn wir aus dem Sung-shih (Kap. 98, Li-chi, 51) erfahren, daß dieser „Hof" aus einer Stelle für Interpretation der mysteriösen Himmelsbriefe hervorging[105].

Er hatte zunächst die Kontrolle über das gesamte Religionswesen, bis dies nach der großen Reorganisation des Ämterwesens in der Periode 1078–1085, so wie vordem unter den T'ang, dem Opferamt (Tz'û-pu) im Ritenministerium unterstellt wurde.

104 Sung-shih hsin-pien, Fasz. 9, Kap. 26, S. 1r–2r.
105 AaO, Fasz. 13, S. 13r–14r.

Es ist natürlich nicht möglich, hier alle Unterschiede des Sung-Rituals von dem vorausgehenden im einzelnen aufzuweisen. Dies würde ein sehr ausgedehntes Quellenstudium erfordern. Ich beschränke mich deshalb auf einige auffällige Punkte.

So scheint es, daß die Anzahl der beim alle drei Jahre vom Kaiser persönlich zu vollziehenden großen Südaußenopfer (Nan-chiao) bedachten Gottheiten unter den Sung um 13 auf 687 verringert wurde [106], während man sonst die T'ang-Opferordnung übernahm. Ihre besondere Bedeutung erhält diese Staatskulthandlung jetzt durch die Nachbarschaft der selbständigen nichtchinesischen Staaten. Sie ist eine Demonstration des guten Einverständnisses der Sung mit dem Himmel und enthält den Hintergedanken, daß der Sung-Kaiser zwar nicht das gesamte Reich in seiner Macht habe, der Himmel es aber gern sehen würde, wenn dieses der Fall wäre. Zugleich waren diese Feiern natürlich große Volksfeste, die sich über mehrere Tage hinzogen.[107]

Wichtiger noch als die Feier selbst war die regelmäßig daran anschließende Amnestieverkündigung. Der diesbezügliche Erlaß wurde von einer an Schnüren gelenkten goldenen Phönixfigur von einem Turm heruntergebracht und von einem Staatssekretär verlesen. Zugleich wurden in Fesseln vorgeführte Strafgefangene ihrer Bande entledigt und in Freiheit gesetzt.

Jede der Nan-chiao-Feiern sollte übrigens auf Grund ihrer sorgfältigen Vorplanung, die im allgemeinen immer vom Ablauf der vorausgehenden Feiern abwich, sowie wegen der großen Dramatik ihres Verlaufs als individuelles religiöses Ereignis angesehen werden. Jedenfalls spielen diese großen öffentlichen Kulthandlungen in den von der chinesischen Beamtenschaft aufbereiteten Geschichtsmaterialien eine weit größere Rolle, als dies in unseren religionsgleichgültigen, auf Politik und Wirtschaft abgestellten Darstellungen herauskommt.

a. Kăn-shêng-ti

Auch die Verehrung des *Kăn-shêng-ti* der Sung scheint mir einer Erwähnung wert. Obgleich im Sung-shih angegeben wird, die Verehrung dieses Gottes sei seit der zweiten Hälfte des sechsten Jhs. üblich gewesen, scheinen doch zur T'ang-Zeit darüber noch einige Unklarheiten bestanden zu haben.

Jetzt aber liegt die Verehrung des Kăn-shêng-ti eindeutig fest. Er ist derjenige der Fünf-Agenzien-Kaiser, der zum Gründer der Dynastie in einer besonderen Beziehung steht. Bei der Dynastie Sung war dies ebenso wie unter den T'ang der Agenskaiser des Feuers. Er hatte sich bei der Geburt des ersten Sung-Kaisers durch ein rötliches Licht und sonderbaren Duft bemerkbar gemacht.

---

106 AaO, Fasz. 9, Kap. 26, S. 4v.
107 Ausführliche Darstellung in der Anm. 103 genannten Veröffentlichung.

Übrigens erfahren wir aus einem nur in Bruchstücken erhaltenen apokryphischen Werk *(Wei-shu)* in bezug auf den Hintergrund dieses Kultes folgendes: „Die Sippe der ältesten chinesischen Dynastie Hsia sind die Söhne des Weißkaisers (Metall), die Yin (Shāng) sind die Söhne des Schwarzkaisers (Wasser) und die Chou sind die Söhne des Grünkaisers (Holz). Die Herrscher empfingen alle den Einfluß der Feinstteile (Ching = Sperma) dieser Agenzienkaiser und kamen zum Leben." [108]

Daraus wäre zu entnehmen, daß man sich die Einwirkung des Kān-shêng-ti als eine Art zweite Zeugung vorstellte. Während durch die erste nur die rein physische Existenz bewirkt wurde, kam in dieser nachfolgenden der – ich möchte sagen – aufgestockte, die übrige Menschheit überragende Erfolgsmensch zustande.

Der Kān-shêng-ti wurde also aus den Agenzienkaisern ausgesondert und für ihn auf dem Gelände des Südaußenopfers ein besonderer Altar errichtet, bei dem alljährlich vom Kaiser persönlich ein Opfer dargebracht wurde. Konsequenterweise wurde dabei der leibliche Vater dem Kān-shêng-ti gegenübergesetzt. Das zweite Anbieten vollzog der Kronprinz und das dritte der im Rang nächstfolgende Sproß der Kaisersippe.

Das Ganze war demnach eine kaiserliche Familienangelegenheit, reichte aber wegen der Natur des dabei beopferten Gottes über den Ahnendienst hinaus in die Atmosphäre der Himmelsgötter. Wir haben hier also ein Bindeglied zwischen dem Dynastieahnendienst und dem öffentlichen Staatskult im engeren Sinn vor uns.

b. Ming-t'ang

Hier ist nun auch etwas zu bemerken über die Entwicklung der Ming-t'ang. Diese war, wie wir oben (s. S. 110) erfahren haben, der Ort, an dem der Kaiser das harmonische Zusammenwirken seiner Regierung mit dem großen Gang der Natur sicherzustellen hatte. Spätestens nach der Han-Zeit wird es etwas stiller um die Ming-t'ang, und im Anfang des sechsten Jhs. herrschten unter den Toba-Wei bereits sehr unklare Vorstellungen über deren Einrichtung. [109] Unter den T'ang wurde überhaupt erst unter der Kaiserin Wu eine Räumlichkeit dieser Art geschaffen. Auch die Sung ließen sich viel Zeit damit. Wir lesen, daß sich die ersten Kaiser überhaupt nicht darum kümmerten. [110] Erst unter dem vierten Kaiser begann man die Frage der Ming-t'ang ernsthaft zu erörtern. Danach wurde festgestellt, daß das Ming-t'ang-Opfer an die Stelle des alljährlichen Nan-chiao-Opfer treten sollte, bei dem der Kaiser nicht persönlich zugegen war. Die Diskussionen vermitteln jedoch den Eindruck, daß es zu keinem konkreten Resultat gekommen ist. Erst unter

108 AaO, S. 225.
109 Wên-hsien t'ung-k'ao, Kap. 12a, S. 55v.
110 Sung-shih, Kap. 101, S. 1r.

dem romantisch-religiösen Kaiser *Hui-tsung* (1101–25) wurde eine Ming-t'ang errichtet.

Aber auch der Charakter dieser Einrichtung scheint sich wesentlich verändert zu haben. Schon im Po Hu T'ung gibt es einen Hinweis darauf, daß das Ming-t'ang-Opfer dazu diente, die Lehensfürsten in Sohnespietät zu unterrichten. Zur Zeit der Nord-Süd-Trennung könnte sich dann dies Ritual zu einem Gastmahl der Kaiserahnen mit den Fünf Agenzienkaisern entwickelt haben. In der Sung-Zeit diente es wohl in der Hauptsache der „Ehrung des gestrengen Vaters" oder „der Väter", und diese Ehrung wurde dadurch bewiesen, daß man sie in einem Gastmahl den Himmelsgöttern, besonders wieder den Fünf Agenzienkaisern, gegenübersetzte. Die ganze Feier trug also mehr den Charakter einer Begegnung der kaiserlichen Sippenahnen mit den Himmelsgöttern und war in dieser Hinsicht dem Nan-chiao-Opfer zu vergleichen, nur ging sie unter Ausschluß der Öffentlichkeit vor sich.

c. T'ai-i

Ein höchst bemerkenswerter Zug der Sung-Staatsreligion aber scheint mir die Aufwertung des *T'ai-i*-Kultes zu sein. Auch diese erfolgt in Anlehnung an die T'ang-Zeit. Äußerlich gesehen besteht sie darin, daß im Jahre 1001 die Kulthandlungen für den T'ai-i von der mittleren Klasse in die obere Klasse der Opfer überführt und entsprechend ausgestaltet wurden. In der Begründung heißt es, daß die Fünf Agenzienkaiser die Gehilfen des T'ai-i wären und es deshalb ein Widerspruch sei, wenn erstere Opfer erster Klasse erhielten, während letzterem nur Opfer zweiter Klasse zukämen.[111]

Unter T'ai-i verstand man zur Sung-Zeit einen Komplex von neun oder später zehn Sterngöttern. Im ersten Fall war der T'ai-i der oberste Gott in diesem Komplex, so wie wir ihn in der T'ang-Zeit kennengelernt haben. Er geht dabei unter der Bezeichnung „T'ai-i der Neun Paläste" *(Chiu-kung T'ai-i)* oder *T'ai-i chiu-kung* („T'ai-i-Neun-Palast"). Im zweiten Fall handelt es sich um eine Gruppe von zehn Sterngöttern, die zusammen T'ai-i genannt wurden.

An Hand des wenigen mir zugänglichen Stellenmaterials ist es nicht leicht, zwischen den beiden Komplexen scharf zu unterscheiden. Aus dem Sung-shih hsin-pien aber ist klar zu ersehen, daß zumindest während der Süd-Sung-Zeit zwei Opfer gebracht wurden, eines für den *T'ai-i-chiu-kung* und eines für den *T'ai-i shih-shên* (den „T'ai-i-Zehn-Götter").

Die Hauptfunktion des T'ai-i-Komplexes scheint mir darin bestanden zu haben, dem großen Unglücksstern *T'ai-sui* (Jupiter) entgegenzuwirken.

Erstmalig machte sich die gute Wirkung des T'ai-i im Jahre 984 am Südosthimmel bemerkbar; der Kaiser persönlich verehrte ihn deshalb in einem *Tung*

---

111 Sung hui-yao, S. 573a und 753a–757a.

T'ai-i-kung („Östlichen T'ai-i-Palast"), d. h. jedenfalls in einem an einen der großen Taoistentempel der Hauptstadt angeschlossenen Kultraum. Dann erschien er im Jahre 1029 im Südwesten, und der Kaiser verehrte ihn wieder persönlich in einem „Westlichen T'ai-i-Palast". Dann berechnete ein Astrologe, daß 1073 und 1074 große Unglücksjahre werden würden. Zum Glück aber rückte der T'ai-i bereits 1071 in eine Stellung direkt über der Hauptstadt ein, und damit wurde das Unheil abgewehrt. Der Kaiser empfing ihn im „T'ai-i-Mittel-Palast". Im Jahre 1074 hielt er dann nochmals eine Feier in diesem „Palast" ab.

Zu Ausgang der ersten Sung-Zeit gab es also drei Stätten für die Ausübung des T'ai-i-Kultes.

Von diesen wurden nur zwei, nämlich der Ost- und der West-„Palast", von den Süd-Sung in ihre neue Hauptstadt Lin-an (Hangchou) übernommen. In einer Beschreibung dieser letzteren findet sich ein Hinweis auf die Bewegung des T'ai-i. Danach geht er durch fünf Konstellationen (?) und ändert alle 45 Jahre seinen Ort, was auf die Jahre 984, 1029 und 1074 zutreffen würde. „Alle Gegenden, denen er sich dabei nähert, haben sehr gute Ernten und bleiben verschont von Kriegswirren und Pestilenzen."

Besonders der „Ostpalast" des T'ai-i scheint eine recht weitläufige Anlage gewesen zu sein. In ihr befanden sich Abbildungen der „Drei Hocherhabenen", der Fünf Agenzienkaiser, der Sonne, des Mondes, der Sternhäuser, der heiligen Berge und Gewässer sowie der erhabenen Götter der Neun Paläste. Bei jeder Kultfeier wurden 195 Gottheiten bedient.[112]

d. Fêng-shan-Feier

Bekanntlich fand unter der Sung-Dynastie im Jahre 1008 zum letztenmal die große *Fêng-shan*-Feier auf dem T'ai-shan statt. Vielleicht war es der glückliche Verlauf dieses Unternehmens, der eine Stimmung aufkommen ließ, den gesamten Fêng-shan-Komplex wieder aufleben zu lassen, wie das zur T'ang-Zeit von der Kaiserin Wu und wahrscheinlich auch von dem Kaiser Hsüan-tsung versucht worden war. Wie im Fall des letzteren verfiel man auch jetzt auf das alte Opfer an die Hou-t'u („Fürstin Erde") bei Fên-yin (in Shansi). Bereits im Jahre 1009 kam eine Bittschrift, unterzeichnet von einem bekannten Gelehrten, von einer Anzahl von Sippenältesten und Mönchen der beiden Kirchen, insgesamt 200 Personen, an den Hof, in der um Abhaltung einer weiteren Fêng-shan-Feier bei Fên-yin nachgesucht wurde. Der Kaiser verhielt sich zunächst ablehnend. Der ersten Bittschrift folgten jedoch bald so viele andere, daß er schließlich den Vollzug des Rituals für das folgende Jahr zusagte.

Es kam aber erst, wohl wegen der umfangreichen Vorbereitungen, im Jahre

112 Mêng-liang lu, in: Tung-ching Mêng-liang lu, Shanghai 1956, S. 196/97 und 246.

1011 zur Ausführung. Von der Größe der Veranstaltung können wir uns einen Begriff machen, wenn wir erfahren, daß zur Sicherung des kaiserlichen Zuges 5000 Soldaten aufgeboten wurden. Während der Kaiser beim T'ai-shan-Opfer 47 Tage zur Hin- und Rückreise benötigt hatte, war er jetzt etwa 68 Tage aus der Hauptstadt abwesend. Das Opfer richtete sich an die „Erdgottheit Hou-t'u" *(Hou-t'u Ti-ch'i)*. Ihr wurden die beiden ersten Sung-Kaiser gegenübergesetzt. Wie im Fall des T'ai-shan-Zeremonials wurde auch dieses mit der Verkündigung einer Amnestie abgeschlossen.[113]

Der Ablauf der Feier wurde in einem umfangreichen Werk niedergelegt, dessen Titel in Übersetzung etwa lautet: „Aufzeichnungen über das neue und verbesserte Opfer bei Fên-yin." Verfasser war der dem Taoismus zugeneigte Staatsrat *Ting Wei*. Das interessante Dokument ist jedoch nicht mehr erhalten.[114]

Die uralte Verbindung des Fêng-shan-Komplexes mit dem Taoismus zeigt sich auch jetzt wieder darin, daß die religiösen Volksbegehren, die zur Abhaltung der beiden Rituale führten, in erster Linie vom taoistischen Klerus und dessen Fürsprechern bei Hof in Bewegung gesetzt wurden. Dieses Faktum tritt wiederum völlig klar zutage im dritten dieser Volksbegehren, das sich eindeutig auf die Ehrung des Lao-tzû richtet. Wir werden weiter unten darauf zu sprechen kommen.

Inzwischen aber meldete sich im Jahre 1013 die konfuzianische Opposition in Gestalt des Akademikers und Ritenspezialisten *Sun Shih* (962—1033), der schon vorher gegen die lange Abwesenheit des Kaisers von der Hauptstadt protestiert hatte. Er meinte, mit den Opfern am T'ai-shan und dem bei Fên-yin sei es nunmehr genug. Letzteres sei außerdem für ihn ein Zeichen, daß der Kaiser dem T'ang-Kaiser Hsüan-tsung nacheifern wolle. Der aber sei ein denkbar schlechtes Vorbild, da er das T'ang-Reich auf Grund seiner Vorliebe für den Taoismus ins Unglück gestürzt habe und somit nur zur Warnung dienen könne. Jetzt erhebe er seine Stimme, um das Unheil des T'ang Hsüan-tsung zu verhüten.

Der Kaiser entgegnete, man könne die Ritenordnung, wie sie unter T'ang Hsüan-tsung eingeführt wurde, nicht mit den Wirren jener Zeit, d. h. der Rebellion des An Lu-shan, in Verbindung bringen. Außerdem benutze die Staatsverwaltung bis heute die administrative Landeseinteilung des „widernatürlichen" *Ch'in Shih-huang-ti,* ohne daß jemand etwas dagegen einwende.[115]

Aber auch in taoistischen Kreisen scheint eine Ansicht aufgekommen zu sein, die Dinge zunächst nicht weiter zu treiben. Als sich der Kaiser im zweiten Monat des Jahres 1014 bei einem wegen seiner Gelehrsamkeit berühmten

113 Sung-shih, Kap. 104, S. 4r–5v, und Hsü tzû-chih t'ung-chien, I, S. 653–59.
114 Hsü tzû-chih t'ung-chien, I, S. 692.
115 AaO, S. 693/94.

taoistischen Eremiten nach der guten Regierungsführung erkundigte, erhielt
er nach einigem Zögern die Antwort: „Majestät haben im Osten (T'ai-shan)
und im Westen (Fên-yin) geopfert, damit ist alles erledigt. Was sollte ich
noch sagen?" Der Kaiser freute sich über die Antwort.

e. Himmelsbriefe

Ich habe schon angedeutet, daß die großen religiösen Staatskulthandlungen
der Sung einen außenpolitischen Hintergrund hatten. In den Kämpfen gegen
die Khitan, die mit dem ungünstigen Friedensvertrag von 1004 endeten, war
die militärische Schwäche des Sung-Staates offenbar geworden. Vielleicht hätte
der Kaiser *Chên-tsung* die Möglichkeit einer umfassenden Heeresreform gehabt. Er hatte aber jegliche Lust an militärischen Auseinandersetzungen verloren. Außerdem hätte eine Neuordnung des Heeres viel mehr gekostet als
die ab 1004 gezahlten Beschwichtigungstribute, die weniger als zwei Prozent
des Staatshaushaltes ausmachten.[116]

Auf den Rat des Ministers Wang *Ch'in-jo* hin entschloß sich der Kaiser zu
einem anderen Vorgehen, nämlich zum „Werk des großen Verdienstes". Das
„Große Verdienst" bestand natürlich darin, die göttlichen Mächte des Universums für sich einzunehmen.

„Es gehört aber zum Charakter der Nordbarbaren", sagte Wang Ch'in-jo,
„daß sie den Himmel fürchten und an Geister und Dämonen glauben". Danach
wurde es ganz offenbar, daß der Sung-Kaiser beabsichtigte, die religiöse
Gläubigkeit der Volksmassen für sich zu gewinnen, um so auf friedliche Weise
seine Superiorität wiederherzustellen.

Das Hauptmittel war dabei die große *Fêng-shan*-Feier am T'ai-shan. Sie
wurde endgültig in Gang gesetzt durch das Herabkommen des ersten und
zweiten Himmelsbriefes im ersten und sechsten Monat des Jahres 1008.

Diese Himmelsbriefe sind, so möchte ich annehmen, die Fortsetzung einer
Tendenz, die bereits unter dem eben wiederholt erwähnten T'ang-Kaiser
Hsüan-tsung begonnen hatte. Sie werden durch Himmelsboten dem Kaiser
vorher angekündigt und, nachdem man ihr Herabkommen entdeckt hat, feierlich eingeholt. Sie waren, wie nicht anders zu erwarten, in einer schwer les-
baren antiken Schrift und Ausdrucksweise abgefaßt. Das Erscheinen des
ersten bewirkte eine Änderung der Regierungsdevise und den Erlaß einer
Großamnestie. Der zweite Himmelsbrief, der auch noch vor Abhaltung der
Fêng-shan-Feier am T'ai-shan erschien, wurde mit weniger Feierlichkeit begrüßt. Der Kaiser nahm von da an beide Briefe bei allen seinen Kulthandlungen mit und ließ ihren Text schließlich auf Jade schneiden. Sie bildeten
eines der wichtigsten Schauobjekte bei der Bewirtung der göttlichen Gäste.
Zuletzt wurde im Jahre 1019, ein Jahr vor dem Tod des Kaisers Chên-tsung,

116 *Eberhard* (1960), S. 209.

von einem gewöhnlichen Untertanen in einem Gebirge in der Nähe von Ch'ang-an ein Himmelsbrief produziert. Obgleich der Kaiser sich für den Fall interessierte, konnte sich diese „Fälschung" gegen den Widerstand in der hohen Beamtenschaft nicht durchsetzen. Wohin wäre es auch gekommen, wenn allen beliebigen Leuten erlaubt worden wäre, Himmelsbriefe aufzufinden?[117]

Beim Geburtstag des Herrschers der Khitan im Jahre 1013 ließ der Sung-Kaiser durch den Akademiker und praktizierenden Taoisten *Chao Hui* seine erfolgreichen Fühlungnahmen mit den übermenschlichen Mächten zur Kenntnis bringen. Doch scheint diese Mitteilung die ihr zugedachte Wirkung nicht recht erreicht zu haben, da der Abgesandte sich betrank und mit den Hofleuten unziemlich scherzte.[118]

2. Der Taoismus

Sicherlich hatte der konfuzianische Ritualismus es zustande gebracht, daß das gesamte öffentliche Leben des chinesischen Volkes sich in den festen Formen eines regulierten Jahresrhythmus (71 oder 76 amtliche Feiertage) bewegte. Anderseits aber hatte er die allgemeine emotionale Religiosität, wie schon mehrfach angedeutet, bis zu einem Grade ausgeschaltet, der auch nicht für alle Mitglieder der sozialen Spitzengruppe und ebensowenig für manche Kaiser annehmbar war. Die Repräsentationen der Götter in Form von beschrifteten Tafeln wurden bei den Kulthandlungen auf die ihnen zukommenden Plätze gestellt und dann wieder in die Aufbewahrungsräume im Ahnentempel zurückgebracht. Die Menge des Volkes konnte bestenfalls nur von ferne einen Blick darauf werfen.

Den Bedürfnissen der gefühlsmäßigen Religiosität wurde jedoch Genüge getan durch die beiden Kirchen, die in ihren Kultstätten ausreichend Gelegenheit zur Andacht und Anbetung boten.

In dem Kapitel, das die Zeit der Nord-Süd-Trennung behandelt, habe ich zu beschreiben versucht, wie damals der Buddhismus das religiöse Leben beherrschte. Er hatte aber einige Nachteile. Einmal wurde er von allen kulturbewußten Chinesen abgelehnt, weil er aus dem „barbarischen" Ausland kam. Außerdem war er infolge seiner großen Anhängerschaft im Volk so stark, daß er jederzeit zu einer Bedrohung für den konfuzianisch verwalteten Staat werden konnte und dies, wie wir gesehen haben, auf den Gebieten des Rechtswesens und der Wirtschaft auch tatsächlich wurde. Die Prävalenz des Buddhismus dauerte noch bis weit in die T'ang-Zeit hinein.

Erst mit dem oben mehrfach genannten Kaiser Hsüan-tsung (713–55) bahnt sich eine zunächst zeitweilige Verlegung des Schwergewichts auf die taoistische Kirche an. Diese war infolge ihrer weit geringeren Anhängerschaft wesentlich

117 Sung-shih chi-shih pên-mo, II, Kap. 22, S. 26–37.
118 Hsü tzŭ-chih t'ung-chien, I, S. 692.

harmloser und dazu unbestreitbar ein einheimisches chinesisches Produkt. Außerdem sprach das hinter der taoistischen Religion stehende spekulative System die bildungstragende Schicht ebensosehr an wie die hohen ethischen Qualitäten des Buddhismus.

In der Sung-Zeit nun vollzieht sich eine allmähliche, wenn auch vielleicht nur staatspolitisch bedingte Umstellung auf den Taoismus. Wir haben eben gesehen, wie er zum Beispiel bei den Versuchen, den Fêng-shan-Verehrungs-komplex wieder zu beleben, die Anregung zu den Kulthandlungen gab und sie auch bis zu einem gewissen Grade mit emotionalem Inhalt erfüllte.

Wenn es auch zu weit gehen würde, den Taoismus der Sung-Zeit als Staatsreligion zu bezeichnen, so können wir anderseits aber in dieser sehr deutlich eine starke taoistische Komponente ausmachen. Ich möchte damit sagen, daß die taoistische Kirche den Kanal abgab, durch den die Staatsorgane mit der übermenschlichen Welt in eine mehr persönliche, überrituelle Ver-bindung traten, während die großen amtlichen Kulthandlungen in erster Linie repräsentative Schaustellungen waren.

a. Geschichtliches

Unter dem dritten Kaiser *Chên-tsung* (997–1022) treten diese Tendenzen in Erscheinung.

Ich habe im Anschluß an die *Fên-yin*-Feier von einem dritten Volksbegehren gesprochen. Diese richtete sich darauf, daß der Kaiser dem *T'ai-ch'ing-kung* („Tempel der höchsten Reinheit") in *Po-chou* (heute in Anhui) einen Besuch abstatten solle. Dies aber war die Hauptverehrungsstätte des *Lao-tzû,* dessen Geburtsort dort in der Nähe vermutet wurde.

Schon seit der Han-Zeit befand sich in jener Gegend ein kleiner Tempel, der im Laufe der Zeit mehrfach erneuert und erweitert worden war. Im Jahre 743 wurde er wie alle anderen Lao-tzû-Heiligtümer umbenannt in T'ai-ch'ing-kung.

Das Volksbegehren kam, wenn wir den Quellen glauben dürfen, aus allen Schichten der Bevölkerung, auch aus denen der konfuzianischen Gelehrten-schaft und des buddhistischen Klerus. Der Besuch des Kaisers bedeutete natür-lich für den Tempel und seine weitere Umgebung einen nicht zu unter-schätzenden wirtschaftlichen Aufschwung.

Theoretisch gesehen schloß sich die neuerliche Kulthandlung konsequent an die beiden vorausgehenden an. So wie sich die Fêng-shan-Feier an die Himmelsgötter gerichtet hatte, so wandte sich die Fên-yin-Feier an die Erd-gottheiten. Es fehlte also noch eine Feier für die Menschengeister, als deren wichtigster Repräsentant eben Lao-tzû angesehen wurde.

Noch im Jahre 1008, als der Kaiser Chên-tsung zur Abhaltung des Fêng-shan-Opfers nach Osten zog, hatte er in Ch'ü-fu für Konfuzius, seine 72 Schü-ler und 21 große Konfuzianer der Vergangenheit eine Feier veranstaltet.

Konfuzius erhielt dabei in Anlehnung an vorausgehende Ehrentitel die Bezeichnung *Hsüan-shêng wên-hsüan wang* („Zutiefst heiliger König, der die Kultur ausbreitet"). Es ist kennzeichnend für die Änderung der religiösen Politik und der Ansichten des Kaisers, daß er sich jetzt herbeiläßt, Lao-tzû als geistigen Vormann der Menschheit anzuerkennen.

Im Jahre 1014 begab sich Chên-tsung nach Po-chou und hielt nach den Ritualplänen für das Opfer bei Fên-yin eine Feier ab. Die Kulthandlung begann bereits lange vor Tagesanbruch; man errichtete deshalb eine Terrasse mit Lichtern in Bambuskörben. Den Höhepunkt bildete auch jetzt wieder die Versiegelung einer Mitteilung in einem Steinbehälter. Mitbeteiligt wurden an dem anschließenden Opfer der „Himmelslehrer" *Chang Tao-lin, Lieh-tzû, Chuang-tzû* und bezeichnenderweise auch die T'ang-Kaiser *Hsüan-tsung* und *Wên-tsung* (827–40), die man also in taoistischen Kreisen als Initiatoren des neuerlichen Aufstiegs dieser Kirche betrachtete.

Der T'ai-ch'ing-Tempel in Po-chou war wie alle größeren Anlagen dieser Art nicht bloß ein einziger Tempel, sondern ein Komplex von größeren und kleineren Spezialheiligtümern. Deshalb vollzogen die den Kaiser begleitenden Minister neben dem Hauptopfer im T'ai-ch'ing-kung weitere Darbietungen, wie die im *Chên-yüan-kuan* („Kloster der Wahrhaftigkeit") für den *San-ch'ing ling-pao t'ien-tsun* („Himmelseminenz der dreifachen Reinheit und des magischen Kleinods"), im *Hsien-t'ien-kuan* („Vor-Himmels-Kloster") für den *Yüan-shih t'ien-tsun* („Himmelseminenz des Uranfangs")[119] und andere weniger bekannte Gottheiten. Natürlich wurden auch bei dieser Ausreise die Himmelsbriefe mitgeführt.

Die Verknüpfung des Stammbaumes der T'ang-Kaiser mit Lao-tzû hatte sich für die taoistische Kirche als so vorteilhaft erwiesen, daß man sich zur Sung-Zeit ebenfalls bemühte, den Ursprung der kaiserlichen Sippe Chao entsprechend zu frisieren.

Bestrebungen dieser Art setzten bereits um 998, d. h. im ersten Jahr der Regierung des Kaisers Chên-tsung, ein, gelangten aber erst 1012 zum Erfolg. In diesem Jahr hatte der Kaiser einen Traum. Dabei wurde ihm eine Mitteilung vom *Yü-huang* („Jade-Erhabener", meist einfach „Jadekaiser" genannt), von dem gleich etwas mehr die Rede sein wird, überbracht. Sie lautete: „Vordem habe ich deinen Ahnherrn Chao geschickt, damit er dir meine Briefe übergäbe. Jetzt sende ich ihn wieder zu dir. Empfange ihn mit derselben Verehrung, wie am T'ang-Hof der Hsüan-yüan huang-ti (‚Hehrer Kaiser des Uranfangs', d. h. Lao-tzû) aufgenommen wurde." Der angekündigte Gott erscheint in der folgenden Nacht tatsächlich und offenbart folgendes: „Ich bin einer der Neun Menscherhabenen (Jên-huang, d. h. einer der ersten Herrscher über die Menschheit) und der Urahn der Sippe Chao. Bei meinem zweiten

119 Vgl. die Titulaturen S. 235.

Herabsteigen zur Erde war ich der Gelbkaiser. Alle sagen, daß dieser der Sohn des Shao-tien gewesen sei. Das ist falsch. Seine Mutter wurde vom Donner berührt, träumte von einem Himmelsmenschen und gebar mich am Langlebenshügel (Shou-ch'iu in Shantung). Zur Zeit der Späteren T'ang-Dynastie (924–36) kam ich auf Anordnung des Yü-huang („Jadekaiser') wieder herab (d. h. wurde wiedergeboren), um als Haupt der Sippe Chao das gesamte Erdreich in Ordnung zu bringen. Jetzt dauert das schon hundert Jahre..." [120]

Der Begründer der Sung-Dynastie war also die Reinkarnation eines der alten Weltbeherrscher, die nach taoistischer Ansicht den Uranfang der Geschichte bildeten.

Der Tag, an dem er sich seinem Nachfolger Chên-tsung offenbarte, der 1. Tag des 7. Monats, wurde zum Feiertag erklärt. Zugleich ließ der Kaiser dem „Heiligen Ahnherrn" *(Shêng-tsu)* einen großen Tempel in der Hauptstadt erbauen und überall in den Provinzen kleinere Kultstätten einrichten, die ständig von Taoisten betreut wurden. [121]

Aber interessant ist nun besonders der eben genannte Obergott, der Jadekaiser *(Yü-huang)*, der hier als Auftraggeber des kaiserlichen Ahnherrn im Hintergrund steht. Es wird fast allgemein angenommen, daß es sich hier um einen völlig neuen taoistischen Gott handele, mit dem der Platz des *Hao-t'ien shang-ti* ausgefüllt wurde. Maspero vertritt dagegen die Ansicht, daß Chên-tsung hier einen Gott der damaligen Volksreligion aufgegriffen habe. [122]

Vielleicht sollten wir uns jedoch vor Augen halten, daß damals die Erinnerung an den „alten Fêng-shan-Komplex" sehr lebendig war und zu der Zeit, als dieser besonders in Mode kam, d. h. der Zeit des Ch'in Shih-huang-ti, auch die taoistische Götterlehre von den *San-huang* („Drei Erhabenen") vorherrschte. Somit könnte man etwa annehmen, daß Yü-huang („Jade-Erhabener") nur eine andere, zeitgemäß abgeänderte Bezeichnung für den obersten der Drei, nämlich den *T'ien-huang* („Himmelserhabener"), wäre, da *Yü* („Jade") als Beiwort für die oberste, reinste Sphäre des Himmels gebraucht wurde.

Zu erwägen wäre dabei auch, daß der Sung-Dynastiegründer ja der Abkömmling des *Jên-huang* („Mensch-Erhabener") war. Diesem direkt übergeordnet müßte aber doch wohl der alte T'ien-huang, oder nunmehr Yü-huang, gewesen sein.

Wahrscheinlich aber liegen die Dinge viel komplizierter, da im Laufe der Zeit die Lehre von den San-huang eine vieldeutige Ausgestaltung erhalten hat. So findet sich im Yün-chi ch'i-ch'ien (S. 27) eine Stelle, daß die „Him-

---

120 *Sun K'o-k'uan* (1965), S. 82–86.
121 *Eichhorn* (1968), S. 8.
122 Zum Beispiel *Wieger* (1927), S. 607, und *Sun K'o-k'uan* (1965), S. 85; *Maspero* (1963), S. 265. Auffällig ist, daß der Yü-huang im Chi-shih t'ung-chien, Kap. 33, eine recht unbedeutende Rolle spielt.

melseminenz *(T'ien-tsun)* der drei Generationen", d. h. der ältesten historischen Zeit, zehn Bezeichnungen (absteigende Wiedergeburten?) habe. Die Liste dieser beginnt mit bekannten Termini aus der taoistischen Spekulation. An sechster Stelle folgt Lao-tzû, an achter der T'ien-tsun und erst an neunter der Yü-ti („Jadekaiser"). Anderseits aber gab es auch eine Lehre von den drei Urodem *(San-yüan),* und der erste davon war der „Odem des Yü-huang" („Jadeerhabenen").[123]

Aber wie dem auch sei, im Anfang des Jahres 1017 wurde der Jadekaiser unter dem Titel Y*ü-ch'ing-huang ta-t'ien-ti* („Jadereinheit – Erhabener Groß-Himmelskaiser") der Öffentlichkeit vorgestellt und sein Kult eingerichtet.

Die gesamte Himmelswelt der Taoisten aber wäre wieder unter dem oben (S. 190) kurz aufgeführten Schema zu begreifen, wobei an die Stelle des dort erwähnten Yü-ch'ing yüan-shih t'ien-tsun eben der Yü-huang tritt. Mir scheint, daß zwischen den beiden außer einigen veränderten Epitheta kein Unterschied besteht.

Im Jahre 1022 starb der Kaiser Chên-tsung. Das Bild, das die Konfuzianer von ihm entwerfen, ist das eines religiösen Schwindlers und Narren. Es ist aber zu erwägen, daß es ihm mit seiner religiösen Politik immerhin gelang, den Frieden zu bewahren. Und warum soll man es ihm verdenken, daß er nicht nur einfach eine Figur bei mehr oder weniger inhaltslosen Ritualen sein wollte, sondern sich als Partner oder Gegenüber der Gottheit oder der Götter fühlte und zu interpretieren versuchte? Wenn es ihm gelungen wäre, die Religiosität der Fernostvölker auf seine Person zu konzentrieren, wer weiß, wie die Geschichte dann verlaufen wäre?! Aber ein wahrscheinlich stichhaltigeres Argument gegen ihn ist der zu große Verbrauch von Gold für Ritualgegenstände und Götterfiguren. Angeblich wurde der Goldpreis dadurch so in die Höhe getrieben, daß man es durch Silber und dann durch Kupfer ersetzen mußte.

Eine der ersten Maßnahmen seines Nachfolgers war, eine Reihe der von seinem Vorgänger eingerichteten Kirchenfeste und Feiertage abzuschaffen mit der Begründung, daß die Ausgaben dafür zu hoch seien. Die Regierungszeiten der vier folgenden Kaiser sind ausgefüllt mit der dauernden Sorge um den ständig bedrohten Staatshaushalt.

Erst unter dem Kaiser *Hui-tsung* (1100–25) eröffnete eine neue Welle religiöser Hochstimmung der taoistischen Kirche einen bis dahin unerreichten Einfluß im Staatsleben. Während die religiöse Haltung des Kaisers Chên-tsung, wie ich darzustellen versuchte, auf einem gewissen politischen Hintergrund vor sich ging, scheint es, daß der hochkünstlerisch veranlagte Hui-tsung hauptsächlich einer romantischen Neigung für die Welt der taoistischen Götter und Genien folgte. Er steht damit in einer Reihe mit Leuten wie dem Dich-

---

123 Yün-chi ch'i-ch'ien, S. 80.

ter *Li Po* (701–62), von dem es hieß, daß er ein unter die Menschen verbannter taoistischer Genius gewesen sei.

Anlaß für die erste Berührung des Hui-tsung mit den Taoisten war aber die Sorge um Nachkommenschaft. Auch der Kaiser Chên-tsung war übrigens in dieser Lage gewesen und hatte deshalb einen Taoisten veranlaßt, von Golddrachen beförderte Bittäfelchen in der Hua-yang-Schlucht, d. h. einer der „Türen zum Himmel", auszusetzen, während ein anderer am Ta-mao-Gipfel (beide in Kiangsu) eine Fürbitte tat. Die erste Maßnahme sollte die Empfängnis, die zweite die Geburt fördern.[124]

Auch Hui-tsung verschrieb sich zur Förderung des Nachwuchses einem Taoisten der Mao-shan-Gruppe, die anscheinend auf diesem Gebiet besondere Erfahrungen hatte. Dieser fand heraus, daß ein Hügel in der Nordostecke der Hauptstadt etwas abgetragen werden müsse, um den männlichen (Yang) Einfluß besser eindringen zu lassen, dann würde man reichlichen männlichen Nachwuchs haben. Dies geschah und hatte anscheinend den gewünschten Erfolg. Der Kaiser aber fand Geschmack an Schicksalskorrekturen dieser Art, und dies führte zur Einrichtung einer großen Parkanlage, die etwa um 1111 begonnen und 1117 fertiggestellt wurde. Sie soll nach dem Vorbild der Phönixpaarberge bei Hangchou gestaltet worden sein. In ihr wurden alle sonderbaren und magisch wirksamen Steine, Pflanzen und Bäume aus allen Provinzen des Reiches gesammelt. Die Anlage, die in mehreren Bauphasen errichtet wurde, erhielt den Namen *Kên-yo*, „Heiliger Berg der Festigkeit". (*Kên* war aber auch ein Glückszeichen für männlichen Nachwuchs.) Sie wurde in der Staatsopferordnung den großen heiligen Bergen gleichgestellt. Tatsächlich handelt es sich wohl ursprünglich um die Nachbildung eines mehrstöckigen taoistischen Paradieses, das der Kaiser im Jahre 1113 beim Auszug zum Nan-chiao-Opfer plötzlich in der Luft erblickte und dessen Anlageplan ständig erweitert wurde.

Von der konfuzianischen Geschichtsschreibung wird die sehr kostspielige Anlage als einer der Gründe für den Untergang des Nord-Sung-Staates angesehen. Und faktisch waren auch in der Bevölkerung künstliche Anlagen dieser Art sehr unbeliebt. Sie wurden als „Blutberge" bezeichnet, da sie mit dem Schweiß und Blut des Volkes errichtet worden waren.

Anderseits aber können wir hinter dieser Anlage eine der großartigsten Leistungen der chinesischen Gartenbaukunst und Architektur vermuten, wie sie nur von einem Künstler, der zugleich Kaiser war, in Angriff genommen werden konnte.

Während in den Kên-yo-Anlagen Pflanzen und Steine gesammelt wurden, gab es auch noch einen Tierpark, nämlich den im Jahre 1116 fertiggestellten „Tempel des kostbaren Zaubersiegels der oberen Reinheit" (*Shang-ch'ing pao-*

---

124 Chi-shih t'ung-chien, Kap. 33, S. 11v und Kap. 34, S. 22r.

lu kung). Den Mittelpunkt dieser Anlage, die anscheinend der gesamten Bevölkerung offenstand, bildete ein großer Taoistentempel, umgeben von Speise- und Vergnügungsstätten.[125]

Hui-tsung stand damals unter dem Einfluß von zwei namhaften Taoisten, *Wang Lao-chih* und *Wang Yü-hsi.* Ersterer war einer der erfolgreichen Wahrsager, wie sie etwa seit der Han-Zeit mehr und mehr an die Stelle der alten Orakeltechniken traten. Seine Kunst war ihm von einem unbekannten Sonderling übermittelt worden, und er hatte darauf seine Familie verlassen, um als Einsiedler in einer Schilfhütte zu leben. Seine zutreffenden Voraussagen machten ihn berühmt; dies wiederum bewirkte, daß er in die Hauptstadt geholt und schließlich bei Hofe eingeführt wurde. Seine Prophezeiungen erteilte er durch schwer verständliche Amulettzeichen. Sie trafen meistens in unerwarteter Weise zu, und er hatte deshalb einen solchen Zulauf, daß sich politische Bedenken gegen ihn erhoben. Er starb aber zur rechten Zeit, bevor sein Glück sich wandte. Sein Nachfolger Wang Yü-hsi war ursprünglich ein konfuzianischer Scholar, der dann Einsiedler und aus denselben Gründen wie Wang Lao-chih an den Hof berufen wurde. Es ist anzunehmen, daß sich der Einfluß der beiden besonders in den kaiserlichen Frauengemächern geltend machte und von dort den Kaiser erreichte. Sie fanden aber auch unter den hohen Beamten einflußreiche Förderer.

Die Tätigkeit der beiden bewirkte, daß eine neue Zeit des Erfolges für die Fang-shih heraufstieg. Sie wurden im Jahre 1113 an den Hof berufen und müssen dort eine ziemliche Stärke erreicht haben. Denn wir erfahren, daß sie von 26 Leuten aus ihrer Mitte, denen man ebensoviele Rangstufen erteilt hatte, verwaltet wurden. Bei den 100 Taoisten, die beim Südaußenopfer in diesem Jahr die kaiserlichen Insignien voraustrugen, dürfte es sich jedoch um ordinierte Taoisten aus den großen Klöstern der Hauptstadt gehandelt haben.[126]

Unter diesen Fang-shih kam schließlich einer zu außergewöhnlicher Macht und Einfluß, und zwar der berüchtigte *Lin Ling-su,* der ursprünglich dem Buddhismus anhing. Weil er aber von seinem Lehrer für ein Vergehen kräftig geprügelt worden war, trat er zum Taoismus über. Seine Stärke bestand im magischen Illusionismus. Auf Empfehlung des Direktors des „Östlichen T'ai-i-Palastes", der zugleich Träger des höchsten taoistischen Kirchenamtes war, kam er an den Hof und erklärte dort folgendes: „Der Himmel besteht aus neun Wolkensphären. Deren oberste ist die Götter (Shên)-Sphäre. Dort befindet sich die Himmelsverwaltung, die Fu (Schatzamt) genannt wird. Der Jadereinheitskönig (Yü-ch'ing-wang) ist der älteste Sohn des Yü-huang shang-ti und herrscht über die Südregion. Er trägt den Titel ‚Großkaiser des Langlebens' und wird von Ihnen, Majestät, personifiziert. Auf ihn folgt der ‚Kaiser der Ost-Blume' (Ost-China), und das ist der Premierminister Ts'ai

---

125 *Sun K'o-k'uan* (1965), S. 112.
126 Sung-shih chi-shih pên-mo, V, Kap. 51, S. 24.

Ching …" [127] Und so teilte Lin Ling-su taoistische Götterposten über die Hofgesellschaft aus, wobei auch die derzeitige Favoritin nicht vergessen wurde. Er schuf so die Illusion eines taoistischen Märchenlandes, in dem jeder seinen Platz fand. Der Kaiser fand großes Gefallen an dieser Illusion und scheint veranlaßt zu haben, daß der gesamte Hofstaat in diese unserer Ansicht nach phantastische Komödie eingespannt wurde. Der Hintergrund wurde im Jahre 1117 in Form der Kên-yo-Anlagen geschaffen.

In taoistischen Künsten scheint Lin Ling-su nur wenig bewandert gewesen zu sein. Er verstand sich etwas auf das Wettermachen, hatte aber auch damit nur geringen Erfolg. Dafür aber nahm er sich der Organisation der Taoistischen Kirche und besonders ihrer Liturgie an, über die er persönlich ein Werk verfaßte.

Zunächst setzte er durch, daß der Kaiser den *Yü-huang shang-ti* mit einem aus 18 Schriftzeichen bestehenden Titel offiziell zum obersten Gott erklärte. Diese Ernennung wurde von einem Amnestieerlaß und der Anordnung begleitet, daß überall im Reich die taoistischen Kultstätten an den „Durchgangsstellen zum Himmel" *(Tung-t'ien)* und den „Glücksorten" *(Fu-ti)* auszubessern, beziehungsweise neu zu errichten seien. Sie wurden vom Kaiser mit Glückspflanzen *(Wei-i)* und Heiligenbildern beschenkt und hatten diese sowie den Kaiser in seiner Eigenschaft als inkarnierten Taoistengott samt seinen Ahnen kultisch zu betreuen. Zu ihrem Unterhalt wurden diese Kultstätten reichlich mit Land ausgestattet. Im weiteren Verlauf kam dabei eine differenzierte Kirchenbeamtenschaft zustande, die wie die Staatsbeamtenschaft in Ränge eingeteilt war, innerhalb derer man durch Examina aufsteigen konnte. [128]

Bald erfolgte nun auch eine erste Warnung an die buddhistische Kirche in Form einer halb scherzhaften Äußerung des Kaisers im taoistischen Kirchenamt. Als Sohn des Jadekaisers habe er sich die Lehre des „goldbedeckten Barbaren" einmal angesehen und mit großem Bedauern bemerkt, wie man dabei mittels Selbstverstümmelung und Selbstverbrennung die wahre Erweckung erstrebe. Er habe deshalb an Yü-huang shang-ti die Bitte gerichtet, es ihm als Beherrscher der Menschen zu ermöglichen, die Menschheit zum rechten Glauben zurückzuführen. Gott habe ihm diese Bitte gewährt. Man möge ihm deshalb den Titel „Glaubensherr, Tao-Fürst und Erhabener Kaiser" zukommen lassen. Die Beamtenschaft und das Kirchenamt gaben dem statt.

Kurz darauf folgte eine Regierungsanordnung, daß Buddhisten, die in die taoistische Kirche übertreten wollten, taoistische Ordinations- und dazu Purpurgewandausweise erhalten sollten, d. h. daß sie mit etwas höheren kirchlichen Ehren eingestellt werden würden. Im Jahre 1119 kam dann der entscheidende Erlaß: Buddha mußte umbenannt werden in „Goldgenius der gro-

127 Chi-shih t'ung-chien, Kap. 34, S. 33v.
128 Hsü tzû-chih t'ung-chien, III, S. 2401.

ßen Erleuchtung", und die Bodhisattvas wurden zu *Hsien-jên* (taoistische Genien) oder „Groß-Scholaren" *(Ta-shih)* degradiert. Die Mönche erhielten die Bezeichnung „Tugend-Scholar" *(Tê-shih)*, mußten ihren beim Eintritt ins Kloster abgelegten Familiennamen wieder führen und die Kleidung ändern. Die buddhistischen Heiligtümer bekamen die Bezeichnung von taoistischen. Die Namensänderung betraf auch sämtliche anderen kirchlichen Würdenträger und Einrichtungen des Buddhismus, der damit als Kirche eigentlich ausgelöscht wurde.

Lin Ling-su war auf der Höhe seiner Macht. Er war Direktor des taoistischen Paradieses bei Hofe und unbestrittener Oberherr der Einheitskirche. Möglicherweise erweckte dies in ihm den Gedanken, daß die geistliche Macht des Taoismus das Übergewicht über die weltliche Macht des Kaisers erhalten könne, zumal letzterer bei taoistischen Vorlesungen wie ein Schüler vor ihm saß.

Und dies wiederum mag bewirkt haben, daß er am Ende des Jahres 1119 bei einer Begegnung mit dem Kronprinzen auf einer Straße in der Hauptstadt sich weigerte, diesem den Weg freizugeben. Der Kaiser vermerkte das höchst übel und schickte Lin Ling-su, der infolge eines erfolglosen Versuchs, eine Flutkatastrophe durch Beschwörung einzudämmen, auch in der Bevölkerung keinerlei Rückhalt fand, in seine Heimatprovinz Chekiang zurück.

In den folgenden Jahren wurden alle kirchlichen Änderungen wieder rückgängig gemacht. Auch dem taoistischen Paradies am Kaiserhof drohte das Ende, denn die Ausplünderung der Südostprovinzen für die Ausgestaltung der Kên-yo-Anlagen bewirkte einen Aufstand der geheimen Manichäergemeinden in Chekiang, der die ganze Schwäche des Reiches aufdeckte und seinen Untergang einleitete.

Als die Jurtschen im Jahre 1126 die Sung-Hauptstadt eroberten, wurde der Kên-yo-Park vernichtet. Die dort gesammelten wertvollen Steine dienten ihnen als Munition für ihre Ballisten.

b. Taoistisches Schrifttum

Die eben beschriebenen Vorgänge an den Höfen der Kaiser Chên-tsung und Hui-tsung trugen natürlich viel dazu bei, daß der Taoismus in den Reihen der Gebildeten zahlreiche Anhänger fand. Anderseits aber läßt sich den Quellen entnehmen, daß sich in der Wu-tai-Periode in den ruhigen Winkeln des Reiches südlich vom Yangtse und in Szechuan Gruppen degradierter Beamter zusammengefunden hatten, deren Vorliebe die Sammlung taoistischer Mirakelgeschichten war. Sie glichen darin dem berühmten *Kan Pao*, der im 4. Jh. n. Chr. eine Sammlung solcher Geschichten verfaßt hatte mit dem Ziel, ähnlich wie Mo Ti das anstrebte, die Existenz von außermenschlichen Wesen, Geistern und Dämonen zu beweisen. Wahrscheinlich erwarteten sie von diesen ebenfalls eine Wiedergutmachung des ihnen angetanen Unrechts.

Von diesen Gruppen her gingen Anregungen und Einflüsse aus, die zum großen Teil wohl auch darauf beruhten, daß diese Mirakelgeschichten als Unterhaltungsliteratur sehr beliebt waren. Sie erreichten natürlich auch die Sung-Gesellschaft. Daher besteht die Möglichkeit, daß im Verhalten der Kaiser Chên-tsung und Hui-tsung nur eine in den gebildeten Kreisen weit verbreitete Stimmung zum Durchbruch kam.

Diese Literatur der taoistischen Legenden, Mirakel und Anekdoten hat ihren umfassenden Niederschlag gefunden in der Sammlung *T'ai-p'ing kuang-chi* („Umfassende Aufzeichnungen aus der Periode 976–83"), die mit einer legendären Biographie des Lao-tzû beginnt und sich damit als „taoistisch" ausweist. Das ursprünglich höchstwahrscheinlich zur Stärkung der „Religiosität" in den Kreisen der Schriftkundigen gedachte Werk bildet heute eine unschätzbare Fundgrube der chinesischen Folkloristik.

Aber auch das in unserem Sinn mehr ernsthafte taoistische Schrifttum nahm, wie zu erwarten, in der Sung-Zeit einen bedeutenden Aufschwung. Ich bin geneigt, von „religiös-wissenschaftlicher" Literatur zu reden. Dabei denke ich zunächst an die zahlreichen Werke über die Methoden der Lebensverlängerung, die nicht nur auf „theoretisch-wissenschaftlichen" Erwägungen beruhten, sondern meist auch auf intensivem Forschen und Experimentieren. Aber auch die uns absurd anmutenden Götter- und Himmelssysteme, deren eines im Zusammenhang mit Lin Ling-su kurz angedeutet wurde, sind im Rahmen ihrer Zeit gesehen keine reinen Phantasiegebilde. Sie beruhen auf sehr eingehender Beobachtung der Gestirne und sind das Ergebnis von Reflexionen über deren Bedeutung und Ordnung. Eine konkrete Anwendung finden solche Überlegungen zum Beispiel in der von Zeit zu Zeit veränderten Anordnung der Götterrepräsentationstafeln beim großen Südaußenopfer.

Ich bin sogar der Ansicht, daß das von den „Wissenschaftlern" der Sung-Zeit, den Neokonfuzianern, aufgestellte kosmologische System in seiner Grundstruktur von diesen „phantastischen" Himmelsorganisationen nicht grundlegend verschieden ist. Wie diese geht es aus von einer letzten, alles zusammenfassenden Einheit *T'ai-chi* („Höchstgipfel"), dem die „Gipfellosigkeit" *(Wu-chi)* gegenübersteht. T'ai-chi spaltet sich in zwei Teile *(Yin* und *Yang)*, und diese gehen über in die Fünf Agenzien. Dies ist das rationalisierte Schema von Weltordnungen, wie ich sie in meinen Ausführungen verschiedentlich berührt habe. Der Hauptunterschied besteht darin, daß die einzelnen Positionen dieses Weltordnungssystems mit unpersönlichen „Kräften" oder „Prinzipien" besetzt sind, die in der religiösen Atmosphäre zu persönlichen Göttern werden. Für den Sung-Menschen aber war es wohl weitgehend eine Angelegenheit des Geschmacks, ob er mit anonymen Kräften und völlig ungreifbaren Prinzipien oder mit diese repräsentierenden, ihm wesensverwandten Göttern in einer Welt leben wollte. Wir begegnen deshalb einer Reihe von namhaften konfuzianischen Gelehrten, wie *Ou-yang Hsiu* (1007–72) und dem besonders als Dichter bekannten *Su Shih* (1036–1101), die ganz offenbar mit dem Taoismus sympathisierten.

Ein großer Ansporn für das Sammeln und Ordnen des taoistischen Schrifttums war natürlich das buddhistische *San-tsang-ching (Tripitaka)*, das, im 6. Jh. begonnen, zur T'ang-Zeit bereits ungefähr 2278 Titel enthielt.

Die Arbeit an einer entsprechenden Sichtung des taoistischen Schrifttums begann in der T'ang-Zeit und knüpfte wohl auch an ältere Sammlungen an (s. o. S. 184).

An sich war jeder taoistische Tempel im Besitz einer größeren oder kleineren Bibliothek taoistischer Werke, die oft auf den religiösen Spezialcharakter der Kultstätte zugeschnitten war. Aus diesen Schriften traf man bei Zusammenstellung des *Tao-tsang* (Kanon des Taoismus) eine Auswahl. Die Werke wurden vor ihrer endgültigen Aufnahme natürlich nochmals stilistisch überarbeitet.

Ein erstes Verzeichnis systematisch geordneter taoistischer Werke erschien in der Zeit zwischen 713 und 741 unter dem Titel *San-tung ch'iung-kang* („Ausgezeichnetes Fangseil der drei Göttergrotten"). Die Sammlung bestand aus insgesamt 3744 Schriftrollen und ging in den politischen Wirren am Ausgang der T'ang verloren.

Unter den Sung nahm sich der Günstling und Minister *Wang Ch'in-jo* auf Wunsch des Kaisers Chên-tsung der Neuredaktion des taoistischen Schrifttums an und legte erstmals im Jahre 1008 einen mit Hilfe von zehn namhaften Taoisten angefertigten Katalog neuer und alter taoistischer Schriften vor. Dieser erhielt vom Kaiser den Titel *Pao-wên t'ung-lu* („Umfassende Registration des kostbaren Schrifttums") und ein von ihm selbst verfaßtes Vorwort. Wang Ch'in-jo knüpfte dabei an eine bereits unter dem ersten Sung-Kaiser zustande gekommene Sammlung taoistischer Werke an und erweiterte diese von etwa 3737 Chüan („Schriftrolle, Abschnitt") auf 4359 Chüan. Obgleich zunächst ein Beschluß gefaßt worden war, alle Schriften, die eine der beiden Kirchen herabsetzten, aus dem Kanon der Buddhisten und dem der Taoisten zu entfernen, wurde auf seine Anregung hin das von den Buddhisten schwer angefeindete *Hua-hu ching* („Lao-tzû bekehrt die Barbaren") in den Tao-tsang aufgenommen. Begonnen hatte das Ganze mit einer Festsetzung der Regeln für die Liturgie der großen taoistischen Messe *(chiao)*, die sich an den gesamten Himmel richtete und der man damals große Aufmerksamkeit schenkte. Wang Ch'in-jo verfaßte persönlich darüber ein Werk von zehn Chüan.

Zum weitaus größten Teil kamen die aufgenommenen Werke aus den Südostprovinzen des Reiches, die durchsetzt waren mit religiösen Gemeinden verschiedener Observanz.

Im Jahre 1016 erreichten die Redaktionsarbeiten einen Abschluß, und Wang Ch'in-jo reichte den neuen Tao-tsang ein. Die Sammlung war aber noch nicht befriedigend und wurde nochmals erweitert. Unter den beauftragten Kommissaren war jetzt der Arbeitsbüroinspektor *Chang Chün-fang*. Dieser machte aus den gesammelten Schriften Auszüge und stellte diese zu einem umfangreichen Werk zusammen, das den Titel *Yün-chi ch'i-ch'ien* („Sieben Bambustafeln aus der Wolkenschachtel") trägt. Die Siebenzahl geht zurück auf die Einteilung des Tao-tsang, der damals schon aus drei „Göttergrotten" *(Tung)* und vier Zusatzabteilungen oder „Stützen" *(Fu)* bestand. Das Werk ist uns erhalten und stellt eine grandiose Summa aller Aspekte des Taoismus zur Sung-Zeit dar.

In seinem Vorwort erzählt uns Chang Chün-fang, wie es ihm gelang, in Chekiang und Fukien zahlreiche Werke des „alten (T'ang) Tao-tsang" zu erwerben und dazu auch Schriften des „Lichtboten" Mani, die also damals in den taoistischen Kanon aufgenommen wurden. Im heutigen Tao-tsang sind sie allerdings nicht mehr enthalten.

Der erweiterte Tao-tsang wurde 1019 fertiggestellt. Er bestand jetzt aus 4565 Chüan, die in Bündeln unter den ersten 466 Zeichen des alten Zeichenlehrbuchs *Ch'ien-tzû-wên* geordnet waren.

Natürlich wurde auch unter dem Kaiser Hui-tsung die Bearbeitung des taoistischen Schrifttums fortgesetzt. In der Zeit von 1102–06 wurde auf Grund einer Anordnung von ihm eine Neuredaktion des Tao-tsang durchgeführt und der Bestand auf 5387 Chüan vermehrt. Durch eine neuerliche umfassende Suche nach taoistischen Texten vergrößerte man den Tao-tsang in der Zeit 1111–17 nochmals. Diese Sammlung wurde im Jahre 1118 in Fuchou (Fukien) auf Holzplatten geschnitten und gedruckt. Ein Exemplar davon kam in die Palastbibliothek in der Hauptstadt. Doch wurde es, wie auch die anderen Exemplare, in den Kriegswirren von 1126 zerstreut und größtenteils vernichtet.[129]

c. Sektenwesen

In der Sung-Zeit tritt nun auch eine Art Gruppierung aller der größeren und kleineren taoistischen Schulen unter zwei große Richtungen im Süden und Norden in Erscheinung.

Auf Fürsprache des Wang Ch'in-jo hin ließ der Kaiser Chên-tsung im Jahre 1016 den *T'ien-shih* („vom Himmel inspirierten Lehrer") *Chang Chêng-sui* zu sich in den Palast kommen. Dieser wird geschildert als ein Mann von aufrichtigem und einfachem Charakter, der sich von allem Ordinären fernhielt. Der Kaiser sagte zu ihm: „Dein Ahnherr erlangte magisch-wirksame Erklärungen im goldenen Tor (d. h. im Palast des höchsten taoistischen Gottes) und überlieferte das Gesetz (die Methode) seinen Nachkommen. Du selbst als Sproß der Hauptlinie hast die wahre Lehre ererbt und mittels dieses Geheimen, das vor dem Bestehen des Himmels begann, die Später erweckten geleitet ..." Er

---

129 *Ch'ên Kuo-fu* (1948), S. 141, und Hsü tzû-chih t'ung-chien, III, S. 2401.

verlieh ihm einen Ehrennamen und abgabenfreies Land am Lung-hu (Dra-chen-Tiger)-Gebirge (in Kiangsi) [130]. Ebenso ließen der Nachfolger des Chên-tsung sowie die Kaiser Hui-tsung und Kao-tsung (1127–62) andere Mitglie-der dieser Familie der „Himmelslehrer" Chang zu sich kommen und ehrten sie in ähnlicher Weise. Der von Hui-tsung verliehene Ehrenname lautete „Himmelslehrer und Wahrhaftfürst der Gradheit und Einheit und der fried-vollen Entsprechung". [131]

Daraus ergibt sich, daß die Sung-Kaiser die Familie Chang als Träger der Traditionslinie der T'ien-shih („Himmelslehrer") anerkannten und damit endgültig alle anderen Ansprüche dieser Art, sofern solche damals noch er-hoben wurden, ausschalteten.

Anderseits wird jedoch von den heutigen Forschern (z. B. Sun K'o-K'uan) mehr und mehr eine Ansicht vertreten, daß diese ganze Traditionslinie der T'ien-shih der Familie Chang überhaupt erst in der Sung-Zeit konzipiert und nach rückwärts rekonstruiert wurde.

Die taoistische Kirche erhielt damit ein religiöses Oberhaupt. Die weltlich-administrative Leitung derselben lag dagegen in den Händen der Kirchen-vorstände in der Hauptstadt und der Kirchenfunktionäre in den Provinzen. Unter Hui-tsung finden wir übrigens hohe Staatsbeamte als Inhaber des ober-sten Kirchenamtes. [132]

Es wäre völlig verkehrt, wenn wir uns nun unter diesen „vom Himmel inspirierten Lehrern" eine Art von Supermagiern oder Oberscharlatanen vor-stellen würden, wie später diese „Taoistenpäpste" oft von europäischen Be-suchern dargestellt werden. Zur Sung-Zeit wenigstens hatten sie, haben aber auch heute noch, große Autorität in religiösen Dingen, die weitgehend von den verschiedenen Schulrichtungen anerkannt wird.

Etwa in der Mitte des 12. Jhs. treten in Nordchina religiöse Richtungen auf, die sich von diesem T'ien-shih- oder Chêng-i-Taoismus deutlich unter-scheiden. Sie werden auch nur insofern dem Taoismus zugerechnet, als sie nicht unter dem Buddhismus und Konfuzianismus untergebracht werden können. Vielleicht lassen sie sich zusammenfassend beschreiben unter der Bezeichnung Ch'üan-chên (etwa „das Wahrhafte ganz und heil bewahren"), obgleich da-neben noch andere Religionsgemeinschaften wie Chên-ta-Tao („Wahrhaftes Groß-Tao") und T'ai-i („Größt-Einheit") auftauchen. Sie entstanden sämtlich während der Süd-Sung-Zeit im aufgegebenen Norden des Reiches, und es ist deshalb die Ansicht vertreten worden, daß es sich hier eigentlich um passive Widerstandsbewegungen, d. h. Verweigerung der Zusammenarbeit mit den Eroberern, handle. [133] Dies würde in gewisser Weise gut zur Grundhaltung

130 Chi-shih t'ung-chien, Kap. 33, S. 16v.
131 Taishō, 49, S. 459.
132 Hsü tzŭ-chih t'ung-chien, III, S. 2387.
133 Ch'ên Yüan (1941), S. 17–25.

dieser taoistischen Gruppen, die auf Zurückgezogenheit, Besinnung auf die eigene Natur und daraus folgender strenger Askese beruhte, passen. Von der eben kurz umrissenen T'ien-shih-Gruppe unterscheiden sie sich merklich in der Ausbildung des Klosterlebens, das jetzt nach den Regeln der buddhistischen Mönchsdisziplin eingerichtet wurde. Dies bedeutete u. a., daß es den Ch'üan-chên-Taoisten verboten war zu heiraten, während dies den Chêng-i-Anhängern, deren Klostergemeinschaften ein höchst lockeres Gefüge aufwiesen, zumindest prinzipiell erlaubt war. Aber schon im Jahre 972 war eine Verordnung herausgekommen, die es allen in Klöstern vereinigten Taoisten verbot, Frauen und Kinder um sich zu haben. Sofern sie bereits Familien hatten, mußten sie mit diesen außerhalb des Klosters wohnen. Im Jahre 1009, also unter dem taoistenfreundlichen Kaiser Chên-tsung, wurde diese Verordnung noch dahin ergänzt, daß es auch untersagt sei, daß die Taoisten in den Klöstern sonstigen Verwandten wie Eltern, Brüdern usw. Unterkunft gewährten.

Ganz offenbar war bis dahin ein Taoistenkloster oft nichts anderes als eine Art Gemeinschaftsunterkunft für die ordinierten Taoisten samt ihrem Familienanhang. Dies widersprach jedoch einer religiösen Mentalität, die verlangte, daß alle, die die Religionslaufbahn eingeschlagen hatten, sich ganz und gar dieser zu- und vom weltlichen Leben abzuwenden hatten.

Daß Vorstellungen dieser Art, die an sich den Taoisten fremd waren, sich durchsetzten, zeigt ferner, daß im Verlauf der T'ang-Zeit die religiöse Grundstimmung des Buddhismus die Oberhand gewann und die taoistischen Vorstellungen vom „natürlichen Leben" in den Hintergrund drängte. Für die Taoisten führte dies oft dazu, daß um die Klöster herum Leute lebten, die auf einer Art Übergangsstufe zwischen Mönch und Laien stehenblieben, indem sie sich manchmal für kürzere oder längere Zeit ins Kloster begaben und sich der dort herrschenden Disziplin unterwarfen, dann aber gelegentlich wieder ins Laiendasein zurücktraten.

Während die Chêng-i-Richtung sich in der Hauptsache mit Dämonen- und Geisterzwang, Exorzismus und den verschiedenen Praktiken der Lebensverlängerung befaßte, gingen die Anhänger der Ch'üan-chên-Richtung aus auf Purifikation der eigenen Person. Im Sinn ihrer philosophisch-religiösen Theorie bedeutete dies, daß sie ihr Wesen möglichst völlig in den lichten Bereich des Yang hinaufhoben und dem dunklen Yin-Bereich entzogen, daß sie „den Erdodem durch den Himmelsodem ersetzten". Zu ihrer religiösen Praxis gehörte unter anderem, daß sie möglichst wenig Nahrung zu sich nahmen. „Denn wenn man viel ißt, dann schläft man auch viel. Wenn man aber viel schläft, dann werden starke Begierden erzeugt. Alle wissen das, aber sind unfähig, sich danach zu richten. Will man das aber unter Kontrolle bringen, dann muß man zunächst Schlaf und Begierden herabsetzen. Führt man das über längere Zeit hin durch, dann erfüllt man sich mit reiner Klarheit, und der Odem der Finsternis kommt nicht mehr zum Leben." Letzte Folge davon aber war ewige, wahre Freude.[134] Großen Wert legten sie außerdem auf tiefe und anhaltende Meditationsübungen. In ihrer Verehrung spielte der Polarstern als Sitz des Alleinen (T'ai-i) eine besondere Rolle.

Charakteristisch für die Vertreter dieser Richtung ist ferner, daß sie sich aus anderen religiösen und geistigen Strömungen aneigneten, was sie für richtig hielten. So ähnelten sie im „bescheidenen Zurücktreten" den Konfuzianern, in dem „willigen Aufsichnehmen von Mühen" den Anhängern des Mo Ti und in ihrem „Mitleid mit allen Lebewesen" den Buddhisten, von denen sie, wie wir gesehen haben, auch das Klosterwesen übernahmen.[135]

Alles in allem haben wir hier eine religiöse Strömung vor uns, die sich unter Verzicht auf alle Propaganda in der Öffentlichkeit der größten Duldsamkeit befleißigte. Eine ihrer wichtigsten Auswirkungen war die Gründung des Weiß-Wolken-Klosters (Pai-yün-kuan) bei Peking, wo bis heute zwei Kopien des taoistischen Kanons aufbewahrt werden, nach denen im Jahre 1923 von der Commercial Press, Shanghai, eine Neuausgabe gedruckt wurde.

Ich möchte diesen Abschnitt nicht beschließen, ohne wenigstens einen kurzen Hinweis auf die Verbreitung des Schamanismus unter der Sung-Bevölkerung zu geben. Besonders in der Gegend südlich des Yangtse hatte er zahlreiche Anhänger. Hauptsächlich war es die Furcht vor Krankheiten, die die Leute den Schamanen in die Arme trieb. Diese rekrutierten sich oft aus den Reihen der ärmeren Bauern, die auf diese Art ihren Lebensunterhalt wesentlich verbesserten. Es kamen aber auch Fälle vor, daß eine weibliche Person plötzlich aufhörte, „Getreide zu essen", und den Leuten die Zukunft voraussagte. Oft machten sogar Angehörige der gebildeten Schicht von solchen Wahrsagern und Glaubensheilkünstlern Gebrauch.

Diese Praktiken nahmen so überhand, daß im Jahre 1023 ein Regierungserlaß erging, der sie verbot. Nicht weniger als 1900 Personen wurden daraufhin gezwungen, wieder ihre Tätigkeit auf den Feldern aufzunehmen und ihre kleinen „häretischen Kultstätten" zu zerstören.[136] Dies bedeutete aber keineswegs, daß damit der schamanistische und andersartige Aberglaube ausgetilgt worden wäre. Seine unveränderte Stärke zeigte sich beispielsweise in der Tatsache, daß es den Rebellen im Jahre 1120 gelang, mittels einfacher magischer Schreckmittel fast den gesamten Südosten des Reiches zu überrennen.

3. Der Buddhismus

Im Gegensatz zu ihren Vorgängern, den Späteren Chou, zeigten sich die Sung zunächst buddhistenfreundlich. Da die Mutter des Dynastiegründers

---

134 AaO, S. 15.
135 AaO, S. 14.
136 Hsü tzŭ-chih t'ung-chien, I, S. 819.

während der Unruhen der Übergangstage in einem buddhistischen Kloster untergebracht worden war, wo sich der Abt und die Mönche erfolgreich ihrer Auslieferung an die politischen Gegner widersetzten, bestand gewissermaßen eine moralische Verpflichtung. Anderseits wäre aber auch zu vermuten, daß die Sung aus der auf die Verfolgung von 955 erfolgenden Reaktion der Volksstimmung Nutzen zu ziehen versuchten.

Jedenfalls erging im Jahre 960 ein Edikt, daß alle verlassenen Klöster wieder mit Mönchen besetzt und mit Buddhabildern ausgestattet werden sollten. „Daraufhin kamen nach und nach die von der Bevölkerung versteckten Kupferstatuen wieder zutage."[137] Zugleich fand eine Massenordination von etwa 8000 Personen statt, von der ich oben (s. S. 266) berichtet habe.

Ihr folgten zwischen 976 und 982 weitere von mehr als 170 000 Personen. Unter dem dritten Kaiser, dem taoistenfreundlichen Chên-tsung, ließ man im Jahre 1019 eine dritte Veranstaltung dieser Art abhalten. Dabei wurden etwa 230 000 Mönche und Nonnen aufgenommen. Wegen der großen Menge der Neu-Ordinierten gab man jetzt erstmalig Ordinationsurkunden aus Papier aus. Bis dahin wurden sie aus Seide hergestellt.

Diese Massenordinationen, wenn sie auch die beiden Kirchen betrafen, bedeuteten faktisch eine umfassende Restauration des buddhistischen Klosterwesens.[138]

Ihrer zehnfachen numerischen Überlegenheit Rechnung tragend, hatten die Staatsbehörden der Sung deshalb auch den Buddhisten bei den Staatsopferfeiern die Plazierung vor den Taoisten und auf der Ehrenseite eingeräumt.[139] Es zeigte sich damit nun auch, daß die Sung-Kaiser den Buddhismus zunächst nicht wie die T'ang und Späteren Chou als unchinesische Fremdreligion betrachteten.

Dieser Umstand hat vielleicht in erster Linie mit dazu beigetragen, daß sich jetzt wieder mit Indien ein sehr reger Pilgerverkehr entwickelte, der während der Wu-tai-Periode stark abgeflaut war. Chinesische Buddhisten wallfahrten zu den heiligen Stätten und Inder besuchten ihre Glaubensgenossen in China. Man erhält den Eindruck, daß im Anfang seines Bestehens das Sung-Reich eines der wichtigsten Länder des Buddhismus war.

a. Arbeit am Tripitaka

Mit den Pilgern kam eine ungeheure Menge von Reliquien, Palmblatttexten und anderem buddhistischen Schrifttum ins Land. Dies veranlaßte wahrscheinlich den ersten Sung-Kaiser, die bereits unter den T'ang begonnene Arbeit an der Zusammenstellung eines Kanon des buddhistischen Schrifttums

---

137 Taishō, 49, S. 394.
138 Die Zahlen beziehen sich auf die Buddhisten. Die der Taoisten betragen nur etwa ein Zehntel davon.
139 Taishō, 49, S. 396.

(Tripitaka) weiterzuführen. Im Jahre 971 erließ er einen Befehl, daß in Ch'êng-tu (Szechuan) mit „Gold- und Silberzeichen" ein Tripitaka gedruckt werden sollte.[140] Während die Arbeiten an diesem Druck noch im Gang waren, strömten so viele neue Texte herein, daß sich eine Erweiterung als notwendig erwies. Unter dem zweiten Kaiser T'ai-tsung wurde deshalb 982 in einem großen Kloster der Hauptstadt ein Übersetzungsinstitut unter Wiederaufnahme einer T'ang-Institution (s. S. 252) eingerichtet und dem berühmten indischen Buddhisten T'ien-hsi-tsai (gest. 999) unterstellt. Im folgenden Jahr erhielt es den Titel *Ch'üan-fa-yüan* („Institution zur Ausbreitung des Dharma"). Sein Personal bestand zunächst aus fünf Mönchen, wurde aber bis zum Jahre 1035 nach und nach auf 138 erhöht. Dazu erging im Jahre 993 ein Erlaß, daß alle aus Indien nach China gebrachten buddhistischen Schriften diesem Institut einzureichen seien.

Im Jahre 1017 trat der Minister Wang Chin-jo in die Direktion des Übersetzungsinstitutes ein. Er war, wie wir oben gesehen haben, gläubiger Taoist, und unter seiner Aufsicht wurde die Arbeit am taoistischen Kanon aufgenommen. Es ist kennzeichnend für das damals bestehende gute Verhältnis der beiden Religionen, daß er nun auch zur Redaktion der buddhistischen Schriften zugezogen wurde.

Überhaupt scheinen sich die beiden Kirchen öfters gegenseitig geholfen zu haben. So erfahren wir zum Beispiel, daß während der Verfolgung von 955 buddhistische Statuen in taoistischen Tempeln versteckt worden waren. Auch auf literarischem Gebiet bestand eine Zusammenarbeit, und zwar nicht nur der beiden Kirchen, sondern aller drei Geistesgebiete, Konfuzianismus, Buddhismus und Taoismus. Jedenfalls erfahren wir von einem gemeinsam abgefaßten Sammelwerk von Biographien der bedeutenden Persönlichkeiten aller drei Richtungen. Die Stimmung allgemeiner Toleranz wurde vom Kaiser Chên-tsung, der im Palast große Versammlungen der beiden Kirchen abzuhalten pflegte, folgendermaßen in Worte gefaßt: „Die drei Lehren sind in ihrem Endziel wie eine. Im Grunde gehen sie alle darauf aus, die Menschen zum Guten anzuhalten." Eine Folge dieser Gesinnung scheint mir auch das neuerliche Interesse am „Sutra der 42 Abschnitte", das bekanntlich konfuzianische, taoistische und buddhistische Grundlehren in sich vereinigte (s. o. S. 157), zu sein. Der Kaiser selbst hatte das Werk kommentiert, und um 1023 wurde es allgemein bei den Ordinationsexamina verwandt.[141]

Kennzeichnend für die Stellung der Kirchen ist, daß sich die ordinierten Priester vor dem Kaiser nicht als *Ch'ên* („Diener") zu bezeichnen brauchten und von ihm mit *Ch'ing* („Ehrwürden") angeredet wurden.

Die Tätigkeit des Übersetzungsinstituts bestand in der Hauptsache in der

---

140 AaO, S. 656. Ein Befehl zum Druck in einfachen Zeichen war schon 968 ergangen.
141 AaO, S. 403, 400, 405 und 406.

Übersetzung und Zulassung neuer Werke zum Kanon. Sein wichtigstes Produkt ist das 971 in Druck gegebene Tripitaka, das aber erst 983 fertig wurde. Es war zu dieser Zeit wohl das einzige Werk seiner Art, und es kam wiederholt vor, daß Nachbarvölker, zum Beispiel die Koreaner und Jurtschen, eine Kopie dieses Kanons als Gegenleistung für „Tributsendungen" erbaten und erhielten.

Die Wirksamkeit des Übersetzungsinstitutes läßt sich über die ganze erste Sung-Zeit hin verfolgen. So erfährt man, daß im Jahre 1035 aus 1428 eingegangenen Sanskritbänden 564 Abschnitte (Chüan) in chinesischer Übersetzung vorlagen. In diesem Jahr ereignete sich auch die Fertigstellung eines Chinesisch-Sanskrit-Wörterbuchs, zu dem der Kaiser persönlich ein Vorwort verfaßte. Es heißt dazu, daß „dies den tatsächlichen Anfang der Lautlehre (Phonetik) darstelle". Aber schon vorher waren Werke über „Aussprache und Bedeutung" von Zeichen in den neu übersetzten Sutren erschienen, ganz abgesehen davon, daß auch bereits die Wörterbücher der T'ang-Zeit unter indischem Einfluß und mit Hilfe indischer Buddhisten zustande kamen. Zur nämlichen Zeit erhielten 50 ausgewählte Novizen vom Kaiser den Auftrag, sich dem Studium der „Indologie" *(Fan-hsüeh)* zu widmen.[142]

Obgleich im Jahre 1027 eine Liste der in das Tripitaka aufgenommenen, 6197 Abschnitte umfassenden Werke fertiggestellt und eingereicht wurde, scheint ein weiterer amtlicher Druck des Tripitaka unter der Nord-Sung-Dynastie nicht mehr erfolgt zu sein. Es könnte dies als Ausfluß eines Abflauens der buddhistenfreundlichen Stimmung angesehen werden.

Anderseits aber wurde das Sung-Tripitaka mehrmals im Süden (Fu-chou u. a. o.) auf private Initiative hin in großen Klöstern gedruckt. Und dabei scheint sich die Tätigkeit des Übersetzungsinstituts doch ausgewirkt zu haben, denn während der Umfang des ersten amtlichen Drucks mit etwas über 5000 Abschnitten angegeben wird, beläuft sich der der späteren Ausgaben auf weit über 6000 Abschnitte, wobei ein großer Teil des Zuwachses auf die neuaufgenommenen Werke der T'ien-t'ai-Schule entfällt.[143]

b. Antibuddhistische Tendenzen

Schon recht bald scheint sich übrigens eine Opposition gegen das Institut bemerkbar gemacht zu haben. Bereits im Jahre 999 stellte der Direktor des Ritenministeriums den Antrag, dieses zu schließen. Zur Begründung wies er auf die großen Kosten hin, die es verursache. Ein weiterer Vorstoß kam im Jahre 1041 merkwürdigerweise aus den Kreisen der Buddhisten selbst. Einer ihrer bekanntesten Vertreter bat um Einstellung der Übersetzungstätigkeit, ebenfalls wieder unter Hinweis auf die dadurch entstehenden Kosten, wobei er besonders die Ausgaben für den Unterhalt der fremden Pilger im Be-

142 AaO, S. 409 und 663.
143 *Michibata Yoshihide* (1965), S. 174/75.

wirtungsamt im Auge hatte. Zugleich wies er auf die Unmenge der aus dem Westen nach China gebrachten alten und neuen Textrollen hin. Aber der Kaiser weigerte sich, dem Gehör zu geben.

Eine der letzten Eintragungen über das Institut im Fo-tsu t'ung-chi stammt aus dem Jahre 1050, als der berühmte Minister *Wên Yen-po* (1006–97) in das Direktorium des Instituts eintrat. Wie es heißt gründete er zu dieser Zeit gemeinsam mit einem bekannten Ch'an-Meister einen aus Ordinierten und Laien bestehenden Verein mit 100 000 (?) Mitgliedern zum Zweck der „Anrufung des Buddha" *(Nien-Fo)* und Vorbereitung der Wiedergeburt in Sukhāvatī, wie man sieht, eine Neuauflage der Weiß-Lotos-Gesellschaft des Hui-yüan.[144]

Besonders gegen Ende des elften Jhs. unter dem reformfreudigen Kaiser *Shên-tsung* scheint sich mir ein Umschwung der buddhisten- oder vielleicht besser gesagt der religionsfreundlichen Stimmung überhaupt bemerkbar zu machen. Jedenfalls ist dies der Fall bei der bildungstragenden Schicht, in der sich die neokonfuzianischen Ideen auszuwirken begannen. Im Fo-tsu t'ung-chi kommt das dadurch zum Ausdruck, daß mehr und mehr Begebenheiten und Anekdoten berichtet werden, aus denen hervorgehen soll, daß die bekanntesten Gelehrten und Literaten der Zeit wie *Ssû-ma Kuang* (1019–86) oder *Su Shih* (1036–1101) ein wohlwollendes Interesse am Buddhismus bekundeten. Keiner der führenden Neukonfuzianer wird erwähnt und der Hauptträger der Aufklärung und große Reformer der Sung-Zeit *Wang An-shih* (1019 bis 1086) nur insofern, als er in einem Streitgespräch, bei dem er den neukonfuzianischen Standpunkt vertritt, den kürzeren zieht und vom Buddha Hilfe erfleht, weil ihm eine Vision zeigt, wie sein vorzeitig verstorbener Sohn im Jenseits bestraft wird.[144a]

Aber auch vor dieser Zeit machten sich antibuddhistische Ansichten bemerkbar. Schon im Jahre 1007 kam eine Forderung aus der Beamtenschaft, den Buddhismus überhaupt zu verbieten, da das blöde, unwissende Volk in seiner Verehrung des Buddha jedes Maß überschreite. Man bezeichne das als „Hingeben den irdischen Schatz, um damit Glückseligkeit zu erwerben". Auch glaube man, durch Spenden Straftaten ungeschehen machen zu können. „Wie böse Würmer schädigen (die Buddhisten) den Staat." [144b]

Im Jahre 1015 wurde noch ein anderer Gesichtspunkt vorgebracht, nämlich daß der Kaiser am Laternenfest (15. Tag des 1. Monats) 30 und mehr Tempel besuche und sich dabei hundertmal verbeugen müsse, was seiner Würde höchst abträglich sei. Der fromme Kaiser Chên-tsung lehnte es jedoch ab, die Verneigungen durch Untergebene ausführen zu lassen.[145]

Um 1041 erschien auch die Schrift des *Ou-yang Hsiu*, in der er in An-

---

144 Taishō, 49, S. 412.   144b AaO, S. 403.
144a AaO, S. 416.   145 AaO, S. 405.

lehnung an Han Yü einen scharfen Angriff gegen den Buddhismus als das „mehr als tausend Jahre alte Unheil Chinas" richtete. Zugleich wandte er sich gegen den Taoismus. Er kommt zu dem Schluß, daß die Auswirkungen beider Religionen dem Reich zum Schaden gereichten. Das zeigt deutlich, welcher Wind in der geistig tragenden Schicht der Gesellschaft wehte.[145a]

Die tatsächlichen Auswirkungen dieses Stimmungsumschlages auf den Buddhismus sind aus dem von mir benutzten Material nicht recht zu ersehen. Feststellen läßt sich aber eine Abnahme der männlichen und weiblichen Ordinierten. Während wir nach der Massenordination unter dem Kaiser Chên-tsung im Jahre 1019 für das Jahr 1021 eine Gesamtzahl von 458 863 erhalten, werden für die Jahre 1068 und 1077 nur noch Zahlen von 254 690 beziehungsweise 232 564 genannt.[146]

Zu bedenken ist dabei natürlich, daß in der Zeit nach Chên-tsung's Tod 1022 keine größeren Massenaufnahmen mehr stattfanden und die normalen Ordinierungen anscheinend keinen nennenswerten Zuwachs brachten, wahrscheinlich weil in den Jahren 1027–30 Bestimmungen herauskamen, die den Eintritt in die Klöster wesentlich erschwerten.

Das abnehmende Interesse der Gebildeten bedeutete natürlich auch eine Abnahme der Einkünfte der buddhistischen Kirche, besonders der ihr gemachten Schenkungen. Im Gegenteil kamen jetzt zahlreiche Fälle vor, in denen reiche und mächtige Familien Ländereien der Buddhistenklöster als Gräbergrund in Anspruch nahmen und sich aneigneten. Die Abgabenfreiheit, die mit solchen Grundstücken verbunden war, bildete natürlich einen großen Anreiz und gab die Möglichkeit der Steuerhinterziehung.

Sonderbarerweise lesen wir aber im Fo-tsu t'ung-chi nichts von einer neuen Welle von Selbstopferungen zur Hebung der Tempeleinnahmen, wie sie anscheinend in der Wu-tai-Periode üblich waren. Wohl aber hört man jetzt zum erstenmal von buddhistischen Räuberbanden[147], und höchstwahrscheinlich gab es in den etwas abgelegenen Winkeln des Reiches Klöster, deren Mönche einfach vom Straßenraub lebten.

Unter dem taoistenfreundlichen und deshalb dem Buddhismus abgeneigten Kaiser *Hui-tsung* bildeten sich außerdem kurz vor 1108 in der Nähe von Hang-chou auf buddhistischer Grundlage eine Sekte, deren Anhänger sich nach dem Stammkloster ihres Gründers, der übrigens ein Nachkomme des Konfuzius aus der 52. Generation war, Weiß-Wolken-Vegetarier *(Pai-yün-ts'ai)* nannten. Von ihnen heißt es, daß sie die allgemeine Achtung genossen, weil sie „von früh bis spät unter Rezitation heiliger Texte persönlich die Felder bestellten und sich dadurch (mit eigener Hände Arbeit) selbst erhielten".[148]

145a AaO, S. 410.
146 Die Zahlen aus Taishō, 49, S. 406, 414 und Sung hui-yao, S. 7875b.
147 Sung hui-yao, S. 7881b.
148 Taishō, 49, S. 419; vgl. auch *Tokiwa Daijo* (1930), S. 668–670.

Sicherlich geschah dies hauptsächlich, um den oft wiederholten Vorwurf, daß Mönche unproduktive Esser seien, zu widerlegen. Anderseits aber haben wir höchstwahrscheinlich hier eine religiöse Gemeinde vor uns, die sich von der allgemeinen Wohltätigkeit unabhängig zu machen suchte. Es war ihren Mitgliedern verboten zu heiraten, Lebewesen zu töten und alkoholische Getränke zu sich zu nehmen. Für sie galten also die Hauptgebote des Buddhismus.

Sie forderten jedoch die Gegnerschaft der Ch'an-Buddhisten heraus, und diese setzten durch, daß sie als Häretiker angesehen, verboten und nach Kuangtung verbannt wurden.

c. Das Ordinationswesen

Den entscheidenden Schlag aber empfing der religiöse Buddhismus durch Entwicklungen auf dem Gebiet des Ordinationswesens – ja, ich bin geneigt, von einer Katastrophe zu sprechen.

Ganz allgemein betrachtet gab es zweierlei Ordinationen, die Ordination ohne Examen auf Grund eines Gnadenerlasses und die Ordination nach vorausgehender Prüfung in den Sutren. Damit wurden nun aber auch zwei Gruppen von Klosterinsassen geschaffen. Der Unterschied bestand in der religiösen Bildung.

Es ist sicher, daß die im Eingang dieses Abschnittes erwähnten Massenordinationen ohne vorausgehende Prüfung vollzogen wurden. Sie dienten, wie gesagt, zur Auffüllung der Klöster und Heiligtümer mit solchen, die wahrscheinlich hauptsächlich mit Aufsicht, Reinigung und Pflege der heiligen Stätten und Gegenstände beschäftigt waren. Die Tradition und Verbreitung der Lehre dagegen lag in den Händen der examinierten Buddhisten.

Es heißt, daß diese Examinationen eben zur Hebung des Priesterniveaus in der T'ang-Zeit um 683/84 aufgekommen seien.[149] Unter den Sung wurden die Novizen etwa ab 985 einer Prüfung ihrer Kenntnisse in den Sutren unterworfen.[150] Allerdings war diese zunächst sehr oberflächlich und bestand einfach im Vorlesen einer bestimmten Anzahl von Textseiten. Erst später ab 995 ging man allmählich dazu über, die Sutren auswendig aufsagen zu lassen. Auch das geschah natürlich zur weiteren Aufwertung des Priesterstandes. Und dieser selbst war daran interessiert, das religiöse Prüfungswesen letztlich bis zu einem Grad auszubauen, der es dem der Beamtenschaft gleichwertig machte.

Einer der ersten Schritte dazu war die Einführung des für den Konfuzianismus typischen Lehrer-Schüler-Verhältnisses. Etwa ab 1005 wurde es üblich, daß sich die Novizen einem Mönch als Lehrer anschlossen, um von ihm in den

---

149 AaO, S. 414.
150 Sung hui-yao, S. 7875b. Laut Taishō, 49, S. 396, erging aber bereits im Jahr 972 ein Erlaß, daß die Novizen beider Kirchen sich vor Aushändigung der Übertrittsurkunde einer Examination unterziehen sollten.

Sutren unterrichtet zu werden.[151] Beide Teile fielen damit unter die für die Lehrer-Schüler-Beziehung gültigen Gesetze.

Ein weiterer Schritt war, daß diese Ordinationsprüfungen öffentlich unter Aufsicht von Staatsbeamten abgehalten werden mußten. Damit wurden alle Ordinationen, die diese Vorbedingungen nicht erfüllten, illegal. Schließlich gab es genau wie bei den Beamten auch noch eine höhere Examination für besonders Begabte in der Hauptstadt, wobei die Namen derjenigen, die bestanden hatten, dem Kaiser gemeldet wurden.[152]

Damit war eine weitgehende Annäherung an das staatliche Prüfungssystem erreicht, und das nach Abschluß der Ordination, die übrigens an einem der dazu im Jahre 1010 besonders errichteten 72 Altäre vorgenommen werden mußte, überreichte Ordinationsdokument war nach Auffassung der Kirche den Beamtenurkunden gleichwertig.

Dieser Status, der eine gewisse Lauterkeit des Priesterstandes garantierte, änderte sich aber – ich bin versucht zu sagen – bis zur Umkehr ins Gegenteil dadurch, daß in rasch zunehmender Menge Ordinationsurkunden käuflich erworben werden konnten.

Es war wohl schon immer üblich gewesen, daß der neu ordinierte Mönch und auch die Nonne bei Aushändigung des Ordinationsdokuments eine gewisse Gebühr zu erlegen hatte, was für den Staat natürlich eine willkommene Einnahme bildete, deren Höhe man bei den Massenordinationen keineswegs unterschätzen sollte. Da der Besitz eines solchen Dokuments im allgemeinen eine Reihe von Vergünstigungen, wie Befreiung von Abgaben und Dienstpflicht, mit sich brachte, hatten natürlich auch viele Personen ein Interesse daran, die nicht die Absicht hatten, sich einer Examination zu unterziehen. Und so lesen wir, daß bereits im Jahre 1002 Dokumente dieser Art häufig illegalerweise angekauft wurden.[153]

Ab 1068 wurde dieser Verkauf von Ordinationsurkunden legalisiert. Und zwar handelte es sich jetzt wie auch schon früher zur T'ang-Zeit zunächst um Geldbeschaffung zwecks Abhilfe einer zeitweiligen Notlage.[154] Diesmal aber setzte diese Maßnahme eine Lawine in Bewegung. Denn Ordinationsscheine

151 Sung hui-yao, S. 7877b.
152 Taishō, 49, S. 430. Die Beamtenschaft allerdings machte sich über das bei den Sutrenexaminationen zutage tretende Intelligenzniveau, das in China bekanntlich nach Gedächtniskapazität beurteilt wird, lustig. Zwei konfuzianische Beamte zeigten im Jahr 1034, daß sie zum Auswendiglernen eines Sutra 7, beziehungsweise zehn Tage benötigten, während ein Prüfling zehn Jahre dazu gebraucht hatte (S. 409).
153 Sung hui-yao, S. 7877b.
154 Taishō, 49, S. 414. Es gab um 1020 auch Blankoämterurkunden, mit denen ähnliche Vorteile verbunden waren. Sie wurden allerdings nicht verkauft, sondern für Verdienste an Volksleute vergeben. Es scheint, daß man sich zwischen 1020 und 1068 endgültig für die alleinige Ausgabe von käuflichen Ordinationsscheinen entschieden hat, d. h. die Abwertung wurde einseitig auf die Kirche verlagert.

wurden ausgegeben zur Deckung der Unkosten von Grenzschutzanlagen, Ausbesserung der Stadtmauern und Deiche, amtlichen Getreideankauf u. a. m. Während anfangs im Jahre nur etwa 3000 solche Dokumente verkauft werden durften, wurden 1101 bereits mehr als 30 000 in Umlauf gesetzt. Der Schaden, den man damit der Kirche zufügte, liegt auf der Hand, denn „bei Gnadenordinationen kann man die Leute nach moralischer Würdigkeit aussuchen, und bei Examina nach Fähigkeit". Jetzt aber konnte jeder, der Geld hatte, einen Ordinationsschein erwerben. Und da die große Menge der in Umlauf gesetzten Scheine bald einen rapiden Preisverfall verursachte, konnten auch Leute aus den weniger begüterten Kreisen sie erwerben.[155] Allerdings versuchte der Staat in solchen Fällen, durch künstliche Verknappung oder Entwertung von älteren Scheinen den „Kurs" wieder zu heben.

Im allgemeinen wurden diese Dokumente als Sicherung für Notzeiten erworben, d. h. es waren Blankoformulare ohne Namenseintragung. Eine solche und damit die eigentliche Ordination wurde erst auf Verlangen nach einer flüchtigen vorausgegangenen Examination, d. h. einer oberflächlichen Befragung, vorgenommen. Dann aber traten die Vergünstigungen, die der Besitz des Dokuments mit sich brachte, in Kraft. Einen legalen Handelswert aber hatte es von da an nicht mehr.

Die peinlichste Folge dieser Gepflogenheit für die Kirche war eine flutartige Zunahme von unqualifizierten Ordinierten, für die gegen Ende der ersten Sung-Zeit eine Zahl von einer Million genannt wird. Sicherlich hat der damit verbundene Ausfall im Staatseinkommen und vor allem an Wehrpflichtigen zur Niederlage der Dynastie beigetragen. Auch der Staat schnitt sich also letzten Endes durch diese Art der Kapitalbeschaffung ins eigene Fleisch.

Während der Süd-Sung-Zeit versuchte man den „Kurs" der Ordinationsdokumente dadurch künstlich hochzuhalten, daß man das Erteilen von Ordinationen überhaupt über mehrere Jahre hin bis 1132 einstellte. Eine solche Maßnahme fand nochmals im Jahre 1157 statt und wurde vom Kaiser damit begründet, daß der Staat es sich nicht leisten könne, daß 200 000 Mönche nur äßen, ohne dafür etwas zu produzieren. Dies führte zu einer interessanten Kommentierung im Fo-tsu t'ung-chi. In dieser wird nämlich darauf hingewiesen, daß man diejenigen, die sich heute in die Klöster begäben, keineswegs als Müßiggänger betrachten könne, wie das vielleicht zu anderen Zeiten der Fall gewesen sei. Jetzt handele es sich meist um überzählige Bauernsöhne, die im väterlichen Betrieb nicht mehr unterkommen könnten. Außerdem gäbe es sowieso „viel zuviel Bauern und viel zuwenig Felder", eine Anspielung auf die zunehmende Expropriierung der Kleingrundbesitzer. Normalerweise würden diese Elemente in die Städte abwandern, wo sie als Straßenhändler, Bettler und Verbrecher ein Unterkommen zu finden hoffen konnten. Nun aber

---

155 Sung-ch'ao yen-i i-mo-lu (in: Po-ch'uan hsüeh-hai), Kap. 3.

sammelten sie sich in den Klöstern und würden dort in bisher unwirtschaft-
lichen Gegenden zur Anlage neuer Felder eingesetzt. Damit aber erfüllten
sie einen sehr guten Zweck.[156]

Aus diesem allen aber ergab sich für die buddhistische Kirche eine Konsequenz, nämlich eine katastrophale Verwässerung und Abwertung des religiösen Standards ihrer Vertreter. Zwar brachten diese es dahin, daß sie
nochmals den Vorrang der Buddhisten vor den Taoisten, den sie unter dem
Kaiser Hui-tsung verloren hatten, durchsetzen konnten, aber das hohe geistig-
religiöse Renommee, das sie zur T'ang- und in der ersten Sung-Zeit besaßen,
erlangten sie nicht wieder. Von internationalen Beziehungen der namhaften
Kirchenvertreter ist kaum noch oder gar nicht mehr die Rede, und der Traum,
daß der Mönch dem Beamten sozial gleichwertig werden könnte, war aus-
geträumt.

Es war schließlich nur eine weitere natürliche Folge dieser Abwertung des
Priesterstandes, daß im Jahre 1145 von allen Mönchen wie von gewöhnlichen
Laien die Kopfsteuer erlegt werden mußte.

d. Sektenwesen

Große Aktivität auf dem Gebiet der religiösen Spekulation ist wohl in
einer Zeit, in der es um den sozialen Status der Kirche ging, kaum zu erwarten. Außerdem wurde das Interesse der „Denker" vom Neokonfuzianismus
in Anspruch genommen. Im großen ganzen finden wir deshalb auch jetzt nur
solche Sekten, die bereits früher entstanden waren. Am stärksten vertreten
sind die Ch'an-Schulen, die allem Anschein nach die Verfolgungen am besten
überstanden hatten und seit der ausgehenden T'ang-Zeit als die bei weitem
vorherrschende Richtung des Buddhismus angesehen werden müssen.[157] Spekulative Neubildungen gehen deshalb fast ausschließlich auf dem gedanklichen
Hintergrund dieser Schulen vor sich.

Das Vorherrschen des Ch'an-Buddhismus scheint in einem gewissen Widerspruch zu den von mir dargestellten Bemühungen der buddhistischen Kirche
um den Ausbau des Examinationswesens zu stehen. Da die Ch'an-Schulen auf
„plötzliche Erleuchtung" ohne langes Studium in den heiligen Texten ausgingen, sollte man in ihren Kreisen einer auf Kenntnis der Sutren beruhenden
Prüfung eigentlich wenig Interesse entgegengebracht haben. Dem wäre aber
entgegenzuhalten, daß auch die radikalste Ch'an-Schule nicht ohne Textstudium auskam.[158] Außerdem lebten die großen Dhyāna-Meister in Klöstern,
die einen vielerlei Kenntnisse erfordernden Schriftverkehr mit ihrer Umwelt
zu führen hatten, und waren sicherlich mit den Ansichten der anderen Schulen
durch eigene Studien der Sutren bestens vertraut. Einer vom Staat angeord-

---

156 Taishō, 49, S. 426/27.
157 *Gundert* (1960), S. 11.
158 AaO, S. 14–25.

neten Examination aus den heiligen Texten dürften sie sich zumindest nicht widersetzt haben.

Dazu kam der große Einfluß der *T'ien-t'ai*-Schule, die zwar auch in erster Linie der Meditation und „plötzlichen" Belehrung zuneigte, daneben jedoch großen Wert auf die „allmähliche" Unterweisung, d. h. das Textstudium, legte. In ihren Klöstern fanden sich ebenfalls viele, die auf ein allerletztes, tiefstes Eindringen in den Kern der Ch'an-Lehre verzichteten oder dazu unfähig waren und sich deshalb aus den Texten nur das aneigneten, was ihrem Wesen entsprach.

Ich könnte mir gut vorstellen, daß diese letzteren eben diejenigen waren, die sich des Verkehrs der großen Klöster mit der Umwelt, der Befriedigung der religiösen Bedürfnisse der Laien und der Organisation der Kirche annahmen, während die großen Ch'an-Meister sich von der Berührung mit der Öffentlichkeit wohl weitgehend abschirmten.

Die T'ien-t'ai-Schule war besonders um ihren Hauptsitz im Südosten des Reiches sehr verbreitet. Die für sie grundlegende Schrift, das Lotos Sutra *(Fa-hua ching)*, bildete während der ganzen Sung-Zeit einen Hauptgegenstand der Ordinationsexamina.

Trotzdem treten nun auch damals im weiteren Verlauf der Dynastie einige kleinere Sekten auf, die aus dem Rahmen des Herkömmlichen herausfallen. Eine davon, die Weiß-Wolken-Vegetarier *(Pai-yün-ts'ai)*, habe ich bereits erwähnt.

Mit diesen verwechselte man oftmals eine andere Gruppe, die als „Weiß-Lotos-Gesellschaft" bekannt wurde. Ihr Begründer, der Mönch *Mao Tzû-yüan*, der ursprüngliche der T'ien-t'ai-Schule angehörte, rief sie um 1133 in der Nähe von Suchou (in Kiangsi) ins Leben. Mit der Vereinigung des Hui-yüan hatte sie jedoch wenig mehr als den Namen gemeinsam. Doch fand auch diese in der Sung-Zeit verschiedentlich neue Belebung, so im Jahre 1043 auf Grund eines Tigerzähmungswunders[159] oder in dem Verein des *Wên Yen-po*.

Das Hauptwerk des Mao Tzû-yüan war ein *gāthā*, das aus vier Versen, verbunden mit fünfmaligem Anruf des Amida-Buddha, bestand. In diesem verschmolz er Grundbegriffe der T'ien-t'ai mit einem morgendlichen Reuebekenntnis. Seine Anhänger, die aus Männern und Frauen bestanden, mußten sich um ein sauberes, d. h. gutes, Karma bemühen. Sie waren gehalten, den Genuß von Zwiebeln und Milch zu vermeiden, durften keine Lebewesen töten und keine alkoholischen Getränke zu sich nehmen.

Als echte Sektierer fühlten sie sich den Andersgläubigen weit überlegen, was sie auch in ihrem Verhalten zum Ausdruck brachten. Und dies scheint mit der Hauptgrund gewesen zu sein, weshalb man sie als Häretiker unter Verbot stellte. Trotzdem aber nahm ihre Zahl hauptsächlich wohl wegen der Verschlechterung der Agrarverhältnisse ständig zu.

159 Taishō, 49, S. 410.

Ihr leitendes Symbol war, wie auch in der Gesellschaft des Hui-yüan, der weiße Lotos, der aus einem Untergrund von Schlamm und Schmutz aufsteigend seine strahlende Reinheit entfaltet. Jetzt aber wird dies allmählich zu einem Sinnbild der Welterneuerung und verknüpft mit dem Herabsteigen des Maitreya. Damit aber ergibt sich eine Annäherung dieser Weiß-Lotos-Gesellschaft an die revolutionären Untergrundbewegungen, wie sie im Aufstand des Wang Tse (um 1046/47) zutage traten. Die besondere Gefahr lag dabei in dem Umstand, daß höchstwahrscheinlich diesen Rebellen eine religiöse Gemeinschaftsform vorschwebte, die den Rahmen des konfuzianischen Staatswesens, der von den häufigen Landvolkaufständen eigentlich niemals überschritten wurde, gesprengt hätte.

Überhaupt scheint der gesamte Südosten damals mit kleinen, oft geheimen Kultgemeinden durchsetzt gewesen zu sein, von denen ich oben kurz die der Manichäer erwähnt habe. In dem kritischen Jahr 1127 besuchte eine der Kaiserinnen auf der Flucht vor den Jurtschen einen Buddhistentempel bei Yangchou (in Kiangsu). Sie fand dort einen Kult für die achtarmige „Himmelsmutter" *Maritchi*, die Nothelferin aus allen Gefahren, der auf die Tätigkeit des Pu-k'ung san-tsang zurückging. In der Anrufungsformel finden sich die Worte: „Maritchi-Pusa (Bodhisattva), ich bitte dich, hilf, daß niemand mich sehen kann, daß niemand mich erkennen kann, daß niemand mich festnehmen, fesseln und verletzen kann ... Aus Notlagen verursacht durch den König hilf mir, aus Notlagen verursacht durch Feinde hilf mir, wenn ich den Weg verliere und in der Wildnis umherirre, hilf mir, schütze mich vor Feuer, Wasser und Waffen, aus Notlagen verursacht durch Geister und Gift hilf mir ..." [160] Wie man sieht, nahm sich diese Gottheit aller derer an, die verfolgt wurden, und wahrscheinlich oft auch derer, die man von Rechts wegen verfolgte. Die Kaiserin wurde ebenfalls von ihr nicht im Stich gelassen und schenkte deshalb später einem Tempel am Westsee bei Hangchou ein Standbild der Maritchi. Auch dieser Kult dürfte also in der Umgebung der neuen Hauptstadt eine gewisse Verbreitung gefunden haben.

e. Soziale Beziehungen

An dieser Stelle wäre darauf hinzuweisen, daß durch die während der Süd-Sung-Zeit stattfindenden sozialen Veränderungen höchstwahrscheinlich auch eine neue Note in das buddhistische Priestertum hineinkam. Leider sind mir diesbezügliche Untersuchungen noch nicht vor Augen gekommen; meine Aussagen sind deshalb weitgehend nur Vermutungen.

Schon bei seinem Eindringen in China zeigte der Buddhismus, wie allerdings auch die anderen Fremdreligionen, eine enge Verbindung mit der reisenden Kaufmannschaft. Seine ersten Tempel entstanden ebenfalls in den Großstädten mit lebhaftem Warenverkehr, und seine Ausbreitung folgte im

160 AaO, S. 423.

allgemeinen den großen Handelswegen. Sicherlich boten die Klöster den durchreisenden Geschäftsleuten Unterkunft und Verpflegung und zogen daraus einen großen Teil ihrer Einkünfte.[161] Und von dieser Seite her gesehen möchte ich auch den Buddhismus – natürlich unter Zurückstellung mancher Bedenken – als eine „Religion der reisenden Händler" bezeichnen. Dazu würde vor allem auch stimmen, daß er ebenso wie der Handel einen „internationalen", über die Grenzen sich erstreckenden Charakter hatte, sofern man bei den scharfen Grenzbestimmungen der Staaten von einem solchen überhaupt reden darf.

Vielleicht könnte man einmal genauer ausmachen, wie sich Anstieg und Abstieg des Buddhismus in Beziehung setzen lassen zum Anwachsen und Abflauen des Handels in den mittelalterlichen Ostländern. Ich möchte auch annehmen, daß die Kaufleute durch Spenden aller Art wesentlich zum wachsenden Wohlstand der Klöster und Tempel beigetragen haben.

In der Süd-Sung-Hauptstadt war nun eine reichgewordene Kaufmannschaft entstanden, die in ihrer Lebenshaltung an die der hohen Beamten heranreichte. In dieser Gesellschaftsschicht erfreute sich der Buddhismus ganz offenbar einer besonderen Beliebtheit, und von ihr erhielten die großen Tempel einen namhaften Teil ihrer Zuwendungen. Sowohl die Männer als auch die Frauen dieser Kreise waren in religiösen Vereinen zusammengeschlossen, die im Volk oft mehr wegen des zur Schau gestellten Reichtums als wegen ihrer Frömmigkeit Aufsehen erregten.[162]

Ich könnte mir dazu auch sehr gut vorstellen, daß sich aus dieser sozialen Schicht manche der gesellschaftlich gehobenen Vertreter der buddhistischen Kirche, wie Klosteräbte, Tempelvorsteher usw., rekrutierten. Denn den Kaufmannssöhnen war auf Grund ihrer Herkunft die staatliche Amtslaufbahn oft nur schwer oder gar nicht zugänglich. In der geistlichen Laufbahn eröffnete sich ihnen jedoch ein Ersatz, von dem sie sicherlich Gebrauch machten. Es war dies, wenn man so will, ein zweiter Bildungsgang neben dem der Konfuizaner, und man versteht deshalb, daß diese bestrebt waren, den Priesterstand nach Möglichkeit abzuwerten. Das Hauptmittel dazu war, wie wir eben dargestellt haben, die Zersetzung des Prüfungswesens durch den Verkauf von Ordinationsurkunden.

4. Das Judentum

Als eine Folge des „Welthandels" jener Zeit ist wohl auch die jüdische Kolonie in K'ai-fêng-fu, der alten Nord-Sung-Hauptstadt, anzusehen.

Es ist dies nicht das erste Auftreten der Juden in China. Wir finden sie dort bereits während der T'ang-Zeit in Kanton; wahrscheinlich waren sie da auch noch früher, wenngleich sich das nicht leicht nachweisen läßt.

161 Z. B. Lu Yu: Ju Shu chi (in: Chih-pu-tsu-chai ts'ung-shu), Kap. 1, S. 1b.
162 *Eichhorn* (1964), S. 220.

Die Gemeinde in K'ai-fêng-fu war jedoch so wohlhabend, daß sie es sich leisten konnte, im Jahre 1163 eine Synagoge zu erbauen. Diese wurde später mehrfach ausgebessert und erweitert, aber im Jahre 1642 durch eine Huangho-überschwemmung zerstört. Obgleich damit zunächst auch die Gemeinde auseinandergelaufen war, wurde der Wiederaufbau jedoch bald von einigen zurückgekehrten Familien in Angriff genommen und durchgeführt. Noch zur Zeit M. Riccis um 1605 waren Gemeinde und Synagoge in gutem Zustand, wenn sich auch bereits die beginnende Auflösung bemerkbar gemacht zu haben scheint. Diese ist wohl in erster Linie mit darauf zurückzuführen, daß sich die Juden durch Heirat mit den Chinesen vermischten und so auf natürliche Weise nach und nach in das Chinesentum einbezogen wurden.

Aber zu dieser Zeit hielten die Juden noch fest an ihren Sitten der Beschneidung, Reinigung und der Abstinenz von Schweinefleisch, was natürlich ihren Verkehr mit den Chinesen erschwerte. In deren Augen waren sie jedoch nicht durch diese Ritualgepflogenheiten charakterisiert, sondern weil sie im Gedenken an Jakobs Kampf mit dem Engel aus dem Fleisch, das sie aßen, vorher die Sehnen entfernten. Außerdem hat man sie von Anfang an meist mit den Mohammedanern zusammen als eine religiöse Einheit betrachtet.

Im Jahre 1850 wurden die Juden von K'ai-fêng-fu von Abgesandten einer Londoner Missionsgesellschaft besucht. Diese fanden die Gemeinde in größter Verarmung und in voller Auflösung. Seit 50 Jahren war sie bereits ohne Rabbi. Hebräisch wurde nicht mehr verstanden, und die schafledernen Thorarollen verkauften sie an die Gesellschaft in London. 1851 begann dann der Abbruch der Synagoge. 1866 waren alle Spuren davon verschwunden.[163]

Im Rahmen einer Geschichte der chinesischen Religionen hat diese jüdische Gemeinde von K'ai-fêng-fu, die übrigens nicht die einzige ihrer Art war, wie auch das Judentum überhaupt keine Bedeutung. Sie ist ein historisches Kuriosum und weiter nichts. Außer einigen beschrifteten Steintafeln haben die Juden keine Spuren im Chinesentum hinterlassen.

---

163 *A. Wylie:* Israelites in China (Chinese Researches, Shanghai 1897, Neudr. Taipei 1966), und *A. C. Moule* (1930), S. 2–8.

VII. DIE RELIGION UNTER DER MONGOLISCHEN
YÜAN-DYNASTIE

Die gewaltsame Einbeziehung Chinas in das mongolische Weltreich bedeutete in politischer und kultureller, aber auch in jeder anderen Beziehung einen brutalen Einbruch in die kontinuierliche Entwicklung des Chinesentums. Und mir scheint, daß dieses sich nie wieder völlig davon erholt hat. Die abgeschnittenen Linien der Sung-Zeit wurden in ihrem alten Sinn nicht oder nur teilweise wieder aufgenommen.

In gewissem Sinn gilt dies wohl auch für die Religion.

Die Mongolenkhane waren ihrem Herkommen nach Anhänger des Schamanismus und sind dies, wenigstens was ihre eigene Person betraf, im allgemeinen auch geblieben, welche Religion auch immer sie begünstigt oder äußerlich bekannt haben mögen.[1]

1. Religionspolitik der Mongolen

Ihre oft erwähnte große Toleranz gegenüber anderen Religionen erklärt sich zum erheblichen Teil sicher daraus, daß diese für sie ein Mittel zur Durchführung politischer Ziele waren. Sie benutzten sie als Kampfinstrument, um die Widerstandskraft ihrer Gegner zu unterhöhlen, und später zur Kontrolle der Unterworfenen. Daraus erklärt sich, daß sie jeweils d e r Religion einen gewissen Vorzug zu geben scheinen, deren Land sie gerade als Gegner vor sich hatten. So sehen wir beispielsweise die Khane interessiert an der taoistischen Ch'üan-chên-Richtung, die in Nord-China vorherrschte, am Ch'an-Buddhismus, der in allen Ostländern dominierte, am tibetischen Lamaismus und an der taoistischen Chêng-i-Richtung in Süd-China.

Vielleicht aber sollte eine solche Aufzählung beginnen mit dem nestorianischen Christentum. Dies hatte eine große Anhängerschaft in den Stämmen Naiman und Kereyid, so daß in der westlichen Mongolei sogar unter dem

---

1 Heissig, W.: Die Religionen der Mongolei, in: G. Tucci–W. Heissig, Die Religionen Tibets und der Mongolei = Bd. 20 von „Die Religionen der Menschheit", Stuttgart 1970, S. 305–324.

geheimnisvollen Priester Johannes um 1165 ein eigenes Königreich bestanden haben soll. Auch am Mongolenhof waren die Nestorianer so zahlreich, daß im Jahre 1289 für sie eine eigene Verwaltungsstelle eingerichtet wurde. Dies sind jedoch Vorkommnisse, die außerhalb der eigentlichen chinesischen Sphäre sich ereigneten. Innerhalb dieser aber lag die taoistische Ch'üan-chên-Richtung. Im Jahre 1219 erhielt ihr damaliges Oberhaupt *Ch'ang-ch'un* („Langer Frühling") von Činggis Khan eine Aufforderung, zu ihm zu kommen. Der Khan befand sich damals fern im Westen in der Nähe des heutigen Kabul. An Jahren war er bereits ziemlich weit vorgerückt und interessierte sich für die von seinem taoistischen Arzt vorgetragenen Lebensverlängerungsmethoden. Trotzdem sollte man aber doch im Auge behalten, daß dies kurz vor der endgültigen Niederwerfung des Chin-Reiches in Nordchina (1234) war und daß sich außerdem noch andere Staaten um den berühmten Religionsrepräsentanten bemühten. Ch'ang-ch'un folgte dem Ruf und traf 1222 mit dem Khan zusammen. Dessen erste Frage an ihn lautete, was für eine Lebensverlängerungsmedizin er ihm mitgebracht habe. Ch'ang-ch'un eröffnete freimütig, daß er eine solche nicht besitze, jedoch wisse, wie man das Leben vor Schaden bewahren könne. Darauf machte er ihn mit den spekulativen Grundlagen des Ch'üan-chên-Taoismus bekannt.[2] Nach diesen hatte das dem Wasser verbundene weibliche Yin-Prinzip die Fähigkeit, das dem Licht verbundene männliche Yang-Prinzip zu überkommen und zurückzudrängen. Das aber bedeutete, daß beim Umgang mit Frauen die „Feinstteile" (s. o. S. 82) mit dem Samen verlorengingen und damit auch der lebenswichtige „Urodem". Um sein Leben zu verlängern, müsse man deshalb den Geschlechtsverkehr nach Möglichkeit einschränken. „Tausend Tage lang Medizinen einzunehmen, ist nicht so gut, wie eine Nacht lang allein zu schlafen."

Es scheint, daß Činggis Khan an diesen taoistischen Gemeinplätzen, mehr aber vielleicht an anderen, ebenfalls vorgebrachten, politischen Ratschlägen über Finanzprobleme Gefallen fand. Jedenfalls ließ er die Belehrungen seines religiösen Lehrers und Freundes in uigurischer Schrift aufzeichnen und ihm viele Ehrungen zukommen. Dazu gehörte auch dauernde Steuerfreiheit für alle seine Schüler. Dies ist das erste Beispiel eines Privilegiums, an dem unter den Mongolen nach und nach alle Religionsgemeinschaften teilhatten. Den Staat schädigte dies nicht wenig. Zumal manchmal auch jene Religionsvertreter davon profitierten, die weltlichen Geschäften nachgingen.[3]

Ch'ang-ch'un selbst erhielt durch zwei Edikte (von 1223 und 1227) die Kontrolle über alle, die ihre „Familien verlassen" und den Weg des Heils eingeschlagen hatten, d. h. über sämtliche Mönche und Nonnen. Dies gab natürlich den Taoisten eine außerordentliche Machtstellung, die noch dadurch ver-

---

2 Darstellung dieser Begegnung s. Taishō, 52, S. 766.
3 *Démieville* (1957), S. 200.

größert wurde, daß mehrere ihrer Schulhäupter hohe Ehrenstellungen am Mongolenhof bekleideten. Damit aber kam nun auch wieder die alte Rivalität der Kirchen zum Ausbruch; denn die Taoisten benutzten ihre Überlegenheit, um die Buddhisten nach Kräften zurückzudrängen. So eigneten sie sich zunächst solche buddhistischen Klöster an, die infolge der Kriegswirren von den Mönchen verlassen worden waren. Sie zerstörten buddhistische Heiligenbilder und ersetzten sie durch taoistische. Bald gingen sie auch dazu über, nicht aufgegebene buddhistische Klöster und Tempel sowie kirchliche Ländereien und Mühlen in Besitz zu nehmen.[4] Schließlich begannen sie, die Buddhisten in der Hauptstadt Karakorum selbst anzugreifen, indem sie dort im Jahre 1255 die diesen besonders verhaßten beiden Schriften von der Bekehrung der Barbaren durch Lao-tzû und den „Plan der 81 Wiedergeburten des Lao-tzû", deren eine eben der Buddha der Buddhisten war, öffentlich propagierten. Dies führte zu einer Disputation zwischen Vertretern der beiden Kirchen vor dem Kaiser, die für die Taoisten ungünstig ausging.[5] Sie hatten sich zu weit vorgewagt und nicht beachtet, daß sie inzwischen an politischer Bedeutung stark eingebüßt hatten.

Die Mongolenkhane begannen nämlich etwa seit 1235, ihre Gunst mehr und mehr dem Buddhismus zuzuwenden. Vor ihnen lag die Eroberung von Yünnan und Tibet.

Zunächst scheinen sie dabei den allgemein vorherrschenden Ch'an-Buddhismus im Auge gehabt zu haben. Denn sie stellten im Jahre 1247 einen Dhyāna-Meister (Ch'an-shih) namens *Hai-yün* („Meereswolke") an die Spitze der buddhistischen Kirche in Nord-China. Diesem war es schon vorher im Jahre 1242 durchzusetzen gelungen, daß die Buddhisten auf Grund ihrer Mehrzahl vor den Taoisten den Vorrang erhielten.[6] Im Jahre 1251 wurde ihm sogar die Kontrolle über sämtliche „Mönchsangelegenheiten im Reich" übertragen, die er bis zu seinem Tod im Jahre 1257 behielt. Auf ihn ist es übrigens zurückzuführen, daß die Mongolen den Kult für Konfuzius in Ch'ü-fu wieder zuließen und auch dessen Nachkommen von Dienstleistungen und Abgaben befreiten.[7] Hai-yün's Nachfolger wurde ein tibetischer Mönch namens *Namo*.

Ein letzter Erfolg des Hai-yün war, daß es ihm gelang, einen seiner Schüler, *Liu Ping-chung*, bei Khubilai Khan einzuführen. Dieser wurde so sehr von ihm eingenommen, daß er ihn dazu bestimmte, die geistliche Laufbahn aufzugeben und sein Minister zu werden. Liu Ping-chung veranlaßte, daß Peking Hauptstadt wurde und die Dynastie im Jahre 1271 die Bezeichnung Yüan an-

---

4 Genauere Aufzählung dieser Übergriffe s. Taishō, 52, S. 766 und 767. Daß Ch'ang-ch'un an Dysenterie auf einem Abort stirbt, wird deshalb von den Buddhisten als gerechte Vergeltung hingestellt.
5 *Waley* (1931), S. 26–31.
6 *Démieville* (1957), S. 203, und Taishō, 49, S. 704.
7 Taishō, 49, S. 704.

nahm. Es waren dies teilweise wohl Vorbereitungen zur Übernahme der Nachfolge der Sung, die 1276 von der politischen Bühne verschwanden.

Die Buddhisten aber benutzten ihre neu erworbene, durch Liu Ping-chung noch wesentlich verstärkte Machtstellung dazu, um nun ihrerseits an den Taoisten Vergeltung zu üben. Im Jahre 1258 fand eine entscheidende Religionsdisputation statt. Zu dieser erschienen 300 Buddhisten, mehr als 200 Taoisten und dazu auch ein Kontingent von 200 konfuzianischen Gelehrten. Letztere nahmen unerwarteterweise Partei für die Buddhisten, und das besiegelte die Niederlage der Taoisten. Siebzehn von ihnen wurden gezwungen, die buddhistische Tonsur an sich vollziehen zu lassen.[8] Eine weitere Folge war, daß die Taoisten 237 buddhistische Tempel zurückgeben mußten und eine Anzahl ihrer Schriften, darunter in erster Linie natürlich wieder das Werk „Lao-tzû bekehrt die Barbaren" und der „Plan der 81 Wiedergeburten des Lao-tzû", vernichtet werden sollten.[9]

Zunächst jedoch scheint man diese Bücherverfolgung nicht allzu ernstgenommen zu haben. Erst nach einer weiteren Diskussion im Jahre 1281 kam ein kaiserliches Edikt heraus, in dem unter Beziehung auf die Anordnung von 1258 befohlen wurde, sämtliche taoistischen Schriften außer dem Tao-tê ching, das allein als „echt" und wertvoll anerkannt wurde, zu vernichten. Jetzt rächte es sich, daß die Taoisten ihre Werke oft fiktiven Verfassern zugeschrieben hatten (in erster Linie denke man dabei an die Revelationsliteratur, s. o. S. 189), denn alle diese wurden als „Fälschungen" angesehen. Sehr schlecht kamen natürlich auch die Amulettschreiben weg, durch die den Leuten gute Geschäfte, Kindersegen und große Karrieren versprochen wurden, wenn sie sie bei sich trügen. Nicht ohne Hohn wurde dabei vermerkt, daß wohl alle berühmten Taoisten, wenn man sie gezwungen hätte, mit solchen Zaubersprüchen am Körper sich einer Feuer- oder Wasser- oder Schwertprobe zu unterziehen, um ihr Leben gefleht und deren Wirkungslosigkeit zugegeben hätten. Dies allerdings mutet insofern als vom Konkurrenzneid diktiert an, als die Buddhisten von ihren ähnlich wirkenden Dhāranis ja auch keine geringen Einnahmen hatten.

Schließlich sollte den Taoisten, die sich zu Buddha bekehrten, erlaubt werden, Buddhistenmönche zu werden, jene aber, die dies nicht wollten, sollten Frauen nehmen und in den Laienstand zurücktreten. Den Lokalbeamten wurde die energische und genaue Durchführung des Ediktes zur Pflicht gemacht. Alle, die taoistische Schriften bei sich verborgen hielten, mußten angezeigt und unter Anklage gestellt werden. Ausgenommen waren nur Werke über Medizin und Pharmakologie.[10]

8 *Démieville* (1957), S. 209.
9 *Waley* (1931), S. 32. Eine Aufzählung von Titeln s. Taishō, 49, S. 719, und Taishō, 52, S. 764. Über die „81 Wiedergeburten" s. aaO, S. 752–761 u. a. o. Sie waren in den taoistischen Tempeln abgebildet und mußten nun abgewaschen werden.
10 Taishō, 49, S. 434 und 707–708.

VII. Die Religion unter der mongolischen Yüan-Dynastie

Ebenso wie seinerzeit die von Lin Ling-su erwirkten Maßnahmen gegen den Buddhismus hätte dieser Erlaß des Mongolenkaisers das Ende des Taoismus als Kirche bedeutet, wenn es tatsächlich zu seiner Durchführung gekommen wäre. Es zeigte sich aber, daß auch die Taoisten ihren Einfluß am Hofe nicht verloren hatten.

1276, also im Jahre des Untergangs der Sung, hatte Khubilai den damaligen „Himmelslehrer" *(T'ien-shih)* der 36. Generation namens *Chang Tsung-yen* zu sich kommen lassen und bestätigte ihn als Oberhaupt der taoistischen Religion in Süd-China. Seinen jüngeren Bruder *Chang Liu-sun* aber behielt er am Hofe in der Hauptstadt, in erster Linie wohl als Gewähr für das Wohlverhalten der Taoisten im Süden.[11]

Chang Liu-sun gelangte am Mongolenhof auf Grund seiner auffallenden äußeren Erscheinung und gelungener Wetterbeschwörungen rasch zu Ehren und benutzte seine Beziehungen zum Hochadel, um die Durchführung des Vernichtungsediktes zu verhindern. Die Bücherverbrennung beschränkte sich deshalb schließlich auf die den Buddhisten am meisten verhaßten Werke, darunter natürlich in erster Linie „Die Bekehrung der Barbaren durch Lao-tzû", welches Werk damit aus dem chinesischen Schrifttum verschwand.

Die radikale Vernichtung einer Kirche lag auch nicht im Sinn der religiösen Toleranzpolitik der Mongolen, die offenbar darauf ausging, alle Beziehungen zu den außermenschlichen Mächten des Universums für das Wohl ihrer Dynastie einzuspannen.

Anderseits scheint aber auch Khubilai selbst seine Ansicht über den Taoismus geändert zu haben; denn er konnte der langen Tradition der T'ien-shih-Linie eine gewisse Bewunderung nicht versagen. Als man ihm etwa um 1281 das Jadesiegel und das Schwert der „Himmelslehrer" zeigte, soll er dazu geäußert haben, daß die weltlichen Regierungen sich, man wüßte nicht wie oft, geändert hätten, diese Gegenstände jedoch seien in ununterbrochener Folge auf Söhne und Enkel vererbt worden. Diese geheiligte Tradition veranlaßte auch Chang Liu-sun, die ihm von Khubilai angebotene Ernennung zum Religionsoberhaupt, d. h. *T'ien-shih*, abzulehnen, denn diese Würde erlangte man „durch Vererbung und nicht durch Ernennung".[12] Faktisch wurde mit dieser Ablehnung ein Konflikt innerhalb der T'ien-shih-Richtung vermieden.

2. Wirksamkeit des 'P'ags pa

Die eigentlichen Sieger, die aus diesen Religionsstreitigkeiten hervorgingen, waren aber weder die Ch'an-Buddhisten noch die südchinesischen Taoisten.

11 *Sun K'o-k'uan* (1968), S. 158.
12 *Ku Tun-yü* im Vorwort zu *Sun K'o-k'uan* (1968), S. 3 und S. 44, 160 und passim.

2. Wirksamkeit des 'P'ags pa

Im Jahre 1253 war der tibetische Lama 'P'ags pa an den Hof des Khubilai gekommen und hatte trotz seiner Jugend – er zählte damals erst 15 Jahre – die Aufmerksamkeit des Khans erregt. Er war ein Wunderkind und konnte bereits mit sechs Jahren die Sutren lesen und verstehen. Ebenfalls noch in sehr jugendlichem Alter zeichnete er sich als Experte auf dem Gebiet der indischen Wissenschaften *(Pañcavidyā,* tib. *rig pa)* aus und erhielt den Titel *Paṇḍita.*[13] Vom geistigen Führer Tibets, dem Lama *Padmasambhava,* wurde er deshalb als Sohn adoptiert. Bei der großen Disputation im Jahre 1258 tat er sich besonders hervor und soll den Ausschlag für den Sieg der Buddhisten gegeben haben.

Hier ist im Auge zu behalten, daß im Jahre 1253 Tibet von den Mongolen erobert wurde. Die Natur des Landes und seiner Bewohner machte es allerdings schwierig, diese Eroberung zu behaupten. Es gab dort zwei rivalisierende Mächte, den Adel und die Kirche. Letztere begann sich im Verlauf der Zeit allmählich als stärker zu erweisen.[14] Die Mongolen stützten sich deshalb auf sie, zumal sie wohl weit weniger zum Widerstand geneigt war als der waffengeübte Adel.

Auch 'P'ags pa war zunächst nur ein Geisel für die Fügsamkeit der Tibeter. Bald aber wurde er zum Mittelsmann, durch den die Mongolenkhane ihre Herrschaft über Tibet sicherten. Die Verhandlungen mit ihm führten zu einer Art „Konkordat". Khubilai ernannte ihn zum „Landeslehrer" *(kuo-shih)* mit goldenem Siegel und zum Oberhaupt der lamaistischen Kirche, die damit oberstes Regierungsorgan in Tibet wurde.

Im Jahre 1260 beförderte er ihn ferner zum *Ti-shih* („Kaiserlehrer") mit Jadesiegel und zum Oberhaupt aller Religionsangelegenheiten im Bereich der Yüan-Dynastie.

Infolge seiner Stellung hatte 'P'ags pa Vollmacht über alle inneren Angelegenheiten Tibets. „Die Anordnungen des ‚Kaiserlehrers' galten in Tibet wie Regierungserlasse."[15] Er wurde, wie schon oben bemerkt, das Instrument, durch das der Yüan-Kaiser in Tibet regierte.[16]

Es ist wohl kaum nötig, darauf hinzuweisen, daß durch diese Ernennung des Kaiserlehrers auch die buddhistische und taoistische Kirche im eigentlichen China unter die Kontrolle des Lamaismus kamen.

'P'ags pa aber hat neben dieser seiner politischen Funktion den Mongolen einen Dienst erwiesen, der an kultureller Wichtigkeit kaum überbietbar war. Er erfand nämlich für das Mongolische eine aus der tibetischen Siegelschrift entwickelte Schrift, die aus 41 Buchstaben bestand. Sie wurde im Jahre 1269

13 Yüan-shih, Kap. 202.
14 *Rosthorn* (1923), S. 150/51.
15 Yüan-shih chi-shih pên-mo, S. 112.
16 *Ratchnevsky* (1954). Vgl. auch *Tucci, G.:* Die Religionen Tibets, S. 42, und *W. Heissig:* Die Religionen der Mongolei, S. 325/26, in: *Tucci–Heissig:* s. Anm. 1 zu diesem Kapitel.

(oder 1267) durch kaiserlichen Erlaß anstelle der chinesischen und uigurischen als amtliche Schrift für alle Regierungsdokumente eingeführt. Allerdings durfte daneben jedes Land seine eigene Schrift zur Information der Bevölkerung benutzen.[17]

Wenn wir uns vergegenwärtigen, welch überragende Wichtigkeit der Schrift im ostasiatischen Kulturleben zukommt, dann verstehen wir, daß damit den Mongolen ein Mittel an die Hand gegeben war, eine eigene, von der chinesischen sich abgrenzende Kultur zu entwickeln. Vor allem aber wurde damit den Konfuzianern die Möglichkeit genommen, allein schon durch ihre Schriftkenntnis größeren Einfluß zu gewinnen.

Schließlich aber blieb diese 'P'ags-pa-Schrift *(Passepa)* doch nur vorübergehend in Gebrauch. Mit dem Erlöschen der mongolischen Yüan-Dynastie verschwand auch sie wieder.[18]

Zu ihrer Zeit aber hatten die Kaiser der Yüan-Dynastie ganz offenbar die Absicht, den Schrifterfinder 'P'ags pa zu einer Art „Lehrer"persönlichkeit, so wie Konfuzius es für das Chinesentum war, aufzubauen. Kennzeichnend dafür war die Einrichtung eines 'P'ags-pa-Kultes. Zunächst erhielt er noch bei Lebzeiten für seine Leistung den Titel „großer, kostbarer Dharma-König" *(Ta-pao fa-wang).* Nach seinem Tode im Jahre 1280[19] wurden seine Gebeine in einem großen Stupa aufbewahrt. Im Jahre 1321 erging ein Befehl, daß in allen Provinzen Verehrungshallen für ihn zu errichten seien, und im Jahre 1324 wurden diese mit Bildern und Statuen des 'P'ags pa ausgestattet.[20] Dies aber zeigt eine deutliche Parallele zur Konfuziusverehrung.

3. Religiöse Organisation der Yüan

Die von 'P'ags pa erreichte Trennung von Kirche und Staat, wie sie wohl schon in Tibet bestanden hatte, kam einem alten Wunsch der Buddhisten entgegen. Das Problem der Unterwerfung der Mönche unter den Kaiser lösten sie jetzt wieder im Sinn der Toba-Wei, indem der Kaiser Khubilai, der wie auch seine Nachfolger die buddhistischen Weihen empfing, zur Wiedergeburt eines altindischen Königs erklärt wurde und den Titel Čakravartin (Universalkönig) erhielt.[21] Vom Kaiser an abwärts gingen Staat und Kirche auseinander, und es galten zwei Gesetze, eines für den Staat, eines für die Kirche.[22]

17 Hsin Yüan-shih, Kap. 243.
18 *Jensen, H.:* Die Schrift, Berlin 1969, S. 376 und 404.
19 Taishō, 49, S. 434. Nach den beiden Yüan-shih starb er jedoch schon 1279.
20 Taishō, 49, S. 436.
21 Trotzdem aber gab es noch Zusammenstöße. So weigerte sich z. B. im Jahre 1331 der damalige „Kaiserlehrer", den Willkommensbecher aus den Händen eines Ministers anzunehmen. Wahrscheinlich erwartete er, daß der Kaiser persönlich ihm diesen anbieten sollte. S. Yüan-shih chi-shih pên-mo, S. 111.
22 *Ratchnevsky* (1954).

3. Religiöse Organisation der Yüan

Diese Selbstverwaltung der Kirche begann etwa im Jahre 1264/65 mit der Einrichtung eines Hauptkontrollamtes *(Tsung-chih-yüan)* für die Angelegenheiten des Buddhismus, das dem jeweiligen „Landeslehrer" *(Kuo-shih)*, d. h. zunächst also dem 'P'ags pa und dann seinen Nachfolgern, unterstellt wurde.[23]

Im selben Jahr wurde Liu Ping-chung Chef des geheimen Staatsrats und Peking Hauptstadt des Yüan-Reiches. Im folgenden Jahr traf das Tsung-chih-Amt auf kaiserlichen Befehl hin eine strenge Auswahl unter den Buddhisten. Diejenigen, die über hinreichende Kenntnisse in den Sutren verfügten, erhielten die Bezeichnung „ausgesucht". Mit den besten von ihnen besetzte man die Kirchenämter in den Präfekturen und Kreisen. In allen Provinzen wurden dazu Studienplätze für Mönchsdisziplin, Meditation und buddhistische Philosophie sowie „Dhyāna-Versammlungen" eingerichtet.

Es scheint übrigens, daß in dem weitgehend von der buddhistischen Kirche beherrschten Reich der Jurtschen, d. h. der Dynastie Chin (1115–1235), eine ebensolche Organisation existierte, an deren Spitze ebenfalls ein „Landeslehrer" stand[24], was vielleicht den Yüan als Vorbild diente.

Das Amt, durch das 'P'ags pa auch seine Herrschaft über Tibet ausübte, war ausschließlich mit Mönchen besetzt. Wie schon bemerkt, unterstanden ihm auch die Militär- und Zivilangelegenheiten. Die Herrschaft der lamaistischen Kirche über Tibet war damit fest etabliert. Der gesamte Adel mußte sich den Hauptgeboten des Buddhismus unterwerfen. Tibet war der Kirchenstaat geworden, der es bis in die neueste Zeit hinein blieb.

Aber auch im Yüan-Reich überhaupt hatte der „Kaiserlehrer" eine einzigartige Stellung, die dadurch charakterisiert war, daß er bei den regulären Audienzen nicht mit der Beamtenschaft in einer Reihe stand, sondern wie der Kaiser selbst abgesondert in einer Nische der Halle saß.[25] Weltliche und kirchliche Macht standen sich wohl fast auf gleicher Höhe gegenüber. Der Aufwand für die Reisen des Kaiserlehrers und die großen Kirchenfeiern war wahrscheinlich kaum geringer als der für den Kaiser und die Staatskulthandlungen. Jedenfalls wurde der Staatshaushalt dadurch merklich belastet.[26]

Erst nach 'P'ags pa's Tod und nach der Eroberung von Süd-China wurde dort in Hangchou im Jahre 1290 wegen der hohen Bevölkerungsdichte eine Art Zweigstelle des religiösen Hauptkontrollamtes in Peking eröffnet, der *Hsüan-chêng-yüan* („Hof zur Bekanntgabe der Regierungsmaßnahmen"), dem speziell die Religionsangelegenheiten von Süd-China und Tibet unterstellt

---

23 AaO.
24 Taishō, 49, S. 437 und 438. Es heißt, daß dort bei einer Massenordination im Jahre 1138 nicht weniger als eine Million Mönche und Nonnen aufgenommen wurden. Dagegen nehmen sich die Zahlen der Sung-Dynastie recht bescheiden aus.
25 Yüan-shih chi-shih pên-mo, S. 112. Lt. *M. Hermanns* (1970, Bd. I, S. 280) soll sein Thron sogar bei gewissen Gelegenheiten den des Kaisers überragt haben.
26 *Ratchnevsky* (1954), und Yüan-shih chi-shih pên-mo, S. 112.

wurden. Auch dies Amt war in den Händen von vornehmlich ausländischen Mönchen, besonders von tibetischen Lamas.

Mit der Selbstverwaltung hatte die buddhistische Kirche auch das Privileg der Rechtsprechung, was von ihr schon immer angestrebt worden war. Abgesehen von schweren Verbrechen wurden alle Straffälle und Streitfragen im Kloster vom Klostervorstand und innerhalb der buddhistischen Gemeinde vom Gemeindevorstand (der wohl oft mit dem Klostervorstand zusammenfiel) entschieden. Streitfragen zwischen Buddhisten und der übrigen Zivilbevölkerung kamen vor einen gemischten Gerichtshof, der sich unter Umständen aus Buddhisten, Taoisten und Konfuzianern zusammensetzte.[27]

Die buddhistische Kirche benutzte ihre Machtstellung zu einer bisher unerhörten Bereicherung. Nicht nur daß ihre Bonzen Agrarland in solcher Menge aufbrachten, daß zeitweise mehr Bauern steuerfrei für die Klöster arbeiteten, als vom eigenen Grund Abgaben an den Staat leisteten, sie betätigten sich ebenfalls im Handel mit staatlichen Monopolwaren wie Tee, alkoholischen Getränken usw. Auch waren sie am Überseehandel beteiligt, und es gab Klöster, die wahre Handelsflotten unterhielten. Die angehäuften Reichtümer führten wieder zu einer ungeheuren Prachtentfaltung. Die „Hallen des Buddha glichen den Palästen von Königen". Ein sehr großer Teil der angesammelten Reichtümer floß dazu aus China hinaus nach Tibet, was bei der Vorrangstellung der Lamas nicht anders zu erwarten war.[28] Die buddhistische Kirche wurde zu einem Instrument der Ausplünderung und trug damit ihren Teil zur Erhöhung des „Mongolenhasses" bei.

Eine weitere Folge dieses Zustandes waren zunehmende Übergriffe der Mönche. Diese begannen schon bald nach der Besetzung von Süd-China mit der Fledderung der kaiserlichen Sung-Gräber bei Hangchou durch einen Günstling des Ministers *Senge*, der ihn dort zum Oberhaupt der buddhistischen Kirche gemacht hatte. Die Leiche eines Sung-Kaisers wurde dabei mit den Füßen an einem Baum aufgehängt, um das in ihr enthaltene Quecksilber auströpfeln zu lassen.[29] Eine beliebte Art der Bereicherung bestand darin, daß die Äbte auf Grund ihres Begnadigungsrechts Schwerverbrecher vor der Hinrichtung bewahrten, was diese natürlich durch reiche Schenkungen teuer erkaufen mußten. Ebenso bot die Abgabenbefreiung der Klöster die Möglichkeit, durch fingiertes Kircheneigentum Steuerhinterziehungen zu arrangieren, was selbstverständlich auch nicht umsonst geschah.

Eine weitere zeitbedingte Erscheinung war der ungeheuer große Zustrom aus allen Kreisen der Bevölkerung zu den Klöstern. Das bedeutete für diese einen gewaltigen Machtzuwachs. Die Mönche schreckten deshalb auch nicht vor groben Belästigungen der Zivilbevölkerung zurück. Es gab Fälle von Erpres-

27 *Ratchnevsky* (1954).
28 AaO.
29 *Démieville* (1957), S. 209.

sungen, Dokumentenfälschungen, ja sogar von Frauenraub durch Klosterleute. Beschwerden bei den zuständigen Behörden nützten wenig. Es wird berichtet, daß die Mönche in solchen Fällen mit ihrem Anhang auf der Amtsstelle erschienen, die Beamten verprügelten oder einsperrten, bis sie die Angelegenheit fallen ließen.

Besonders das Postwesen wurde von den Mönchen übermäßig in Anspruch genommen, so daß sogar die Beamten nicht ohne Belästigungen und Schwierigkeiten ihre Dienstreisen machen konnten. Es wurde berechnet, daß der Aufwand für die Reisen der kaiserlichen Prinzen um das sechs- bis siebenfache hinter dem für die Mönche zurückblieb.

Die kirchlichen Übeltäter gingen im allgemeinen straffrei aus. Ja, es scheinen eine Zeitlang sogar Verordnungen in Kraft gewesen zu sein, daß buddhistische Mönche überhaupt nicht gerichtlich verhört werden durften, und daß jedem aus dem Volk, der einen tibetischen Mönch schlug, das Haupt abgehauen, und wer einen von ihnen beschimpfte, die Zunge ausgeschnitten wurde. Letzteres beides allerdings wurde unter dem Kaiser Wu-tsung (1308 bis 1311) auf Veranlassung des damaligen Kronprinzen (des späteren Kaisers Jên-tsung, 1312–1320) abgeschafft.[30]

Es war in erster Linie der Hsüan-chêng-Hof, der das Verhalten der Mönche deckte. Im Jahre 1309 setzte sich dieses Amt auch für die allgemeine Steuerfreiheit sämtlicher Religionen, d. h. Buddhismus, Taoismus, Nestorianismus und Islam (Mullahs), ein, die also damals doch nicht durchgehends bestanden haben dürfte. Das kaiserliche Sekretariat lehnte den Antrag jedoch mit Hinweis auf das von Činggis Khan aufgestellte Gesetz „für Felder die Grundsteuer, für Handel die Handelssteuer" ab. Es scheint also, daß Privilegien dieser Art, wenn auch sicher sehr häufig, so doch nicht allgemein und immer vergeben wurden.[31] Im Jahre 1312 aber erhielt der neuernannte „Landeslehrer" *(Kuo-shih)* als Einführungsgabe neben anderem 423 Hektar Agrarland. Wie immer schon sammelten sich also die Hauptreichtümer und auch die Vorrechte bei den großen, von der Regierung begünstigten Klöstern und Tempeln an. Zu berücksichtigen ist auch, daß sich die Bestimmungen über die Stellung der Religionen, ihrer Vertreter und Bekenner nicht über die ganze Dauer der Dynastie hin unverändert erhielten.[32]

Es war keineswegs so, daß die weltlichen Behörden nicht versucht hätten, den Übergriffen der Mönche entgegenzutreten. Aber alle einschränkenden Bestimmungen, die sie von der Regierung erwirkten, blieben weitgehend erfolglos, da die mit der mongolischen Aristokratie verschwägerten Lamas alle Maßnahmen zu hintertreiben wußten.

30 Yüan-shih chi-shih pên-mo, S. 112–14, und Taishō, 49, S. 435.
31 Steuerfreiheit erhielten z. B. Klöster, die mit der Herstellung eines Tripitaka in goldenen Zeichen beauftragt wurden, vgl. Taishō, 49, S. 437.
32 Vgl. auch *Moule* (1930), S. 218/19 und 224.

Die religiöse Korruption erreichte schließlich auch den Kaiserhof. Im Jahre 1357 wurde dort ein indischer Mönch eingeführt, der über eine Methode verfügte, die das Sexualvergnügen erhöhte. Zu ihm gesellte sich bald ein tibetischer Kollege, der sich auf die Geheimpraktiken der *Yogācāra*-Sekte verstand. Der Kaiser *Shun-ti (Tohan Timur)* übte beides, amüsierte sich auf Gelagen und mit 16 Haremsmädchen, vernachlässigte die Regierung[33], kurz, benahm sich so, wie das der letzte Kaiser einer dem Untergang geweihten Dynastie nach chinesischer Vorstellung tun sollte.

4. Der Staatskult

Die chinesischen Darstellungen des Staatskultes beginnen verständlicherweise erst mit dem Zeitpunkt, an dem die Yüan die legale Nachfolge der Dynastie von den Sung übernahmen, d. h. im Jahre 1280.

Es war dies das Gebiet, auf dem der „Kulturkampf" zwischen konfuzianischem Chinesentum und Mongolen hauptsächlich ausgetragen wurde. Genauer gesagt war es eine Auseinandersetzung zwischen nordischem Schamanismus, der eine direkte Begegnung mit den Göttern und Geistern herzustellen vermochte, und dem Ritualismus, dessen vieldiskutierte, der Tradition immer aufs neue angepaßte Formen den eigentlichen Kern der alten chinesischen Kultur darstellten. Sobald deshalb die Yüan ihre Hauptstadt auf das alte chinesische Reichsterritorium verlegt hatten, begannen die Versuche der Ritualisten, die „barbarischen Gebräuche" in „gesittete Formen" zu bringen.

Aber anders als die Toba-Wei setzten die Mongolen dem chinesischen Ritualwesen einen beharrlichen Widerstand entgegen, der nur gegen Ende ihrer Dynastie etwas nachgelassen zu haben scheint. Und wenn irgend etwas, so scheint mir dies zu beweisen, daß die Mongolenkaiser im Sinn hatten, die chinesische Kultur weitmöglichst zurückzudrängen und sie durch eine solche mongolischer Prägung zu ersetzen.

Die Übernahme der Rechtsnachfolge der Dynastie Sung brachte es natürlich mit sich, daß der Grundstimmung der chinesischen Untertanenschaft gewisse Konzessionen gemacht werden mußten. So ließ der Nachfolger Khubilai's, der Kaiser *Ch'êng-tsung (Timur)*, im Jahre 1302 im Süden vor der Hauptstadt (Khanbalik) durch einen seiner Minister ein Opfer an Hao-t'ien shang-ti, die Erde und die Gottkaiser der Fünf Weltgegenden vollziehen. Ort und Zeit dieser Kulthandlung waren chinesisch, die äußerliche Aufmachung und die Sprache der dabei verlesenen Adressen an die Götter aber mongolisch.

Von den Ritualisten wurde dies sofort zum Anlaß genommen, um darauf

---

33 Taishō, 49, S. 437. Vgl. auch *Heissig:* Die Religionen der Mongolei, aaO, S. 326.

hinzuweisen, daß das große Außenopfer (Nan-chiao), der Ahnendienst und die Verehrung der Boden- und Erntegötter die persönlichen und dazu die wichtigsten Angelegenheiten des Landesherrn seien. Zugleich wurden Vorschläge unterbreitet, wie das Nan-chiao-Opfer gemäß der klassischen Tradition vollzogen werden müßte. Aber der Kaiser ließ sich auf nichts ein. Im Jahre 1309 wurde wieder von einem beauftragten (mongolischen) Kultsachverständigen ein Opfer dieser Art abgehalten. Diesmal scheint man den Kaiser *Wu-tsung (Guluk)* bewogen zu haben, der Sache etwas mehr Aufmerksamkeit zu schenken. Aber auch im Jahre 1310, als diese Kulthandlung einigermaßen nach den Vorstellungen der Ritualisten mit *Činggis Khan* als Mahlpartner des Himmelsgottes und Nebenopfern an die Fünf Gottkaiser, Sonne, Mond und Gestirne ausgeführt wurde, trat der Kaiser dabei nicht in Erscheinung. Erst im Jahre 1330 ließ sich Kaiser *Wên-ti (Tuq Temur)* herbei, in eigener Person das Südaußenopfer (Nan-chiao) zu vollziehen.

Voraus gingen wie immer umfassende Beratungen über die korrekte Ausgestaltung. In diesem Zusammenhang interessiert daraus nur ein Punkt, die Diskussion über die Stellung des obersten, bei diesem Opfer bedachten Gottes. Manches von dem, was ich im vorhergehenden darzulegen versucht habe, erhält dabei eine Zusammenfassung und Bestätigung. So sollte sich das große Opfer zur Wintersonnenwende an den „Himmelsehrwürdigen, großen Gottkaiser" *(T'ien-huang ta-ti)* richten. Dieser befand sich im Polarstern, der gewissermaßen den höchsten Gipfel und Ausgangspunkt des Weltgebäudes bildete[34], und trug den Namen *Yao-po-pao* (etwa „Kleinod, das den dunklen Teil des Mondes überstrahlt"). Er wurde auch genannt *Hao-t'ien shang-ti* oder *T'ai-i ti-chün* („Gott der Größteinheit"). „Da er höchst ehrwürdig ist, hat er mehrere Namen." Zur Han-Zeit waren für ihn folgende Benennungen gebräuchlich: *Shang-ti* („Obergott"), *T'ai-i* („Alleiner") und *Hao-t'ien shang-ti*. Später wurde er auch bezeichnet als „Hochehrwürdiger Gotthimmel" *(Huang-huang ti-t'ien)* und schließlich unter der West-Chinn-Dynastie (265 bis 316) definitiv als *Hao-t'ien shang-ti*.[35]

Ich hoffe jedoch, in meinen früheren Ausführungen klargemacht zu haben, daß es sich bei diesen Benennungen oder Anreden nicht einfach um verschiedene Bezeichnungen einer Gottheit handelte, sondern um verschiedene Götter, die, aus ganz verschiedenen Hintergründen hervorkommend, schließlich zu einem Gott mit verschiedenen Aspekten vereinigt wurden.[36]

Dieses erste korrekte Nan-chiao-Opfer der Yüan war zugleich auch das

---

34 Nach taoistischer Ansicht war dies die Stelle, an der das aus „Nichthaben" (wu) bestehende Tao in das „Haben" (yu, etwa gleich „Dasein") umschlug.

35 Yüan-shih chi-shih pên-mo, Kap. 9, S. 50–54.

36 Ob diese „Vereinheitlichung" von Shang-ti und T'ai-i zur West-Chinn-Zeit bereits endgültig feststand, möchte ich bezweifeln, s. meine Ausführungen über T'ai-i (S. 217). Aber die historische Entwicklung des Hao-t'ien shang-ti bedarf noch einer genaueren Einzeluntersuchung.

einzige und letzte dieser Dynastie, zumindest wurde es später wieder stark auf mongolisches Brauchtum umgestellt.[37]

Ähnlich wie zu dieser großen Staatskulthandlung verhielten sich die Mongolenkaiser zum Ahnendienst chinesischen Stils. Ihre eigene Ahnenverehrung vollzog sich wie die der Toba-Wei in ihrer nordischen Heimat. Wahrscheinlich handelte es sich um Zusammenkünfte der kaiserlichen Sippe mit den Stammesahnen, wobei die Schamanen die Verbindung zwischen den Geistern der Toten und den lebenden Mitgliedern herstellten.[37a]

Erst im Jahre 1260 ließ Khubilai einige Ahnentafeln im Staatssekretariat aufstellen. Um 1262 wurde dieser „Ahnendienst" in eine Tempelhalle verlegt und 1263 in Peking ein Ahnentempel mit sieben Nischen für die Ahnentafeln erbaut. Im Jahre 1267 wurden acht Nischen eingerichtet und den Ahnen postume Tempelnamen erteilt. Drei Jahre später hielt ’P’ags pa eine sieben Tage und Nächte dauernde buddhistische Messe in diesem Gebäude ab, ein Zeichen dafür, daß Khubilai mehr geneigt war, die religiösen Erfordernisse seiner Dynastie dem „internationalen" Buddhismus als dem „nationalen" chinesischen Ritualismus anzupassen.

Erst ab 1309 scheinen die mongolischen Kaiser persönlich an diesem Ahnendienst teilgenommen zu haben. Von den konfuzianischen Ritualisten wurde dies sofort zum Anlaß genommen, um das Arrangement der Ahnentafeln zu korrigieren und einen genauen Plan für ihre Anzahl und Positionen auszuarbeiten. Denn nur durch eine Ahnenordnung, die den Regeln der Ritenklassiker entsprach, konnte „die Dauer der Dynastie über zahlreiche Generationen hin" sichergestellt werden. Jeder Fehler hingegen machte sie für alle Zeiten lächerlich.[38]

Wie sehr oder wie wenig die Mongolenkaiser sich aber auch mit diesem Ahnendienst chinesischen Stils abgefunden haben mögen, es half ihnen wenig. Im Jahre 1367 war es mit der Yüan-Dynastie zu Ende. Von den kosmischen Mächten wurde die Katastrophe vorher dadurch angekündigt, daß dreimal im Ahnentempel eingebrochen wurde, wobei die Räuber jedesmal goldene Ahnentafeln mitgehen ließen. Außerdem brach dort zweimal Feuer aus. Wieder einmal zeigte sich also, daß die ausgeklügelten Formen des chinesischen Ritualismus eine bessere Sicherung der Dynastie in der komplizierten und sich stetig ändernden Struktur des Weltganzen bildeten als die militärische Überlegenheit der Mongolen.

---

37 *Ratchnevsky* (Kult am Hofe der Großkhane), S. 425, Anm. 46.
37a Ich darf darauf hinweisen, daß gemäß dem, was ich in den ersten Teilen dieser Arbeit darzulegen versucht habe, die Mongolen gegenüber den Chinesen die urtümlicheren Formen der ostasiatischen Religion bewahrt zu haben scheinen.
38 Yüan-shih chi-shih pên-mo, Kap. 10, S. 57–60.

5. Der Taoismus

Der Kirchenkampf, den ich eben darzustellen versucht habe, spielte sich in erster Linie ab zwischen den Ch'an-Buddhisten und den Taoisten der Ch'üan-chên-Richtung. Der „Himmelslehrer" (T'ien-shih), das Haupt der Chêng-i-Richtung, nahm zwar auch an den Diskussionen in der Hauptstadt teil, wurde aber weit weniger in deren Folgen hineingezogen.

Jedenfalls blieben er und seine Nachfolger während der ganzen Yüan-Zeit Oberhaupt der Taoisten in Süd-China. Wie sie sich allerdings dort mit den ihnen jedenfalls im Rang übergeordneten lamaistischen Mönchen abgefunden haben, ist eine Sache, über die ich nichts ausmachen konnte.

Die „Himmelslehrer" wurden immer wieder an den Hof berufen und jedesmal mit allerlei Ehren bedacht. Diese Besuche in der Hauptstadt gipfelten jeweils in der Abhaltung großer und sehr feierlicher taoistischer Messen. Wahrscheinlich folgten diese einer von *Lin Ling-su* festgelegten Liturgie und zogen sich, wenn sie auch nicht so lange dauerten wie die buddhistischen, doch ebenso wie diese über mehrere Tage und Nächte hin. Meist wurde dabei dem Himmel eine mit roten Zeichen geschriebene Bittadresse für das Staatswohl unterbreitet. Die Unterschiede der verschiedenen taoistischen Schulen oder Sekten drückten sich wohl oft nur in unterschiedlichen liturgischen Formen aus. Im Leben der Hauptstadt waren diese Messen sicherlich prunkvolle und großes Aufsehen erregende Ereignisse.

Im China südlich des Yangtse gab es damals drei große taoistische Zentren, die nach der Einverleibung des Sung-Staates dadurch staatliche Anerkennung fanden, daß auf Kubilais Anordnung hin bei ihnen taoistische Messen für das Landeswohl an den entsprechenden Festtagen als Dauereinrichtung vorgesehen wurden.

Einmal war da der alte Wohnsitz der „Himmelslehrer" am Lung-hu-Berg in Kiangsi südöstlich vom Po-Yang-See. In der Geographie der Taoisten war dies der 32. „Ort des Segens" (*Fu-ti*, vgl. o. S. 232). In derselben Provinz befand sich auch der 33. Ort des Segens am Ko-tsao-Berg. Die dortige taoistische Gruppe scheint sich aber von der ersten nur durch den Gebrauch anderer Amulettzeichen unterschieden zu haben.

Anders aber verhielt es sich mit der taoistischen Gruppe vom Mao-shan, von der oben bereits verschiedentlich die Rede war. Sie wich von der Lung-hu-shan-Gruppe in mehreren Punkten ab. Am bemerkenswertesten ist dabei, daß sich anscheinend unter den beiden eine Art Arbeitsteilung herausgebildet hatte. Die Lung-hu-Taoisten waren vor allem mit der Abwehr von Unheil aus der Welt der Geister und Dämonen beschäftigt. Ihre Stärke war der Exorzismus, der Regenzauber, Schutzamulette und dgl. Sie hatten das Reich eingeteilt in 24 Ordnungsbezirke, in denen der Kampf gegen die bösen Mächte von den Vertretern des T'ien-shih durchgeführt wurde.

Demgegenüber beschäftigten sich die Mao-shan-Leute mit den Beziehungen zu den Mächten des Guten, mit denen sie durch Seancen und Intuitionsschreiben ständig in Verbindung standen. Außerdem übten sie Lebensverlängerungsdiät und erflehten Heil und Segen für alle, die sie darum angingen.

Doch scheinen manche ihrer damaligen Praktiken unter dem Eindruck der Religiosität am Mongolenhof, die bekanntlich stark auf Magie und Wunderglauben eingestellt war, aufgenommen worden zu sein. Denn sie treten dort genauso wie die Lung-hu-shan-Leute auf als Wettermacher, wehren Heuschreckenplagen, Pestilenzen und Hungersnöte ab und üben wundersame Heilungen aus. Das aber ist ein Wesenszug, der den Traditionszusammenhang mit T'ao Hung-ching und Ssû-ma Ch'êng-chên etwas unsicher erscheinen läßt. Anderseits aber hatten sie damit am Mongolenhof solchen Erfolg, daß ihr Oberhaupt als „Sektenlehrer" *(Tsung-shih)* dem „Himmelslehrer" zur Seite gestellt, d. h. daß die Mao-shan-Gruppe als mehr oder weniger selbständige Sektion der Chêng-i-Richtung anerkannt wurde.

Der Aufschwung der Mao-shan-Taoisten steht im Zusammenhang mit dem Aufblühen der Stadt Nanking, von der sie nicht allzuweit entfernt waren. Vor allem bestanden immer Beziehungen zu den dortigen, wohlhabenden und gesellschaftlich gehobenen Kreisen. Während also die Aktivität der Lung-hu-Gruppe mehr in der großen Volksmasse, als sogenannter Populartaoismus, wirkte, hatte die Mao-shan-Gruppe ihre Hauptanhängerschaft in den oberen sozialen Schichten. Auch das ist ein Unterschied, den man im Auge behalten muß.

Eine weitere taoistische Gruppe bildete sich damals um die Person des *Chang Liu-sun* in der Hauptstadt. Anscheinend benutzte er seine Stellung bei Hof dazu, um nicht nur den Taoismus, sondern das Chinesentum überhaupt zu protegieren. Im Jahre 1307 trat er an die Spitze einer neu eingerichteten Amtsstelle, die den Titel *Chi-hsien-yüan* (etwa „Hof der Versammlung der Tüchtigen") erhielt. Er selber wurde *Hsüan-chiao ta-tsung-shih* („Groß-Sektenlehrer der Mysteriumslehre") genannt. Zu erinnern ist daran, daß die Bezeichnung *Hsüan*, „Mysterium", auch vorkam in der Bezeichnung einer Geistesrichtung des 3./4. Jhs., in der die klassischen taoistischen Texte „wissenschaftlich" bearbeitet wurden.[39] Dabei fanden sich Vertreter des Konfuzianismus und Taoismus zusammen, um eine neue, durchrationalisierte, „chinesische Wissenschaft" *(Hsüan-hsüeh)* herauszuarbeiten. Auch jetzt, so scheint es, diente die Bezeichnung *Hsüan-chiao* („Mysteriumslehre") zur Zusammenfassung alles dessen, was als *Han* (chinesisches)-Wissen im eigentlichen Sinn angesprochen wurde. So finden wir in dieser „Sammelstelle" neben Taoisten, Zukunftsforschern und Yin-Yang-Kundlern auch die Konfuzianer. Unter dem Protektorat des Chang Liu-sun bildete sich also eine chinesische „Wissen-

---

39 Von mir kurz erwähnt S. 180/81.

schaftsgruppe" in der Mongolenhauptstadt, die sicherlich auch hinter den eben beschriebenen Tendenzen zur Einführung altchinesischer Rituale stand, eine kleine chinesische Einheitsfront gegenüber dem in Peking dominierenden Fremdwesen.

Im Jahre 1321 starb Chang Liu-sun. Nachfolger wurde sein Freund und Mitarbeiter *Wu Ch'üan-chieh*. Ebenso wie sein Vorgänger war auch er ein eifriger Protektor des Chinesentums. In religiöser Hinsicht scheint er ebenfalls wieder hauptsächlich mit der Bearbeitung der Liturgie beschäftigt gewesen zu sein. Er nahm sich persönlich der Ausgestaltung der am Lung-hu-shan, Ko-tsao-shan und San-Mao-shan eingerichteten Messen an. Aber auch in der Hauptstadt war er ständig um Verbesserung der taoistischen Kulte und Kultstätten bemüht.

Dies zeigt wieder, von wie großer Wichtigkeit die Formen waren, unter denen sich damals die Religionen der Öffentlichkeit präsentierten.

Von besonderem Interesse scheint mir aber die Demonstration der inneren kulturellen Einheit des Chinesentums zu sein, die sich darin ausdrückte, daß in diesen Zeiten der Bedrohung die an sich nicht gerade konfuzianerfreundlichen Taoisten ohne weiteres die Protektion ihrer Rivalen übernahmen.[40]

6. Fremdreligionen

Die weitaus häufigste Fremdreligion im China der Mongolenzeit war der Islam[41]. Während zur Zeit der zweiten Sung-Dynastie vornehmlich Araber in den großen Handelsplätzen an der Südostküste Fuß faßten, strömten jetzt Mohammedaner aus allen islamischen Ländern nach China herein. Für sie kam die zusammenfassende Bezeichnung *Hui-hui*[42] auf. Ihre Religion wurde *Ch'ing-chên-chiao* („Lehre des Reinen und Wahren") genannt.

Schon frühzeitig haben sich reiche Mohammedanerfamilien unter Aufgabe ihrer völkischen Eigentümlichkeiten mit den Chinesen vermischt und restlos sinisiert. Es sind dies die Sippen mit Namen wie *Ma, Pu, Sai, Sa* u. a. m. Bald finden wir sie in wichtigen Amtsfunktionen, zum Beispiel als Handelskontrolleure. Und da die Mittelasiaten in der von den Mongolen eingerichteten sozialen Ordnung hoch über den Chinesen rangierten, ist es nicht verwunderlich, daß wir im Yüan-Staat nicht selten Mohammedanern auch in den höchsten Staatsstellungen begegnen.

Hier ist vor allem der Gouverneur der Provinz Yünnan zu erwähnen, ein

---

40 Materialien aus den einschlägigen Kapiteln in Sun K'o-k'uan: Yüan-tai Tao-chiao chih fa-chan, und *Rinaker ten Broeck* (1950).
41 *Démieville* (1957), S. 220.
42 Lt. Tzû-hai soll der Mohammedanismus ursprünglich durch Vermittlung der Uiguren in China eingedrungen sein, daher der Name. Vgl. auch *Parker* (1910), S. 256.

Mohammedaner aus Bukhara namens *Seyyid Edjell Shams ed-Din*. Im Jahre 1261 war er Verteidigungsminister bei Khubilai, übernahm aber dann den Gouverneursposten über Shensi und Szechuan und im Jahre 1274 die neue Provinz Yünnan (bis zur Eroberung durch die Mongolen der etwas unbestimmte Staat Nan-chao), die eigentlich erst durch ihn geschaffen wurde. Er führte dort, so heißt es, die Reiskultur ein und begründete Schulen, durch die die chinesische Bildung ins Volk getragen wurde. Von ihm stammt auch die administrative Einteilung des Landes in Bezirke und Kreise. Ebenfalls auf seine Wirksamkeit ist die bis heute bestehende große Mohammedanergruppe in Yünnan zurückzuführen.

Hauptbeschäftigung der Mohammedaner aber blieb der Handel; einige von ihnen müssen Reichtümer von phantastischen Ausmaßen angesammelt haben. Von einem heißt es, daß allein die Edelsteine in seinem Besitz ein Gewicht von über 156 Zentnern erreicht hätten. Aber auch in anderer Weise zeichneten sich die Mohammedaner aus, so durch astronomische und pharmakologische Kenntnisse. Ein Angehöriger dieser Religion soll auch den Stadtplan der neuen Hauptstadt *Khanbalik* (Peking) entworfen haben.

Trotzdem blieb der Widerhall, den der Islam in der chinesischen Bevölkerung fand, auch jetzt wieder gering. Seine Ausbreitung geschah fast ausschließlich durch Adoption von Waisenkindern und durch Heiraten.[43]

Über das erste Auftreten des Christentums in Form des Nestorianismus habe ich oben (s. S. 255–257) kurz berichtet. Auch unter den Yüan waren seine Bekenner wieder recht häufig in China anzutreffen. Zu den Mohammedanern allerdings verhielten sie sich etwa wie eins zu vier. Ihre Gesamtzahl wird auf ungefähr 30 000 geschätzt. Sie wurden repräsentiert durch einen Metropoliten in Peking. Es waren fast ausschließlich Nicht-Chinesen. Von dem Katholiken Wilhelm von Rubruck wird die Moral der Nestorianer recht niedrig eingeschätzt. Er schildert sie als Wucherer, Trinker und Anhänger der Vielweiberei.[44] Anderseits aber scheinen auch die Nestorianer den Katholiken nicht gerade mit christlicher Nächstenliebe entgegengekommen zu sein. Es heißt, daß sie deren Missionare aufs Übelste verleumdeten, verfolgten und aus China zu verdrängen versuchten.[45]

Die Katholiken traten jetzt zum erstenmal in China auf. Im Jahre 1294 kam der Franziskaner Johannes von Montecorvino als Abgesandter des Papstes nach Peking. Dies geschah wahrscheinlich im Rahmen des Bestrebens, die unaufhaltsam vordringenden Mongolen kennenzulernen und herauszufinden, ob sie sich für das Christentum gewinnen lassen könnten. Die Wirksamkeit des Franziskaners scheint auch Erfolge gezeitigt zu haben. Er selbst berichtet,

---

43 *Pé Cheou-i*, in: Bulletin de l'Université l'Aurore, 1947, III, Tome 8, Nr. 3, S. 398 bis 403.
44 *Latourette* (1929, Neudruck 1966), S. 65.
45 *Moule* (1930), S. 172/73, 184 und 205.

daß bis zum Jahre 1300 eine Kirche errichtet wurde und in den folgenden Jahren einige tausend Personen, meistens allerdings Kinder, die Taufe erhielten. Etwa um 1307 ernannte ihn der Papst zum Erzbischof von Khanbalik. Mehrfach wurden weitere Missionare in den Fernen Osten entsandt. Und so entstanden auch in einigen Städten an der Südostküste kleine katholische Gemeinden.

Aber mit dem Fall der Mongolendynastie verschwand auch das Christentum wieder aus China.[46]

7. Revolutionäre religiöse Richtungen

Es ist eine Eigentümlichkeit der chinesischen Gesellschaft, daß sich die soziale und politische Opposition der unteren Schichten vornehmlich im Ent- und Bestehen von Geheimbünden äußerte. Es ist ferner charakteristisch für die starke Religiosität in diesen Kreisen, daß fast allen diesen Gesellschaften religiöse Vorstellungen zugrunde lagen, d. h. daß ihnen viel daran gelegen war, von übermenschlichen Mächten gebilligt zu werden.

Vorausgehend habe ich einige dieser Vereinigungen, denen man vielleicht die Eigenschaft „geheim" zunächst nur mit Vorbehalt zubilligen kann, zu beschreiben versucht (z. B. o. S. 142). Jede Regierung mußte mit dem Aufkommen solcher Gesellschaften in den Winkeln des Reiches rechnen, es gehörte deshalb mit zu den Aufgaben der Behörde, die religiösen Bewegungen in ihrem Amtsbereich genauestens zu beobachten. Die im allgemeinen weitgehende Toleranz fand eine Grenze, wenn es um das Staatsinteresse ging.

Das Mißtrauen der Yüan-Regierung richtete sich gegen die beiden Gesellschaften oder Sekten, die sich bereits zur Sung-Zeit unangenehm bemerkbar gemacht hatten, die Weiß-Wolken-Vereinigung und die Weiß-Lotos-Gesellschaft.

Von beiden heißt es recht vage, sie unterhielten Verbindungen zu staatsfeindlichen Elementen.[47] Etwas Genaueres erfahren wir über die letztere. Sie war offenbar die Quelle von Gerüchten, nach denen die Ankunft des Maitreya, des buddhistischen Messias, und damit einer neuen, besseren Zeit unmittelbar bevorstand. Bezeichnend ist außerdem, daß einer ihrer Anführer für einen Nachkommen des Sung-Kaisers Hui-tsung gehalten wurde, was ihn natürlich im Unterschied von den mongolischen Eroberern als den eigentlichen, legalen Beherrscher Chinas auswies.[48] Es ist interessant, hierbei festzustellen, daß sich der Kaiser Hui-tsung trotz seiner schlechten Regierung, vielleicht wegen seiner

46 *Latourette*, aaO, S. 77.
47 Yüan-shih, Kap. 202.
48 *de Groot* (1901, Neudruck 1963), S. 164/65.

romantischen religiösen Neigungen und seines traurigen Schicksals, in Volkskreisen einer gewissen Beliebtheit erfreute.

Im allgemeinen aber genügte es wohl bereits, daß eine religiöse Gruppe es unterließ, für Bestehen und Gedeihen der herrschenden Dynastie zu beten, um sie verdächtig zu machen.

Die erste Maßnahme der Yüan-Regierung richtete sich im Jahre 1306 gegen die Weiß-Wolken-Sekte, die in der Gegend südlich des Yangtse beheimatet war. Man nahm ihr die offiziellen Funktionäre, die also neben ihrer kirchenamtlichen Stellung zugleich die Repräsentanten der amtlichen Zulassung der von ihnen vertretenen Religion waren. „Ihre Anhänger wurden gezwungen, in ihre Heimatorte (wo sie registriert waren) und die Mönche (die unter ihnen als Priester fungierten) in ihre Klöster zurückzukehren." [49]

Daraus geht hervor, daß es sich um eine Gesellschaft von Sektierern handelte, die ähnlich wie die Gelbturbane ihre Wohnsitze verließen, um irgendwo in einem Gelände, wo sie unbehelligt blieben, zu siedeln. Damit aber gerieten sie natürlich in den Verdacht, sich der amtlichen Kontrolle entziehen zu wollen.

Im Jahre 1309 wurde auch die Weiß-Lotos-Sekte verboten, ihre Kultstätten zerstört und die Anhänger wieder auf die Bevölkerungskontrollisten gesetzt [50], was sie wahrscheinlich zu vermeiden versucht hatten.

Das alles scheint jedoch zunächst nicht allzuviel genützt zu haben; denn in den Jahren 1319 und 1320 werden weitere Maßnahmen gegen die Weiß-Wolken-Vereinigung ergriffen. Wir erfahren dabei, wessen man das Oberhaupt dieser Sekte beschuldigte. Er hätte (nach buddhistischer Art) seine Familie verlassen und kümmerte sich nicht um seine Eltern, ließ aber sein Haar lang wachsen und leistete keinen Pflichtdienst. Von der Regierung hatte er als Bestätigung seiner religiösen Berufung Brief und Siegel erhalten, was beides ihm nun wieder abgenommen wurde. Ebenso kassierte man alle von ihm eingesetzten Unterorgane seiner religiösen Organisation. Das Agrarland, das er gemeinsam mit seinen Anhängern bestellte, ließ man an die Bevölkerung verteilen. [51]

Wahrscheinlich wurden, vielleicht auf Betreiben der Lamaisten, um 1311 restringierende Bestimmungen gegen alle übrigen religiösen Gruppen erlassen. Mit Mißtrauen wurden bereits auch solche Priester angesehen, die ihren religiösen Pflichten mit außergewöhnlichem Eifer nachgingen. Das waren insbesondere die sogenannten *Dhūtas* („die Gereinigten"), die die zwölf Vorschriften betreffend Armut, Kasteiung und Weltabkehr genauestens befolgten. [52]

---

49 Taishō, 49, S. 435.
50 Taishō, 49, S. 435.
51 Taishō, 49, S. 436, und *P. Pelliot* in BEFEO, III (1903), S. 316.
52 So wenigstens entnehme ich den Ausführungen von *P. Pelliot*, aaO, S. 315/16.

7. Revolutionäre religiöse Richtungen

Die bedrohten Religionsgemeinschaften gingen, wie nicht anders zu erwarten, in den Untergrund. Und erst während der Endkämpfe um das Bestehen der Dynastie kam die Weiß-Lotos-Sekte wieder an die Oberfläche. Doch stellte sie jetzt das Produkt einer Verschmelzung mit den restlichen Manichäern und den Weiß-Wolken-Anhängern dar. Ihre Symbolik war dabei von der Farbe Weiß (in China Farbe des Westens) auf die Farbe Rot (Farbe des Südens) umgestellt worden. Die Aktivität der Weiß-Lotos-Rebellen wird in wohl allen Werken über die Geschichte Chinas erwähnt.[53]

53 Z. B. *Eberhard* (1960), S. 239, oder *Lü Chên-yü* (1955), S. 508 ff.

VIII. DIE RELIGION UNTER DEN DYNASTIEN MING UND CH'ING

A. Die Ming-Dynastie (1368–1644)

Chu Yüan-chang, der Begründer der Ming-Dynastie, stammte ebenso wie der erste Kaiser der Han-Dynastie aus unteren Volkskreisen. Er war der jüngste von vier Söhnen eines Kleinbauern, der zur Zeit seiner Geburt im Jahre 1328 bei der heutigen Stadt Fêng-yang in Anhui ansässig war. Eine Anhäufung rotfarbiger Vorzeichen zeigte damals an, daß das Element Feuer in Bewegung war und eine Änderung des „himmlischen Auftrags" bevorstand.[1]

Nachdem er seine Eltern und Brüder durch eine Epidemie verloren hatte, trat er aus Not als Novize in ein Buddhistenkloster ein, verließ es aber bald wieder, da man ihn dort auch nicht ernähren konnte.

Diese frühe Berührung mit dem Buddhismus hinderte ihn jedoch nicht, nach Beendigung der Kämpfe und seiner Thronbesteigung im Jahre 1368 die Zahl der Mönche und das Kircheneigentum drastisch zu reduzieren.

Von den Mongolen übernahm Chu Yüan-chang die Idee der absoluten Monarchie. Kennzeichnend für seine Einstellung war, daß er zunächst *Mêng-tzû,* den an zweiter Stelle wichtigen Vertreter des Konfuzianismus, vom offiziellen Trankopfer für Konfuzius, dessen Schüler und Nachfolger ausschloß. Es soll dies wegen der demokratischen Stellen in dem nach ihm benannten Werk geschehen sein. Man sagt sogar, daß er die Tafel des Mêng-tzû aus den Konfuziustempeln entfernen ließ[2] und dazu bemerkt habe, daß dessen Lehre das „Gerede eines kleinlichen Opponenten sei". Allerdings scheint dies nur von kurzer Dauer gewesen zu sein, denn im Jahre 1372 wurden die Opfer für Mêng-tzû bereits wieder aufgenommen. Der Kaiser begründete diese neuerliche Änderung damit, daß jener mit besonderem Eifer gegen unkonfuzianische Häresien aufgetreten sei.[3]

Aber auch für die Konfuzianer überhaupt scheint Chu Yüan-chang zunächst nicht sehr eingenommen gewesen zu sein. Denn als er im Jahre 1356 den Konfuziustempel in Chên-chiang-fu (am Yangtse) besuchte, schickte er die dort versammelten Gelehrten kurzerhand in die Landbezirke, um die Bevölkerung

---

1 *Ku Ying-t'ai* (1936), I, S. 74.
2 *Watters* (1879), S. 10.
3 *Ku Ying-t'ai* (1936), I, Kap. 14, S. 76.

zur Erhöhung der Produktion anzutreiben. Bald aber zeigte es sich, von wie großem Nutzen diese Leute schon wegen ihrer erbitterten Gegnerschaft gegen die Mongolen und als Ratgeber für seine Reichseinigungspläne sein konnten. Noch im Jahre vor seiner Dynastiegründung verlieh er deshalb dem Nachkommen des Konfuzius in der 56. Generation den Titel *Yen-shêng-kung* („Prinz der überströmenden Heiligkeit") und sprach von Konfuzius selbst als dem „Lehrer für zehntausend Generationen".[4]

1. Der Staatskult

Chu Yüan-chang scheint in erster Linie vom Ritualismus beeindruckt worden zu sein. Noch aus der Zeit vor seiner Thronbesteigung wird ein Wort von ihm berichtet: „Wenn man ein Reich begründet, dann berichtige man zunächst die Regierungsprinzipien, aber noch vor den Regierungsprinzipien das Ritual *(Li)*. Wir wollen es uns jetzt als Warnung dienen lassen, daß bei den Yüan der Herr unzivilisiert ist und die Diener despotisch sind."[5] Das Ritual war ihm also Ausdruck der korrekten Einstellung der Regierung. Schon im Jahre 1367 begann er deshalb mit der Ausübung der wichtigsten Staatskulte. Er ließ am Südhang des Chung-Berges bei Nanking einen Rundhügel einrichten und vollzog dort am Tag der Wintersonnenwende das Opfer an *Hao-t'ien shang-ti* und auf einem Viereckshügel zur Sommersonnenwende das Opfer an *Huang-t'u ti-ch'i* („Erhabene Erdgottheit"). Zugleich richtete er einen kaiserlichen Erdgottaltar und einen Ahnentempel ein.

Diese von dem zur T'ang- und Sung-Zeit üblichen Kombinationsopfer an Himmel und Erde abweichenden Rituale, Shang-ti-Opfer im Winter und Erdgottheitopfer im Sommer, wurden bis zum Jahre 1379 beibehalten. Dann erst trat das übliche Nan-chiao-Opfer an deren Stelle[6], weil eine Reihe von Naturkatastrophen zeigte, daß die Opfer in dieser von der Tradition abweichenden Form keine Wirkung hatten. Doch scheint man später nach 1530 diese getrennten Opfer an Himmel und Erde wieder aufgenommen zu haben.

a. Neuorientierungen im Staatskult

Auch sonst zeigte der Staatskult der Ming einige bemerkenswerte Neuerungen. Eine Reihe von Gottheiten, die man unter den vorausgehenden Dynastien amtlich verehrt hatte, wurde abgeschafft. Nach der vom ersten Ming-Kaiser gebilligten Kultreform kamen folgende Götter in Fortfall: der *T'ien-huang* („Himmelserhabene"), der *T'ai-i* („Größsteine"), die Sechs-Himmel und die Fünf Gottkaiser. Hinsichtlich dieser beiden letzteren kamen jetzt wie-

---

4 AaO, I, Kap. 2, S. 10; Kap. 14, S. 63 und 65.
5 AaO, I, Kap. 2, S. 63.
6 Ming hui-yao, S. 93.

der Ansichten zum Durchbruch, die ich oben (s. S. 166) kurz behandelt habe. Aufgehoben wurden ebenfalls die an die Gottheiten der heiligen Berge und Gewässer sowie die Götter der Stadtmauern verliehenen Ehrentitel. Sie wurden wieder mit ihren „ursprünglichen Namen" angeredet.

Es heißt dazu, daß man damit die vulgären Gebräuche, die seit der Han- und T'ang-Dynastie aufgekommen seien, wieder beseitigt habe. Ein kurzer Rückblick auf die Geschichte und das Wesen der genannten Gottheiten legt aber die Vermutung nahe, daß es sich dabei um eine Ausmerzung oder zumindest um die Zurückdrängung der taoistischen Komponenten in der Staatsreligion handelt.

Dies bedeutete nun auch das Ende der *Kan-shêng-ti*-Verehrung. Dieser war ja jeweils einer der Fünf Gottkaiser der Agenzien. Man scheint überhaupt diese Idee der Aufeinanderfolge der Agenzien in Verbindung mit den wechselnden Dynastien aufgegeben zu haben; denn ich kann in den von mir eingesehenen Quellen (allerdings abgesehen vom taoistischen *Chi-shih t'ung-chien, Ming-chi*) keinen direkten Hinweis darauf finden, daß die Ming im Zeichen des Agens Feuer regiert hätten. Wohl aber hatten sie Rot als offizielle Farbe.

Nicht genau auszumachen ist, wen man unter diesem *T'ien-huang* verstehen soll. Einmal könnte der neue taoistische Obergott der Sung, der *Yü-huang* („Jadekaiser"), damit gemeint sein. Anderseits wäre aber auch im Auge zu behalten, daß der Obergott der Yüan den ebenfalls sehr taoistisch anmutenden Titel *T'ien-huang ta-ti* trug und der Gott des Polarsterns war (vgl. o. S. 315). Der T'ien-huang war außerdem einer der taoistischen *San-huang* („Drei Erhabenen", s. o. S. 98), die jetzt mit vier anderen Göttern zusammen im Medizin- und Heilwesen eine große Rolle gespielt zu haben scheinen. Im Jahre 1371 äußerte der Kaiser, die Opfer für diese San-huang in allen Kreisen und Bezirken des Reiches seien eigentlich überflüssig. Die mit der Untersuchung der Angelegenheit beauftragten Ritualisten kamen zu dem Schluß, daß der Kult dieser San-huang unter dem taoistischen T'ang-Kaiser Hsüan-tsung begonnen habe und von den Yüan in allen Bezirken angeordnet worden sei. Sowohl im Frühling als auch im Herbst würden ihnen Opfer gebracht. Dabei stünden in ihren Tempeln die Tafeln der Medizingötter. Das sei im höchsten Maß ein Verstoß gegen Li (Rite). Der Kaiser erließ deshalb eine Verordnung, daß „profanierende Opfer" (?) in den Kreisen und Bezirken zu unterlassen seien.

Erst unter dem Kaiser *Chia-ching* wurde im Jahre 1530 wieder ein Opfer für den „Ersten Arzt" eingerichtet und 1542 im kaiserlichen Medizinamt ein Kult für diesen, die San-huang und die mit ihnen vereinigten anderen Medizingötter.

Im Jahre 1570 aber kam die Ansicht auf, daß die San-huang bereits im Tempel für die Kaiser und Könige der Vergangenheit beopfert würden und deshalb die von Chia-ching eingerichteten Kulte wieder abgeschafft werden sollten. Doch scheint sich dieser Vorschlag, der auf einer Verwechslung der taoistischen San-huang mit den konfuzianischen San-huang, den Vorläufern der fünf konfuzianischen Musterkaiser, zu beruhen scheint, nicht durchgesetzt zu haben. Die Opfer für diese letzteren wurden nie unterbrochen.[7]

Ebenfalls bezeichnend ist das Aufhören der *Fêng-shan*-Opfer (s. o. S. 112). Hinsichtlich des *T'ai-shan*-Kultes scheint aus der Ming-Zeit im Tempel am T'ai-shan nur eine einzige Inschrift vom Jahre 1370 zu existieren. In dieser zeigt der erste Kaiser seine Regierungsübernahme sowie seine Reformen betreffs der Rituale an. Auf Grund seiner niederen Abkunft wage er nicht, mit dem hohen Gott des T'ai-shan in Verbindung zu treten.[8] Die lange Linie dieser Feiern, die in der Han-Zeit begann, hat damit ihr Ende gefunden. Chu Yüan-chang setzte sich respektvoll vom großen Gott des T'ai-shan ab.

In Fortfall kam jetzt auch die *Ming-t'ang*. Sie taucht noch einmal auf unter dem Kaiser Chia-ching in einer Diskussion über die Einrichtung einer großen Herbstdarbietung. Bezeichnenderweise wird diesem Kaiser eine starke Neigung zum Taoismus nachgesagt. Anscheinend war er fest entschlossen, die Ming-t'ang-Feier in das Kultritual der Ming-Dynastie einzuführen. Die darüber veranstalteten Beratungen zeigten, daß man die Funktion der Ming-t'ang so verstand, wie sie unter den Sung aufgefaßt wurde. Gegen den Willen der Mehrzahl seiner Berater ließ der Kaiser schließlich eine Halle errichten, in der er im Jahre 1542 in der allgemeinen Aufmachung einer Nan-chiao-Feier eine Großdarbietung an Shang-ti unter Teilnahme seines Vorgängers als Mahlpartner und in dessen Eigenschaft als „gestrenger Vater" abhielt. Mit dem Tode des Kaisers Chia-ching kam dies Ritual jedoch sofort wieder in Fortfall. Man kann wohl in diesem Vorgang wiederum einen Beweis dafür erblicken, daß die Ming-t'ang-Feier von den Ritualisten als im Grunde „unkonfuzianisch" empfunden wurde.[9]

b. Konfuzius-Verehrung

Es wäre demnach möglich anzunehmen, daß in der Ming-Zeit die Staatsreligion ausschließlich eine Angelegenheit der konfuzianischen Ritualkenner wurde, während bis dahin noch religiöse Faktoren anderer Art in ihr Ausdruck gefunden hatten. In einem Gesamturteil über diese Periode lesen wir folgendes: „Hinsichtlich dessen, was am höchsten zu verehren ist, ist nichts größer als Himmel und Erde. Hinsichtlich des Sippenverbandes geht nichts über die beiden Gründerahnen. Und hinsichtlich derer, die für alle Menschen unter dem Himmel eine Lehre aufgestellt haben, ist niemand größer als Konfuzius. Hinsichtlich der Ernährung geht nichts über das auf dem Erdboden wachsende Getreide."[10]

---

7 Ming hui-yao, S. 172/73.
8 *Chavannes* (1910), S. 384–86.

9 Ming hui-yao, S. 110–113.
10 *Ku Ying-t'ai* (1936), III, Kap. 51, S. 82.

Auf kleinstem Raum haben wir hier die Grundideen des Konfuzianismus der Ming-Zeit beisammen, die Verehrung der großen, erhaltenden Mächte des Universums und der Ahnen, die nach uralter chinesischer Ansicht mit ersteren in Verbindung stehen, der heilige Lehrer, dessen Lehre dem Leben des einzelnen und der Gemeinschaft die rechte Form gibt, und schließlich die Sicherung der Versorgung als der materiellen Basis des Ganzen.

Mit Bezug auf den Lehrer fährt der Text, dem das vorausgehende Zitat entnommen ist, fort: „Deshalb opfert man dem Konfuzius und gibt ihm Ehrentitel." Tatsächlich scheint der Konfuziuskult zur Ming-Zeit seine bisher größte Ausbildung erfahren zu haben.

Bereits im Jahre 1369 wurde das Trankopfer *(Shih-tien)*, das man zunächst nur in Ch'ü-fu abhielt, auch auf die Hauptstadt ausgedehnt. In der Landesakademie nahm dabei ein Vertreter der Regierung im Ministerrang das „erste Anbieten" vor, das zweite vollzog ein Gelehrter der kaiserlichen Han-lin-Akademie und das dritte ein „Weinopferer", d. h. ein im Grad dem vorhergehenden folgender Akademiker. Im Jahre 1382 wurden diese Feiern für alle Schulen im Reich angeordnet. Damals wurde auch gerade das Gebäude der Landesakademie fertig, und der Kaiser nahm persönlich an der Einweihungsfeier teil. Im Zeremonialkostüm verneigte er sich zweimal vor Konfuzius, bot ihm darauf den Weinbecher an, verneigte sich wieder zweimal und zog sich dann zum Kleiderwechsel zurück.

In dieser Zeit erschienen mehrere Werke über die Ausgestaltung dieses Kultes, aus denen hervorgeht, daß man einen Unterschied machte zwischen dem „Ersten Heiligen", d. h. Konfuzius, und den „ersten Lehrern", d. h. den Han-Zeit-Spezialisten für die einzelnen Klassiker.[11] Die amtlichen Trankopfer im Frühling und Herbst galten eigentlich nur dem Konfuzius und den ersten Vertretern seiner Lehre in der ausgehenden Chou-Zeit, unter denen der Lieblingsschüler *Yen Hui* wieder eine Sonderstellung einnahm. Für die „ersten Lehrer" wurde ein besonderes Zeremonial, die „Gemüsedarbietung" *(Shih-ts'ai)*, an das Haupttrankopfer angeschlossen. Während letzteres unter Musikbegleitung und Zeremonialtanz vor sich ging, kam solches beim Shih-ts'ai in Fortfall.

Eine umfangreiche Diskussion ging darum, ob Konfuzius und die Konfuzianer seines Kultes durch Standbilder, wie das unter den vorausgehenden Dynastien üblich geworden war, oder durch einfache Namenstafeln repräsentiert werden sollten. Die Entscheidung fiel schließlich zugunsten der letzteren, da die figürliche Darstellung erst mit dem Eindringen des Buddhismus aufgekommen sei.

Nach dem Tode des ersten Kaisers scheint diese Konfuziusbegeisterung merklich nachgelassen zu haben. Und im Zusammenhang mit der Ritenreform

11 Ming hui-yao, S. 174.

des bereits genannten Kaisers Chia-ching von 1530 fand sogar eine Abwertung des Konfuziuskultes statt, indem solche Bezeichnungen wie „König", „Prinz", „Graf" usw. aus den Ehrentiteln der im Ritual Bedachten entfernt wurden. Auch Konfuzius selbst verlor seinen Titel als „Erster Heiliger". Dieser wurde nunmehr dem Chou-kung zugesprochen. Dieser war bekanntlich der jüngere Bruder des Chou-Königs Wu und nach konfuzianischer Ansicht der eigentliche Schöpfer des chinesischen Staatswesens. Vor ihm rangierten jetzt aber noch neun andere „Heilige", darunter *Shên-nung* (der „göttliche Landmann") und *Huang-ti* (der „Gelbkaiser").

c. Erdgottkult

Auch hinsichtlich des Erdgottheitkultes scheint eine ähnliche Umstellung wie für das Nan-chiao-Opfer vor sich gegangen zu sein. Chu Yüan-chang nahm zunächst eine Trennung zwischen Erdgott und Erntegott vor, indem er jedem einen besonderen Altar, allerdings innerhalb einer gemeinsamen Umzäunung, errichten ließ. Im Jahre 1368 wurde das Ritual vom Kaiser persönlich vollzogen. Im selben Jahr erging ein Erlaß, daß überall im Land im Nordwesten der Kreisstadtmauern rechts ein Erdgott- und links ein Erntegottaltar zu erbauen sei. Im Frühling und Herbst sollte auf diesen geopfert werden. Im Jahre 1377 wurde die Trennung in zwei Altäre abgeschafft und gemäß der Opferordnung, wie sie seit der Han- und T'ang-Zeit maßgebend war, nur ein Altar für das *Sheh-chi*(„Boden- und Erntegott")-Opfer errichtet. An Stelle der klassischen Sheh-chi-Repräsentanten, des legendären *Kou-lung (*„Anhakdrachen")* und des *Hou-chi*, des ebenso legendären Urahns der Chou, trat ein Ahn der kaiserlichen Sippe als Teilnehmer. Zugleich wurde dies Ritual jetzt unter die Opfer erster Klasse eingereiht und im folgenden Jahr die Einführung dieser Neuerung im ganzen Reich angeordnet.

Doch scheint diese Reform nicht von allzu langem Bestand gewesen zu sein. Denn schon vom Jahre 1380 wird berichtet, daß man wieder auf zwei Altären in einer Umzäunung geopfert habe. Und 1530 wurden auch die Tafeln des Kou-lung und Hou-chi wieder auf den Altären aufgestellt. Im betreffenden Erlaß an das Ritenministerium heißt es: „Himmel und Erde sind das Verehrungswürdigste, an zweiter Stelle folgen die kaiserlichen Ahnen, an dritter die Erd- und Erntegötter. Daß jetzt der kaiserliche Ahnherr erst dem Himmel und dann auch der Erdgottheit gegenübergestellt wird, ist ein Fehler der Ritualbeamten . . ." [12] Die Gegenüberstellung mit der Erdgottheit war also ein Verstoß gegen die Würde des kaiserlichen Ahnherrn, der eben dem Himmel nahe war.

[12] AaO, S. 117–19.

d. Der Ahnendienst

Dies veranlaßt mich, abweichend von meiner abschließenden Feststellung (s. o. S. 170) eine Bemerkung zum kaiserlichen Ahnendienst der Ming-Dynastie zu machen. Trotz der niederen Abkunft des Chu Yüan-chang bestanden zwar keinerlei Schwierigkeiten, ihm eine entsprechende Ahnenreihe aufzustellen, vielleicht aber wohl einige Bedenken hinsichtlich der Repräsentabilität dieser Ahnen.

Der wichtigste Ahnherr einer Dynastie mußte diese beim Nan-chiao-Opfer dem Himmel gegenüber vertreten. Seine Ahnentafel durfte daher niemals aus den Nischen des aktiven Ahnendienstes entfernt werden, während man die anderen „nach Erlöschen der verwandtschaftlichen Beziehung und Zuneigung" in die hinteren Aufbewahrungsräume ausrangierte. Eine Änderung dieses Repräsentanten war natürlich eine höchst wichtige Angelegenheit des Ritendienstes.

In der Ming-Zeit begann der Ahnendienst damit, daß man zunächst nach dem Muster der Chou-Dynastie für vier Kaiserahnen Tempelhallen errichtete. Diese trugen die Bezeichnungen Tê-tsu („Ahnherr der die Dynastie erhaltenden Tugend"), Hsi-tsu („Ahnherr des Ruhmes") und Jên-tsu („Ahnherr der Menschlichkeit"). Letzterer war der Vater des Chu Yüan-chang und eröffnete eine weitere Ahnenreihe, auf der an zweiter Stelle T'ai-tsu („Größt-Ahnherr")[13], d. h. Chu Yüan-chang nach seiner Überführung in den Ahnentempel, erschien. Auf ihn folgten noch fünf weitere Ahnen, d. h. der dritte[14], vierte, fünfte, sechste und achte Kaiser, die alle den Titel Tsung führten und insgesamt sieben Generationen repräsentierten.

Die Bezeichnung Tsu bedeutet in diesem Zusammenhang Gründerahn und Tsung Fortsetzerahn. Von Konfuzius (im Werk Chia-yü) werden die beiden folgendermaßen beschrieben: „Tsu hat das Verdienst (der erfolgreichen Tat), Tsung hat Tê (die erhaltende Tugend)." (Wir würden in unserem Sinn vielleicht mehr vom Ahnherrn der siegreichen Eroberung und dem der kulturellen Durchdringung sprechen.) Die Ahnen zerfielen also in zwei Gruppen von nicht völlig gleicher Wichtigkeit. Und von der Gruppe der Begründer war natürlich der T'ai-tsu, d. h. der erste Kaiser der Dynastie, für die Repräsentation des Ganzen am wichtigsten. Er war es, der in erster, und sein Nachfolger der T'ai-tsung, der in zweiter Linie im weiteren Verlauf der Dynastie bei den großen Staatskultfeiern den obersten Gottheiten gegenübergestellt wurde.[15]

Während nun die ersten Kaiser der T'ang- und Sung-Dynastie keinerlei Bedenken hatten, ihre Großväter und Väter als Repräsentanten einzusetzen, war dies unter den Ming anscheinend zunächst etwas anders. Von Chu Yüan-

---

13 Die Übersetzungen sind als Behelfswiedergaben anzusehen.
14 Der zweite, der nur etwa vier Jahre regierte, fiel aus Gründen, die hier keine Rolle spielen, aus, ebenso der siebte.
15 Vgl. z. B. Sung hui-yao, II, S. 991.

chang wird berichtet, er habe im Jahr 1368 aus Bescheidenheit, aber vielleicht auch wegen der niederen Abkunft seiner Vorfahren, es nicht zugelassen, daß einer von ihnen dem Himmel als Mahlpartner gegenübergesetzt würde. Zu diesem Entschluß wurde er, wie es heißt, außerdem durch einige ungünstige Vorzeichen bewogen, die sich im vorausgehenden Jahr ereignet hatten.[16] Erst ab 1369 erlaubte er, nachdem er sich, wie es das Bescheidenheitszeremoniell vorschrieb, wiederholt geweigert hatte, daß man seinen Vater (d. h. den Jên-tsung des Ahnentempels) in dieser Funktion verwandte. Und zwar stellte man diesen nicht nur dem Himmel, sondern im Jahre 1370 auch der Erde als Repräsentanten gegenüber. Letzteres wurde, wie wir bemerkt haben, als falsch angesehen.

Sofort nach dem Tod des ersten und dritten Kaisers erscheinen diese als T'ai-tsu und T'ai-tsung bei den großen Opferfeiern als Mahlpartner der Götter. Immerhin müssen wir aber annehmen, daß die allerersten Himmelsopfer der Ming insofern recht irregulär vor sich gingen, als wohl der Kaiser seiner Funktion als „erster Anbieter" nachkam, aber kein kaiserlicher Ahnherr dabei war, der die geladenen Götter zum Zulangen genötigt hätte.

Eine weitere Irregularität entstand daraus, daß man dem dritten Kaiser *Yung-lo*, d. h. dem T'ai-tsung des Ahnentempels, in politischer Hinsicht dasselbe Verdienst beimaß wie seinem Vater, dem ersten Kaiser. Die Folge dessen war, daß beide im Staatskult als gleichstehend auftraten, was sich natürlich mit der Vorrangstellung des Vaters nicht vereinbaren ließ. Dies machte sich besonders bemerkbar, als der Kaiser Chia-ching, wie oben beschrieben, die Ming-t'ang einführen wollte. Zu der entstehenden Diskussion äußerte sich der Kaiser selbst: „Alle Wesen haben ihren Ursprung aus dem Himmel und die Menschen aus dem Tsu-Ahnherrn. Der Himmel ist nur ein Himmel und auch der Tsu-Ahn ist nur einer. Wenn man deshalb das große Dankopfer an den Himmel richtet, dann soll diesem eigentlich nur der Gründerahn (Chu Yüan-chang) gegenübergesetzt werden. Aber könnte Verdienst und Tugend des Wên-huang-ti (d. h. des Kaisers Yung-lo) nicht auch dem Himmel gleichkommen? Die Dynastiegründung ist allerdings nur durch den Gründerahn erfolgt. Was aber das Königtum der Chou betrifft, so ist es doch tatsächlich erst von Wu-wang (dem „Kriegskönig") vollendet worden. Trotzdem aber stellten die Chou ihren Urahn Hou-chi (s. o. S. 31) dem Himmel und ihren Wên-wang („Kulturkönig", Vorgänger des Wu-wang) dem Shang-ti gegenüber. Damals wußte man nämlich noch nichts von einem Streit um ‚Verdienst' und ‚Tugend' (Tê)." Tatsächlich wurde erst unter dem folgenden Kaiser infolge des endgültigen Fallenlassens der Ming-t'ang-Feier die Repräsentation auf den T'ai-tsu beschränkt.[17]

In der Ahnentafel des T'ai-tsu war damit die gesamte religiöse Kraft des

16 Ming hui-yao, S. 103.
17 AaO, S. 104–106.

Reichsvolkes konzentriert und wenn diese auf der obersten Plattform des „Rundhügels" neben der des Hao-t'ien shang-ti, dem Repräsentanten der Himmelsbewohner, stand, dann war dies das wichtigste Ereignis im kulturellen und geistig-religiösen Leben der Dynastie, von dessen korrektem Verlauf ihr künftiges Schicksal weitgehend abhing. Die Tafel des Himmelsherrn stand dabei im Norden mit dem Antlitz, d. h. der Frontseite, nach Süden gewandt, wie es der obersten Autorität des Universums zukam, die Tafel des T'ai-tsu im Osten mit dem Antlitz nach Westen, was der herkömmlichen Haltung des Hausherrn und Gastgebers entsprach.

e. Staatskult im Jahreslauf

Die großen Staatskulthandlungen sind es, die die Akzente im Verlauf der Dynastie, besonders aber auch im Ablauf des Jahres setzten. Da ich bisher unterlassen habe, letzteres im einzelnen auszuführen, möchte ich hier in Kürze die zeitliche Verteilung dieser Rituale aufzählen.

Im ersten Monat des Jahres nahm der Kaiser teil an der „Fürbitte um gute Ernte" *(Ch'i-ku)*. Er vollzog die Frühjahrsdarbietung *(Hsiang')* im Ahnentempel und ließ den Türgeistern *(Ssû-hu)* des Palastes opfern.

Im zweiten Monat fanden statt: Opfer für den Jahresstern *(Jupiter)*, für den „Mond im Aufstieg" *(Hsüeh-chiang)*, die Geister der Winde, der Wolken, des Donners und des Regens; am Frühlingsäquinoktium für die Morgensonne auf dem Ostaußenopferplatz; Opfer für den großen Erdgott und den großen Erntegott und am darauffolgenden Tag für den kaiserlichen Erdgott und den kaiserlichen Erntegott, für Konfuzius und die Kaiser und Könige der Vergangenheit, den „ersten Landmann" und den „Geist des (ersten) Marschalks(?)".

Im dritten Monat: Am *Ch'ing-ming*-Gräberfest Opfer in der „Halle der Ehrung der Vorfahren"; Opfer für die Schutzgeister der heiligen Berge und Gewässer; Opfer für die unversorgten Seelen alter Herrscher *(T'ai-li)*.

Im vierten Monat: Sommerdarbietung im Ahnentempel, großes Regenbittopfer, Herdgottopfer.

Im fünften Monat: Großes Opfer für den Erdgott auf dem Viereckshügel nach vorausgehender Ankündigung im Ahnentempel.

Im sechsten Monat: Sommeropfer für das Impluvium.

Im siebten Monat: Herbstdarbietung im Ahnentempel, Opfer für die Torgeister des Palastgeländes.

Im achten Monat: Herbstäquinoktialopfer für den Abendmond *(Hsi-yüeh)* auf dem Westaußenopferplatz; Opfer für den großen Erdgott und großen Erntegott und am folgenden Tag für den kaiserlichen Erdgott und den kaiserlichen Erntegott, für die Fahnen und Banner, für den Gott der Stadtmauer, für die Himmels- und Erdgeister auf den Altären für die Berge und Gewässer, für den Jupiter, für den „Mond im Aufstieg", für die Geister der

Winde, der Wolken, des Donners und des Regens, für die *Ling-shên* („guten Geister"?).

Im neunten Monat: Große Herbstspeisung der Ahnen; beim ersten Frost Opfer für die Schutzgeister der heiligen Berge und Gewässer; Opfer für die Fahnen und Banner auf den Übungsplätzen.

Im zehnten Monat: Winterdarbietung im Ahnentempel; Opfer für die unversorgten Seelen aller Herrscher; Opfer für die Brunnengeister.

Im elften Monat: Großes Opfer für *Hao-t'ien shang-ti* auf dem Rundhügel nach vorheriger Ankündigung im Ahnentempel.

Im zwölften Monat: Winterenddarbietung im Ahnentempel; das alle drei Jahre stattfindende *Hsia*-Ahnenopfer; Opfer für die Fahnen und Banner vor einem der Stadttore.[18]

Das etwa war der religiöse Arbeitsplan des Kaisers. Manche dieser Kulthandlungen wie die großen Opfer an Himmel und Erde sowie die Rituale im Ahnentempel hatte er persönlich zu vollziehen, bei anderen war er nur zugegen, und von den weniger wichtigen ließ er sich Bericht erstatten.

2. Kaiser Chia-ching (1522–1566)

Unter dem Kaiser *Chia-ching* fand eine umfassende Überholung des Staatskultwesens statt, die da und dort in meiner vorausgehenden Darstellung an den passenden Stellen bereits berücksichtigt wurde.

Die vorgenommenen Änderungen betrafen, wie ebenfalls schon angedeutet, auch die Ordnung des Ahnendienstes. So scheint erst jetzt unter dem 12. Kaiser der Ming-Dynastie der eigentliche Gründer- und Repräsentationsahn, *Chu Yüan-chang*, an die erste Stelle des Ahnendienstes gerückt worden zu sein, während bis dahin diese vom *Tê-tsu* („Ahn der erhaltenden Tugend"), d. h. dem Urgroßvater des Dynastiegründers, eingenommen wurde. Diesen überführte man nunmehr in den „Tempel der Ausrangierten" *(T'iao-miao)*, wo sich seit 1487 bereits zwei andere Ahnen der Tsu-Gruppe befanden. Die Tafel des T'ai-tsu aber wurde in einem Raum in der Mitte des inneren Tempels für dauernd untergebracht. Vom *T'ai-tsung*, der ebenfalls nicht entfernt werden durfte, an abwärts unterlagen alle Ahnen der Ausrangierung.

Außerdem wurde der Gesamtahnentempel von sieben auf neun Tempelhallen erweitert, was einen Umbau der ganzen Anlage zur Folge hatte. Äußerlicher Anlaß dazu scheint eine große Brandkatastrophe im Ahnentempel der alten Hauptstadt Nanking gewesen zu sein, was den Wunsch aufkommen ließ, den gesamten Ahnendienst in den neu ausgebauten Tempelanlagen von Peking zusammenzufassen. Im Jahre 1536 war der neue Tempel fertig. Die

18 AaO, S. 80–82.

Tafeln der ältesten vier Mitglieder der *Tsu*-Gruppe, von mir im vorhergehenden aufgeführt, wurden im *T'iao-miao* deponiert. Die Tafel des *T'ai-tsu*
stand in einem Hauptraum für sich, die Tafeln der *Tsung*-Gruppe in einer
großen Halle mit Nischen. Im Jahre 1538 wurde der dritte Kaiser als *Ch'êng-
tsu* („Vollenderahn") aus der Tsung-Gruppe in die Tsu-Gruppe überführt,
an der Stellung seiner Ahnentafel aber anscheinend nichts geändert. Im Jahre
1545 war die Neuordnung beendet. In großen Zügen war sie etwa so: Der
T'ai-tsu als Zentrum des gesamten Ahnendienstes hatte die Mitte inne, links
von ihm, d. h. im Osten auf der Väterreihe *(Chao)*, standen vier und rechts
von ihm, d. h. im Westen auf der Sohnreihe *(Mu)*, ebenfalls vier Ahnentafeln – zusammen also neun. Hinter dem Saal des T'ai-tsu war dann der
„Tempel der Ausrangierten" mit vier Tsu-Ahnen.[19] Diese Ordnung blieb
wohl bis zum Ende der Dynastie bestehen.

Ebenso wie der Sung-Kaiser Hui-tsung hatte Chia-ching einen Zug ins
Künstlerische, besonders zur Poesie. Dieses sein Interesse für Religion und
seine schlechte Gesundheit waren die Gründe dafür, daß es unter seiner Regierung den Taoisten gelang, am Hof Fuß zu fassen und Einfluß zu gewinnen.
Ein weiterer Faktor war auch wieder die Sorge um kaiserlichen Nachwuchs.
Dabei hatten sich nämlich Gebete an die taoistischen Gottheiten als wirksam
erwiesen.

Zunächst aber scheint der Kaiser Gefallen gefunden zu haben an den großen
taoistischen Sternmessen *(Chiao)*, die sich über mehrere Tage und Nächte hinzogen und höchst eindrucksvoll gewesen sein müssen. Seit 1523 wurden sie
bei Hof eingeführt. Später kam dazu die „Fastenfeier der goldenen Amulettzeichen" *(Chin-lu-chai*, s. o. S. 229), die anscheinend vom „Himmelslehrer"
(T'ien-shih) Chang Yen-yü, der damals allerdings nur den amtlichen Titel
„Großwahrhaftmensch" *(Ta-chên-jen)* führte, persönlich zelebriert wurde. Er
wurde mit Ehrentiteln und Geschenken ausgezeichnet wieder in seine Heimat
entlassen. Der Kaiser bewahrte ihm seine Gunst auch dann, als das Haus
des T'ien-shih abbrannte und die konfuzianische Beamtenschaft, darin einen
Beweis für seine mangelnde magische Wirksamkeit erblickend, ihn zur Rechenschaft ziehen wollte.[20]

Wieder einmal waren es auch die Eunuchen, die den Kaiser in seinen Neigungen bestärkten und die Verbindung zu den Taoisten im Volk herstellten,
während die konfuzianischen Beamten dagegen ihre Bedenken und Mahnun-
gen vorbrachten.

Im Jahre 1536 trat der neue taoistische Günstling des Kaisers zum erstenmal
beim Südaußenopfer (Nan-chiao) in Erscheinung. Er vollzog ein „Anbieten"
auf dem Seitenaltar für die Geister der Winde, der Wolken, des Donners

19 AaO, S. 133.
20 *Ku Ying-t'ai* (1936), III, Kap. 52, S. 3.

und des Regens. Wir wissen, daß diese Geister in enger Beziehung zu denen
der Berge und Gewässer im Reich standen, die, wie wir im vorausgehenden
Abschnitt über den Staatskult gesehen haben, auch eine Abwertung und Reduzierung erfahren hatten. Unter dem neuerlichen Einfluß der Taoisten
änderte sich dies insofern, als im Jahre 1529 der Kaiser persönlich ein Opfer
an sie vollzog und diesen Kult unter die Opfer der Mittelklasse einreihen
ließ. Ab 1532 wurden amtlicherseits regelmäßige Gebete an diese Geister, die
„Glücksomina schickten und magische Kräfte hatten", eingerichtet.[21]

Im selben Jahr wurde die Buddhaverehrung im Palast eingestellt; die
buddhistischen Reliquien wurden aus ihm entfernt und vernichtet. Die alte
Rivalität der beiden Kirchen kommt also auch jetzt wieder zum Ausbruch.

Mit der zunehmenden Verschlechterung seiner Gesundheit scheint sich der
Kaiser besonders den Lebensverlängerungspraktiken der Taoisten zugewandt
zu haben. Im Jahre 1561 ließ er alle Werke mit geheimen Rezepten und heilkräftigen Amulettzeichen sammeln. Obgleich eine ganze Reihe seiner taoistischen Heilkünstler als Schwindler entlarvt wurde, blieb er jedoch bei seinem
Glauben an die makrobiotischen Praktiken. Erst im allerletzten Jahr seines
Lebens scheint er anderer Meinung geworden zu sein, wie aus einem Dokument hervorgeht, das allerdings erst nach seinem Tod bekanntgegeben
wurde.[22]

3. Taoismus und Buddhismus

Auf die Bevorzugung des Konfuzianismus durch den ersten Ming-Kaiser
habe ich am Anfang dieses Kapitels hingewiesen und auch angedeutet, daß
damit eine Reduzierung des Taoismus und Buddhismus Hand in Hand ging.

Schon im Jahre 1373, also fünf Jahre nach Errichtung seiner Dynastie, erließ *Chu Yüan-chang* einen Befehl, daß in jedem Kreis oder Militärbezirk nur
je ein taoistisches und buddhistisches Kloster bestehen dürfe, in dem alle
Mönche der betreffenden Kirche untergebracht werden sollten. Zugleich wurde
für das Alter der Frauen, die Nonnen werden wollten, eine untere Alters-
grenze von 40 Jahren festgesetzt.

Dies und die Einführung verschärfter Examinationen sowie das strikte Verbot von Privatordinationen diente natürlich dazu, die während der Kämpfe
in die Klöster geflüchteten Elemente aus diesen wieder zu entfernen. Darüber
hinaus aber bedeutete es, daß der Staat den Kirchen gegenüber die Zügel
wieder fest in die Hand nahm.

---

21 Ming hui-yao, S. 121–22.
22 *de Mailla* (1778), Bd. X, S. 331.

a. Antitaoistische Tendenzen

Besonders die antitaoistische Stimmung ist an manchen Anzeichen deutlich zu erkennen. So wurde ein Mann, der anscheinend die sungzeitliche Modeströmung der Himmelsbriefe wieder ins Leben rufen wollte, als er das erste Erzeugnis dieser Art einreichte, einfach hingerichtet.[23]

Ebenso bezeichnend ist das Ergebnis einer Beratung im Ritenministerium, das im Jahre 1488 dem damaligen Kaiser vorgelegt wurde. Darin heißt es, es sei nicht korrekt, für Buddha und Lao-tzû große Fastenfeiern und Messen abzuhalten und Beamte hinzuschicken, die dann darüber Bericht erstatteten. Nach dem Ritus (Li) der alten Zeit habe man bei Katastrophen und Epidemien auf der Erde den Göttern der Berge und Gewässer und bei Katastrophen, die aus dem irregulären Gang der Jahreszeiten entstanden, Sonne, Mond und den Sternen geopfert. Jetzt würden diese Mächte durch einen taoistischen Gott in der „purpurnen Feinheit des Nordpols" repräsentiert. Diesen stelle man als menschliche Figur dar und tituliere ihn „Kaiser", was sehr irregulär sei. Außerdem würden die Götter der Wolken, Winde, des Donners und Regens im Jahre überflüssigerweise zweimal beopfert. Auf Veranlassung der Taoisten gäbe es jetzt sogar einen speziellen Donnergott. Das aber sei einfach barbarisch.

Des weiteren richtete sich das Memorandum gegen eine Anzahl von Lokalheroen und Genien, deren Kulte wegen ihrer Verbreitung im Volk eine gewisse staatliche Anerkennung gefunden hatten und deshalb unangebrachte Kosten verursachten. Erwähnt wird dabei ein sonst recht unbekannter General der Chinn-Dynastie, der in Szechuan eine große Rolle spielte und dessen Verehrung während der T'ang-Zeit in Mode gekommen war. Zum Schluß weisen die Verfasser darauf hin, daß der „Stadtmauergott" keineswegs ein „Menschengeist" sei und man deshalb nicht am 11. Tag des 5. Monats seinen Geburtstag zu feiern brauche. „Weil diese Kulte schon recht alt waren, folgte der Kaiser nicht in allen Punkten den Vorschlägen."[24]

Wie man sieht, handelt es sich hier um eine konsequente Weiterführung der im Abschnitt über den Staatskult erwähnten Reform. Die Ritualisten waren auch weiterhin bemüht, die von den Taoisten geduldete und geförderte Popularreligion nicht in die von der Regierung unterstützte Kultsphäre eindringen zu lassen. Anderseits aber erhält man auch wieder den Eindruck, daß manche der Kaiser jedem Seitenkanal, der eine erfolgversprechende Verbindung zu den die Ernte und das Schicksal bestimmenden Mächten herzustellen versprach, und der (von den Kirchen dirigierten) religiösen Volksstimmung Beachtung schenkten. So findet sich in einem kaiserlichen Edikt gerade mit Hinblick auf den Taoismus und im Gegensatz zu dem eben Vorgebrachten folgende Formulierung: „... oben erflehen sie (die Taoisten) den Segen der

23 *Ku Ying-t'ai* (1936), I, Kap. 14, S. 76/77.
24 Ming hui-yao, S. 180/81.

Götter für das Land, unten beten sie mit dem Volk um glückliches Gedeihen. Man muß sie respektvoll in Schutz nehmen und darf nicht dulden, daß Gammler sie zu ihrem privaten Amüsement benutzen oder durch Spott blasphemieren . . .".[25]

Die Gelehrten im Ritenministerium jedoch wachten darüber, daß nicht wieder solche Zustände einrissen, wie wir sie zuletzt unter den Sung-Kaisern Chên-tsung und Hui-tsung kennengelernt haben.

Genau gesprochen haben wir also zwei religiöse Schichten vor uns, eine obere, die von studierten, hochspezialisierten konfuzianischen Sachkennern „wissenschaftlich" (und wirtschaftlich) überwacht wurde und in der der Kaiser seine Rolle als Mittler zwischen der Welt der Menschen und der Welt der Götter zu spielen hatte, und eine andere, ein weites Meer plötzlich entstehender, aufblühender und wieder verschwindender Kulte und Kleinreligionen, in dem nur gewisse Grundzüge des Taoismus und Buddhismus, die dem Volk verständlich waren oder seinen Emotionen entgegenkamen, als durchgehende Linien erkennbar sind. Die Grenzen der beiden Sphären, die manchmal etwas fließend waren, wurden jetzt schärfer gezogen. Dies zeigte sich zum Beispiel unzweideutig in einer Verordnung vom Jahre 1438, durch die verboten wurde, daß man dem Konfuzius in taoistischen und buddhistischen Tempeln Opfer brachte.[26]

b. Religiöse Änderungen durch Sippenwesen

Aber auch die allgemeine soziale Atmosphäre war einer Weiterentwicklung des Taoismus und Buddhismus, wie wir sie unter den vorausgehenden Dynastien feststellen konnten, nicht günstig. Nachdem die aristokratischen Sippen am Ende der T'ang-Zeit in Verfall geraten waren, kamen während der Sung-Zeit neue Sippen auf, die nunmehr unter den Ming ihre volle Ausbildung erreichten. Sie bildeten gewissermaßen kleine Staaten im Staat oft auf einer materiellen Grundlage, die sich etwa unserem Fideikommiß vergleichen ließe, wahrscheinlich aber ihr Vorbild in der buddhistischen Klostergemeinschaft hatte. Manche dieser Sippen unterhielten nicht nur eigene Schulen, sondern erließen auch eigene Verhaltensregeln für ihre Mitglieder, die im allgemeinen wenigstens auf der Morallehre des Neokonfuzianismus basierten.

Das blieb natürlich nicht ohne Einfluß auf das religiöse Leben, indem dieses sich jetzt wieder in verstärktem Maß auf den privaten Ahnentempel richtete, der das eigentliche Kultzentrum der Sippe wurde, insofern diese danach strebte, einen möglichst großen Schatz an „Tugend" (Tê) durch die Fürsprache der Ahnen aufzuspeichern. Das brachte es mit sich, daß viele der Werte, die früher den Klöstern zuflossen, zum Ausbau dieser Familienkulte, die man, wie

25 Ch'ên Kuo-fu (1948), S. 189/90.
26 Ming hui-yao, S. 177.

leicht zu verstehen, oftmals in den Buddhismus oder Taoismus einbettete, benutzt wurden. Es ist diese Zersplitterung der religiösen Aktivität, die einerseits bewirkte, daß Fremdreligionen wie der Islam in China nicht Fuß fassen konnten, anderseits aber führte sie zu einer merklichen Stagnation des religiösen Lebens überhaupt, da dessen lebensregulative Funktion nicht mehr wie im bisherigen Maß benötigt wurde.[27]

c. Schicksal des Buddhismus

Stagnation und Rückgang lassen sich natürlich auch für den Buddhismus feststellen. Wenn mir auch keine direkt nur gegen diesen gezielte Maßnahme bekannt geworden ist und sich im Verlauf dieser Dynastie ebenso wie unter den anderen eine rasche Zunahme der ordinierten Mönche und Nonnen bemerkbar machte, so ist doch ein Verfall der Lehre unverkennbar. Dieser kam zum Teil eben dadurch zustande, daß jede Familie, die es sich leisten konnte, ihre eigene Buddhaverehrungsstätte besaß, was der Autorität der Kirche, wie leicht zu verstehen, abträglich war.

Anderseits finden wir die Vertreter des Buddhismus als Vermittler bei politischen Verhandlungen und beim Abschluß von Handelsgeschäften (zum Beispiel mit Japan).[28] Hier bewährte sich wieder der schon mehrfach erwähnte „Internationalismus" dieser Religion, der sich aber mitunter auch in ungünstigem Sinn auswirkte; denn es waren buddhistische Mönche, die auch jetzt wieder der Spionage dienten.

In bestimmter Hinsicht förderlich für den Buddhismus war ein Ereignis, das einen die Emotionen der Volkskreise ansprechenden romantischen Anstrich trug. Nach der Absetzung durch seinen Onkel soll nämlich der zweite Ming-Kaiser sich im Gewand eines Mönches seinen Verfolgern entzogen und unentdeckt in buddhistischen Klöstern sogar seinen Nachfolger überlebt haben. Möglicherweise aber ist dies mehr Legende als Wahrheit. Denn auch dem Usurpator wird nachgesagt, daß er bei seinem Unternehmen die Unterstützung der buddhistischen Kirche gefunden und, wie es heißt, zum Dank dafür einen Neudruck des Tripitaka angeordnet habe.[29]

Es scheint auch, daß in der zweiten Hälfte der Dynastie eine gewisse Wiederbelebung des Buddhismus begann. Zumal gilt dies für die verhältnismäßig jungen Provinzen Yünnan und Kweichou. Dort traten die Buddhisten nicht nur als religiöse Missionare auf, sondern als Kolonisatoren, die durch ihrer Hände Arbeit neues Agrarland erschlossen und auf diese Weise den Lebensstandard der Bevölkerung erhöhten. In diesen abgelegenen Gebieten wurden die buddhistischen Gemeinden auch weit weniger von inneren Zwistigkeiten

27 Vgl. den Artikel von *Hui-chen Wang Liu* in „Confucianism in action", Stanford 1969.
28 *de Mailla* (1778), Bd. X, S. 322–24.
29 *Wang Chih-hsin* (1965), S. 177.

der Lehre irritiert, als dies in den Kernprovinzen der Fall war, wo diffizile Streitereien über die Grundprinzipien des Buddhismus Dhyāna (Buddhas Herz), die Lehre (Buddhas Wort) und Vinaya (Buddhas Wandel) ausgebrochen waren. Sie blieben jedoch in bloßem Mönchsgezänk stecken, ohne zu einer nennenswerten neuen Schulbildung zu führen.[30]

d. Druck des taoistischen Kanons

In die Ming-Zeit fällt nun auch die Drucklegung des heute in Umlauf befindlichen taoistischen Kanons *(Tao-tsang)*. Derselbe Kaiser, der den Neudruck des Tripitaka veranlaßt hatte, gab auch den Tao-tsung in Auftrag. Im Jahre 1406 erhielt der damalige „himmlische Lehrer" (T'ien-shih) der 43. Generation *Chang Yü-ch'u* die Aufforderung, nach Peking zu kommen, um taoistische Schriften zu einem Kanon zusammenzustellen. Er zog eine Anzahl taoistischer Gelehrter an sich und begann das Werk. Das Unternehmen zog sich aber über viele Jahre hin, und die Leitung wechselte mehrfach. Erst im Jahre 1445 war der Druck beendet. Dieser neue Tao-tsang umfaßte 5305 Abschnitte (Chüan), war also etwas kleiner als der der Sung-Zeit, und bestand aus 480 Bündeln (Han). Bald zeigte sich, daß man größere alte Bestände der taoistischen Literatur übersehen hatte. Im Jahre 1607 erging deshalb eine neuerliche Aufforderung des Kaisers an den T'ien-shih der 50. Generation, eine Fortsetzung des Tao-tsang zusammenzustellen. Durch diese wurde die Anzahl der Bündel um 32 auf 512 vermehrt.[31]

Ein besonderer Zug dieses Tao-tsang der Ming-Zeit ist, daß alle jene Werke, die sich mit den taoistischen Sexualpraktiken (s. o. S. 150) befaßten, nicht aufgenommen wurden.[32] Dieser „puritanische" Zug könnte sich aus dem dominierenden Einfluß des Konfuzianismus erklären, der sich ja vor allem auch in der Sippenorganisation auswirkte.

e. Kirchenorganisation

Wenn ich hier verschiedentlich auf die Bemühungen der konfuzianischen Ritualisten, den Taoismus und Buddhismus zurückzudrängen, hingewiesen habe, so richtete sich dies, genauer gesagt, hauptsächlich gegen gewisse Züge, die wir in unserem Kulturkreis als „Aberglauben" bezeichnen würden, nicht aber gegen die beiden Kirchen als Organisationen. Als solche waren sie jetzt im Staatskörper viel zu fest verankert. Beide hatten nach Auflösung ihrer bis

---

30 *Ch'en Yüan* (1940). Das Urteil von *de Groot* (1901, Neudruck 1963), S. 90, „... history of Buddha's religion under the Ming dynasty was one of tears and bloodshed" ist sicherlich stark übertrieben. Die von ihm angeführten Restriktionen dienten der Reinhaltung des Klerus und waren im großen ganzen auch nicht schlimmer als unter anderen Dynastien. Völlig unangebracht ist es, von einem „religious war" zu reden.
31 *Ch'ên Kuo-fu* (1948), S. 185 f.
32 *Maspero* (1937), S. 379/80.

1382 bestehenden obersten Kirchenverwaltungsstellen acht von ihnen selbst gewählte, dem Ritenministerium angeschlossene Vertreter, die sich von Staatsbeamten nur dadurch unterschieden, daß sie keine amtlichen Gehälter erhielten. Ihre Amtsstellen befanden sich in zwei großen Klöstern der Hauptstadt. Außerhalb der Hauptstadt erstreckten sich die Organe der kirchlichen Eigenverwaltung bis hinunter in die Bezirke und Kreise. Auch in den Schriftverkehr zwischen den Klöstern und Kirchenämtern sowie die Anstellung von Dienstboten und Hilfskräften mischte sich der Staat nicht ein. Wie unter den Yüan waren also auch jetzt die Kirchen weitgehend sich selbst überlassen, was ferner dadurch zum Ausdruck kam, daß sie selbständig von sich aus Strafen über solche ihrer Mitglieder verhängen konnten, die sich den Disziplinarvorschriften nicht fügten.

Die Taoisten hatten übrigens noch eine besondere Funktion. Aus ihrer Mitte wurden nämlich die Sänger und zum Teil auch die Tänzer (dazu nahm man oft Soldaten) für die Staatskulte gestellt. Sie hatten deshalb eine Amtsstelle für „göttliche Musik" (Kirchenmusik), die dem kaiserlichen Ahnentempel unterstellt war und der Kontrolle dieser Leute diente. Dies wird verständlich, wenn man erfährt, daß die Anzahl solcher Kräfte oft die Tausend überschritt.[33]

f. Schicksal der „Himmelslehrer"

Während also die Kirchen an sich vor Eingriffen des Staates verhältnismäßig sicher waren, verhielt sich dies hinsichtlich ihrer religiösen Führer etwas anders. Aufschlußreich ist hier die Geschichte der T'ien-shih. Als Chu Yüanchang im Jahre 1368 zum erstenmal mit dem „Himmelslehrer" zusammentraf, soll er geäußert haben: „Hat denn etwa der Himmel einen Lehrer?" Eine Interpretation, die sich, wie man sieht, auch auf meine deutsche Wiedergabe des Titels T'ien-shih anwenden läßt, die aber dessen eigentlichen Sinn „vom Himmel gesandter oder inspirierter Lehrer" nicht gerecht wird. Amtlicherseits wurde daraufhin diese Bezeichnung in „Groß-Wahrhaftmensch" geändert und dem Träger ein religiöser Assistent und ein Sekretär zugestanden. Trotzdem blieb der T'ien-shih zunächst immer noch, was er war, nämlich eine Art chinesischer „Kirchenfürst". Eine weitere Komplikation ergab sich aber, als ein Nachfolger dieser Tradition beschuldigt wurde, die Kinder freier Leute versklavt, sich widerrechtlich Werte angeeignet und im Zuge solcher Manipulationen etwa 40 Menschen ums Leben gebracht zu haben. Er wurde zum Tode verurteilt, konnte allerdings durch Bestechung die Exekution abwenden. Weil er jedoch zum gemeinen Untertanen degradiert worden war, ging seine Stellung auf einen anderen Nachkommen der Familie Chang über. Im Jahre 1566 trat nun der Fall ein, daß ein T'ien-shih ohne Nachkommen blieb, ein Fak-

33 Ta-Ming hui-tien, Kap. 226, S. 2979/80.

tum, das darauf schließen ließ, daß es mit seinem Charisma nicht mehr weit her war. Aus konfuzianischen Beamtenkreisen kamen deshalb sofort Anträge, mit dieser Traditionsfolge der T'ien-shih Schluß zu machen, und tatsächlich wurde der Titel „Wahrhaftmensch" umgeändert in „Aufseher des Klosters zur oberen Reinheit". Erst um 1577 erhielt der Vertreter der T'ien-shih-Linie statt des kupfernen wieder ein goldenes Siegel zugestanden, und im weiteren Verlauf der Dynastie kam dann allmählich auf Grund erfolgreicher Gebete um gutes Wetter und spektakuläre Wundertaten eine Restauration der T'ien-shih-Position zustande.[34]

Zu beachten ist hier, daß solche Persönlichkeiten wie der T'ien-shih normalerweise im Verlauf der Dynastie mit immer höheren Ehrentiteln, die jeweils von materiellen Gaben begleitet waren, bedacht wurden. Wurden solche Titel nicht erteilt oder sogar, wie im vorliegenden Fall, reduziert, kam das einer Bestrafung gleich.

4. Religiöse Geheimgesellschaften

Bereits im letzten Abschnitt des Kapitels über die Yüan-Dynastie habe ich kurz auf das sich mehr und mehr ausbreitende Geheimbundwesen hingewiesen, in dem sich die Gegner der herrschenden Dynastie sammelten. Chu Yüan-chang, der im Anfang seines Kampfes um die Macht guten Gebrauch von den Weiß-Lotos- und anderen Verbänden gemacht hatte, eigentlich sogar aus einem von ihnen hervorgegangen war, wandte sich, sobald er den erfolgreichen Abschluß der Kämpfe vor sich sah, von ihnen ab und, wie ich zu Beginn dieses Kapitels darzulegen versuchte, dem „staatserhaltenden" Konfuzianismus zu.

Nichtsdestoweniger bekamen auch die aus der Hefe des Volkes hervorgegangenen Ming-Kaiser bald die Opposition der unteren Kreise zu spüren.

So brach im Jahre 1420 ein Aufstand aus, verursacht durch eine Frau namens *T'ang Sai-êrh*. Diese hatte von Jugend an eine Neigung, buddhistische Sutren vor sich hinzusummen, nannte sich „Buddhamutter" und konnte die Zukunft voraussagen. Sie gelangte auf geheimnisvolle Weise in den Besitz eines Zauberbuches und eines magischen Schwertes, das in China unseren Zauberstab vertritt. Außerdem verstand sie sich auf Tricks, wie das Ausschneiden von Männern und Pferden aus Papier, denen sie Leben einhauchen und sie dann in den Kampf schicken konnte. Allmählich sammelte sich um sie eine Anhängerschaft. Die Regierung wurde aufmerksam. Die Kämpfe begannen. Im Verlauf dieser wurde T'ang Sai-êrh schließlich gefangengenommen und zum Tode verurteilt. Aber auch dann noch „blieb sie heiter und furchtlos". Man nahm ihr die Kleider fort und schlug sie in Bande. Aber als man zur

---

34 *Fu Ch'in-chia* (1937), S. 836.

Exekution schritt, ergab sich, daß keine Klinge in sie eindringen konnte. Man setzte sie darauf schwergefesselt ins Gefängnis. Aber die Fesseln fielen von ihr ab, sie entkam und „man weiß nicht, wo sie geendet hat".[35]

Dies war einer jener zahlreichen Aufstände, die anscheinend ohne in unserem Sinn wirklich zureichenden Grund zum Ausbruch kamen. Der Vorwand, ein gewisses Charisma zu besitzen und unverwundbar zu sein, was letzteres sich zwar, wie die Legende zeigt, an T'ang Sai-êrh selbst, jedoch nicht an ihren Anhängern bewährte, gepaart mit dem ständig wachen Mißtrauen der Behörden, genügte vollauf, unvermittelte Unruhen dieser Art in Bewegung zu setzen. Geistiger Hintergrund aber war eine Haltung, die wir vielleicht mit Hinblick auf die Kirchen und mutatis mutandis als „Non-Konformismus" bezeichnen könnten. Es war oft die einzige Möglichkeit der unprivilegierten und ungebildeten sozialen Schichten, ihre Unzufriedenheit zum Ausdruck zu bringen.

Während in der Person der T'ang Sai-êrh unverkennbar alte Tendenzen der taoistischen Magier zum Vorschein kamen, sind die meisten der zahlreichen weiteren Aufstände aus dem Hintergrund des Maitreya-Welterneuerungsglaubens der Weiß-Lotos-Gesellschaft zu verstehen, die mehr und mehr zum Sammelbecken aller unzufriedenen Elemente wurde und immer neue Zweigsekten abspaltete. Unter diesen kursierte sogar eine Art „Revolutionsliteratur", die sogenannten „Kostbarkeitsschriftrollen" (Pao-chüan).[36] In ihnen trat eine ausgesprochen synkretistische Religiosität zutage, bei deren Gebilden es weniger auf logische Konsistenz als auf emotionale Wirksamkeit ankam.

a. Wu-shêng lao-mu und Kalpa-Lehre

Hier begegnen wir zum erstenmal einer neuen religiösen Zentralfigur, der Wu-shêng lao-mu, d. h. „der alten Mutter ohne Geburt", die, da sie keine Geburt hatte, auch keinen Tod haben konnte, also von Ewigkeit zu Ewigkeit bestand. Sie war bereits da vor Erschaffung der Lebewesen, und, weil sie bemerkte, daß diese zwar perfekt, aber Menschen und Tiere nicht unterschieden waren, sandte sie aus Mitleid 9,6 Millionen „Elemente der Buddhanatur" (Yüan Fo-tzû) herab, damit sie zu Menschen würden. Da aber diese Elemente unter den Einfluß von bösen Leidenschaften gerieten, kamen viele vom rechten Weg ab und hatten keinerlei Möglichkeit, sich aus dem ewigen Kreislauf (Saṃsāra) zu befreien. Deshalb schickte die „Ewigkeitsmutter" ihre geliebte Tochter, damit die Irregeleiteten von ihr zur Umkehr bewogen würden. Diejenigen aber, die sich nicht gemäß den in ihnen vorhandenen Buddhaelementen in die Reihen der Guten einordneten, sollte sie für immer in das „Erdgefängnis" hinabsenden.

---

35 Ku Ying-t'ai (1936), Kap. 23, S. 22/23. S. auch meinen Artikel im Or. Extr. 1 (1954).
36 Chan Hok-lam (1969), S. 217.

In dieser Religion, die man im eigentlichen Sinn des Wortes „geheim" nennen kann, wird die zeitliche Existenz in drei große Perioden *(Kalpas)* eingeteilt. Die erste ist die „Periode des grünen Yang" (Lichtprinzip, Sonne), die zweite die des „roten" und die dritte die des „weißen Yang". Gegen Ende jeder dieser Perioden fällt die Welt in ein allgemeines Chaos zurück, währenddessen alle Bösen vernichtet werden. Zugleich kommt Tao (? hier wohl als Weg oder Methode zu verstehen) von oben herab und rettet alle Guten. Die Perioden grün und rot sind bereits vorbei und haben 400 000 Buddhaelemente zurückgebracht. In der gegenwärtigen „weißen" Periode sind also noch 9,2 Millionen dieser Elemente vorhanden, um die es nunmehr geht. Die „Ewigkeitsmutter" hat deshalb „Groß-Tao"(?) herabgesandt, denn das Ende steht nahe bevor. Diesmal handelt es sich außerdem um das Ende aller drei Perioden (ein sogenanntes End-Kalpa). Es sollen also jetzt nicht nur die restlichen Buddhaelemente gerettet werden, sondern aus allen Religionen, „mit denen sich die Ewigkeitsmutter an die Menschen gewandt hat", muß durch „Universalrettung" eine Ernte eingebracht werden, oder, wie das Schlagwort lautete: „Sämtliche Religionen sollen zur Einheit zurückkehren". Deshalb sendet die Ewigkeitsmutter diesmal zur Kontrolle und Durchführung dieser Aktion den Maitreya herab, der als „lebender Buddha, der der Allgemeinheit hilft" *(Chi-kung huo-Fo),* in menschlicher Inkarnation seine Aufgabe erledigen wird.

Möglicherweise beruht die Konzeption dieser „Ewigkeitsmutter" auf einer Stelle aus dem Tao-tê ching (Kap. 1): „Das, was Benennung (Namen) hat, ist die Mutter aller Lebewesen." Da nach chinesischer Auffassung die Wesen und Dinge erst dadurch Wesen und Dinge werden, daß man sie benennt, d. h. mit Namen belegt, ist hier dem Gedanken einer überzeitlichen „Urschöpfung" Ausdruck verliehen. Im übrigen ist das Ganze völlig offensichtlich eine Mischung taoistischer und buddhistischer Elemente. Auch in der Ming-Zeit offenbarte sich also in den vom Staat und von den Kirchen nicht kontrollierten Teilen der Bevölkerung eine schöpferische religiöse Aktivität, die, wie wir sehen werden, auch später mehrfach an die Oberfläche kommt.[37] Der im allgemeinen dabei zutage tretende Ablauf der Dinge war zunächst etwa so, daß sich die göttlichen Mächte durch ein oft weibliches Medium (man erinnere sich hier an das, was ich in den ersten Teilen dieser Arbeit über den Wuismus vorbrachte) oder einen Propheten der Menschheit mitteilten und ihre Unzufriedenheit über bestehende Mißstände erkennen ließen. Faktisch bedeutete das, daß sich die höheren, kosmischen Weltordnungsorgane unter Umgehung der amtlichen und kirchlichen Kanäle direkt mit den Unrechtleidenden in Verbindung setzten, was natürlich die herrschende Dynastie von vornherein in ein ungünstiges Licht setzen mußte. Der Aufruhr selbst aber erhielt dadurch den

37 *Li Shih-yü* (1948), S. 5/6.

Anstrich der „Gottgewolltheit" und nahm wie alle Bewegungen dieser Art in China den Charakter des Universalen, d. h. der „Rettung der gesamten Menschheit", an.

b. Anti-Häresien-Gesetz

Wir verstehen nun auch, daß das Vorgehen der Ming-Regierung gegen die Popularkulte nicht nur den Rationalisierungsbestrebungen der konfuzianischen Ritualisten diente, sondern zugleich auch eine Maßnahme war, verdächtigen Religionsströmungen den geistigen Boden zu entziehen.

Es gab dazu ein allgemeines, gegen alle „bösen Künste" gerichtetes Verbot. Nach diesem wurden mit schweren Strafen bedroht alle „Lehrer" und Schamanen, die böse Geister zitierten, Zauberformelheilwasser herstellten und nach vorausgehenden Gebeten sich durch „magisches Pinselschreiben" heilige Informationen verschafften, die sich selbst „Zauberschaman" *(Tuan-kung)*, „Schutzherr" *(T'ai-pao)* und „Zauberfrau" *(Shih-p'o)* nannten oder sich betrügerischerweise als Inkarnation des Maitreya ausgaben, dazu die Anhänger der Weiß-Lotos-Sekte, die Anhänger der Lehre des „Lichtehrwürdigen" *(?Ming-tsun)* und die Bekenner der Weiß-Wolkenreligion – kurz alle, die die „Künste des linken Tao" (d. h. auf Aberglauben beruhende Praktiken), durch welche die korrekte Ordnung der Welt in Verwirrung gebracht würde, ausübten. Durch solche „angeblich auf das Gute abzielende Handlungen würde die Bevölkerung in Zweifel (d. h. in religiöse Unsicherheit) gestürzt".[38]

Damit aber wurde jede religiöse Strömung, die nicht der vom Staat und den Kirchen festgesetzten orthodoxen Glaubensrichtung entsprach, natürlich wieder gezwungen, in den Untergrund zu gehen.

5. Matteo Ricci

Ein wichtiges religiöses Ereignis unter der Ming-Dynastie aber war das neuerliche Auftreten des Christentums in China.

Etwa seit 1552 begannen die Versuche der jesuitischen Missionare, von der portugiesischen Niederlassung in Makao aus nach China vorzudringen. Als erster wäre hier zu nennen Franz Xavier, ein Mitbegründer des Jesuitenordens und erfolgreicher Missionar von Japan. Der Fehlschlag seines Unternehmens war u. a. auf das ablehnende Verhalten der portugiesischen Kaufleute zurückzuführen, die glaubten, daß die Tätigkeit der Missionare ihren Geschäften abträglich werden könne. Dasselbe gilt auch für die viel später erfolgten Vorstöße des ersten protestantischen Missionars Robert Morrison und beweist, daß die Vertreter des Handels und die Ausbreiter des Christen-

---

38 Ta-Ming hui-tien, Kap. 165, S. 2306. Meine Wiedergabe ist sehr frei. Abweichend s. *de Groot* (1901, Neudruck 1963), S. 137.

tums keineswegs so Hand in Hand vorgingen, wie das manchmal angenommen zu werden scheint.

Neben der Abneigung der chinesischen Regierung, Fremde überhaupt ins Land hereinzulassen, gab es ein weit größeres, sozusagen natürliches Hindernis, nämlich die Sprache.

Xavier hatte beabsichtigt, durch Verwendung eines jungen, auf einer katholischen Schule ausgebildeten Chinesen, den er in Italien kennengelernt hatte, die Verständigungsschwierigkeiten zu überwinden. Und der Gebrauch solcher Auslandschinesen als Dolmetscher scheint für lange Zeit das einzige Mittel gewesen zu sein, den Chinesen die Ideen des Christentums nahezubringen.

Matteo Ricci, ebenfalls ein Jesuitenmissionar von einzigartiger Begabung, war der erste, dem es gelang, dies Hindernis durch Erlernen der chinesischen Sprache zu überwinden. Er begann mit dem Studium im Jahre 1582 sofort nach seiner Ankunft in Makao.

Offenbar war dies ein Vorgehen, das ihm die Freundschaft vieler Chinesen einbrachte, und dies wiederum bewirkte, daß er sich im Gewand eines Buddhistenmönches in Chao-ch'ing, einer Bezirksstadt der Provinz Kuangtung, aufhalten konnte. Der zunächst illegale Aufenthalt wurde aber bald durch Fürsprache eines höheren Beamten der Provinzialregierung legalisiert. In seinem Bittgesuch nahm dieser Bezug auf die „sinologischen" Studien des M. Ricci und führte aus, daß in Makao das Kommen und Gehen der Kaufleute die Straßen und Plätze mit solchem Lärm erfülle, daß ein ruhiges Studium unmöglich sei. Er schlug deshalb vor, für Ricci in Chao-ch'ing einen Raum einzurichten, damit er in Stille und Abgeschiedenheit seinen Studien nachgehen könne.[39] Dem wurde stattgegeben und Ricci wechselte daraufhin sein Gewand und trug sich als konfuzianischer Gelehrter.

Bald zeigte es sich deutlich, daß nichts in der Menschheit die trennenden Barrieren zwischen den Völkern so leicht überwinden kann wie gute Beziehungen unter den Vertretern der Wissenschaften. Es war hauptsächlich der freundschaftliche Umgang mit chinesischen Gelehrten, der zum durchschlagenden Erfolg Riccis führte. Ihnen verdankte er, daß es ihm im Jahre 1601 ermöglicht wurde, bis in die Hauptstadt vorzudringen und als „Tributbringer" sogar vom Kaiser empfangen zu werden.

Freilich ganz ohne Widerstand ging das nicht ab. Und in einem Memorandum aus dem Ritenministerium heißt es: „Europa steht in keiner Verbindung mit uns und unsere Gesetze gelten dort nicht. Die Abbildungen des Himmelsherrn (T'ien-chu) und einer Jungfrau, die Ricci als Tributgaben anbietet, haben keinerlei Wert. Außerdem bringt er uns einen Behälter, in dem sich, wie er sagt, Knochen eines Unsterblichen befinden. Als ob solche Leute ihre Knochen nicht mitnehmen würden, wenn sie (zum Himmel) aufsteigen. Bei

---

39 *Wang Chih-hsin* (1965), S. 179.

einem ähnlichen Vorkommnis hat Han Yü geäußert, daß derartige Gegenstände nicht in den Palast gehörten, weil sie Unglück brächten. Man soll deshalb diese Gaben zurückweisen und Ricci in seine Heimat zurücksenden." [49] Der Kaiser aber ließ diese Mahnung unbeachtet.

Die eigentlichen Gaben jedoch, die Ricci mitbrachte, waren die Resultate der abendländischen Wissenschaft, und damit stieß er in dem stagnierenden chinesischen Wissensbestand das Tor zu einer Fülle neuer Erkenntnisse auf. Besonders galt dies für die Gebiete der Geographie, der Mathematik und der Astronomie.

Letztere war besonders wichtig, da der chinesische Kaiser wegen seiner Stellung als Mittler im Zentrum des Universums über alle Veränderungen im Weltall möglichst genau und im voraus informiert sein sollte. Jetzt wurden die astronomischen Kenntnisse, die von den Manichäern und Mohammedanern nach China hereingebracht worden waren, überboten durch die der Europäer, deren Berechnungen und Beobachtungen sich als allen anderen an Genauigkeit überlegen erwiesen.

Der Hauptgrund für den Erfolg Riccis aber war, daß er frei war von jener Überheblichkeit, die später fast von allen Europäern den Chinesen gegenüber an den Tag gelegt wurde. Er verwandte große Mühe darauf, die konfuzianischen Klassiker, die Philosophen und Historiker im Urtext zu studieren. Seine Sprachkenntnis vertiefte er so, daß er auch fähig war, sich schriftlich zu äußern. Ein kleiner Aufsatz *Yu-lun* („Über Freundschaft"), der bis heute erhalten blieb, legt davon Zeugnis ab.

Ebenso zeigte er großes Verständnis und Duldsamkeit für die traditionellen chinesischen Verehrungsformen des Ahnendienstes und der Staatskulte. Diese Achtung, die er der andersgearteten Religiosität entgegenbrachte, wurde leider von späteren Missionaren nur wenig geteilt und so die Gelegenheit, das Christentum auf geistigen Kanälen, wie sie sich im Konfuzianismus und Taoismus anboten, in die chinesische Geisteshaltung einzuschleusen, verpaßt. In dieser, aber auch in anderen Hinsichten, erwies sich der Buddhismus dem Christentum merklich überlegen.

Der wichtigste Erfolg Riccis als Missionar scheint mir darin zu bestehen, daß es ihm gelang, eine Reihe gebildeter Chinesen samt ihren Familien zum Christentum zu bekehren. Es wurde damit zur Angelegenheit einer kleinen Gruppe von Sippen, die ähnlich den konfuzianischen unter sich einen festen Kern zu bilden begannen. Besonders bemerkenswert ist hier der Akademiker *Hsü Kuang-ch'i*, Mitarbeiter Riccis, der als erster Chinese europäische wissenschaftliche Werke in seine Muttersprache übersetzte. Auf seinem Familienbesitz in Zikawei (Hsü-chia hui) nahe bei Shanghai entstand eines der wichtigsten Zentren katholischer Missiontätigkeit, das in sinologischen Kreisen durch seine reichhaltige Bibliothek berühmt wurde.

40 *de Mailla* (1778), Bd. X, S. 390/91.

B. Die Ch'ing-Dynastie (1644–1911)

Als Ricci im Jahre 1610 starb, hatte das katholische Christentum dank seinem geschickten und taktvollen Vorgehen in China festen Fuß gefaßt.

Bald nach seinem Tode aber machte sich nun auch der Widerstand gegen die neue Religion aus dem Westen bemerkbar. Dieser kam einerseits aus den Reihen der Buddhisten, die durch Bekehrungen reicher Gönner beunruhigt worden waren, zumal diese zuweilen Schriften herausbrachten, in denen sie die Überlegenheit ihres neuen Glaubens darzulegen versuchten.[41] Andererseits erwuchs den Christen ein entschiedener Gegner in der Person des Vizepräsidenten des Ritenministeriums *Shên Ch'üeh*, der durch eine Eingabe vom Jahre 1616, in der die Christen den Weiß-Lotos-Anhängern und anderen ähnlichen, verdächtigen Sekten gleichgestellt wurden, die erste Verfolgung in Bewegung setzte. Die Missionare und Neubekehrten waren gezwungen, aus Peking und Nanking zu verschwinden und sich in Landkreisen zu verstecken. Viele fanden damals Zuflucht bei den christlichen Sippen. Aber auch das im Jahre 1622 erneuerte Vorgehen gegen die Christen verhinderte nicht, daß diese mehr und mehr an Boden gewannen. Ein Grund dafür war, daß sie die von den Mandschu bedrohte Ming-Regierung mit Feuerwaffen belieferten.

Am Ende der Ming-Dynastie bestanden auf chinesischem Boden mindestens sechs Missionszentren; die Gesamtzahl der Christen wird zu dieser Zeit auf etwa Hunderttausend geschätzt. Zu den Bekehrten gehörten auch eine Anzahl von Mitgliedern der kaiserlichen Sippe. Überhaupt scheint die Neigung zum Christentum bei den Herrschern der Ming besonders nach ihrer Vertreibung aus Peking sehr zugenommen zu haben, weil sie vom Papst tatkräftige Hilfe zur Wiederaufrichtung ihrer Dynastie erhofften.

Hervorragendster Vertreter der jesuitischen Missiontätigkeit war jetzt Johann Adam Schall von Bell aus Köln, von dem später die Rede sein wird.[42]

Die Bekehrungstätigkeit der Jesuiten erfaßte in erster Linie die Schicht der Gebildeten. Es war, wenn man so will, eine Mission der europäischen Wissenschaften an die Gelehrtenschaft in China. Das Volk wurde davon zunächst anscheinend nur wenig erfaßt. Der Widerstand, der sich, wie eben bemerkt, gegen die Christen erhob, zeigte deshalb auch noch nicht den brutalen Fanatismus, wie er den aus unteren Schichten sich erhebenden Bewegungen eigen zu sein pflegt.

B. Die Ch'ing-Dynastie (1644–1911)

Wieder kam China unter die Herrschaft eines nichtchinesischen Nordvolkes. Die Mandschu, vielleicht Nachfahren der sungzeitlichen Jurtschen, waren das

---

41 Z. B. *Hummel* (1967), S. 894.
42 *Latourette* (1929, Neudruck 1966), S. 104–107.

Haupt einer Stammesliga. Daß es ihnen möglich war, das chinesische Reich zu unterwerfen, verdanken sie weniger ihrer militärischen Macht als der unglücklichen inneren Lage des Staates. Tatsächlich wurden sie von einem Ming-General ins Land gerufen, um die Regierung vor dem Untergang durch die Rebellen zu bewahren.

Gegenüber den Chinesen bildeten die Mandschuren eine verschwindende Minderheit (etwa zehn Millionen gegen 350 Millionen). Trotzdem gelang es ihnen, sich als Herrenschicht über die Chinesen zu setzen und durch ihre auf die wichtigsten Städte verteilten Garnisonen Ruhe und Ordnung im Lande aufrechtzuerhalten. Das wieder sicherte ihnen die Zustimmung der großen Familien, deren Landbesitz durch die aufständischen Bauern am Ende der Ming-Zeit schwer bedroht war. Dazu kam, daß sich die mandschurische Regierung in Peking bemühte, das konfuzianische Staatsideal, soweit es mit ihren Interessen übereinstimmte, zu verwirklichen. Praktisch bedeutete das, daß die Macht der Eunuchen weitgehend reduziert und die allgemeine Korruption unterdrückt wurde.

Bald ergab sich auch, daß die Mandschukaiser große Bewunderer der chinesischen Kultur und bestrebt waren, diese auf vielerlei Weise zu fördern. Und somit erlebte diese trotz der verhaßten Fremdherrschaft eine neue Hochblüte.

Wohl der wichtigste Grund für diese Förderung der klassischen, chinesischen Tradition war der Umstand, daß sich der Konfuzianismus als ein vorzügliches Instrument erwies, mittels dessen die mandschurische Minderheit ihre Herrschaft ausüben und behaupten konnte. Denn unbedingter Gehorsam gegenüber der Staatsführung und den Älteren bildete den eigentlichen Kern dieser Lehre. Im Kaiserpalast wurde deshalb unter dem dritten Kaiser (Yung-chêng) eine Schule für die Prinzen eingerichtet, in der sie von ausgewählten chinesischen Lehrern nach den Grundsätzen des orthodoxen Konfuzianismus erzogen wurden, was jeder aus ihren Reihen zu erwartenden rebellischen Neigung vorbeugte.

Die Konfuziusverehrung erlebte, wie leicht verständlich, auch jetzt wieder einen neuen Höhepunkt. Bereits der erste Kaiser ließ in jeder Stadt des Reichs einen Konfuziustempel einrichten, in dem der höchste Zivilbeamte des Ortes zu den festgesetzten Zeiten das Verehrungszeremonial vollzog.[43] Gegen Ende der Dynastie wurde das entsprechende Opfer in der Hauptstadt dem Nan-chiao-Opfer an Himmel und Erde an Bedeutung gleichgestellt.[44] Das aber bedeutete, daß Konfuzius eine Stellung erhielt, die über die der kaiserlichen Ahnen hinausging.

Ihrer Abstammung nach kamen die Mandschuren aus der Sphäre des nordostsibirischen Schamanismus. Nach Errichtung ihrer Dynastie *Ta-Ch'ing* scheinen sie diesen jedoch aufgegeben zu haben; denn bereits im Jahre 1640 verordneten sie, daß Schamanen und Taoisten in der mandschurischen, mongo-

43 *Watters* (1879), S. XI.
44 *Hummel* (1967), S. 31.

lischen und chinesischen Truppe, die durch Tanzen Geister beschworen und Unheil exorzierten, um die Leute dadurch irrezuführen, hinzurichten seien.[45] Zur Heilung gewisser „durch böse Magie erzeugter Krankheiten" wurden aber die Schamanen nach Genehmigung durch den Kommandanten zugelassen.

Natürlich zeigten auch manche der Mandschukaiser, wie wir das von Kaisern anderer Dynastien kennengelernt haben, Neigungen zum Buddhismus oder Taoismus. Religiöse Konsequenzen in größerem Umfang, wie zum Beispiel bei den T'ang- oder Sung-Kaisern, hatte das jedoch nicht. Möglicherweise könnte sich hier der Einfluß des Christentums und der mit diesem verbundenen rationalen europäischen Wissenschaft geltend gemacht haben.

Zum Schutzgott der Dynastie wurde der Kriegsgott (*Kuan-ti*, General der San-kuo-Epoche) erwählt. Auf kaiserlichen Befehl errichtete man ihm im ganzen Reich Verehrungsstätten.

1. Der Staatskult

a. Nan-chiao-Opfer

Mit dem Mandschustaat tritt nun auch das Staatskultwesen in sein letztes Stadium; denn der Versuch des Präsidenten *Yüan Shih-k'ai*, im Jahre 1915 eine neue Dynastie mit einem Nan-chiao-Opfer einzuleiten, ist wohl kaum einer Erwähnung wert. Es nahm seinen Anfang mit dem Nan-chiao-Opfer, das der Kaiser *Ch'ung-tê (Abahai)* im Jahre 1636, als er sich zum Kaiser proklamierte, in Mukden (Shên-yang) darbrachte. In dem entsprechenden Edikt heißt es, daß diese Opfer begonnen hätten, bevor die Menschen überhaupt ihre Speisen mit Hilfe von Feuer zubereiteten. Das nächste Ritual dieser Art veranstaltete der Kaiser *Shun-chih (Fu-lin)* bei seinem Regierungsantritt 1644 in Peking. Nachdem er sich durch einen Beamten beim Obergott (Shang-ti) hatte ansagen lassen, zog er am festgesetzten Tag des 10. Monats mit dem gesamten Hofstaat hinaus zum Rundhügelaltar im südlichen Vorstadtgelände. Dem „hehren Himmel und der Fürstin Erde" wurden feierlich die Namen der neuen Dynastie *Ta-Ch'ing* („Groß-Klarheit"), der Hauptstadt Yen-ching (Peking) und der Regierungsdevise *Shun-chih* (die jetzt wie auch unter den Ming zugleich als Bezeichnung für den regierenden Kaiser benutzt wird) angesagt.

Bei dieser ersten Nan-chiao-Feier vollzog der Kaiser vor den Göttern vier Kniebeugen und vier Verneigungen. Dies wurde später umgeändert in drei Kniebeugen und neun Verneigungen, um die graden Yin-Zahlen durch Yang-Zahlen zu ersetzen. Wie überhaupt alles, was mit dem Rundhügel in direkter Verbindung stand, ungerade Zahlen, vornehmlich drei, fünf und neun, haben

---

45 Ta-Ch'ing hui-tien, XI, S. 11735/36; weitere Angaben s. Ch'ing-ch'ao yeh-shih ta-kuan, Kap. II, S. 36–39.

mußte. Das bedeutete, daß alles, was weiblich war, aus dieser reinen Yang-Sphäre ausgeschlossen wurde. Die vorwiegende Farbe war deshalb auch *Ch'ing* („blaugrün" = Osten). Ich bemerke dies, um zu zeigen, wie diese Feiern beständig „verbessert" wurden.

Von da an sollte dies Ritual alljährlich am Tag der Wintersonnenwende stattfinden mit Nebenopfern für Sonne, Mond, Sterne, Wolken, Regen, Wind und Donner. Die vorausgehende strenge Kasteiung verbrachte der Kaiser zunächst in der *Wu-ying-tien* („Kriegsruhmhalle"), wo der Direktor des kaiserlichen Ahnendienstes eine große Kupferstatue in taoistischer Priestertracht aufstellen ließ. Diese hielt drei Finger vor den Mund zum Zeichen des absoluten Schweigens im Raum und in der anderen Hand eine Tafel, auf der geschrieben stand: Kasteiung für drei Tage. Dies Zeremonial der inneren Vorbereitung wurde schließlich ebenso wie zur Sung-Zeit in zwei Teilen abgelegt, und zwar verbrachte der Kaiser davon zwei Tage im Ahnentempel und einen Tag auf dem Opfergelände, wo man ihm einen besonderen „Kasteiungspalast" einrichtete. Dorthin ließ man auch diese Statue überführen.

In diesem „Kasteiungspalast" wurden vor Beginn der Feier die Holztafeln und Seidenstreifen mit Gebeten, die man später vor den Göttern verbrannte, die Räucherstäbchen und Weihrauchöfchen gesammelt, bevor sie (die Gebete vom Kaiser unterschrieben) auf den Altar gebracht wurden. Dem Direktor des Ritenministeriums unterstand das Arrangement der Göttertafeln und der heiligen Geräte auf den verschiedenen Plattformen des Altars. Das Hauptritual mußte vom Kaiser persönlich vollzogen werden. War er noch minderjährig oder krank, sollte die Feier eigentlich nicht stattfinden.[46] Tatsächlich ließ sich der Kaiser K'ang-hsi auch durch besonders scharfe Winterkälte nicht am persönlichen Vollzug des Rituals hindern, und später, als ihn vorgeschrittenes Alter geschwächt hatte, stützten ihn zwei Diener unter den Achseln.

Das Problem der Vertretung beim Nan-chiao und bei anderen Opfern taucht verschiedentlich auf. Man hielt es dabei wohl schließlich ebenso wie unter den vorausgehenden Dynastien. Jedenfalls wurde nicht jedes Nan-chiao-Opfer vom Kaiser persönlich vollzogen. Sein Vertreter aber war wahrscheinlich immer der Kronprinz oder ein namhafter Vertreter der Kaisersippe.

b. Änderung des Kultcharakters

Tatsächlich scheinen die Mandschukaiser ein viel größeres persönliches Interesse an der Nan-chiao-Feier genommen zu haben als z. B. die Sung-Kaiser. Vor allem möchte ich dies aus dem Umstand schließen, daß sie alle in Beziehung zu dem Ritus stehenden Vorgänge, Geräte, Opfertiere usw. persönlich inspizierten oder durch einen Prinzen ihrer Sippe überwachen ließen. In seinen letzten Jahren ordnete übrigens der Kaiser K'ang-hsi an, daß ihm sämtliche Prinzen beim Vollzug des Nan-chiao zur Seite zu stehen hätten. Die

46 AaO, S. 10585/86, und *Williams* (1883), Bd. II, S. 196/97.

Bewirtung des Himmels wurde damit mehr und mehr eine kaiserliche Familienangelegenheit.

Dazu paßte auch, daß der auf der Nordseite der obersten Altarplattform mit Blick nach Süden aufgestellte Shang-ti sich etwa ab 1850 im Osten und Westen von je vier Mandschukaiserahnen, seinen Bewirtern, flankiert sah. Während er also unter dem Ritual der vorausgehenden Dynastien nur den Gründerahn (T'ai-tsu) als Gesellschaft gehabt hatte, war er jetzt der freundlichen Beeinflussung durch die gesamte Mandschuahnenschaft ausgesetzt.

Man erhält außerdem den Eindruck, daß sich die Teilnahme des Volkes an diesen Nan-chiao-Feiern stark verringert, wenn nicht völlig verloren hat. Sie waren nicht mehr die großen Volksfeste, als die wir sie zur Sung-Zeit kennengelernt haben.

Dies ist ein Vorgang, der verständlicherweise schon mit der Yüan-Dynastie einsetzte. Zum Teil hängt er natürlich mit dem andersartigen Klima zusammen, denn die Winter in Peking sind wesentlich rauher als die in der Sung-Hauptstadt (K'ai-fêng). Anderseits aber scheint unter den Mandschuren die Südaußenopferstätte, auch wenn sie nicht benutzt wurde, im weiten Umkreis abgesperrt gewesen zu sein. Sie lag übrigens jetzt innerhalb der im Jahre 1544 erweiterten, niedrigeren Stadtmauer, die neben der Außenstadt ein weites unbebautes Gelände umschloß. Der Altarbezirk bildete darin einen heiligen Raum, unter anderem schon insofern, als dort in einem besonderen Gebäude (*Huang-ch'iung-yü,* „Hehres Himmelsgewölbe"), das direkt im Norden an die Umfassung des Himmelsaltars angrenzte, die Repräsentationstafeln des Huang-t'ien shang-ti und des T'ai-tsu, sowie die für Sonne, Mond, die Stern- und Wettergötter aufbewahrt wurden. Er durfte deshalb nicht von jedem betreten werden. Auch der Kaiser war gehalten, bei seiner Ankunft jeweils ein Weihrauchopfer zu bringen, um der Ehrwürdigkeit des Platzes Rechnung zu tragen.

Im Jahre 1801 vergrößerte man das beim Vollzug der Feier diensthabende Aufsichtspersonal, weil es vorgekommen war, daß sich unbefugt „unreine" Außenseiter unter die Teilnehmer gemischt hatten. Auch mußte von da an jeder Fall von Verstoß gegen die Ritualvorschriften dem Kaiser gemeldet werden. Wahrscheinlich wurde auf Grund einer solchen Meldung im Jahre 1810 der Weinverkauf durch ambulante Händler, den man anscheinend bis dahin geduldet hatte, da die Aufsichtsorgane einen Vorteil davon hatten, unter Strafe gestellt. Die Abnehmer waren wohl die Beamten, die vor der viereckigen äußeren Abgrenzung des Altarraumes in der Ordnung Staatssekretäre, Ritenministerium, Bewirtungsamt und übrige Ämter versammelt waren. Wein durfte überhaupt nicht mehr auf das heilige Areal gebracht werden.[47]

47 Ta-Ch'ing hui-tien, S. 10599, und *George N. Curzon:* Problems of the Far East, Westminster 1894, S. 244/45.

c. Andere Staatskulthandlungen

Außer dem großen runden Himmelsaltar gab es auf diesem Gelände auch noch andere wichtige Kultgebäude, von denen in erster Linie der *Ch'i-ku-t'an* („Altar für das Gebet um Korn") oder *Ch'i-nien-tien* („Halle für das Gebet um Ernte") ins Auge fiel. Dies ist ein Bauwerk nördlich vom Himmelsaltar, das unter den Ausländern später als „Himmelstempel" bekannt wurde. Hier trug der Kaiser persönlich im ersten Monat nach Vollzug eines Brandopfers dem Obergott (Shang-ti) die Bitte um gute Ernte vor. Der Ritus gehörte deshalb zu den Opfern der ersten Klasse.

Zu dieser Klasse zählten auch die großen Fürbitten um Regen, die der Kaiser angetan mit Regenkappe in sehr einfacher Kleidung ohne Reichsinsignien und ohne Musikbegleitung während einer Zeit langer Trockenheit persönlich auf dem Himmelsaltar, d. h. den Rundhügel, an den Obergott richten mußte. Es waren dies Sonderveranstaltungen, die – wenn man den Quellen trauen darf – in den meisten Fällen auch prompt zu Regenfall führten. Zu den Selbstpeinigungen, denen sich der Kaiser dabei unterzog, gehörte u. a., daß er mit allen Teilnehmern vom Stadttor (der Innenstadt) bis zum Altar zu Fuß ging, was für einen Mann in vorgerückten Jahren zumal bei heißem Wetter nicht leicht war. Anscheinend wurde auch das Volk in diese Einschränkung der Lebenshaltung mit einbezogen, denn die Leute in der Stadt durften nur sehr schlichte Kleider tragen. Außerdem bestand Schlachtverbot.[48]

Etwas weniger streng war man bei dem routinemäßig im ersten Sommermonat vorgenommenen Regenzeremonial, das vom Kaiser selbst oder einem Prinzen ausgeführt wurde.[49] Es richtete sich an die Wetter- und Erdgottheiten sowie an den Jupiterstern, da dieser über den Ablauf des Jahres präsidierte. Erfolgte darauf kein oder zu wenig Regen, wurde es wiederholt und, wenn das nichts half, durch eine große Regenfürbitte abgelöst, die sich, wie ich eben zu beschreiben versuchte, nicht an die unteren Instanzen, sondern an den obersten Himmelsgott richtete.

Wie in alter Zeit gab es auch jetzt ein Ritual, durch das anhaltender Regen zum Aufhören gebracht werden sollte. Es bestand, wie im Tso-chuan vorgeschrieben, aus heftigem Trommeln und einem Tieropfer an die Sheh-Gottheit. Die Hauptaufgabe aber fiel dabei den Buddhisten und Taoisten zu, die auf allen ihren Altären um besseres Wetter zu beten hatten, was von Abgesandten des Ritenministeriums kontrolliert wurde.[50]

Damit aber wurden nun auch amtlicherseits wieder die von mir vielfach genannten Gottheiten der Berge und Gewässer, die Stadtmauergötter, Drachengeister usw. im ganzen Reich in den Dienst der Wetterverbesserung ein-

48 Ta-Ch'ing hui-tien, S. 10616.
49 AaO, S. 10620.
50 AaO, S. 10621.

gespannt. Die Regierung mußte demonstrieren, wie sehr ihr die Ernte und damit die Volksernährung am Herzen lag.

d. Erdgottopfer

Die zweitgrößte Veranstaltung nach dem Himmelsopfer zur Wintersonnenwende war das große Erdopfer zur Sommersonnenwende. Dies fand statt auf einem von Wasser umgebenen viereckigen Altar im Norden außerhalb der Stadtmauer. Dabei wurden die fünf heiligen Berge, die fünf Abwehrstellen böser Einflüsse (d. h. eine andere Gruppe von heiligen Bergen), die vier Meere und die vier Ströme Chinas in Nebenopfern bedacht. In diese wurden etwa ab 1651 auch die kaiserlichen Grabhügel mit einbezogen.

Ebenso wie auf der Stätte im Süden gehörte zu der im Norden ein „Kasteiungspalast", in dem sich der Kaiser einen Tag lang in völliger Abgeschlossenheit auf die heilige Handlung vorbereiten mußte. Die ganze Anlage war mit Bäumen bepflanzt, die aber 1652 noch so niedrig waren, daß sie keinen Schatten gewährten. Der Kaiser wurde dadurch veranlaßt, seine Vollkasteiung in den Palast zu verlegen, damit nicht die Sommerhitze unter seinem Gefolge Krankheiten erzeuge. Erst ab 1654 nahm auch diese Vorbereitung den vorschriftsmäßigen Verlauf. Wieder zeigte sich also, daß solche großen Opferfeiern für die aktiv daran Beteiligten mit ziemlichen Unannehmlichkeiten verbunden sein konnten. Die vorherrschende Farbe dieser Anlage war die Erdfarbe Gelb; die anfangs grünen Ziegel der Dächer mußten deshalb auf kaiserlichen Befehl ausgewechselt werden. Der Kaiser verneigte sich bei diesem Ritual in Richtung Süden, während er dies beim Himmelsopfer nach Norden hin tat.[51] Auf der obersten Plattform des Altars befand sich auch hier die „hehre Erde" in Gesellschaft von acht Mandschuahnen.

e. Ernteopfer

Zu den Großopfern gehörte schließlich auch das für die Boden- und Erntegottheiten (Sheh-chi), auf die ich im Verlauf dieser Arbeit mehrfach zu sprechen gekommen bin. Es war dies, wie wir gesehen haben, eine mehr interne Veranstaltung der Dynastie. Der dafür bestimmte Altar lag deshalb auch im Palastbereich und war wie herkömmlich in Viereckform aus Erde errichtet, die in der Mitte gelb, im Osten blaugrün, im Süden rot, im Westen weiß und im Norden schwarz gefärbt war. Das Ritual wurde vom Kaiser selbst vorgenommen und wich wohl kaum von dem anderer Dynastien ab. Es diente in erster Linie wieder der Regenbeschaffung.

Von diesem zu unterscheiden sind die Zeremoniale, die in einem anderen Komplex von Heiligtümern außerhalb der Innenstadt und westlich vom Himmelsaltar vorgenommen wurden. Es handelte sich um eine Kombination der

---

51 Ta-Ch'ing hui-tien (t'u), S. 1056 und 1102.

Altäre für den Ersten Landmann, die Wettergötter und die der wichtigsten Berge und Gewässer sowie für den Jupiter. Dort fand auch am Frühjahrsäquinoktium die Pflügezeremonie des Kaisers statt. Er zog dabei, unterstützt von Beamten aus dem Ritenministerium und begleitet von Trommeln und Sängerchören, etwa drei Furchen hin und zurück. Von den Ausländern wird die Anlage meistens „Agrikulturtempel" genannt.

Das Gegenstück zum Altar des Ersten Landmanns bildet der Altar für die Erste Seidenzüchterin, an dem die Kaiserin das Raupenfütterungszeremonial abhielt. Er befand sich in einem Park auf dem Palastgrund, da man ihr nicht zumuten konnte, sich aus der verbotenen Stadt hinauszubegeben.

f. Sonne und Mond

Der Tradition des Staatskultes entsprechend gab es auch im Osten vor der Stadt einen Altar für die Sonne und im Westen einen für den Mond. Auf ersterem wurde in jedem zweiten Jahr am Tag des Frühlingsäquinoktiums die Sonne begrüßt, indem der Kaiser in roter Kleidung sich nach Osten gewandt verneigte. In den Zwischenjahren vollzog ein Beamter das Ritual. Auf dem Mondaltar fand am Tag des Herbstäquinoktiums eine ähnliche Zeremonie statt, die sich an den Mond selbst, den großen Bären, die den fünf Agenzien (Elementen) zugeordneten Sterne, die 28 Sternbilder und den gesamten Sternhimmel richtete. Sie wurde vom Kaiser selbst in weißlicher Kleidung in den Jahren, in denen er nicht die Sonne empfing, vollzogen, sonst auch wieder von beauftragten Beamten. Das Zeremonial des Kaisers bestand dabei in der Ausführung von zwei Kniebeugen und drei Verneigungen, welche Zahlen dem gemischten Yin-Yang-Charakter des Ganzen entsprachen.

Das Zeremonial für den Ersten Landmann, Sonne und Mond gehörte, wie auch schon vordem, zu den mittleren Opfern. Zu diesen rechneten ferner das für den Kriegsgott *Kuan-ti* (Schützgott der Dynastie), den Literaturgott *(Wên-ch'ang ti-chün)* und zunächst auch das für Konfuzius.

g. Sonstige Kulte

Hinter diesen rangierte in der dritten Klasse der Opfer nun eine große Anzahl von Klein- oder Massenzeremonialen *(Chün-ssû)* für weniger wichtige Gottheiten. Eine Neuerscheinung unter diesen war der Kanonengeist *(P'ao-shên)*. Der Kult für diesen wurde vom Jahre 1689 an in der Nähe der berühmten Lu-kou-Brücke in einem kleinen Ortstempel jeweils am 1. Tag des 9. Monats abgehalten und war anscheinend zunächst hauptsächlich eine Angelegenheit des manschurischen bordierten gelben Banners, dessen Kommandeur und nach ihm die Kommandeure der anderen sieben Banner vor der Repräsentationstafel dieser Gottheit ein dreimaliges Anbieten vollzogen. Etwa ab 1757 nahmen auch die chinesischen Bannerkommandeure alle drei

Jahre an solchen Veranstaltungen teil. Der P'ao-shên wurde schließlich eine Spezialgottheit sämtlicher Feuerwaffentruppen.

Neu war auch eine Gottheit, der „Präsident über die Arbeiten", dem man etwa ab 1644 zusammen mit der „Fürstin-Erde" *(Hou-t'u)* beim Beginn größerer Bauarbeiten in einem bunten Zelt am Bauplatz durch einen Beamten ein Opfer bringen ließ. Ihm verwandt war der „Präsident der Webstühle", für den in den kaiserlichen Spinnereien von einem Abgesandten des Ritenministeriums eine Feier abgehalten wurde.[52]

Vor allem aber finden wir nun wieder unter diesen Gottheiten die Geister sämtlicher einigermaßen wichtiger Berge und Gewässer, dabei auch den uns bekannten Gott des Huangho, dem sogar in einem der kaiserlichen Parks ein kleiner Sondertempel errichtet wurde. Dazu kam eine Anzahl von Tümpeln, in denen Drachen wohnten, die man mit Erfolg um Regen angegangen hatte, und sämtliche Stadtmauergottheiten.

Die einschlägigen Rituale bestanden im allgemeinen in der feierlichen Verlesung und Verbrennung eines von einem Literaten verfaßten Gebets und gingen auf Staatskosten.

h. Ahnenkult

Zu den Großzeremonialen des Staatskultes gehörten natürlich in erster Linie mit die Feiern im kaiserlichen Ahnentempel. Der Ahnendienst der mandschurischen Kaisersippe begann im Jahre 1636, als das neue Reich *Ta-Ch'ing* verkündet wurde. Er war wahrscheinlich zunächst nur eine recht einfache Angelegenheit und bestand hauptsächlich in den saisonalen Darbietungen von Früchten und Weihrauch vor dem *T'ai-tsu (Nurhaci)*. Erst nachdem die Hauptstadt nach Peking verlegt worden war, übernahm man die Ritenordnung der Ming und brachte Blutopfer. Zugleich wurde eine Ordnung für die vor den heiligen Handlungen, die gewöhnlich in der Morgendämmerung stattfanden, vorzunehmenden Enthaltungen und strengeren Kasteiungen, die sich auch auf die kaiserlichen Prinzen erstreckten, festgelegt. Da das Ganze nach rein chinesischem Ritus vor sich ging, spielten die chinesischen Fachleute aus dem Ritenministerium eine wichtige Rolle bei Inszenierung, Beaufsichtigung und Ausführung der Rituale. Die dabei benutzte Sprache war aber in der Hauptsache das Mandschurische. Der große kaiserliche Ahnentempel befand sich in der „verbotenen Stadt" links neben dem Palast.

Gegen Ende der Dynastie etwa um 1879 enthielt der Ahnentempel der Ch'ing-Dynastie die Tafeln von zehn Kaisern in folgender Anordnung: Vor der Nordwand in der Mitte stand die Tafel des *T'ai-tsu*, neben dieser nach Osten folgten drei Kaiser, beginnend mit dem *T'ai-tsung*, und drei nach Westen, beginnend mit dem *Shih-tsu*, dem der *Shih-tsung* folgte. An der

52 AaO, S. 10965 und 10966.

Ostwand der Halle standen zwei und an der Westwand eine Tafel. Die zweite Tafel bei der Ostwand, d. h. die südlich stehende, war die des letztverstorbenen Kaisers *Mu-tsung (T'ung-chih)*. Der nächste wäre auf die Südposition der Westseite plaziert worden. Alle diese Tafeln standen in einer vorderen Halle, in der der aktive Ahnendienst vor sich ging. In einer anderen weiter nach hinten gelegenen wurden vier Urahnen, beginnend mit *Mönge Temür* (gest. 1433), der erstmals beim Ming-Kaiser Anerkennung als Stammesführer gefunden hatte, und drei seiner Nachfolger aufbewahrt.

Jeder der Kaiser hatte seine Gemahlinnen neben sich. Die Anzahl dieser ist nicht einheitlich. Manche Kaiser hatten nur eine Kaiserin, andere dagegen zwei oder vier. Die Tafel der Gemahlin des T'ai-tsu stand westlich von ihm, die der übrigen Kaiserinnen immer neben ihren Gemahlen auf der dem T'ai-tsu abgekehrten Seite.[53]

Diese Aufstellung der Tafeln im Ahnentempel wich von der der Ming-Zeit schon darin ab, daß bei dieser die Kaiserinnen fehlten, die damals wahrscheinlich in einer Sonderhalle aufgestellt waren. Auch das Arrangement war insofern verschieden, als jetzt die Kaiser links und rechts vom T'ai-tsu, aber mit diesem in einer Linie standen und nicht an den Seitenwänden Reihen bildeten. Sonst aber finden wir auch hier wieder die Einteilung in eine Ost-Reihe *(Chao)* der Väter und in einer Westreihe *(Mu)* der Söhne, wie wir sie bei früherer Gelegenheit kennengelernt haben. Bemerkenswert scheint mir dazu auch, daß bei dem alle drei Jahre abgehaltenen Gemeinschaftsopfer *(Hsia)* für sämtliche Ahnen unter den Ch'ing keine größere Umgruppierung wie zum Beispiel bei den Sung stattfand, sondern die vier Urahnen der hinteren Tempelhalle einfach nach Osten hin neben der T'ai-tsu-Tafel aufgereiht wurden.[54]

Dieser kaiserliche Ahnendienst war wie auch schon im alten China das Vorbild der entsprechend verkleinerten Ahnenverehrung in den übrigen Volksschichten. Wir erfahren zum Beispiel, daß die Prinzen bis zu fünf Ahnentafeln in ihrem Ahnentempel aufstellen durften. An deren Spitze stand derjenige Vorfahr, der vom Kaiser belehnt worden war, auf der Chao-Seite der Urgroßvater und der Vater des Vertreters der lebenden Generation, ihnen gegenüber auf der Mu-Seite sein Ururgroßvater und der Großvater. „War die Verwandtschaft erloschen", wurden die Tafeln ausrangiert, die Tafeln aus der Chao-Reihe in einen östlichen und die aus der Mu-Reihe in einen westlichen Seitenraum. Nach der Entfernung der obersten Tafel einer Reihe wurde die folgende hinaufgerückt. Nur die Tafel des Gründers, die an Stelle des kaiserlichen T'ai-tsu stand, blieb unverändert.

Noch einfacher war der Ahnendienst der Beamten, denen zwar auch vier Tafeln, aber keine Blutopfer zugestanden wurden. Ihre Vorfahren wurden

53 AaO (t'u), S. 1131.
54 AaO (t'u), S. 1135/36.

streng vegetarisch ernährt. Männliche oder weibliche Mitglieder der Familie, die ohne Nachkommen zu hinterlassen gestorben waren, erhielten im Rahmen ihrer Generation eine Repräsentation aus Papier, die bei der Opferfeier im Osten (Männer) und im Westen (Mädchen) aufgestellt wurde. Nach der Beendigung des Rituals wurden diese Repräsentationen verbrannt.[55]

Man sieht hier wieder, daß der Ahnendienst eine religiöse Einrichtung war, dessen Wurzeln tief ins Volk hinabreichten und der mehr als Buddhismus und Taoismus die Schicht der Bildungsträger zu einer großen Gemeinschaft verband. Jeder gegen diesen Ahnendienst gerichtete Angriff war deshalb eine Bedrohung des religiös-kulturellen Grundgefüges der chinesischen Gesellschaft.

2. Taoismus, Buddhismus und Lamaismus

Vom Staatskult getrennt waren die Kirchenkulte. Im Strafgesetzkodex der Ch'ing heißt es, daß buddhistische und taoistische Priester, die in ihren Kulthandlungen die Staatsriten nachzuahmen suchten, bestraft und in den Laienstand zurückversetzt werden sollten. Es war auch verboten, daß Privatpersonen die oberste Gottheit des Himmels und ihren Wohnsitz, den Nordstern, direkt verehrten, was zum Beispiel dadurch geschah, daß jemand zu diesem Zweck sieben Lampen aufstellte.[56] Die Verehrung des Himmels und seines obersten Gottes war ausschließlich dem Kaiser vorbehalten gemäß der alten chinesischen Vorstellung, daß nur der oberste Mensch mit dem obersten Gott in Beziehung treten dürfe. Offenbar legten die Mandschukaiser großes Gewicht auf die Einhaltung dieser Ausschließlichkeit der Gott-Mensch-Beziehung, da das natürlich ein wichtiger Pfeiler ihrer Herrschaft über China war.

a. Kirchenorganisation

Schon im Jahre 1633 erließen die Mandschuren die erste Maßnahme zur Reorganisation der Kirchen. Wie auch in anderen Fällen bestand diese darin, daß die Staatsbehörde aus den prominenten Würdenträgern der Kirche einige auswählte, die ihr gegenüber die Verantwortung für das Wohlverhalten der religiösen Institutionen trugen. Aber erst im Jahre 1674 wurde der kirchliche Verwaltungsapparat in Einzelheiten, wie Untergliederung und Aufrücken (nach Freiwerden von Stellen und Prüfungen), festgelegt in der Form, die er bis zum Ende der Dynastie behielt.[57]

Eine weitere Verordnung verbot den Buddhisten und Taoisten, Personen als „Schüler" anzukaufen. Das war wohl so zu verstehen, daß die Klöster, die hinter ihren Mauern die Wirtschaftskatastrophe der Übergangszeit nicht so

55 AaO, S. 11089–97.
56 *Staunton* (1810, Neudruck 1966), S. 174.
57 Ta-Ch'ing hui-tien, S. 11737, und *Mayers* (1897), S. 84–86.

schwer zu fühlen bekamen, ihr Dienstpersonal mit Leuten auffüllten, die gezwungen waren, ihre Angehörigen oder sich selbst zu verkaufen.

Was den Zutritt zum Klerus betraf, so konnte zunächst jeder einen Ordinationsschein beim Finanzministerium erwerben. Doch wurde der Verkauf im Jahre 1645 wegen weitverbreiteter Mißbräuche eingestellt. Zugleich erfolgte die allgemeine Registrierung der Mönche und Nonnen, d. h. die Säuberung der Kirchen von verdächtigen Elementen. Drei Jahre später nahm das Ritenministerium die Ausgabe von Ordinationsscheinen wieder auf. Es ließ die alten einziehen und durch neue ersetzen, die nur an nicht vorbestrafte Mönche ausgegeben wurden. Im Jahre 1651 wurde auch das wieder geändert und die Ordinationsurkunden nach einem Bittgesuch an das Ritenministerium von diesem unter Prüfung des Antragstellers und unter Berücksichtigung der aktuellen Anzahl der Mönche ausgestellt.

Ferner erging Befehl an die Klöster, alle alten, unter den Ming erhaltenen Dokumente über Privilegien abzuliefern. Diese bezogen sich oft auf die Erlaubnis, Buddhastatuen anzufertigen, was, wie wir gesehen haben, Kupferverknappung bewirken konnte. Die Erlaubnis zum Guß mußte jetzt in jedem Fall erst vom Ministerium eingeholt werden. Anderseits aber durften die bereits vorhandenen Statuen nicht eigenmächtig zerstört noch in andere Tempel überführt (d. h. verschoben) werden.[58]

Im Jahre 1646 wurde auch dem Sittenverfall in den Klöstern, wo manchmal Mönche und Nonnen nebeneinander wohnten, Einhalt geboten und alle Laien, die sich dort eingenistet hatten, entfernt. Den Äbten, die Personen, d. h. meist wohl Angehörige, verborgen hielten, drohte Bestrafung.

Hierher gehört eine sonderbar anmutende Bestimmung vom Jahre 1724, nach der es verboten wurde, daß sich Frauen und Mädchen zusammentaten, um in Bergklöstern Weihrauch abzubrennen, weil das „die guten Sitten verletze". Leider kann ich nicht feststellen, um was es sich bei dieser im Südosten verbreiteten Bewegung handelt. Sollte es eine Äußerung der traditionellen religiösen Rebellionsstimmung in Chekiang sein? Wir erfahren nur, daß diese Frauen und Mädchen von „Anhängern düsterer Dummheit" dazu veranlaßt wurden.[59] Überhaupt scheinen religiöse Feiern, bei denen eine größere Volksmenge zusammenkam, den Staatsorganen immer verdächtig vorgekommen zu sein. Alle Versammlungen, bei denen die Geschlechter nicht streng getrennt blieben, galten als die guten Sitten verderbend.

Während der Übergangszeit hatten die Mönche auf vielerlei Weise in den Straßen um Beiträge für ihre Klöster geworben, was nun wegen der damit verbundenen Ansammlungen verboten wurde. Bestraft wurde auch das öffentliche Abhalten großer taoistischer Messen. Weitere Bestimmungen beschränk-

---

58 Ta-Ch'ing hui-tien, S. 11735.
59 AaO, S. 11738.

ten den Wiederaufbau alter und die Errichtung neuer Klöster und Tempel sowie den Eintritt von Novizen.

Für das Jahr 1667 erhalten wir folgende Zahlen für die beiden Kirchen im Bereich der Hauptstadt und der unter ihrer direkten Verwaltung stehenden Provinz:

Von der Regierung unterstützte und von der Kirchenbehörde beaufsichtigte größere

Klöster und Tempel	6 073
kleinere Heiligtümer	6 409
von Privatleuten errichtete größere Tempel	8 458
von Privatleuten errichtete kleinere Tempel	58 682
zusammen	79 622
Buddhistenmönche	110 292
Taoistenmönche	21 286
Nonnen	8 615
zusammen	140 193 [60]

Auffällig ist die große Zahl der „privaten" Tempel, Kapellen usw. Man könnte daraus schließen, daß die beiden Religionen weitgehend in den Bereich der Sippen geraten waren, wie ich das im Abschnitt über Taoismus und Buddhismus der Ming-Zeit kurz angedeutet habe. Doch sind hier wohl auch Tempel und Heiligtümer, die von anderen Gemeinschaften, zum Beispiel den Gilden oder den Dorfgemeinden, errichtet wurden, miteingerechnet.[61]

An sich scheinen die Mandschukaiser den Taoismus und Buddhismus keineswegs gefördert zu haben. Sie gingen von der Ansicht aus, daß die Mönche und Nonnen der beiden Kirchen eine soziale Schicht bildeten, die auf dem Volkskörper schmarotze. Deswegen müßte man sie immer wieder sorgfältig überprüfen und den Erwerb von Ordinationsurkunden möglichst erschweren.[62]

Leider gibt die für 1740 genannte Zahl von 300 000 Ordinationsscheinen keinen Anhaltspunkt für die weitere numerische Entwicklung. In diesem Jahr sollte übrigens ein Bericht beim Kaiser eingereicht werden, der ihn darüber informierte, um wieviel sich der Klerus der beiden Kirchen verringert habe. Bestandsmeldungen dieser Art wurden von da an von Zeit zu Zeit wiederholt.

---

60 AaO, S. 11737, und *de Groot* (1901, Neudruck 1963), S. 132, wo fälschlich angenommen wird, daß es sich um Zahlen für das ganze Reich handele. In der Gesamtzahl des Klerus ist das Personal der „Privattempel" wohl nicht enthalten.
61 Ich bin unsicher, wie die Angaben des Ta-Ch'ing hui-tien mit solchem statistischen Material in Einklang zu bringen sind, wie es von *Yang* (1961), S. 7–15, 342–347, 436–451, vorgeführt wird. Jedenfalls existierten überall auf dem Lande neben den anerkannten Tempeln kleine lokale und oft nur ephemere Kultstätten, deren Zweck oft nicht auf das Religiöse beschränkt war und die in diesen amtlichen Zahlen nicht enthalten sind.
62 Ta-Ch'ing hui-tien, S. 11743.

b. Rückgang der Kirchen

Alles das zeigt, daß von der Regierung Tendenzen ausgingen, das Volumen der Kirchen zu verringern. In mehr ideeller Hinsicht wäre hier auf die berühmten „heiligen Edikte" *(Shêng-hsün)* der Mandschukaiser hinzuweisen, die unter Ausschaltung der Kirchen direkt auf die Volksmoral einwirken sollten. Der Schrumpfungsprozeß wurde zudem durch die von mir angedeuteten sozialen Änderungen beschleunigt. Er war begleitet von moralischer Zerrüttung des Priestertums und dem wirtschaftlichen Verfall der großen Klöster.[63] Anderseits ist dazu auch ein merkliches Anwachsen der Geheimgesellschaften festzustellen. Mit diesen kommen Geheimreligionen auf, über die weiter unten noch Angaben zu machen sind.

Schon seit langer Zeit war ein Prozeß im Gang, in dessen Verlauf sich die chinesische Religiosität mehr und mehr auf das verlegte, was recht ungenau mit „Volksreligion" bezeichnet wird. Diese war zu keiner Zeit auf die unteren Volksschichten beschränkt, wie man das aus der Benennung schließen könnte. Sie bildete vielmehr eine sich durch alle sozialen Klassen hindurchziehende emotional-religiöse Haltung, wenn sie auch in manchen Äußerungen von den „aufgeklärten" Konfuzianern, besonders von den Ritualisten, abgelehnt wurde. Sie war, wenn man so will, ein weites Kraftfeld religiöser Energien, das durch sämtliche im Vorhergehenden beschriebenen Lehren und Strömungen in Aktivität versetzt wurde.

Die beiden Kirchen, die buddhistische und taoistische, waren natürlich gezwungen, diesen Vorgängen Rechnung zu tragen und sich anzupassen. Das heißt, daß die religiös-philosophische Spekulation in den Hintergrund treten mußte. Neue bemerkenswerte Schulrichtungen traten jetzt ebensowenig in Erscheinung wie während der Ming-Zeit.

c. Ch'üan-chên und Chêng-i

So finden sich, was den Taoismus betrifft, in den von mir eingesehenen Quellen nur wieder die bekannten beiden großen Gruppen, die nördliche *Ch'üan-chên* („Bewahrung des Wahrhaften") und die südliche *Chêng-i* („Gradheit und Einheit").

Von diesen scheint die erstere der Regierung am wenigsten störend aufgefallen zu sein. Ihre Anhänger lebten zurückgezogen in den Klöstern und befleißigten sich eines reinen Lebenswandels im Sinn der ihnen auferlegten zahlreichen Gebote und Verbote. Man entnahm ihren Reihen deshalb mit Vorliebe die Funktionäre der Kirchenverwaltung.[64]

Anders verhielt es sich mit der Süd-Gruppe. Im Jahre 1739 erging ein Erlaß gegen die von ihr betriebene Propaganda. Der damalige T'ien-shih

---

63 Vgl. *Kesson* (1854), S. 186.
64 Ta-Ch'ing hui-tien, S. 11740 und 11745.

(„Himmelslehrer") hatte eine Anzahl von Priestern ausgesandt, die überall in den Städten Altäre errichteten und die Leute bekehrten. Dies wurde „für immer" verboten. Sollte es aber doch insgeheim weiter betrieben werden, dann würde sich die Bestrafung schließlich auch auf den „Wahrhaftmenschen der Gradheit und Einheit" *(Chêng-i chên-jên,* amtlicher Titel des T'ien-shih) erstrecken.[65]

Anscheinend wurde dadurch die Aufmerksamkeit des Kaisers *Ch'ien-lung* auf die Familie *Chang* gelenkt, die seit Generationen am Lung-hu-Berg in Kiangsi wohnte. Bei näherer Untersuchung ergab sich, daß bereits zwei vorhergehende T'ien-shih durch Sondergnadenerlasse der Mandschukaiser den Ehrentitel eines *Kuang-lu ta-fu* („Großwürdenträger des Bewirtungsamtes") erhalten hatten. Dies war ein Ehrentitel des ersten Ranges. Jetzt erhielt der T'ien-shih vielleicht im Zusammenhang mit dem erwähnten Verbotserlaß nur einen Titel des 5. Ranges, der aber, nachdem der Kaiser ihn im Sommerpalast empfangen hatte, schließlich auf einen solchen des 3. Ranges erhöht wurde.[66]

Die Geschichte dieser Himmelslehrer läßt sich nun etwas eingehender verfolgen. Der Übergang von der Ming- zur Ch'ing-Dynastie erfolgte unter dem T'ien-shih der 52. Generation. Angeblich geriet er dabei durch häretische Mönche, die das Volk zum Plündern aufhetzten, in schwere Bedrängnis. In höchster Not rief er die Geister, die ihm ja kontraktlich verpflichtet waren, zu seinem Schutz herbei. Und siehe da!, von allen Seiten erhoben sich finstere Wolken und man sah in der Ferne, wie sich ein schwarzer Geistertiger auf die Banditen stürzte, die in panischem Schrecken davonstoben.

Nationale oder völkische Hemmungen scheint der T'ien-shih jedoch nicht gehabt zu haben, denn nachdem die Mandschuren ihre Dynastie begründet hatten, sandte er seine Glückwünsche an den Hof. Im kaiserlichen Dankschreiben darauf heißt es: „... Deine wichtigste Aufgabe ist es, dafür zu sorgen, daß das törichte Volk nicht durch Irrlehren und Zaubertricks in Verwirrung gebracht wird. Nun ist die neue Dynastie gerade errichtet und die Regierung völlig makellos. Du halte Dich im Rahmen der für die Kirche aufgestellten Regulationen und folge gehorsam dem graden Weg (chêng Tao) ..." Zugleich erhielt er die religiöse Jurisdiktion über die Bevölkerung im Umkreis des Lung-hu-Berges. Er war auch der erste T'ien-shih, der mit dem eben erwähnten Ehrentitel ersten Ranges ausgezeichnet wurde.[67]

Sein Nachfolger erlangte Audienz beim Kaiser, Befreiung von Steuer und Dienstpflicht. Zugleich zeigte sich jetzt, daß der Staat bei religiösen Unruhen die Autorität der T'ien-shih benutzte, um Aufstände zu beruhigen. Dies sowie ihr magischer Einsatz bei Regenbeschaffung, Abwehr von Pestilenzen, Deichbrüchen und anderem Unheil verlieh den T'ien-shih einen gewissen Verwen-

---

65 AaO, S. 11749.
66 AaO, S. 11749.
67 *Fu Ch'in-chia* (1937), S. 88.

dungswert für die Regierung. Sie hatten deshalb das Alleinprivileg zur Ausübung magischer Praktiken im Reich. Und dies verteidigten sie gegen jede aufkommende Konkurrenz. Dies wiederum erklärt die Tatsache, daß niemals im Lauf der Geschichte ein T'ien-shih in einen der zahlreichen, aus religiösmagischem Untergrund entspringenden Aufstände hineingezogen wurde.

Aber alle von den Kaisern den T'ien-shih angeblich zuerteilten Ehrungen können nicht darüber hinwegtäuschen, daß etwa ab 1739 die Chêng-i-Richtung sich nicht desselben Vertrauens bei der Regierung erfreute wie vordem. Die T'ien-shih wurden nicht mehr vom Kaiser empfangen. Im Volk allerdings blieb ihr Ansehen unverändert.[68]

d. Lamaismus

Ziemlich ereignislos ist die innere Geschichte des Buddhismus in dieser Zeit. Nur das neuerliche Auftreten des ihm verwandten Lamaismus bringt etwas Farbe in das Bild. Auch jetzt steht dies wieder im Zusammenhang mit den politischen Ereignissen in der Mongolei und in Tibet. Diese sowie die dortige Geschichte des Lamaismus gehören nicht in den Rahmen dieser Arbeit. Hier interessiert nur jene kleine Gruppe dieser Religion, die sich in der Hauptstadt aufhielt. Die Verbindung der Mandschuren mit dem Lamaismus bestand schon lange vor der Errichtung ihrer Dynastie. Sie war offenbar rein politischer Natur, denn die Art, wie man mit seinen Vertretern verfuhr, zeigte, daß diese sich keineswegs besonderer Beliebtheit erfreuten. Schon 1634 kam eine Bestimmung heraus, daß sich die *Lama* und *Bandi* (untergeordnete lamaistische Priester) außerhalb der Hauptstadt an „reinen und sauberen" Plätzen anzusiedeln hätten. Sie durften auch nicht zu religiösen oder medizinischen Diensten in die Stadt gebeten werden. Wunderkuren waren wohl eine ihrer Haupteinnahmen.

Das Verbot wurde auch aufrechterhalten, als die Hauptstadt nach Peking verlegt worden war. Nur eine fest bestimmte Anzahl der Lama durfte sich in den städtischen Tempeln aufhalten. Im Jahre 1667 wurden alle einem Großlama unterstellt, der für ihr Verhalten verantwortlich war. Im Gegensatz zu dem, was wir unter anderen Dynastien kennengelernt haben, unterstanden die Lama, wie auch der gesamte übrige Klerus, dem gewöhnlichen Strafgesetz.[69]

Wodurch die Lama bei den Chinesen Anstoß erregten, scheint in erster Linie der Umstand gewesen zu sein, daß es ihnen erlaubt war, zu heiraten, was ja, wie wir gesehen haben, auch den Chêng-i-Taoisten ungünstig angemerkt wurde. Dazu mag aber noch gekommen sein, daß auch die sonstigen Gewohnheiten der primitiven Hochlandbewohner den kultivierten Chinesen

---

68 AaO, S. 232.
69 Ta-Ch'ing hui-tien, S. 11748/49, und *de Groot* (1901, Neudruck 1963), S. 118–19.

abstoßend vorkamen. Während anderseits die tibetische Heilkunde sich immer eines guten Rufs erfreut hat.

Es scheint also, daß die Lama trotz mancher Gunstbeweise der Kaiser und der großen Rolle, die sie wie auch der buddhistische und taoistische Klerus bei bestimmten Anlässen, besonders bei feierlichen Begräbnissen spielten, in China als unerwünschter Fremdkörper behandelt wurden. Ich selbst habe 1933 den Lamatempel in Peking besucht und erinnere mich an die groben und rustikalen Gesichter der Lama, die von den Chinesen merklich kontrastierten.

3. Das Christentum

Adam Schall von Bell war nach dem Fall der Ming-Dynastie in den Dienst der Ch'ing übergetreten und mit der Verbesserung des Kalenderwesens beauftragt worden. Seine vortrefflichen Berechnungen bewirkten, daß er als Direktor an die Spitze des kaiserlichen Amtes für Astronomie gestellt wurde. Im Jahre 1650 erhielt er die Erlaubnis zum Bau einer christlichen Kirche in Peking. Dies war die sogenannte *Nan-t'ang* („Süd-Kirche"), zu der im Jahre 1703 auf Grund einer erfolgreichen Malariakur des Kaisers durch französische Missionare die *Pei-t'ang* („Nord-Kirche", 1827 wieder zerstört) kam.

a. *Yang Kuang-hsien*

In diese Zeit fällt die Aktivität des fanatischen Christenfeindes *Yang Kuang-hsien*. Er benutzte die Schrift eines Konvertiten, um die Christen zu beschuldigen, sie verbreiteten, alle Menschen hätten ihren Ursprung in Judäa, und die Chinesen seien von dort unter Führung des *Fu-hsi* ausgewandert. Der Himmelsgott des Staatskults wäre eigentlich der Gott der Juden, was in Vergessenheit geraten, aber durch Ricci wieder offenbart worden sei.[70] Das waren Ideen, die den Kulturstolz der Chinesen aufs peinlichste verletzten.

Zugleich versuchte er, die Christen als Geheimbündler darzustellen und nachzuweisen, daß sie nach Art der Schamanen gegen das Kaiserhaus böse Einflüsse beschworen hätten. Die Stelle, bei der er dies vorbrachte und die sich dessen annahm, war das Ritenministerium.

Schall war damals so krank, daß er sich nicht verteidigen konnte, und sein Konfrater Verbiest des Chinesischen noch nicht mächtig. Im April 1665 wurden sie deshalb zum Tod bzw. zur Bastonade verurteilt, das Urteil aber wegen eines Erdbebens und der Fürsprache der Kaiserinmutter nicht vollstreckt, jedoch alle Kirchen geschlossen und sämtliche Missionare außer den vier in Peking lebenden nach Makao zurückgeschickt.

---

70 Wer würde hier nicht an die von *Victor von Strauss* in seiner Übersetzung des Tao-tê ching (Leipzig 1924, S. 68/69) vorgetragene ebenso unwahrscheinliche Ansicht erinnert.

Yang Kuang-hsien aber kam zu Fall, als sich zeigte, daß er von astronomischen Berechnungen nichts verstand und somit nicht fähig war, die Jesuitenpatres zu ersetzen. 1668 wurden diese rehabilitiert und Verbiest an Stelle des inzwischen verstorbenen Schall in das Direktorium des Astronomieamtes berufen.

Zu beachten ist die Rolle des Ritenministeriums, das auch hier wieder als Wahrer und Verteidiger des „Chinese way of life" gegen eindringendes Fremdbrauchtum fungiert. Von ihm nahmen die meisten, wenn nicht alle antichristlichen Bewegungen ihren Ausgang. Doch waren sie oft eingebettet in die allgemeine Abwehr aller als staatsfeindlich angesehenen Häresien.

b. Der Ritenstreit

Aber weder diese Verfolgung noch das an die Bevölkerung gerichtete Verbot, den fremden Glauben anzunehmen, konnte verhindern, daß das Christentum zunächst immer fester Fuß faßte. Der Hauptschlag gegen seine Ausbreitung erfolgte jedoch auf Grund von Unstimmigkeiten innerhalb der Christen selber, die zum sogenannten Ritenstreit führten.

Dies war eine Auseinandersetzung über die Art, wie man den Chinesen das Christentum nahebringen solle, zwischen den Jesuiten auf der einen und den Dominikanern und Franziskanern auf der anderen Seite. Erst im Jahre 1742 wurde der Streit durch die päpstliche Bulle Ex quo singulari endgültig entschieden.

Die Methode der Jesuiten war ohne Zweifel die geschicktere. Sie richtete sich nach dem Grundsatz, „sorgfältige Sondierung . . ., kluge Berücksichtigung und Ausnützung der Verhältnisse".[71] Ihre Missionsarbeit begann deshalb, wie bereits gesagt, oben bei den Spitzen der chinesischen Gesellschaft. Wie wir gesehen haben, benutzten sie die abendländische Wissenschaft, um mit dem chinesischen Gelehrtentum in Verbindung zu treten, und es gelang ihnen tatsächlich nicht nur das, sondern die besten von ihnen wurden unter dies aufgenommen und bewegten sich im Habit konfuzianischer Scholaren. Damit aber erhoben sie sich weit über das inzwischen (d. h. seit der Ming-Zeit) sozial stark abgesunkene Milieu der taoistischen und buddhistischen Mönche. Unter ihrem Schutz war es dann anderen möglich, die Missionstätigkeit auf die Provinzen auszudehnen.

Es ging den Jesuiten in erster Linie darum, den christlichen Glauben, nicht aber abendländisches Brauchtum in China zu verbreiten.[72] Bei ihrem sehr gründlichen Studium der chinesischen Klassiker fanden sie so viele Berührungspunkte mit christlichen Ideen, daß sie die Idee einer „Uroffenbarung",

---

71 P. *Anton Huonder:* Der chinesische Ritenstreit, Aachen 1921, S. 27.
72 „Nicht unsere Sitten müssen wir in diesem Reich pflanzen, sondern den Glauben, welcher auf keines Volkes Sitten und Gebräuche sieht oder sie verletzt, vielmehr sie zu erhalten sucht." Vorschriften für die Apostolischen Vikare in Ostasien 1659.

die allen Völkern zuteil geworden war, konzipierten. Ihre Aufgabe bestand danach nur darin, diese herauszuarbeiten und den Chinesen bewußt zu machen.

Im großen ganzen gingen sie also denselben Weg wie die Buddhisten, deren Riesenerfolg ganz unbezweifelbar vor aller Augen stand. Ebenso wie diese bemühten sie sich, traditionsgeheiligte Denkbahnen des Chinesentums zu benutzen, um die neuen Ideen einzuschleusen. Aber während sich die Buddhisten vor allem des Taoismus bedient hatten, stützten sich die Jesuiten auf den klassischen Konfuzianismus. Sie versuchten deshalb zum Beispiel bei der Spendung der heiligen Sakramente alles zu vermeiden, was der vorgeschriebenen strikten Trennung der Geschlechter zuwiderlief.

Das änderte sich, als etwa ab 1633 die spanischen Mönche aus dem Orden der Dominikaner, Franziskaner und Augustiner von den Philippinen her in China einzudringen begannen. Zum Teil wenigstens waren dies düstere Fanatiker, denen der Märtyrertod ebenso erstrebenswert erschien wie die Rettung heidnischer Seelen. Ohne hinreichende Kenntnis der Sprache und des Chinesentums traten sie in ihre fremdartigen und den chinesischen Behörden verdächtigen Mönchskutten gekleidet auf offenen Straßen und Plätzen mit dem Kruzifix in der Hand auf und predigten zum Volk „als wären sie in einer Stadt Europas".[73] Jedes religiöse Zeremonial der Chinesen, wie zum Beispiel der in allen Familien ausgeübte Ahnendienst, wurde von ihnen aufs schroffste bekämpft, Konfuzius und seine ganze Lehre als abscheulicher heidnischer Greuel in die Hölle verbannt. Die Folge solcher Brüskierungen waren sofortige scharfe Gegenmaßnahmen der chinesischen Behörden und eine Verfolgungswelle, die das Bekehrungswerk der Jesuiten fast völlig wieder vernichtete.[74] Ein Schlußpunkt wurde gesetzt, als im Jahre 1773 die Auflösung der Societas Jesu erfolgte. Damit verschwand der Einfluß zugunsten der christlichen Mission am Kaiserhof.

Die Parteinahme des Papstes für diese „christlichen Ritualfanatiker" bedeutete praktisch den Fehlschlag der Missionierung, und Max Weber spricht deshalb recht treffend von den „hoffnungslosen Missionsexperimenten der okzidentalen Konfessionen"[74a]. Denn es war einfach undenkbar, daß ein Volk, das im traditionellen Zeremonialwesen, Kleidung, Haltung und Lebensstil seinen wichtigsten völkischen Wesenskern sah, diesen freiwillig für ein anderes Zeremonialwesen aufgeben würde.

Weniger wichtig war dagegen der Streit um die chinesische Bezeichnung Gottes. Ob aber *T'ien-chu*, „Himmelsherr", was sich schließlich bei den Katholiken durchsetzte, sehr glücklich war, möchte ich dahingestellt sein lassen, denn

---

73 P. *A. Huonder*, aaO, S. 35.
74 Die Zahl der Bekenner sank von etwa 300 000 im Jahre 1722 auf etwa 70 000 im Jahre 1754.
74a *Max Weber:* Religionssoziologie, 1920, Neudr. 1963–66, Bd. I, S. 509.

man kann darunter verstehen „Hausherr des Himmels", aber auch „Repräsentationstafel des Himmels". Die Feinde des Christentums setzten außerdem für das im dritten Ton gesprochene *Chu*, „Herr", das im ersten Ton gesprochene *Chu*, „Schwein", ein.

c. Die protestantische Mission

Im Anfang des 19. Jhs. begann die protestantische Mission in China. Ihre ersten namhaften Vertreter wie R. Morrison und W. H. Medhurst befaßten sich allerdings zunächst weniger mit Bekehrungen als mit Sprachstudien. Ihnen sind zu verdanken Bibelübersetzungen, Wörterbücher und Grammatiken. Aus ihren Reihen stammte schließlich James Legge, einer der bedeutendsten Initiatoren der sinologischen Studien im Abendland. Auf Grund ihrer Sprachkenntnis gelang es den protestantischen Missionaren bald, in der Mittelsphäre zwischen Ausländern und Chinesen festen Fuß zu fassen und bei politischen und geschäftlichen Verhandlungen eine Hauptrolle zu spielen. Besonders gilt dies für den aus Pommern stammenden Missionar K. Gützlaff, dessen Kenntnis ostasiatischer Sprachen und chinesischer Dialekte zu seiner Zeit einzigartig gewesen sein muß.

Hauptinstrument der Protestanten war zunächst das gedruckte Wort; sie versuchten, durch massenweise Verteilung religiöser Schriften ihr Werk zu fördern. Damit erreichten sie aber natürlich nur die Schicht der Chinesen, die für fremde Ideen nun gerade am unzugänglichsten war. Zugleich versuchten sie aber auch durch Eröffnung von Krankenhäusern dem Volk näher zu kommen.

Das gesamte christliche Missionswerk trat in ein neues Stadium, als die chinesische Regierung ab 1842 nach verlorenem Opiumkrieg mehr und mehr dazu gezwungen wurde, die religiöse Aktivität der Fremden im ganzen Land zu dulden, ja zu schützen. Jetzt zeigte sich aber nun auch leider, daß die Ausbreiter des Christentums nolens volens als Vortrupp der wirtschaftlichen und politischen Durchdringung dienten.

d. Bekehrungsmethoden

Die Bekehrungsmethoden waren nicht immer einwandfrei. Daß die Vorteile der Exterritorialität nicht nur den Missionaren selbst, sondern auch den zum Christentum bekehrten Chinesen zugute kamen, bewirkte natürlich einen Zustrom der nicht gerade besten Elemente.

Ein anderer Antrieb war der Hunger. Da in dem Riesenland immer irgendwo durch Heuschrecken oder Dürre verursachte Katastrophen die Ernte vernichteten, gab es auch immer Teile der Bevölkerung, die sich in extremster Not befanden. Diese Leute waren natürlich bereit, sich in alles zu fügen, wenn ihnen nur eine Überlebensmöglichkeit geboten wurde. Die Missionen benutzten dies, um durch oberflächliche Bekehrungen die Zahl ihrer Konvertiten zu vermehren.

Das zeigt, daß es den Missionaren oft gar nicht um ernsthafte Ausbreitung des Christentums zu tun war, sondern nur um in Zahlen ausgedrückte Scheinerfolge. Manchmal wurden nicht einmal diese angestrebt. Wichtig war allein, den Chinesen das Christentum angeboten zu haben, weil davon die Wiederkehr von Jesus Christus abhing. Ob es angenommen wurde, war Angelegenheit göttlicher Gnade und interessierte erst in zweiter Linie.[75]

Dem Aufbau solcher Scheinerfolge dienten auch die zahlreichen Taufen sterbender Kinder, das sogenannte oevre angélique. In manchen Fällen hatte der Missionar eine Anzahl Helfer in seinen Diensten, die für ihn die Straßen absuchten nach Familien, bei denen ein Kind im Sterben lag. Das Missionieren wurde, wie dies zeigt, also oft nach dem Vorbild geschäftlicher Konkurrenzunternehmen betrieben. Die größere Zahl der Konvertierungen befähigte natürlich die einzelne Mission, für ihre erfolgreiche Tätigkeit auch größere Unterstützung zu fordern.

e. Auswirkungen

Aus der Aktivität der fremden Missionare entwickelte sich nun auch ein Angriff auf den Grundpfeiler der alten chinesischen Gesellschaft, nämlich das Bildungsmonopol der konfuzianischen Gelehrtenschaft. Dies geschah durch die Gründung zahlreicher Missionsschulen, darunter erstmalig solcher, die nur der Erziehung chinesischer Mädchen dienten. Der Unterricht war billiger und das Erlernte ließ sich wesentlich vielseitiger verwenden als der Lehrstoff der chinesischen Schulen, die oftmals von verkrachten Existenzen der Bildungsschicht als letzte Unterhaltsmöglichkeit geführt wurden.

Wichtig war auch der Umstand, daß sich die Missionare vornehmlich der gewöhnlichen Umgangssprache bedienten, was unumgänglich war, wenn sie sich mit den Volksschichten, die der Bekehrung zugänglich schienen, in Verbindung setzen wollten. Dies bildete höchstwahrscheinlich den ersten Anstoß zur späteren sogenannten literarischen Revolution, d. h. der Erhebung der Umgangssprache in die Sphäre der literarischen Produktion und schriftlichen Aufzeichnung, die das Ende einer schwer zugänglichen reinen Schriftsprache, die das Monopol einer kleinen Oberschicht bildete, einleitete.

Die aggressiv einbrechende abendländische Kultur fand wie seinerzeit auch der Buddhismus das Chinesentum in einer wenig günstigen Situation. Die religiöse Kraft der beiden Kirchen, der buddhistischen und der taoistischen, war stark geschwächt, wenn nicht gebrochen. Der Konfuzianismus als Hauptinstrument der verhaßten Mandschuherrschaft war einer scharfen Kritik aus den eigenen Reihen ausgesetzt. Trotzdem gelang es den mit allen Mitteln der Überredung ausgestatteten christlichen Missionaren des 19. Jahrhunderts nicht, China zu erobern. Die Zahl der Bekehrten, deren Glaube an sich bereits

---

75 *M. Weber:* Religionsoziologie, I, S. 100, Anm. 3.

eine recht zweifelhafte Angelegenheit war, ging nie über einige Hunderttausend hinaus – in einer Bevölkerung von mehreren hundert Millionen eine verschwindende Minderheit.

4. Der Islam

Bei Christen und Mohammedanern werden die Zahlen der Bekenner angegeben, was für die Anhänger der beiden einheimischen Religionen, Buddhismus und Taoismus, so gut wie unmöglich wäre, da die Bevölkerung zwischen deren Tempeln, die sich oft an sich schon nur wenig unterschieden, je nach Wirksamkeit der Fürbitten hin und her fluktuierte, so daß von eindeutig fester Zugehörigkeit zu einer von beiden nicht die Rede sein konnte. Registriert waren nur die zugelassenen Priester.

Der sehr verschiedene religiöse Habitus der beiden Fremdreligionen brachte es mit sich, daß deren Gemeinden von der übrigen Bevölkerung merklich abgesondert waren. Isolierend wirkte bei den Mohammedanern bereits die Enthaltsamkeit von Schweinefleisch, eines der Hauptnahrungsmittel der Chinesen. Das schloß sie von gemeinsamen Mahlzeiten aus, die bekanntlich in China zur Anbahnung freundlicher Beziehungen außerordentlich wichtig sind.

Die größten Gruppen der Mohammedaner finden sich auch heute noch in Yünnan (etwa vier Millionen), in Kansu (über acht Millionen) und in Shensi (etwa 3,5 Millionen). Dort ereigneten sich während der Ch'ing-Zeit die großen Aufstände, in Yünnan 1855–78 und in Shensi, Kansu und Chinesisch-Turkestan 1862–70. In beiden lassen sich klare Tendenzen erkennen, unabhängige islamische Staaten zu gründen. Die Niederwerfung der Aufstände war also nicht so sehr ein Schlag gegen gefährliche Häretiker, sondern hatte in erster Linie politische Gründe. Zumal in Turkestan konnten die Mohammedanerführer mit Interesse und Hilfe aus dem Ausland rechnen.

Auch in den großen Städten bestanden mohammedanische Gemeinden. Die in Peking wurde für das Jahr 1914 mit 30 000 Personen beziffert. Sie besaß über 32 Moscheen. Allein schon das zeigt, daß sie keineswegs aus armen Leuten bestand. Unter ihnen gab es große Geschäftsinhaber, Geldverleiher, besonders aber Schlächter (Rind und Hammel) und auch einige Staatsbeamte. In ihren Händen befand sich fast der gesamte Karawanenverkehr. Die Mullas hatten oft eine gute Kenntnis des Arabischen bewahrt. Chinesisch wurde von ihnen gesprochen. Sie konnten es aber nur selten lesen und schreiben. Auch das ist kennzeichnend für die isolierte Stellung des Islam in China.

Unter sich haben sich die Mohammedaner in eine mehr konservative Gruppe, die streng auf die Reinhaltung der religiösen Gebräuche sieht, und in eine mehr liberale getrennt. Beide befehdeten sich oft bis zum Blutvergießen.[76]

76 *Reichelt* (1951), S. 155–175; *Williams* (1883), Bd. II, S. 730.

5. Die Geheimreligion

Den ersten Ansatz zu Geheimreligionen habe ich o. S. 341–344 zu beschreiben versucht. Tatsächlich haben wir auch dort schon das Resultat einer langen Entwicklung vor uns. Ich habe verschiedentlich darauf hingewiesen, wie der konfuzianische Ritualismus das amtliche Feld der chinesischen Religiosität mehr und mehr beherrschte und alles, was in seinem Sinn als „Aberglauben" anzusehen war, weitmöglichst eliminierte. Dazu kam, daß, wie ich ebenfalls andeutete, in der Ming-Zeit die beiden Kirchen unter ihren Institutionen die religiösen Emotionen im Volk nicht mehr voll für sich einfangen konnten.

Die Folge war eine religiöse Spannung oder Gärung, gekennzeichnet durch das Auftreten zahlreicher Propheten, Wundertäter, Prediger und Heilbringer, deren Anhang dem der offiziellen Kirchen wahrscheinlich zu manchen Zeiten ziemlich gleichkam. Die zahlreichen ineinander übergehenden Aufstände aus diesem Milieu trugen deshalb, vom Standpunkt der Regierung gesehen, den Charakter von Erhebungen aus dem Ungeist naiv-rückständigen Aberglaubens gegen die Träger der Aufklärung. Die Siege der Regierung wurden erfochten dank dem Beistand von „Himmel und Erde, der kaiserlichen Ahnen und der Boden- und Erntegottheiten", die also die Grundpfeiler „rationaler" Religiosität darstellten.

Diese aufruhrträchtigen religiösen Strömungen, Sekten und Gruppen im einzelnen zu schildern ist, da es sich um Geheimgesellschaften handelt, fast, wenn nicht ganz unmöglich. Eine Schwierigkeit entsteht bereits daraus, daß, wenn eine dieser Gruppen von den Staatsorganen zum Verschwinden gebracht wurde, ihre Anhänger unter verändertem Namen anderswo wieder zum Vorschein kamen. Anderseits zeigen sie dazu so viele gemeinsame Züge, daß es oft sehr schwer ist, scharfe Abgrenzungen vorzunehmen.

Natürlich wäre es zuviel gesagt, wenn man das Phänomen dieser Vereinigungen so auffaßte, als ob es sich um eine einzige große, historisch zusammenhängende Oppositionsschicht der chinesischen Gesellschaft handele, die aus Tarnungsgründen zu allerlei Variationen gezwungen worden sei. Sicherlich hat jede dieser Gemeinschaften Merkmale, die sie von anderen unterscheiden.

In einzelnen Fällen gilt dies schon für ihre soziale Zusammensetzung. Manche Sekten, wie zum Beispiel die *I-kuan-tao* („Bahn des durchdringenden Einen") schlossen gewisse niedere Berufe wie Barbiere, Schauspieler und Prostituierte von der Mitgliedschaft aus. Besonders diese Vereinigung bestand vornehmlich aus Kaufleuten und Politikern. Zugehörigkeit zu ihr war Kennzeichen eines höheren sozialen Status. Andere dagegen wie die *Kuei-i* („Rückkehr zum Einen")-Sekte waren Gesellschaften, die sich auf die ärmeren Volkskreise beschränkten.

Ich möchte also hier versuchen, ein Bild der religiösen Grundvorstellungen dieser Strömungen zu entwerfen, während ich ihre politische Seite unberücksichtigt lasse.

Zunächst wäre über die „Begründer" solcher Geheimreligionen zu sagen, daß sie nicht als gewöhnliche Menschen angesehen wurden. Im allgemeinen sind sie, wie auch schon früher angedeutet, Inkarnationen des *Maitreya* und abgesandt zur Rettung der Menschheit. Oft besitzen sie am Körper Merkmale, die sie als Wiedergeburt dieser Art ausweisen. Meist gehörten sie den unteren Volksschichten an und waren etwa Berufswahrsager, Soldaten oder Landarbeiter. Da die Gruppe von ihrer Person abhing, wurden ihre Namen gewöhnlich tabuiert und durch Deckbezeichnungen ersetzt. Ihr jeweiliger Aufenthalt unterlag strenger Geheimhaltung, aber überall waren Unterkünfte für sie vorbereitet. Für die Regierung war es also keineswegs leicht, eines solchen Sektenführers habhaft zu werden.

Der chinesischen Mentalität entsprechend fühlte sich keiner dieser Propheten als Verkünder von etwas Neuem, sondern versuchte zu erklären, daß das von ihm Verkündete die Wiederaufnahme einer alten, aber vernachlässigten Traditionslinie (oftmals der des Konfuzius oder Mêng-tzû) sei. Faktisch aber weist vieles daraufhin, daß sie Grundstimmungen weiterführten, die zur Sung-Zeit in Mode waren.

Das findet schon in den damals umlaufenden Entstehungsmythen in gewisser Weise Ausdruck, insofern deren Figuren uns aus früheren Zeiten und Zusammenhängen wohlbekannt sind. In einer von diesen heißt es zum Beispiel, daß der Jadekaiser *(Yü-huang-ti,* s. o. S. 279) Nachricht von der unter den Menschen herrschenden großen Verderbnis erhalten habe. Voller Wut beschließt er, alles zu vernichten. Die Gottheiten seiner Umgebung, darunter Konfuzius, Lao-tzû, Buddha, die Hsi-wang-mu, Lü Tung-pin und der Größteine (T'ai-i) sind demgegenüber rat- und hilflos. Schließlich aber bringt die Göttin der Barmherzigkeit, Kuan-yin, vor, daß sich in der Menschheit vielleicht doch noch einige Ansätze zum Guten finden ließen. Yü-huang wird jedoch durch eine solche Kleinigkeit noch mehr aufgebracht und befiehlt ihr, in der „Eisnebelhalle" niederzuknien, um ihre Bestrafung zu erwarten. Nachdem sie dort sieben Tage und Nächte gekniet hat, kommt schließlich *Fu-hsi*[77] vorbei, erbarmt sich ihrer und verwendet sich für sie. Darauf ändert Yü-huang seinen Entschluß dahin, daß er ein Groß-Kalpa, d. h. Weltuntergang und Weltgericht, proklamiert, bei dem von zehn Menschen nur zwei bis drei von der Vernichtung ausgenommen werden sollen. Kuan-yin beeilt sich nun, diesen furchtbaren Entscheid der Menschheit bekanntzugeben.

Sie tut dies zu verschiedenen Zeiten, zuletzt unter Zuhilfenahme eines zwölfjährigen Mädchens aus der Provinz Heilungkiang. Dies führt im Jahre

---

[77] In der alten chinesischen Mythologie war Fu-hsi in Ablösung des Gelbkaisers (Huang-ti) der erste Mensch, bis in nachchristlicher Zeit P'an Ku an seine Stelle trat.

1919 den „magischen Pinsel", dessen Gekritzel von einem Schreibkundigen in lesbare Schrift übertragen wurde. Das Resultat war eine aus Neunzeichenrhythmen bestehende Mitteilung, in der der wütende Yü-huang zunächst ankündigt, daß er insgesamt zehn Groß-Kalpa herabsenden werde, während derer durch Dürre, Epidemien, Feuer, Taifune, „Schwarzregen", Donner, Hagel, Tollwut und Kriege die Menschheit restlos ausgelöscht werden würde. Das aber wird durch die Fürbitte der Kuan-yin abgewendet, die nunmehr unter Tränen zum Guten ermahnt.[78]

a. Schreiben des „magischen Pinsels"

Hier treffen wir nun auch auf das wichtigste Kommunikationsmittel der Gläubigen mit der Götterwelt, das Schreiben des „magischen Pinsels". Dies tritt jetzt an die Stelle des Intuitions- oder Revelationsschreibens, bei dem sich eine Gottheit der Person eines Schriftkundigen bemächtigte, um sich so buchstäblich „federführend" zu äußern. Ebenso verhält es sich zwar auch mit dem magischen Pinselschreiben, nur daß sich dabei die Gottheit ein beliebiges, oft nicht schriftkundiges Medium für ihre Mitteilung aussucht.

Es heißt, daß diese Gepflogenheit zur T'ang- und Sung-Zeit aufkam und zunächst nichts anderes war als eine Belustigung der Damen, die aus der Anzahl der Pinselstriche Glück oder Unglück erkennen zu können glaubten. In der Ch'ing-Zeit aber ist dies Verfahren eine feststehende Methode, Mitteilungen aus der anderen Welt zu erhalten. Der Vorgang ist dabei der, daß eine medial veranlagte Person (oder auch zwei Personen) ein Sieb oder einen Bogen, an dem ein Stäbchen befestigt ist, in ihren Händen über eine geglättete Sandfläche hält. Das Stäbchen beginnt nun, hastig in den Sand Bogen, Kreise und Linien zu zeichnen, die von einer zweiten Person, die mit einem Schieber von Zeit zu Zeit den Sand wieder glättet, als Schriftzeichen gedeutet und laut angesagt werden. Eine dritte Person sitzt dabei und schreibt die Aussagen nieder.[79] Das Aufgeschriebene wird von der sich mitteilenden Gottheit überwacht und jedes falsch gedeutete Zeichen sofort berichtigt. Das Herbeizitieren der Götter geschieht einfach durch Weihrauchabbrennen, Kotou (Kopfaufschlagen) und Anrufung. Die Mitteilungen haben oft dichterische Form und erfordern gute Kenntnis der chinesischen Schriftzeichen. Die von den Sekten damit betrauten Personen werden deshalb durch besonders eingehende Schulung auf ihre Aufgabe vorbereitet. Wegen seines prophetischen Charakters bildete dies Verfahren natürlich eine Gefahr für die Staatspolitik und wurde deshalb im Jahre 1687 auch wieder unter Verbot gestellt.[80]

Trotzdem führte das magische Pinselschreiben, wie zu erwarten, zum Auf-

---

78 *Li Shih-yü* (1948), S. 18/19.
79 AaO, S. 63–66; *Goltz* (1893), S. 25–27. Beschreibung einer direkteren Methode s. *N. B. Dennys:* The folklore of China, 1876, Neudr. 1968, S. 57–59.
80 Ta-Ch'ing hui-tien, S. 11738.

kommen einer umfangreichen Literatur, in der man nicht nur Offenbarungen chinesischer Geister und Gottheiten, sondern zum Beispiel auch solche von Jesus Christus und Buddha findet. Daß bei dieser Methode oft eine des Schreibens unkundige Person den Pinsel hält, macht es für die Gläubigen um so wahrscheinlicher, daß eine echte Mitteilung aus der anderen Welt vorliegt, was bei den Revelationsschriften verständlicherweise immer bezweifelt werden konnte.

Der Glaube, daß man auf diese Weise Nachrichten, sei es von Gottheiten, sei es von den Seelen Verstorbener, empfangen kann, ist zumindest in Formosa bis heute lebendig. Sehr oft dient diese Methode auch dazu, Hinweise zur Behandlung und Heilung von Krankheiten zu erhalten.

b. Kalpa-Lehre

Sind also einerseits diese Mitteilungen des „magischen Pinsels" eine Art Offenbarungsquell der Geheimsekten, so wird durch sie anderseits auch wieder dadurch, daß dabei oft Persönlichkeiten der chinesischen Geschichte zu Wort kommen, ein historischer Zug in diese Geheimlehren hineingebracht. Dieser wird dadurch verstärkt, daß die oben in ihren Grundzügen beschriebene, allen gemeinsame Drei-*Kalpa*-Lehre, d. h. die Lehre von „den drei Umdrehungen des Himmels", ebenfalls in den Ablauf der chinesischen Geschichte eingestellt wird.

Den „historischen" drei *Kalpa* voraus geht dabei ein goldenes Zeitalter, in dem alle Wesen gut waren. Es ist gekennzeichnet durch den Weltschöpfer *P'an Ku*, der als erstes Wesen dem Urchaos entstieg. Zu seiner Zeit hatten die Menschen zwar Tiergesichter, aber „Buddhaherzen", und ihre Natur kommunizierte mit dem Himmel. Es war eine Generation „lebender Buddha" (*huo-Fo*).

Die erste Epoche, d. h. die Periode des blaugrünen (ch'ing) Yang, beginnt mit *Fu-hsi* (annahmsweise um 2852 v. Chr.) und endet mit *Ch'êng-T'ang*, dem legendären Begründer der Shāng-Dynastie (1766 v. Chr). Die zweite Periode, die des roten Yang, fällt dagegen voll in die historische Zeit und erstreckt sich sogar noch über die gesamte Ch'ing-Dynastie. Etwa mit dem Aufkommen der Republik, also um 1911, könnte die dritte Periode des weißen Yang beginnen. Sie liegt aber ihrem ganzen Wesen nach immer nur in der Zukunft. Jede dieser drei Perioden steht unter dem Präsidium eines Buddha. Die erste unter dem *Dīpāmkara*-Buddha (*Jan-têng-Fo*, „Buddha, der die Lampe der Lehre entzündet"), der ein Tier-Antlitz, aber ein menschliches Herz hat; die zweite unter dem *Šakyamuni*, der ein Menschenantlitz, aber ein tierisches Herz hat; die dritte unter *Maitreya*, der Buddha-Antlitz und Buddha-Herz hat.

Zur Ch'ing-Zeit war also die zweite Periode, die des roten Yang, noch voll im Gange. Sie wird manchmal auch Rot-Schaf-Kalpa genannt. Dies kommt dadurch zustande, daß man die zwölf Erdzykluszeichen mit dem zeitlichen Ablauf kombinierte und dabei errechnete, daß man im Übergang vom siebten Zeichen *(wu* = Feuer = Pferd) zum achten *(wei* = Feuer = Schaf) begriffen sei. Diese Auffassung hat wahrscheinlich auch die von mir am Ende des Abschnitts über revolutionäre religiöse Richtungen der Yüan-Dynastie bemerkte Umstellung von Weiß, der Farbe des noch nicht erschienenen Maitreya, auf die Farbe Rot des gegenwärtigen Kalpas, vielleicht unter Mitwirkung anderer Vorstellungen, bewirkt. Und daraus könnte man natürlich schließen, daß diese Drei-Kalpa-Lehre während der Yüan-Zeit in Mode gekommen, wenn nicht sogar entstanden sei.

Als ein Beispiel dafür, wie sehr die Individualität religiöser Sekten davon abhing, was von ihnen als Schwerpunkt aus dem allgemeinen Hintergrund herausgegriffen wurde, möchte ich hier die in der Ch'ing-Zeit entstandene *Pai-yang*(Weiß-Yang")-Gesellschaft anführen. Nach der Lehre dieser war das End-Kalpa im Gange und der Weltuntergang zu erwarten, wenn der Vollmond auf den 23. Tag des Monats fallen würde. Übrigens gab es auch eine Rot-Yang-Gesellschaft, über die mir jedoch nichts Näheres bekannt ist.[81]

c. Wu-shêng lao-mu, Paradies, Erlösung

Hauptgottheit vieler dieser Sekten war, wie bereits bemerkt, die „Ewigkeitsmutter" *(Wu-shêng lao-mu).*[82] Unter ihren zahlreichen Ehrentiteln gibt es jetzt auch einen, der bedeutet „Alte Mutter des Gipfellosen" *(Wu-chi lao-mu).* Damit aber treten wir in die Sphäre der Sung-Philosophie ein, an deren Anfang der berühmte Weltplan *T'ai-chi t'u* des Philosophen *Chou Tun-i* (1017–1073) steht. In Kürze besagt dieser, daß vor dem höchsten Gipfel oder Giebel des Weltgebäudes noch ein Nicht-Gipfel besteht, in dem die Fähigkeit schlummert, Himmel, Erde und sämtliche Wesen hervorzubringen. Dies „Gipfellose" geht nun durch einen ewigen Schöpfungsakt über in das Gipfelhafte, d. h. den obersten Rand des Existenten, und von da weiter in Yin und Yang, die fünf Agenzien usw. Der erste Schritt des *Wu-chi* in die Existenz ist gekennzeichnet durch die Eins, die im Gegensatz zur ewigen Ruhe des Wu-chi der Bewegung zugehört und die Vielheit der Wesen und Dinge etwa wie die Zahlenreihe aus sich entläßt. Sie findet sich deshalb im Namen einiger Sekten wie *I-kuan,* „die Eins, die alles umfaßt", oder *Kuei-i,* „die Eins, zu der alles heimkehrt".

Dem Gipfellosen *(Wu-chi)* entspricht nun die „Ewigkeitsmutter", die wir uns als die eigentliche Schöpferin und Lenkerin des Existenten vorstellen können.[83] Wie leicht einzusehen, tritt sie also an die Stelle des Obergottes

---

81 *Li Shih-yü* (1948), S. 33; *de Groot* (1901, Neudruck 1963), S. 421/22.
82 *de Groot,* aaO, S. 529.
83 Es gibt auch eine Formel, in der die Rede ist von „Vater und Mutter ohne Geburt aus der Heimat des Wahrhaft-Leeren (Nirvāṇa)", vgl. *de Groot,* aaO, S. 420.

(Hao-t'ien shang-ti) der Staatsreligion und mußte schon deshalb von der Regierung abgelehnt und bekämpft werden.

So wie Urquell aller Existenz war sie zugleich auch der alles Guten. Und sie war es eigentlich, die nach der Ming-zeitlichen Version der eben wiedergegebenen Mythe den Maitreya zur Rettung der Menschen herabsandte. Nach jedem Kalpa trifft sich die „Ewigkeitsmutter" mit den geretteten Seelen in einem höchst rührseligen Wiedersehen. Diese weilen dann für immer in ihrer Umgebung, d. h. in ihrer Wohnung, der „Himmelshalle" *(T'ien-t'ang)* oder dem Paradies.[84]

Nach Ansicht der chinesischen Sektierer ist dies keineswegs eine jeder Lokalisation entzogene reine Abstraktion. Es ist der Raum außerhalb der obersten Grenze des atmosphärischen Himmels. Dieser selbst, der *Ch'i-t'ien* („Luft-Himmel"), ist der Aufenthalt der Buddha und der taoistischen Genien, die von dort aus jederzeit wieder in den Kreislauf der Wiedergeburten zurückfallen können. Nur in der Sphäre der *Wu-shêng lao-mu* sind sie der ewigen Glückseligkeit sicher.

Die von der „Ewigkeitsmutter" erstrebte Allgemeinrettung betrifft deshalb alle Wesen unterhalb ihrer Sphäre. Das sind zunächst die, die sozusagen als nächste Seligkeitsanwärter die Sterne der Milchstraße bewohnen, dann alle mit Empfindung ausgestatteten Wesen auf der Erde und schließlich die verdammten Seelen in der Unterwelt. Es ist das grenzenlose Mitgefühl der Wu-shêng lao-mu mit allem, was lebt, das sie veranlaßt hat, dies Rettungswerk zu beginnen und durchzuführen.

Hier finden wir nun auch wieder einen Anklang an die uralte chinesische Vorstellung von göttlichen Wesen, die im Licht leben und aus Licht bestehen. Denn das Leben, das wir bei unserem erstmaligen Herabsteigen auf die Erde vom Himmel mitbekommen haben, unser ursprüngliches Wesen, ist Licht. Danach aber wurde es durch Lust und Begierden verdunkelt und ging verloren. Es geht nun darum, dies ursprüngliche Lebenslicht wieder aufleuchten zu lassen. Das geschieht dadurch, daß man sich vom Bösen ab- und dem Guten zuwendet, das Herz reinigt und die Begierden zurückdrängt. In Anlehnung an ein berühmtes Wort aus den übrigens vielzitierten konfuzianischen Klassikern nennt man das *ming-Ming*, „das Leuchtende (Licht) leuchten lassen".[85]

Zur Rettung der Menschen hat nun die Ewigkeitsmutter den *Tao* herabgesandt. Tao aber bedeutet Weg, und zwar den von der konfuzianischen Moral vorgeschriebenen und durch Herkommen geheiligten Weg sozialer und universaler Ordnung. Von revolutionären Neuordnungen ist also nicht die Rede. Jedes Abweichen von diesem von „Natur und Vernunft" vorgeschriebenen Weg führt ins Unheil. Tao ist, kurz gesagt, das, was Konfuzius in einem etwas pessimistischen Ausruf meinte: „Wer könnte ausgehen, wenn nicht durch

84 *Li Shih-yü* (1948), S. 33.
85 AaO, S. 46.

diese Tür. Warum geht niemand aus auf diesem (meinen) Tao?" (Lun-yü, VI, 15).

Neben der Wu-shêng lao-mu gab es natürlich noch eine Anzahl anderer Gottheiten. Besser spricht man aber wohl von „höheren Wesen", denn an zweiter Stelle schon fand sich oft der Sektenführer, der allerdings die irdische Inkarnation des Maitreya war. Dieser selbst folgt erst an dritter Stelle, wahrscheinlich weil er doch nicht in die weltlichen Angelegenheiten so unmittelbar eingreifen konnte wie seine Inkarnation. Hohes Ansehen genossen ferner *Lü Tung-pin*, von dem der Kindersegen abhing, und natürlich die Barmherzigkeitsgöttin *Kuan-yin*.

d. Einheitsreligion

Da die meisten dieser Sekten Anspruch darauf erhoben, die einzig echte Religion zu vertreten, ist es keineswegs verwunderlich, wenn wir unter den von ihnen verehrten Göttern auch Jesus Christus und Mohammed finden. Etwas merkwürdig ist die Stellung des Lao-tzŭ, der in der Abfolge meist hinter Konfuzius angesetzt wird. Es gibt aber Anzeichen dafür, daß man ihn manchmal mit Buddha in eins nahm in Weiterwirkung der den Buddhisten besonders verhaßten Legende, nach der er bekanntlich nach Westen abwanderte, um als Buddha zurückzukehren. Doch scheint auch der Taoismus nicht in großem Ansehen gestanden zu haben, denn als sein Hauptcharakteristikum wird die Herstellung des Lebenselixiers angesehen und behauptet, daß das echte Rezept dafür verlorengegangen sei. Ähnliches gilt aber auch für die anderen Lehren, denn der Konfuzianismus wird als pedantische Textinterpunktierung beschrieben und Buddhismus als das mechanische Hersagen von Bußformeln. Alle werden überdeckt von der großen Einheitsreligion, die „keinem Kommenden die Aufnahme verwehrt".[86]

Es gab deshalb auch Sekten, die einfach auf eine Verschmelzung der drei Lehren Buddhismus, Taoismus und Konfuzianismus ausgingen. So entstanden im Jahre 1744 in Honan kleine Tempel, die „Dreilehrenhallen" genannt wurden. In ihnen standen die Figuren des Buddha, Lao-tzŭ und Konfuzius. Ersterer hatte seinen Platz in der Mitte über den beiden anderen. Das Ritual wurde von buddhistischen oder taoistischen Priestern vorgenommen, in einigen Fällen auch von Nonnen „zweifelhaften Rufes". Anfangs waren dieser Hallen nur wenige. Dann aber nahmen sie rasch zu. Dies und die untergeordnete Aufstellung des Konfuzius veranlaßte die Regierung einzuschreiten. Die Hallen wurden geschlossen, die Figuren auf Schulen und Klöster verteilt.[87]

86 Li Shih-yü, S. 58–63. Diese Tendenz findet auch Ausdruck im Namen der den Europäern als „Boxer" bekannten Sekte. Deren Namen I-ho-ch'üan bedeutet wörtlich „Faust, die das korrekte Verhalten umschließt", und zeigt also deutlich den Universalitätsanspruch.
87 Ta-Ch'ing hui-tien, S. 11743.

e. Ritualwesen

Natürlich konnten diese Sekten keine öffentliche Propaganda betreiben. Ihre Werbung geschah von Person zu Person. Ihre Opposition gegen die Regierung erwies sich hauptsächlich in der Weigerung, ihre Lehre im Ritenministerium registrieren zu lassen, da die „wahre Religion keiner Registrierung bedürfe".

Die Aufnahme neuer Mitglieder war eine außerordentlich feierliche Angelegenheit. Oft mußte dabei ein Eid vor Himmel und Erde abgelegt werden, der alle Teilnehmer zu einer großen Familie verschmolz.[88] Bei manchen Sekten wurden die Neuaufgenommenen mit Symbolen und Formeln bekanntgemacht, die von ihnen als das eigentliche Geheimnis gehütet werden mußten. So wurde ihnen bei der *I-kuan-tao*-Gesellschaft eine gewisse Verschränkung der Hände beigebracht, die eine Zusammenfassung der zwölf Erdzykluszeichen darstellen sollte. Da das erste und zwölfte Zeichen in umgekehrter Folge gelesen das Wort *Hai-tzû*, „Kind", ergaben, wurde zugleich damit ausgedrückt, daß alle, die dies Zeichen beherrschten, Kinder der *Wu-shêng lao-mu* seien.[89]

Ein wichtiges Zeremonial war die „Bezeichnung des mysteriösen Tores" *(Hsüan-kuan)*. Dies bestand darin, daß ein „Lehrer" der Sekte mit dem Zeigefinger eine bestimmte Stelle der Stirn des neuen Mitgliedes berührte, um damit der Seele die Öffnung zu zeigen, durch die sie zum Aufstieg ins Paradies ausgehen mußte.[90] Schließlich wurde auch das Paßwort für die Zulassung zu diesem mitgeteilt. Es war eine Formel, die in normaler Lesung keinerlei Sinn ergab.

Bemerkenswert war die lebensregulierende Wirkung solcher Lehren. Es gab zwei Arten von „Verdienst". Das „Innenverdienst" wurde durch Meditation und Arbeit an der eigenen Person erreicht. Man zielte dabei ab auf „Reinigung des Herzens" von Begierden und von Furcht. Das „Außenverdienst" war dagegen auf die Mitmenschen gerichtet und bestand im Abschreiben religiöser Texte, Errichtung von Verehrungsstätten und Ausbreitung der Lehre. Dazu kam ganz allgemein die Abstinenz von Fleisch, Alkohol, Tabak und Opium. Verstöße gegen die Vorschriften konnten durch gute Taten abgegolten werden.

Von Zeit zu Zeit unterzogen sich die Fortgeschrittenen einem recht drastischen Purifikationsritual, das „Feuerofen" genannt wurde und sich über mehrere Tage und Nächte hinzog. Die Teilnehmer mußten sich dabei recht unangenehmen Glaubensproben unterziehen, wie einige tausendmal Kopfaufschlagen (Kotou), bittere Medikamente schlucken, kleine Stücke des eigenen Fleisches ausschneiden und als Opfer darbringen sowie sich zu größeren Vermögensopfern bereit finden. Aus der geringen Zahl derer, die diese Prüfungen

88 *Yang* (1961), S. 63.
89 *Li Shih-yü* (1948), S. 66.
90 *Goltz* (1893), S. 32.

mit Erfolg überstanden, wurden dann die „Lehrer" gewählt, die man mit der Führung und Betreuung der Gemeinden betraute.[91]

Was nun schließlich das Schicksal dieser illegalen Religionsgruppen betrifft, so ist es natürlich sehr schwer, darüber stichhaltige Aussagen zu machen. Aber verständlicherweise dürfte ihr Anhang zur Zeit politischer Unsicherheit zugenommen haben, da die Mitglieder meist auch zur gegenseitigen Hilfeleistung verpflichtet waren. Es ist deshalb leicht einzusehen, daß nach 1911 in den Zeiten anhaltender Bürgerkriege die auf der in großen Zügen beschriebenen Religion beruhenden Geheimgesellschaften verstärkten Zulauf erhielten.

Viele entwickelten sich unter den Zeitverhältnissen zu regulären Gangsterbanden, deren einziges Ziel es war, die Bevölkerung zu erpressen.

Diesem Unfug wurde jedoch durch das scharfe Durchgreifen der kommunistischen Regierung ein Ende gemacht. Ob damit aber nun auch diese religiösen Verbände endgültig verschwunden sind, ist eine Frage, die weder in dem einen noch in dem anderen Sinn beantwortet werden kann. Solange im Volk der feste Glaube an außer- oder übermenschliche Wesen besteht, dürften auch geheime Gruppen, in denen dieser Glaube gepflegt wird, weiter existieren. Wirksamste Gegenaktion der Regierung ist jedenfalls ihre antireligiöse Propaganda, deren Hauptziel darin besteht, die alte religiöse Ideologie durch eine neue, ebenso emotionale, aber auf die kommunistische Ideologie ausgerichtete zu ersetzen.

6. Religiöse Tendenzen der Intelligenz

Wie sehr das religiöse Leben unter dem Eindruck dieser Geheimreligion stand, zeigte sich u. a., als gegen Ende der Ch'ing-Dynastie von dem berühmten Philosophen *K'ang Yu-wei* versucht wurde, aus der konfuzianischen Morallehre eine chinesische „Staatsreligion" zu machen. Bezeichnend ist dabei schon die dem Konfuzius zugeschriebene Unterscheidung von drei großen Weltperioden. Deren erste ist gekennzeichnet durch allgemeine „Verwirrung", die durch das allmähliche Aufkommen der Gesittung in Ordnung übergeht. Dadurch wird als zweites eine Periode des „beginnenden Friedens" heraufgeführt. Diese geht durch Verbreitung allgemeinen gegenseitigen Verständnisses und Wohlwollens über in die letzte Periode eines globalen „Weltfriedens", gekennzeichnet durch das Verschwinden sämtlicher Gegensätze, seien diese nationaler, rassischer oder sozialer Natur.

Neben der zeitlichen Dreiteilung, die hier die Stufen zum Aufstieg in einen politischen Paradieszustand bezeichnet, haben wir also auch wieder die Tendenz zum Universalismus, die uns als „Allgemeinrettung" und in anderer Formulierung genügend oft vorgekommen ist.

---

91 *Li Shih-yü* (1948), S. 88/89.

Die letzte Periode ist gekennzeichnet durch *Ta-Tao* („Groß-Tao"), das man als das Verhalten in der Endperiode *T'ai-p'ing* („Universalharmonie") verstehen muß, etwa in Parallele zum guten Verhalten derer, die die End-Kalpa-Katastrophe überstehen wollen. Die Schilderung dieser Endepoche im einzelnen erinnert sehr an einen idealkommunistischen Zustand chinesischer Prägung, wie er sicherlich in vager Form auch in den Vorstellungen der Geheimgesellschaften nachgewiesen werden kann.

In der Schule des K'ang Yu-wei nehmen das Nachdenken über die Religion und das Abwägen der verschiedenen Religionen gegeneinander großen Raum ein. Betont wird dabei immer wieder ihre lebensformende Auswirkung, die besonders in dem von den Religionen geforderten moralgebundenen Lebenswandel zum Ausdruck kommt. Diese Moral ist nach Ansicht der chinesischen Denker die eigentliche Substanz jeder Religion. Und das zu Erstrebende wird deshalb als „Morallehre ohne Aberglauben" verstanden. Unter letzterem aber versteht man jedes Übergreifen auf das Gebiet der unkontrollierbaren und transzendentalen Göttersphäre. Da der Konfuzianismus auf dem historisch gesicherten Wirken und Lehren einer großen, die gewöhnlichen Menschen weit überragenden Persönlichkeit beruht, ist er nach Ansicht der dem Übernatürlichen abholden Schule des K'ang Yu-wei am besten geeignet, sämtliche Religionen zu ersetzen.[92] Das Göttliche ist also in dieser Ansicht nichts anderes als das von allen unsauberen Schlacken gereinigte Menschentum, ein Gedanke, der sicherlich im Buddhismus und Taoismus vorgezeichnet war.

Im Rahmen der Geschichte des Konfuzianismus gesehen aber bedeutet es das Zurückgreifen auf eine Richtung, die wir im Kapitel über die Han-Zeit verschiedentlich als Neutextschule kennengelernt haben. In dieser wurde aus dem Menschen Konfuzius allmählich der Heilige, dessen Wirken in der Menschheit dem von Sonne, Mond und Sternen im Universum gleichkam, der also als Mensch eine Seinsqualität erreicht hatte, wie man sie gewöhnlich dem Gott der Religionen zuschreibt.

7. Die Taiping-Religion

Die große Erhebung, die das Ende der Mandschudynastie entscheidend vorbereitete, entsprang ebenfalls einem religiösen Untergrund. Es war dies der berühmte *Taiping(T'ai-p'ing)*-Aufstand, der 1850–64 hauptsächlich in den Yangtse-Provinzen tobte.

a. Hung Hsiu-ch'üan und seine Revelationen

Religiöses Oberhaupt der Bewegung war *Hung Hsiu-ch'üan*, der 1813 in einer Kreisstadt der Provinz Kuangtung geboren wurde. Da er Neigung zum

---

[92] *Forke* (1938), S. 580–621.

Studieren zeigte – besonders soll er sich für die Wechselfälle der Geschichte interessiert haben –, versuchte seine Familie, ihm den Eintritt in die Amtslaufbahn zu ermöglichen. Er kam zwar nicht durch die Examina, traf jedoch in Kanton einen Gesichtswahrsager, der ihm prophezeite: „Der Herr wird kein Beamter, aber so hoch geehrt werden, daß man es gar nicht in Worten ausdrücken kann." Im Jahre 1837 befiel ihn eine Krankheit, während der er die für sein weiteres Leben entscheidenden Revelationsträume hatte.

Diese begannen damit, daß ihn eine alte Frau an einen Fluß führte und wusch, und gingen damit weiter, daß man ihm den Leib aufschnitt, Herz und Eingeweide herausnahm und durch neue ersetzte, was an die bekannte Zerstücklungsinitiation der Schamanen erinnert. Den Höhepunkt bildete die Einführung bei einem großen alten Herrn mit „goldenem" Bart, der in einer über alle Beschreibung prächtigen Halle auf einem Thron saß. Dieser redete ihn folgendermaßen an: „Alle Menschen sind von mir geschaffen und werden von mir erhalten. Sie werden von mir gespeist und getränkt. Aber niemand dankt mir das. Ja sie lehnen sich sogar gegen mich auf und verehren Dämonen. Folge Du nicht ihrem Beispiel!" Dann übergab er Hung Hsiu-ch'üan ein Schwert zur Dämonenvernichtung, ein Siegel, mit dem er böse Geister bannen konnte, und ließ ihn eine gelbe, wohlschmeckende Frucht (einen Pfirsich der *Hsi-wang-mu?*) essen. In weiteren Revelationen gesellte sich ein Mann in mittleren Jahren zu ihm, der sich älterer Bruder nannte und ihn in der Verfolgung und Vernichtung böser Geister unterwies und dabei unterstützte.[93]

In diesen Revelationen ist, wie man leicht sieht, viel typisch Chinesisches, jedoch kaum etwas Christliches zu entdecken. Im Jahre 1843 aber studierte Hung Hsiu-ch'üan die Schrift eines zum Protestantismus bekehrten Chinesen, und dies bewirkte, daß er seine Revelationen in dem Sinn auslegte, daß er von Gott als jüngerer Bruder seines ersten Sohnes Jesus beauftragt worden sei, alle bösen Geister samt deren Anhänger zu bekämpfen und das Reich allgemeinen Friedens *(T'ai-p'ing)* zu errichten. Unter diesem aber verstand er, daß jedes Volk sich in seinen Grenzen halten und die Nachbarn in Ruhe lassen solle. Das war natürlich an die Adresse der mandschurischen Eroberer gerichtet, die von ihm überhaupt als Inkarnation des Bösen schlechthin angesehen wurden. Sämtliche Völker sollten sich zusammenfinden in der Verehrung des allen gemeinsamen himmlischen Vaters und seines Sohnes.[94]

Bezeichnend ist ferner auch, daß in einer seiner Revelationen Konfuzius von Gott wegen Mängel in den Klassikern getadelt wird und seine Fehler zugibt. Das war ein Reflex der mißlungenen Amtskarriere.

93 *Hamberg* (1969), S. 9–12.
94 Man beachte die Benennung T'ai-p'ing T'ien-kuo, „himmlisches Reich des Universalfriedens", die andeutet, daß es den Taiping darum zu tun war, einen Paradieszustand auf Erden zu errichten, bei dem es nicht nötig war, „nachts die Türen zu verschließen oder sich anzueignen, was andere auf der Straße verloren hatten".

Diese spätere, christlich gefärbte Auslegung der mehrere Jahre zurückliegenden Traumerlebnisse bildet den geistigen Boden, aus dem die Taiping-Bewegung entsprang. Ihre Kraft erhielt sie aus einem fanatischen Puritanismus. Dieser veranlaßte die Taiping, bereits in der Gegend ihrer Entstehung in Kiangsi eine Reihe ziemlich obszöner Kleinkulte auszuschalten, wodurch eindeutig die Überlegenheit ihrer Lehre bewiesen wurde. Zugleich gaben sie auch zu erkennen, daß es ihnen darum zu tun war, die immer bereite, vielfach zersplitterte Glaubensbereitschaft des Volkes in ein einheitliches neues Bett zu lenken. Dies bestand in einer nach vage erfaßten christlichen Vorstellungen rationalisierten chinesischen Religion, die sich durchaus dazu eignete, dem von den verhaßten Mandschuren übernommenen und geschützten Staatskult und seiner religiösen Einbettung entgegengestellt zu werden.

Bezeichnend war die totale Abkehr von dem in China allgemein verbreiteten Geisterglauben, was sicherlich den modernen, chinesischen Atheismus vorbereiten half. Nicht ohne belustigtes Erstaunen erfährt man dagegen, wie man von Seiten der Regierung auf eben diesem „Aberglauben" bestand. So meldete zum Beispiel der Gouverneur von Kiangsi in einem amtlichen Bericht, daß es ihm durch den persönlichen Beistand des Kriegsgottes Kuan-ti, dem Beschützer der Dynastie, gelungen sei, 25 alte Ming-Kanonen aufzufinden, die er sofort gegen die Rebellen einsetzen ließ.[95]

b. T'ai-p'ing-Religion

Daß *Hung Hsiu-ch'üan* versuchte, das damals im Lichte der hinter ihm stehenden politischen Macht erscheinende protestantische Christentum, das ihm gemessen am Katholizismus als „neueste" und deshalb gegenwartswirksamste Religionsform vorkommen mußte, als Grundlage seiner Religion zu nehmen, setzt ihn in Parallele zu *Mao Tse-tung*. Auch dieser benutzte ja das „neueste" und anscheinend im raschen Vormarsch begriffene sozialpolitische System des Auslandes als Ausgangsbasis seines eigenen modifizierten und stark sinisierten Systems.

Die kürzeste und treffendste Zusammenfassung der wichtigsten Züge der Taiping-Religion stammt m. E. von Max Weber[96]: „Der Gottvater des Christentums, daneben Jesus ... endlich der Prophet als dessen ‚jüngerer Bruder', auf dem der heilige Geist ruht, tiefer Abscheu gegen die Heiligen- und Bilderverehrung, ganz besonders gegen den Muttergotteskult, Gebete zu festen Stunden, Sabbathruhe Samstags[97] mit zweimaligem Gottesdienst, bestehend

---

95 *Callery* and *Yvan:* History of the Insurrection in China, 1853, Neudruck 1969, S. 152/53. Beibehalten wurden von den Taiping dagegen die Traumdeutung, der Glaube an Omina und Tabuworte.
96 Religionssoziologie, Bd. I, S. 506.
97 Samstag anstatt Sonntag beruht auf falscher Kalenderberechnung der Taiping, s. *S. Y. Teng:* The Taiping rebellion and the Western powers, Oxford 1971, S. 119 und 123.

aus Bibellesen, Litanei, Predigt, Vorlesen des Dekalogs, Hymnen, Weihnachts-
fest, geistliche Schließung der (unlösbaren) Ehe, Zulässigkeit der Polygamie,
Verbot der Prostitution bei Todesstrafe und strenge Absonderung der unver-
ehelichten Weiber von den Männern, strenge Abstinenz von Alkohol, Opium,
Tabak, Abschaffung des Zopfes und der weiblichen Fußverstümmelung, Opfer-
spenden am Grabe der Toten – diese eigentümliche ... Mischung christlicher
mit konfuzianischen Formen war das Resultat."

Mehr im einzelnen gesehen spielte sich ein Gottesdienst bei den Tai-ping
etwa so ab: Am Vortag ging ein Mann mit einer Flagge im Lager umher,
schlug auf einen Gong und gab bekannt, daß am nächsten Tag Gottesdienst
sei. Dieser begann mit Anbruch des neuen Tages, d. h. um Mitternacht. Zunächst zündete man dabei auf einem Tisch arrangierte Öllämpchen an und
stellte dazu drei mit Tee gefüllte Tassen, drei Schalen mit Reis und drei Schalen mit Fleisch. Dann wurde der Gong angeschlagen und die Teilnehmer
kamen herein. Das Gemeindehaupt setzte sich in die Mitte, die anderen im
Kreis um ihn, aber streng getrennt von den weiblichen Teilnehmern. Alle
sangen gemeinsam eine Hymne. Der Vorstand verlas kniend eine Adresse an
Gott, die alle Namen der Abteilung enthielt. Diese wurde verbrannt nach dem
Muster taoistischer Sternfeiern (Chiao). Anschließend wurden Prinzipien der
Lehre erklärt und die Nahrungsmittel unter die Anwesenden verteilt.

So etwa war der Verlauf des alle sieben Tage in allen Lagern abgehaltenen
Gottesdienstes. Kürzere Feiern fanden jeden Morgen und Abend vor den
Mahlzeiten statt. Zur Teilnahme waren alle bei schwerster Strafe für Fern-
bleibende gezwungen. Nach jedem Kampf gab es eine religiöse Belehrung.
Ging eine Schlacht verloren, dann wurde ein Mann ausgesucht, den man der
Verletzung der Gebote oder der Beleidigung Gottes bezichtigte, um ihn dann
öffentlich hinzurichten.[98]

Die schroffe Ablehnung jeglicher Idolatrie machte die Taiping, die überall,
wo sie hinkamen, alle Götterbilder zerstörten, zu Feinden der Katholiken.
Und tatsächlich hatten diese in den besetzten Gebieten mehrfach unter Verfolgungen zu leiden.[99] Anderseits heißt es, daß protestantische Missionare
wiederholt in Taiping-Bethallen Gottesdienst abgehalten hätten.[100] Trotzdem
erhielten die Aufständischen auch von dieser Seite keine nennenswerte Hilfe.
Und als die englische Regierung beschlossen hatte, die Taiping nicht zu unterstützen, machten die Missionare auch keine energischen Anstalten mehr, mit
ihnen Verbindung zu halten. In ihren Berichten hoben sie das Ungünstige
hervor.

Der Aufstand war zunächst erfolgreich. Auf Grund ihrer religiösen Überzeugung waren die Taiping den Regierungstruppen an Moral und militäri-

98 *Wang Chih-shin* (1965), S. 121. Letztere Information ist fraglich.
99 *Latourette* (1929, Neudruck 1966), S. 299–301.
100 *Weber,* aaO, Bd. I, S. 508.

scher Disziplin weit überlegen. Zu aufopfernder Tapferkeit wurden sie angespornt, weil es eines der größten Verdienste war, im Kampf gegen die Feinde zu fallen. Dies wurde mit sofortigem Aufstieg ins Paradies belohnt. Durch Maueranschläge wurde die Bevölkerung im voraus über die Ziele der Taiping belehrt und schonende Behandlung zugesichert. Es war ihnen verboten, Privathäuser zu betreten, Lebensmittel an sich zu nehmen und fremdes Eigentum zu zerstören.[101] Von den gläubigen Taiping wurden diese Vorschriften auch eingehalten. Sie unterschieden sich dadurch vorteilhaft von der Regierungssoldateska, die in Wahrheit nur aus korrupten Horden beutelüsterner Marodeure bestand.

Ihre strenge Moralauffassung verhinderte anderseits, daß die Taiping mit den Geheimgesellschaften gemeinsame Sache machten, obgleich dies an sich nahe gelegen hätte.[102]

Das Ende wurde dadurch herbeigeführt, daß die Taiping gezwungen waren, die Verlustlücken ihrer Kampfverbände mit unlauteren Elementen, besonders eben mit übergelaufenen Regierungssoldaten, aufzufüllen. Moral und Disziplin wurden dadurch allmählich untergraben. Dazu kamen sehr schwere innere Zerwürfnisse, die teils dem Umstand entsprangen, daß neben *Hung Hsiu-ch'üan* auch andere Führer Revelationen hatten, teils dem zwischen religiöser und militärischer Führung bestehenden Mißtrauen. Die Gegensätze zwischen dem bereits im Paradies lebenden Propheten und seinen an den Fronten kämpfenden Generälen waren letzten Endes doch schwer zu harmonisieren.

Mit den Taiping ging wieder einmal die Chance, die Masse des chinesischen Volkes für eine Art Christentum zu gewinnen, verloren.

8. Gildengötter

Eine Besonderheit der chinesischen Religion sind die Gildengötter, über die ich schon längst ein Wort hätte sagen sollen. Vereinigungen der Handwerker sind in China sehr alt. Von wann an man aber dabei von Gilden im eigentlichen Sinn reden darf, wage ich nicht zu entscheiden.

Ich vermute allerdings, daß etwa mit dem Beginn der Chan-kuo-Periode (453–221 v. Chr.) oder schon früher ein gesellschaftlicher Prozeß einsetzte, der eine Aufwertung des Handwerkerstandes mit sich brachte. Er ist damit begründet, daß die Fürsten versuchten, Beziehungen zu den unteren Volkskreisen anzuknüpfen und zu pflegen, um die zwischen ihnen selbst und diesen bestehende, der Ausbildung einer Zentralmacht hinderliche und gefährliche Adelsschicht auszuschalten. Trotzdem aber kann von einer „Befreiung" der

101 *Ssu-yü Teng:* Historiography of the Taiping rebellion, 1962, S. 20.
102 *Hamberg* (1969), S. 55/56.

Handwerker und deren Zusammenschluß in Gilden mit Bezug auf diese frühe Zeit wohl keine Rede sein.

Der gehobene Handwerkerstand aber versuchte damals nach dem Vorbild des Ahnendienstes der Adligen seinem neuen Status einen sozio-religiösen Rückhalt zu geben. Und dies führte zum Aufkommen der Handwerksheroen, d. h. einer Anzahl von legendären Erfindern, die von da an vielfach in der Literatur auftauchen. Schon im 6. Kap. des Mo Ti lesen wir von den „heiligen Königen", die für die Menschen Häuser, Kleidung und zubereitete Speise erfanden. Auch die fünf legendären Kaiser und unter ihnen besonders der Gelbkaiser (Huang-ti) waren Erfinder. Die Menschen verdanken ihnen die Töpferei, den Pflug, das Rad und alle übrigen lebenswichtigen Dinge. Meiner Ansicht nach ist dies ein klares Anzeichen dafür, daß dem Handwerk eine neue Wichtigkeit zugemessen wurde, oder, wenn man so will, die soziale Anerkennung der Handarbeit (im Unterschied von der Betätigung mit Schwert und Pinsel).

Offenbar hatte schließlich jedes Handwerk seinen legendären Erfinder, der wohl auch immer eine Art Verehrung genoß. Ob man aber zwischen ihnen und den späteren Gildenpatronen eine direkte Beziehung annehmen darf, soll hier nicht unbedingt gesagt sein. Allerdings sind diese Schutzgötter auch durchgehend die Erfinder oder die ersten Vertreter von Berufstätigkeiten.

Nach W. Eberhard entstanden die chinesischen Gilden etwa im frühen 16. Jh. und hatten zunächst ausgesprochen religiösen Charakter.[103] Fast jede Gilde erbaute ihrem speziellen Schutzpatron einen Tempel, der in erster Linie als Versammlungsort diente. Vor dem Bild des Gottes wurden die Lehrlinge feierlich aufgenommen. Ebenso wurde über Mitglieder Gericht gehalten und über die Schuldigen Strafe verhängt. Beim großen Jahrestreffen der Gilde brachten alle einzeln oder in Gruppen durch Niederknien oder Verneigung bis zum Boden sowie Verbrennen von Papiergeld ihre Verehrung dar. Die Gilde wurde also durch ein religiöses Band zusammengehalten, und es gibt Aussagen darüber, daß sie ohne dieses keinen Bestand gehabt hätte.[104]

Es würde natürlich zu weit gehen, hier eine Aufzählung dieser Schutzpatrone vorzunehmen[105]. Ich möchte deshalb nur einige der bekannteren erwähnen. Da ist zum Beispiel *Lu Pan,* der Gott der Zimmerleute und Bootsbauer. Er lebte zur Zeit des Konfuzius ebenfalls im Lande Lu. U. a. verfertigte er aus Holz einen Vogel, der drei Tage lang in der Luft bleiben konnte. Bei jedem Richtfest und jeder Kiellegung wurde er durch eine kleine Feier geehrt.

Fan K'uai, einer der Gefolgsmänner des Gründers der ersten Han-Dynastie,

---

103 *Eberhard* (1960), S. 197.
104 *Yang* (1961), S. 75.
105 Ein Versuch dazu s. *Doré* (1926), S. 124–139, wo die Patrone von etwa 65 Berufen aufgezählt werden. Weitere Charakterisierung im Rahmen eines Pantheons der „Popularreligion" s. *Doolittle* (1865, Neudruck 1966), Bd. I, S. 255–293.

also auch eine Persönlichkeit der vorchristlichen Zeit, ist der Patron der Metzger, da er seine Laufbahn als Hundeschlächter begonnen hatte. In manchen Gegenden tritt aber *Chang Fei* (gestorben 220 n. Chr.), ein bekannter General der San-kuo-Periode, der anfangs mit Schweinefleisch gehandelt hatte, an seine Stelle.

Patron der Pinselmacher ist der General *Mêng T'ien* (gest. 20 v. Chr.) und der der Uhrmacher der uns aus anderem Zusammenhang bekannte Jesuit Matteo Ricci. Die Schneider haben als ihren Gildengott den Gelbkaiser *(Huang-ti)* und die Zinnarbeiter den uns ebenfalls nicht unbekannten *Lao-chün* (Lao-tzû).

Ts'ang Chieh, der legendäre Erfinder der Schrift, ist der Patron der gewerbsmäßigen Geschichtenerzähler und der berühmte Sung-Rebell *Sung Chiang* der der Diebe. Aber auch die Trinker haben ihren besonderen Schutzgott, nämlich den berühmten Dichter *Li T'ai-po.*[106]

Neben der im Ahnendienst der Großfamilien und der von den beiden Kirchen beanspruchten zeigt sich hier die chinesische Religiosität unter einem neuen Aspekt. Die gesamte Bevölkerung ist aufgeteilt in kultische Gruppen, deren jede an ihrer Spitze eine berühmte Persönlichkeit der näheren oder ferneren Vergangenheit hat. Da in diesem Zusammenhang auch Konfuzius als eine Art Berufspatron der Literaten erscheint, umfaßt diese religiöse Gruppierung auch die bildungstragende Schicht.[107] Und letzten Endes werden ja Taoismus und Buddhismus ebenfalls beherrscht von deifizierten Persönlichkeiten.

Das Ganze macht also den Eindruck eines aus der Familiensphäre heraus in die breite Öffentlichkeit getragenen Ahnendienstes. Man wäre versucht, von über das gesamte chinesische Volk verteilten Heroenkulten zu reden. Jedenfalls zeigt sich hier deutlich, daß die chinesische Religiosität im Verlauf der Geschichte dahin tendierte, außermenschliche Gottheiten mehr und mehr zu vernachlässigen, um sich der Verehrung von über die Alltagssphäre erhobenen Persönlichkeiten der Legende oder Geschichte zuzuwenden.

---

106 *Maspero* (1923, Neudr. 1963), S. 332/33.
107 Der berühmte Literaturgott Wên-ch'ang ti-chün ist wohl mehr ein Patron der Examenskandidaten. Er ist außerdem der Gildengott der Tapezierer. Ursprünglich ist er zwar ein Sternengott, stieg aber mehrmals auf die Erde herab, um sich als Mensch zu inkarnieren.

IX. KURZER ÜBERBLICK BIS ZUR GEGENWART

A. *Christentum und antireligiöse Bewegung*

Die offenbar gewordene Schwäche Chinas gab den christlichen Missionaren nach Begründung der Republik im Jahre 1912 nochmals Gelegenheit, eine erfolgversprechende Aktivität zu entfalten. Die militärischen Niederlagen erzeugten in den jungen Chinesen ein dringendes Verlangen, sich mit der westlichen Kultur bekannt zu machen, um herauszufinden, worin deren Überlegenheit eigentlich bestehe.

Und da waren nun die fremden Missionare die natürlichen Vermittler, durch die man die gewünschten Auskünfte am schnellsten erhalten konnte. Mit anderen Worten gesagt, sie besaßen zunächst ein Informationsmonopol, das erst allmählich durch andere Nachrichtenquellen durchbrochen wurde.

Die christlichen Kirchen erfaßten rasch, welche Möglichkeit sich ihnen hier anbot, und ihre Reaktion führte zu dem, was von den Nationalchinesen später als „kulturelle Invasion" gebrandmarkt wurde. Es war dies die Gründung von zahlreichen Schulen, Hochschulen und Erziehunginstitutionen jeder Art, die sich nicht nur auf die großen Küstenstädte beschränkten, sondern bald das ganze alte Reich überzogen.[1] In allen wurde das Christentum mehr oder weniger deutlich als Mittel zur Rettung der chinesischen Nation präsentiert. Erst in zweiter Linie räumte man der klassischen chinesischen Bildung einen Platz im Unterricht ein. China war zum Tummelplatz christlicher Kulturinterpreten und Kulturbringer geworden, deren Person und Eigentum so gut wie unantastbar war.

Die Missionsmethoden hatten sich wenig oder nicht geändert. Mit Interesse erfährt man, daß die großen Naturkatastrophen, bisher von den Chinesen als Mahnung und Strafe des Himmels verstanden, jetzt ausgelegt werden als Mittel der Vorsehung, die Chinesen mit dem Christentum in Berührung zu bringen.[2]

Erst in einem langen mühsamen Ringen gelang es den Chinesen, ihre eigenen, mit staatlichen Mitteln errichteten und erhaltenen Hochschulen gegen die

---

1 Von insgesamt 1713 Landkreisen waren im Jahre 1923 nur 126 ohne missionarische Betreuung, s. Artikel von *Mei Tien-lung* in *Chang* (1927), S. 388.
2 *Latourette* (1929, Neudr. 1966), S. 733.

fremden durchzusetzen. Sie entwickelten sich bald zu Hochburgen einer nationalen Erneuerungsbewegung.

Durch die Entstehung dieser Universitäten und den in ihnen aufkommenden Geist wurde verhindert, daß auf den christlichen Hochschulen ausgebildete Leute in wichtige Regierungsstellen gelangten und damit wieder eine Art Christianisierung von oben her in den Bereich des Möglichen rückte.

Ein ernster Rückschlag gegen die ansteigende Flut der Missionierung kam im Gefolge des ersten Weltkrieges. Es war in keiner Weise förderlich für die Sache des Christentums, daß die Siegermächte, Großbritannien und Frankreich, eine Anzahl deutscher Missionare entfernen ließen und ihre Missionare ihren Deutschenhaß in keiner Weise verhehlten.[3] Das mußte den Chinesen zeigen, daß die europäischen Mächte sich keineswegs von der Moral der von ihnen vertretenen Religion leiten ließen, sondern daß engstirniger Nationalismus und Nationalegoismus ihr Verhalten bestimmten. Außerdem erwiesen die Kriegsfolgen, daß die Missionen, nicht vom Konsens der chinesischen Bevölkerung getragen, durch laufende Zuschüsse aus dem Ausland erhalten werden mußten. Kam mehr Geld, wuchsen die Missionen entsprechend, hörte die Zufuhr auf, schwanden sie dahin.

Die Reaktion der Chinesen war ein fanatischer chinesischer Nationalismus, der sich in erster Linie gegen die „ungleichen Verträge" und damit indirekt gegen die Vorzugsstellung der fremden Missionare richtete. Aus dieser Bewegung wieder erwuchs etwa ab 1919 eine antichristliche und schließlich allgemein antireligiöse Propaganda, die von der studentischen Jugend ausgehend bald die gesamte neue Bildungsschicht Chinas durchdrang.

Aus dem wenigen Material, das mir zur Verfügung stand, gewinne ich etwas mehr im einzelnen folgendes Bild. In einem Artikel „Protestantismus und die Chinesen"[4] von 1920 unterscheidet *Ch'ên Tu-hsiu*, der Begründer der kommunistischen Partei in China, zwischen dem Menschen Jesus Christus und den von den Missionaren vertretenen christlichen Kirchen. Ersteren schildert er als „erhabene und höchst bedeutende Persönlichkeit mit warmer und inniger Nächstenliebe".

Aus seinen weiteren Ausführungen kann man entnehmen, daß er sich den historischen Jesus mutatis mutandis in Parallele zu Konfuzius als einen der großen Lehrer der Menschheit vorstellte. Die auf diese Persönlichkeit begründete Religion aber unterwirft er einer Kritik aus dem Geist einer Vernunft, die wir als Reflex der im Anfang unseres Jahrhunderts in den Vordergrund der wissenschaftlichen Erkenntnis gerückten Naturwissenschaften verstehen würden. Damit aber wird alles ausgeschieden, was eben über das mit den Mitteln und im Rahmen dieser Wissenschaften Erweisbare hinaus ins Übernatürliche hinübergeht. „Außer der Persönlichkeit Jesus und der Nächstenliebe ken-

3 AaO, S. 687, 744 u. a. o.
4 *Chang* (1927), S. 37–51.

nen wir keine anderen christlichen Lehrinhalte. Diese aber konnten von der Wissenschaft nicht zerschlagen werden, und man wird sie auch in Zukunft nicht zerschlagen."

Sein Angriff richtet sich gegen die um ihre Unabhängigkeit von den europäischen Kirchen ringenden chinesischen Christengemeinden, die seiner Ansicht nach in der Hauptsache aus Konvertiten bestanden, die „die Lehre aßen", was wohl heißen soll, daß sie sich aus rein materiellen Erwägungen heraus hatten bekehren lassen.[5] Er befürchtete außerdem, daß die Politiker in ihrem nationalen Ehrgeiz vergäßen, daß Jesus gelehrt habe, man solle seine Feinde lieben, und daß die Reichen vergessen hätten, daß das Christentum das „Evangelium der Armen" und Jesus „der Freund aller Menschen sei".

Eine deutliche Wendung ins Antichristliche und Areligiöse zeigt Ch'ên Tuhsiu dagegen in einem Artikel „Christuslehre und christliche Kirche" von 1922. In diesem weist er zunächst hin auf den unvereinbaren Widerspruch des „allmächtigen und gütigen Gottes" mit der von ihm geschaffenen „bösen" Welt. Er äußert jetzt aber auch Zweifel an der Historizität von Jesus Christus. Besonders geht er dann auf die spanische Inquisition und die Unterdrückung der Gedankenfreiheit durch die Kirche ein und kommt schließlich wieder zu dem Schluß, daß eigentliches Christentum und die christlichen Kirchen nicht miteinander vereinbar seien.[6]

Eine wesentlich schärfere Haltung nimmt ein mir nicht weiter bekannter Li Ch'un-fan ein in einem Artikel „Missionstätigkeit und Imperialismus"[7].

Wie schon aus dem Titel hervorgeht, versucht er mit Beispielen aus der Geschichte zu beweisen, daß Missionen nichts anderes seien als Speerspitzen der europäischen imperialistischen Expansion. „Vor dem Handel kommt die Mission, und auf die Mission folgt die Nationalflagge." U. a. zitiert er dabei eine Bekanntgabe der kaiserlichen deutschen Regierung, daß sie „die Pflicht und das Recht habe, jeden Missionar, ob protestantisch oder katholisch, und an welchem Ort auch immer, zu schützen". Aus alledem zieht er den Schluß, daß es nicht zutreffe, daß zwischen Mission und imperialistischer Expansion kein Zusammenhang bestehe, sondern die Missionen seien erwiesenermaßen ein Mittel oder ein Trick der Aggression des ausländischen Imperialismus. Die überlegene Wissenschaft der Europäer sei von den Missionaren dazu benutzt worden, die Oberhand über das Geistesleben der etwas in Rückstand geratenen Kulturvölker zu erlangen, um damit deren Kolonisierung vorzubereiten.

Der Geschmacklosigkeit aber nähert sich ein gewisser Chu Chih-hsin, der am Ende seines Artikels „Wer ist Jesus?" feststellt, daß Christus ein „Idol der

---

5 Vgl. dazu Latourette, S. 831/32.
6 Chang, S. 190/93. Man vergleiche damit auch eine Feststellung der protestantischen chinesischen Studenten: „Jesus hatte keinerlei organisierte Kirche", s. Wieger (1923), S. 152.
7 Chang, S. 381–86.

Scheinheiligkeit, Engstirnigkeit, des Eigennutzes, Hasses und der Rachsucht" sei.[8]

Diese antichristliche Bewegung erhielt einen starken Auftrieb dadurch, daß Persönlichkeiten wie der Rektor der Peking-Universität *Ts'ai Yüan-p'ei* und namhafte Wissenschaftler wie *Hu Shih* sich aktiv ihr anschlossen.[9] Um 1926 war es bereits recht klar, daß das Christentum trotz aller ehrlichen und aufopfernden Bemühungen der Missionare in China ein Fremdkörper geblieben war und, sobald die hinter ihm stehende politische Macht verschwinden würde, kaum eine Überlebenschance haben würde.[10]

B. Auswirkungen des Christentums außerhalb der Kirchen

Trotzdem blieb das Christentum nicht ohne Einwirkungen auf die Chinesen. Es stand im Hintergrund einer Anzahl von Bewegungen, deren größte, die T'ai-p'ing-Bewegung, ich bereits zu schildern versucht habe. Auf einige andere, wesentlich unbedeutendere, möchte ich kurz hinweisen.

Auf Grund von Revelationsträumen in den Jahren 1909 und 1910 gründete ein gewisser *Barnabas Tung* eine von allen Kirchen unabhängige Gesellschaft, die sich „Lehre des wahren Jesus" nannte. Sie breitete sich besonders in Fukien aus. Die Mitglieder verpflichteten sich, nach Art der ersten Christen in Armut zu leben. Sie hatten die Immersionstaufe und heilten Krankheiten durch Handauflegen, glaubten an Revelationen durch Träume und Verzückungszustände und an die baldige Wiederkehr von Jesus. Ab 1927 flaute die Bewegung wieder ab.[11]

Widerstandsfähiger scheint eine andere Gruppe gewesen zu sein, die sich „Jesus-Familie" nannte und um 1921 in Shantung aufkam. Es waren dies Vereinigungen einer Anzahl von Familien, die auf urchristlicher Grundlage eine Art Arbeits- und Gütergemeinschaft praktizierten. Offenbar haben sie die Umstellung auf den Kommunismus überlebt, denn im Jahre 1950 soll es noch 179 dieser Familien mit etwa zehntausend Mitgliedern gegeben haben.[12]

---

8 AaO, S. 36.
9 Vgl. *Wieger* (1923), S. 236/37. Gegenstimmen wie die des Philosophen Carsun Chang, der sich besonders durch seinen Mut und seine Lauterkeit einen Ruf erwarb, blieben ungehört.
10 Meiner Ansicht nach ist es einer der Hauptgründe für das Versagen des Christentums in Ostasien, daß es sich dort ebensowenig wie in anderen Teilen der Welt mit aller Energie des Glaubens daran machte, die soziale Frage zu lösen, d. h. einen Ausgleich zwischen Zu-Reich und Zu-Arm zu schaffen. Karitative Tätigkeit löst dies Problem nicht, sondern verschärft es eher.
11 *Latourette*, S. 808.
12 *Wing-tsit Chan* (1953), S. 177.

B. Auswirkungen des Christentums außerhalb der Kirchen

Hierher gehört auch ein Ereignis, das meiner Ansicht nach zum letztenmal die Möglichkeit eröffnete, das Christentum in stark sinisierter Form in China bodenständig zu machen. Es ist dies die Aktivität des sogenannten „christlichen Generals" *Fêng Yü-hsiang.*

Es war mehr das Verhalten der Christen als deren Lehre, was Fêng bewog, sich im Jahre 1913 taufen zu lassen.[13] Als eine praktische Folge dieses Schrittes wird die wesentlich bessere Disziplin seiner Truppen angesehen. Daß in seinen Einheiten Rauchen, Glücksspiel und Prostitution verboten war, dafür aber die Soldaten im Lesen und Schreiben und nützlichen Handwerksarten unterrichtet wurden, mutet in jener Zeit fast wie ein Kuriosum an. Fêng persönlich hielt Predigten vor seinen Truppen und legte nach chinesischer Art öffentliche Sündenbekenntnisse ab.[14] Seine Beziehung zur Truppe war also nicht nur die eines militärischen Befehlshabers, sondern auch die eines Pastors zu seiner Gemeinde. Das Wohlverhalten seiner Truppe war zweifellos einer der Hauptgründe seiner militärischen Erfolge.

Bald wurden Gerüchte in Umlauf gesetzt, daß er alle Chinesen gewaltsam zum Christentum bekehren und Andersgläubige verfolgen wolle.[15] Um dies zu widerlegen und auch unter dem Eindruck seines Besuchs in Moskau 1926 schwenkte Fêng entschieden auf die Linie des chinesischen Nationalismus des ebenso wie er zum Christentum bekehrten *Sun Yat-sen* ein. Im Unterschied von diesem aber zeigte er sich als durchaus ausländerfeindlich, was in jener Zeit jedoch in erster Linie bedeutete antijapanisch, antieuropäisch und antiamerikanisch. In Übereinstimmung damit scheint ihm ein rein chinesisches Christentum vorgeschwebt zu haben, das frei war von jeder Bevormundung durch die Missionare.[16] Wahrscheinlich war diesem als Hauptaufgabe zugedacht, seinen Truppen den Sieg zu sichern.[17]

Fêngs Christentum war der vorläufig letzte Versuch, eine dem chinesischen Wesen angepaßte Art des Christentums zu schaffen.

Während diese Bewegungen in direkter Abhängigkeit vom Christentum standen, gab es andere, bei denen dies weniger offensichtlich war.

Eine davon ist die Rot-Swastika-Gesellschaft *(Hung-wan-hui)*, die etwa ab 1916/17 auf Grund von durch den „magischen Pinsel" empfangenen Revelationen allmählich zustande kam. Sie erhebt den Anspruch, eine Universalreligion zu sein, in der Christentum, Islam, Konfuzianismus, Buddhismus und Taoismus zusammengefaßt würden. Hauptinaugurator der Vereinigung war der Geist eines Gelehrten und Künstlers der Sung-Zeit, der verkündete, daß hinter allen Religionen nur ein einziger wahrer Gott stehe. Nach echt chinesi-

---

13 *Sheridan* (1966), S. 54.
14 AaO, S. 99.
15 AaO, S. 106.
16 Einzelheiten s. *Sheridan*, S. 174/75.
17 *Latourette*, S. 777–79.

scher Ansicht bestand dieser Gott aber keineswegs aus nichts, sondern es war durchaus möglich, sich mit ihm direkt in Verbindung zu setzen. Dies geschah im Jahre 1921 mit Hilfe der Photographie. Nach genauen, durch den magischen Pinsel erhaltenen, Instruktionen wurde auf einem Berg in Shantung ein Apparat aufgestellt und eine Platte belichtet. Die Photographen selber sahen nichts, aber auf der Photographie erschien ein großes, gütiges Gesicht in den Wolken.

Die Rot-Swastika-Gesellschaft besteht heute noch als Gegenstück der Schweizer Rot-Kreuz-Gesellschaft in Taipei, wo sie Schulen und Tempel besitzt. Der bei ihr gebräuchliche Gottesdienst ähnelt dem unserer Quäker (Freunde).[18]

Ebenfalls die Gründung einer Universalreligion erstrebte eine andere Gruppe, der viele unter dem Eindruck des Adventismus und Bahaismus stehende, gebildete Chinesen angehörten. Sie wandten sich in ihrer Angelegenheit sogar mit einer Eingabe an das Innen- und Erziehungsministerium. Als aber die große, von ihnen für das Jahr 1924 angesagte Weltkatastrophe (Endkalpa) ausblieb und das Erdbeben von 1923 in Japan von den Chinesen mehr im Sinne einer Bestrafung der Japaner aufgefaßt wurde, flaute diese Bewegung schnell wieder ab. Auch ihre Mitglieder beschäftigten sich vornehmlich mit dem „magischen Pinsel", auch hier machte man mit auf die Wolken gerichteten Photoapparaten Geisterphotographien.[19]

Wie banal uns diese chinesischen Versuche der Errichtung einer Universalreligion auch vorkommen mögen, mit der nötigen Überzeugungskraft und Anhängerschaft dahinter hätte sich hier wohl die Ausgangsbasis einer Gegenmission, wie sie jetzt vom Maoismus ausgeht, bilden lassen.

C. Konfuzius

Bereits in meinen Ausführungen über die Mandschudynastie habe ich angedeutet, daß sich der Schwerpunkt des Staatskultes allmählich von dem recht vagen Obergott (Hao-t'ien shang-ti), dessen Stellung durch den Angriff der Intelligenz auf die Religion und durch den nicht mit ihm zu vereinbarenden Christengott mehr und mehr ins Wanken gebracht worden war, auf die Persönlichkeit des Konfuzius hin zu verschieben begann.

Eine der treibenden Geisteskräfte hinter dieser Wandlung waren der bereits genannte Philosoph *K'ang Yu-wei* (1858–1927) und seine Schule. Im Jahre 1912 begründete er unter den mehr konservativ eingestellten Bildungsträgern die „Vereinigung für die konfuzianische Lehre", deren Ziel es war, den tradi-

18 Origin and progress of the World Red Swastika Society, Hong Kong 1949.
19 *Wieger* (1923), S. 66–119. Letzteres könnte vermuten lassen, daß beide Gesellschaften nahe verwandt, wenn nicht identisch waren.

tionellen Konfuzianismus zu erhalten und wenn möglich zu einer neuen „Staatsreligion" zu entwickeln.[20] In einer Versammlung auf der Altarplattform des Himmelstempels in Peking wurde im Jahr 1913 beschlossen, daß die Lehren des Konfuzius die moralische Basis des chinesischen Erziehungswesens abgeben sollten. Bezeichnenderweise erhielt die Gesellschaft großen Beifall aus den Kreisen der Militärgouverneure.

K'ang Yu-weis Idee war augenscheinlich, das gesamte chinesische Volk unter einem gemeinsamen Bekenntnis zu Konfuzius wenigstens in moralischer Hinsicht zu einigen und gegen den Einbruch ausländischer Ideologien, besonders gegen das Christentum, unempfänglich zu machen.

Der Fehlschlag der monarchischen Pläne Yüan Shih-k'ais bedeutete zugleich auch das Ende dieser Bestrebungen.

Nunmehr kamen die Gegner K'ang Yu-weis, darunter sein Schüler *Liang Ch'i-chao* (1873–1929), zu Wort und erklärten, daß es in China niemals eine „Staatsreligion" im eigentlichen Sinn dieses Wortes gegeben habe. Das große Himmelsopfer sei eine reine Privatangelegenheit der Kaiser gewesen, denen man auch in keiner Weise die Rolle von „obersten Priestern" zusprechen könne.[21] Wie wir gesehen haben, sind diese Behauptungen mit Hinblick auf die letzte Dynastie nicht völlig unbegründet. Opposition gegen diese Neuauflage der „Staatsreligion", durch die jedenfalls alle anderen Religionen in den Hintergrund gedrängt bzw. illegalisiert worden wären, kam auch aus den Kreisen der chinesischen Protestanten und Katholiken sowie der Mohammedaner, Taoisten und Buddhisten.

Schließlich stellten führende Wissenschaftler wie *Ts'ai Yüan-p'ei* und *Ch'ên Tu-hsiu* endgültig fest, daß Konfuzius kein Religionsgründer sei und in seiner Lehre jede Aussage über Götter, Geister und ein Leben nach dem Tode abgelehnt habe. Eine konfuzianische Kirche und Priesterschaft habe es niemals gegeben.

Seine ethischen Lehren aber erfuhren eine praktische Wiederbelebung durch den Gouverneur *Yen Hsi-shan* in Shansi und später auch in der von *Chiang Kai-shek* ins Leben gerufenen Bewegung „Neues Leben".

Aber wie dem auch sein möge, fest steht, daß keine andere historische Persönlichkeit das chinesische Geistesleben so in Bewegung gesetzt hat wie Konfuzius. Das „chinesische" Chinesentum ist zum weitaus größten Teil „konfuzianisch". Und die vom konfuzianischen Moralsystem ausgehende Disziplinierung dürfte auch im Staat Maos nicht völlig verschwunden sein.

Es wird damit aber verständlich, daß die Verehrung für den „großen Lehrer" alle Versuche, aus den mit seinem Namen verknüpften Schrifttum eine Religion oder Philosophie herauszuarbeiten, überlebt hat. Seit 1934 wird sein

20 *Franke, W.* (1958), S. 149.
21 *Wing-tsit Chan* (1953), S. 9/10 f.

Geburtstag in seinem Heimatort Chüfu und heute noch in der Republik China (Taiwan) als Nationalfeiertag festlich begangen.[22] Auch in der Volksrepublik fand 1962 in Tsinanfu (Shantung) ein Kongreß von 150 rotchinesischen Gelehrten statt, auf dem das Thema „Konfuzius" behandelt wurde.

Im großen Zusammenhang dieser Arbeit aber möchte ich diesen Konfuziuskult nur erwähnen, weil er zeigt, wie nach Ausschaltung der Staatskultgötter der historische Mensch Konfuzius an deren Stelle gesetzt wird.[23] Bezeichnenderweise gibt es auch einen Regierungserlaß vom Jahre 1928, durch den alle Gottheiten der Popularsphäre von der Verehrung ausgeschlossen und nur die vergöttlichten Heroen und Persönlichkeiten des Konfuzianismus beibehalten werden sollen.

In der Linie dieser ursprünglich aus dem Ahnendienst stammenden Verehrung liegt nun auch die allwöchentlich abgehaltene Gedächtnisfeier für *Sun Yat-sen*[24], der übrigens nach protestantischem Ritus begraben wurde. Auch er nähert sich der Vergöttlichung, und es ist die Vermutung geäußert worden, daß sein Kult an die Stelle des Konfuziuskultes treten würde.[25]

Wenn wir aber somit bemerken, daß einmal eine Persönlichkeit der vorchristlichen Zeit und zum andernmal eine im Jahre 1925 verstorbene zu einer Stellung erhoben wird, die dem eines Gottes nahe kommt, dann ist es nur ein weiterer Schritt in dieser Richtung, wenn statt der Dahingegangenen ein jetzt und hier lebender Mensch mit solcher oder gleichwertiger Verehrung bedacht wird. Meiner Ansicht nach zeigt sich darin, daß wohl kein Teil der Menschheit völlig ohne Gott oder einen an seine Stelle tretenden Quasi-Gott zu sein vermag.[26]

D. Taoismus

Buddhismus und Taoismus sind lebende Religionen. Letzterer dürfte sogar die in Taiwan vorherrschende Religion sein.

22 Die Feier seines 2517. Geburtstages am 28. Sept. 1967 in Taipei, der ich beizuwohnen die Ehre hatte, wäre außerordentlich eindrucksvoll gewesen, wenn nicht eine Horde von sightseers der amerikanischen jeunesse dorée mit barbarischer Rücksichtslosigkeit und geradezu grotesker Anmaßung alle Einzelvorgänge des Zeremonials in peinlicher Weise gestört hätte.
23 Vgl. *Werner* (1919), S. 207: Confucius, hitherto worshipped, has not been deified, though it is now proposed to make him a god, and, if China decides to adopt a specific national religion, he will probably be t h e god of China."
24 *Wing-tsit Chan* (1953), S. 247.
25 *Franke, W.* (1958), S. 209.
26 Es ist nicht uninteressant zu sehen, wie der von der Hochintelligenz hinwegbewiesene und hinwegdisputierte Gott durch ein „Prinzip" ersetzt wird, dem man auch eine Art „Ehrfurcht" zollt.

Im Jahre 1958 besuchte der bekannte Sinologe Holmes Welch den 63. T'ien-shih („Himmelslehrer") in Taiwan, wohin er 1949 geflüchtet war, und hatte mit ihm zwei lange Unterredungen, deren wichtigste Punkte er in einem Artikel veröffentlichte.[27]

Wir erhalten dabei eine recht eingehende Beschreibung der großen Anlagen am Lung-hu-shan sowie auch der Einkünfte, aus denen das Ganze erhalten wurde. Es zeigt sich, daß die „Himmelslehrer" immer recht wohlhabende Großgrundbesitzer waren und diese Tatsache allein genügte, ihren derzeitigen Vertreter dem fanatischen Haß und der Verfolgung durch die Kommunisten preiszugeben, ganz abgesehen davon, daß seine Residenz natürlich die Hochburg des „volksverdummenden Aberglaubens" war. In Taiwan erhält der T'ien-shih eine Staatspension, die etwa dem Gehalt eines Hochschulprofessors gleichkommt. Sein jetziger Wohnplatz ist ein Tempel, der der Ch'üan-chên-Richtung zugerechnet wird.

Gegen die 1957 in Peking begründete und unter kommunistischem Einfluß stehende Taoistenvereinigung schuf er eine andere, in der er die Bekenner seiner Religion in Nationalchina zusammenzuschließen versucht.

Der Gott, den er am meisten verehrt, ist der *T'ai-shang Lao-chün* (eine seiner Manifestationen war Lao-tzû), den er als „Gott der Region des Gipfellosen" bezeichnet (vgl. dazu S. 373). Daneben aber kennt er auch einen „Himmelserhabenen des Uranfangs", den „Jadekaiser" und andere, alles Götter, die im Verlauf dieser Arbeit vorgekommen sind. Er ist im Besitz des von seinen Vorfahren überkommenen Zauberschwertes und Jadesiegels, deren Authentizität zumindest seit der Yüan-Zeit belegbar ist. Beide Gegenstände können nicht besichtigt und auch nicht photographiert werden. Merkwürdigerweise hält der T'ien-shih nichts von Mitteilungen des „magischen Pinsels" und ebenso wenig von Informationen im Trancezustand. Er macht den Eindruck eines ernsthaften „Tao-Wissenschaftlers" und keineswegs den eines Scharlatans, als der er von seinen Gegnern oft hingestellt wird. Unter den von ihm verehrten „Göttern" versteht er Aspekte des einen großen Tao, dessen lebendige Gesamtheit in einem Denkakt nicht zu erfassen ist. Es sind, wenn man so will, erkannte Positionen im ewigen Lebenslauf eines unendlichen und unerkennbaren Wesens, das eben behelfsmäßig Tao genannt wird.

Das Amt des T'ien-shih in dem großen Tempel bei Taipei ist die zusammenfassende Organisation aller taoistischen Sekten, deren Welch fünf aufzählt. Sie beschäftigen sich mit Morallehre, dem Studium der taoistischen Klassiker, Divination mit Hilfe der I'ching-Hexagramme, Exorzismus und Meditation. Wie sie sich zu den beiden großen Richtungen Chêng-i und Ch'üan-chên verhalten, ist mir nicht erfindlich, doch scheint es ein echtes Kloster mit dem üblichen Klosterleben der letzteren in Taiwan überhaupt nicht zu

27 Journal of Oriental Studies, Bd. IV (1957–58), S. 188–212.

geben.[28] Alle Taoisten, mit denen Welch zu tun hatte, führten ein normal-weltliches Familienleben, wie das bei der Chêng-i-Richtung immer üblich war.

Obgleich der Taoismus in der Bevölkerung und zumal auf dem Lande vor-herrscht, wird er von der Kuomintang-Regierung keineswegs mit freundlichen Augen betrachtet, denn einmal ist er „Aberglauben" und zum anderen könnte er der politischen Opposition als Deckmantel dienen, was er ja unter der Monarchie auch tatsächlich tat.[29]

Nichtsdestoweniger legen große und sehr eindrucksvolle Tempelbauten Zeugnis von der Lebenskraft des Taoismus ab. An ihren Säulen und Wänden findet man nicht selten die Namen der Spender und unter diesen bekannte Firmen und große Geschäftsunternehmen verzeichnet. An eindrucksvoller Feierlichkeit stehen die dort abgehaltenen Zeremoniale den unsrigen in keiner Weise nach.

Außerdem hat jedes Dorf seinen Tempel, der das eigentliche Zentrum der Gemeinde bildet. Er wird unter großen Kosten und Arbeitsaufwand erbaut und ist der Stolz des Ortes. An ihn angeschlossen sind oft Lese- und Gesell-schaftsräume. In diesen werden Geschäfte abgewickelt, aber auch die admini-strativen Maßnahmen beschlossen. Manche Tempel haben sogar ein Amateur-theater, das öffentliche Aufführungen veranstaltet, die sich ebensosehr an die Götter wie an die Zuschauer richten.

Und so wie der Tempel eine Art Klubhaus der Gemeinde ist, so ist er auch im allgemeinen nicht ausschließlich einer Gottheit gewidmet, sondern ein hei-liger Ort, zu dem alle Geister und Götter Zutritt haben.[30] Wichtigster Gegen-stand des Tempels ist der große, mit Asche gefüllte Dreifuß, in dem die Weih-rauchstäbchen verbrannt werden. Das Darbringen dieser, verbunden mit *pai-pai* (Fäustezusammenlegen und Verneigung), ist die allgemein übliche Art der Verehrung.

Neben den gewöhnlichen Orakelmöglichkeiten sind in manchen Tempeln medial begabte Personen untergebracht, durch die man sich mit den Gotthei-ten direkt in Verbindung setzen und so seinem Anliegen besseren Nachdruck verleihen kann.

Über dieser vielgestaltigen religiösen Aktivität, über einer verwirrenden Fülle von Kleinkulten und einem Pantheon wie der Sternhimmel präsidiert die taoistische Priesterschaft als eine Art oberste Elite, welcher der Verkehr mit den allerhöchsten Gottheiten, wie wir sie eben in Verbindung mit dem T'ien-shih genannt haben, vorbehalten ist. Es ist keineswegs einfach, in diesen Kreis auf-

---

28 Auf dem Festland dagegen war dieser „Klostertaoismus" zwischen 1911 und spä-terhin offenbar sehr lebendig, vgl. *H. Hackmann:* Die dreihundert Mönchsgebote des chinesischen Taoismus, Amsterdam 1931.

29 Eine solche Gegnerschaft kann z. B. einfach dadurch ausgedrückt werden, daß in einem Tempel neben den üblichen Göttern der Schutzgott einer bestimmten Dyna-stie oder einer sozialen Gruppe besonders verehrt wird.

30 *K. M. Schipper:* On Chinese folk religion (Vortrag MS), S. 4/5.

genommen zu werden. K. M. Schipper, dem dies gelungen ist, stellt fest, daß zur Ausbildung eines wirklich anerkannt guten taoistischen Priesters mindestens 20 Jahre Studium nötig sind. Deshalb gäbe es davon in ganz Taiwan nur etwa 100 gegenüber 4000 bis 5000 katholischen Geistlichen.[31]

Diese Priester, die man übrigens nur selten zu Gesicht bekommt, üben im Unterschied von Buddhisten und Protestanten mit großer Toleranz eine Art geistige Aufsicht über das religiöse Leben im Volk aus, indem sie bestrebt sind, unsinnige Auswüchse zu verhindern.

Offenbar treffen sie dabei auf den Widerstand einer anderen Kategorie religiöser Praktiker, die nach ihrem Kopfputz „Rotköpfe" *(Hung-t'ou)* oder „Schwarzköpfe" *(Hei-t'ou)* genannt werden. Sie sind im allgemeinen Gegner der orthodoxen Taoisten. Zu ihrem Propagandarepertoire gehören allerlei Zaubertricks, unter denen Trancetanzen und das Besteigen einer aus 36 Schwertern gebildeten Leiter wohl am häufigsten sind.[32] Wir erkennen in ihnen unschwer die gegenwärtige Form der sich durch die Geschichte hinziehenden Zauberer, Magier, Schamanen usw., kurz der Vertreter des von der Intelligenz geächteten, primitiven Aber- und Wunderglaubens. Wahrscheinlich handelt es sich in Taiwan um Überbleibsel der alten, bodenständigen Religiosität, der gegenüber die mit dem T'ien-shih eingewanderten Taoisten eine gehobene und rationalisierte Lehre vertreten. Gewöhnlich aber sind diese religiösen Scharlatane die Hauptakteure und der Mittelpunkt der halbreligiösen Volksfeste, die an den Geburtstagen der Heiligen und bei anderen Gelegenheiten abgehalten werden. Man darf also ihre Einwirkung auf die Gläubigkeit der Masse nicht unterschätzen.

E. Buddhismus

Zur Abwehr der Bestrebungen, eine konfuzianische Staatsreligion einzuführen, und zum Schutz des Klostereigentums gegen die Übergriffe der Generäle und anderer Laien bildeten sich nach der Revolution von 1911 Vereinigungen sowohl der buddhistischen Laien als auch der ordinierten Priester. Sie wurden im Jahre 1929 von der „Chinesischen Buddhistengesellschaft" aufgesogen, die der berühmte Abt *T'ai-hsü* 1939 mit neuem Leben zu erfüllen sich bemühte.

Aber wie wohlgemeint und erfolgreich diese Organisations- und Erneuerungsbestrebungen auch zunächst gewesen sein mögen, ein dauerhaftes Resultat erzeugten sie nicht. Und diesmal scheint einer der Gründe für das Ver-

31 T'ai-wan chih Tao-chiao wên-hsien, 1966.
32 Vgl. *Elliot* (1955), z. B. Abbd. Pl. III.

sagen eben im „internationalen" Charakter des Buddhismus gelegen zu haben, der sich, wie wir gesehen haben, zu anderen Zeiten als Vorteil erwiesen hatte. Der infolge der politischen Ereignisse immer mehr zum Fanatismus gesteigerte chinesische Nationalismus war mit dem unpolitischen Charakter des Buddhismus schlechthin unvereinbar.

Dem widerspricht nicht die außerordentlich lebhafte Publikationstätigkeit der Buddhisten, im Verlauf derer zwischen 1870 und 1940 neben einer Flut von Zeitschriften mindestens vier neue Auflagen des Tripitaka, darunter ein Neudruck des Sung-Tripitaka, herauskamen.[33] Diese Aktivität ging weit weniger aus von den Äbten der großen Klöster als von reichen buddhistischen Laien, die sich jetzt der Verteidigung der Lehre annahmen. Es zeigte sich nunmehr auch, daß der Buddhismus zur Religion einer gewissen wohlhabenden Schicht geworden war, die ihre soziale Verschuldung gegenüber den Mitmenschen durch Hingebung an den Menschenfreund Buddha auszugleichen versuchte.

Und schon das kennzeichnet die buddhistische Erneuerungsbewegung als einen Vorgang, der sich hauptsächlich innerhalb einer bestimmten begüterten Intelligenzschicht abspielte. Das breite Volk wurde im Unterschied vom Taoismus in Taiwan nur wenig davon erfaßt. (Bezeichnend ist, daß Wing-tsit Chan den Taoismus unter der Überschrift „The religion of the masses" unterbringt.) Anderseits aber hatte dieser Neo-Buddhismus eine bemerkenswerte internationale Breitenwirkung, wie die in allen Ländern bestehenden buddhistischen Gesellschaften beweisen.

Auch wenn wir uns die von Wing-tsit Chan gegebene Darstellung der neuesten Entwicklung des Buddhismus vor Augen halten[34], gewinnen wir vorwiegend den Eindruck einer vielleicht sehr scharfen und interessanten Philosophie, aber nicht den einer Religion, die den ganzen Menschen und nicht nur seinen Intellekt in ihren Bann zu ziehen versucht. Außerdem scheint mir, daß von diesen Gedankengebäuden viel weniger Linien in die heute das Geistesleben beherrschenden Naturwissenschaften und die Technik hinüberführen als von der taoistischen Spekulation, welche weitgehend als „Naturphilosophie" beschrieben werden könnte.

Der Buddhismus als Religion hatte nur dort eine kurze Blütezeit zu verzeichnen, wo er, wie zum Beispiel in Hunan, eine Zeitlang vom lokalen Machthaber begünstigt wurde.[35]

Den schwersten Schlag erhielt der Buddhismus natürlich, als 1949 auf dem Festland die kommunistische Volksrepublik errichtet wurde. Nach Aussage von Flüchtlingen wurden Hunderttausende von Mönchen und Nonnen gezwungen, ins Laiendasein zurückzutreten. Andere Klöster konnten sich nur da-

---

33 Einzelheiten s. *Wing-tsit Chan* (1953), S. 60.
34 AaO, S. 93–135.
35 *Yang* (1961), S. 360.

durch behaupten, daß sie sich in vegetarische Gaststätten verwandelten oder auf Textilfabrikation umstellten.

Während jedoch vor der Kulturrevolution im Rahmen der gesetzmäßig garantierten Religionsfreiheit noch eine gewisse Duldsamkeit gegenüber dem Buddhismus herrschte, änderte sich dies drastisch, als im Jahre 1966 die roten Garden begannen, die buddhistischen Tempel und Heiligtümer zu zerstören, ein Vorgehen, das seit Jahren durch eine fortlaufende Propaganda gegen die „verlogene Frömmigkeit der Volksunterdrücker" vorbereitet worden war.

Bezeichnenderweise wurden die zerschlagenen Buddhabilder durch solche von Mao Tse-tung ersetzt.

F. Mao Tse-tung

„Ja doch, ob nun der Vorsitzende Mao in Wolkennebeln einherschwebt,
ob er, sei es wo immer, zur Erde herabschwebt,
Tausende und Zehntausende Herzen, Millionen und Abermillionen Herzen,
sie alle sind in jeglichem Augenblick an sein Wesen gefesselt." [36]
„Die Sonne, sie geht auf und muß auch untergehn.
Doch Mao, der erstand, wird ewiglich bestehn." [37]

Sind das Worte, die sich auf einen Menschen beziehen, der noch im Umkreis menschlicher Fallibilität und Sterblichkeit steht? War nicht das von Konfuzius verbreitete Licht gleich dem von Sonne, Mond und Sternen? Jetzt aber gibt es ein Licht, unvernichtbar wie der Quell alles Lichtes überhaupt.

„Rot im Osten, Tung-fang hung! Aufging die Sonne, Tung-fang hung!
Und China gebar diesen Mao Tse-tung."

Die Hoffnung auf eine bessere Welt schuf den Zukunftsgott Maitreya, und dieser inkarnierte sich, wie wir gesehen haben, von Zeit zu Zeit in Volksführern. Jetzt knüpft sich die Zukunftshoffnung der Chinesen an die kommunistische Partei und die „ewige Revolution" (früher Tao), und beides wird verkörpert in Mao Tse-tung. Er tritt an die Stelle des Gottes der Religionen [38], so wie die von der Partei versprochene Gemeinschaft der sozialen Gerechtigkeit an die Stelle der Paradiese tritt.

Selbstverständlich haben deshalb alle Worte, die der Vorsitzende Mao von sich gab und gibt, magische Wirkung, etwa wie früher der „Klassiker der Kin-

---

36 *J. Prušek:* Die Literatur des befreiten China und ihre Volkstradition, Prag 1955, S. 131.
37 *J. Marcuse:* The Peking papers, London 1967, S. 294.
38 „We are atheists; wie believe only in Mao Tse-tung", Wandinschrift vom Aug. 1966, vgl. *Bush* (1970), S. 257. Vgl. auch *Schütte* (1957), S. 52.

desliebe" (Hsiao-ching), durch dessen Rezitation man bekanntlich Revolten beschwichtigen konnte. Einfache Lesung oder Rezitation von Mao-Zitaten beseitigt jede Art von Schwierigkeiten, seien diese psychischer, physischer oder technischer Art.[39] Kritik an Maos Worten ist todeswürdiges Verbrechen. Wer so etwas wagt, wird sofort gelyncht.

Auch die Formen des „Gottesdienstes" stehen bereits fest. Da gibt es die Liturgie der großen Volksversammlungen mit gigantischen Altarbildern von Mao Tse-tung, da gibt es die schier endlosen Prozessionen mit ebensolchen Bildern. Angesichts ihrer Hochflut erinnert man sich an das große, von den Rot-Swastika-Anhängern photographierte Gesicht in den Wolken, das alles sieht, was Menschen tun und lassen.

Maos Religion ist Puritanismus, das typische Resultat einer Periode der Verwirrung, in der „Reiche und Mächtige praßten, während die Armen darbten". Puritanisch ist bereits die für Männer und Frauen gleiche blaue Kleidung, die jeden „individuellen Luxus" ausschließt. Puritanisch ist ferner die Verehrung der Armut, dergegenüber Reichtum als die Sünde schlechthin erscheint. Und typisch puritanisch ist die sexuelle Enthaltsamkeit, die, so verlangt es die öffentliche Meinung, bis zur Verheiratung, die möglichst nicht vor dem 30. Lebensjahr erfolgen soll, durchzuhalten ist. Alle Kraft muß dem Aufbau der neuen Gesellschaft dienen. Außerdem ist es ein einfaches Mittel, der katastrophalen Bevölkerungszunahme, die jeden noch so guten Zukunftsplan unwirksam macht, zu steuern.

Puritanismus geht im allgemeinen Hand in Hand mit Kompromißlosigkeit und Unduldsamkeit. Fast wichtiger als die Liebe zum Nächsten wird dabei der Haß gegen die Feinde und deren Bekämpfung.

Die Feinde sind in diesem Fall die Feudalisten, Imperialisten, Kapitalisten und die Bourgois, kurz gesagt alle, die nicht in die Zukunftsgesellschaft des Maoismus hineinpassen. Wie in anderen Fällen wird auch hier der Kampf verstanden als Kampf gegen das Urböse, d. h. das „zusammenbrechende Alte" der bisherigen Sozialordnungen, und wird geführt für das prinzipiell Gute, d. h. das neue Volk und die neue Sozialordnung. (Wer also dieses gegenwärtige Groß-Kalpa überleben will, muß sich in den Schutz der Ideen Maos begeben.)

Dieser Kampf mündete, nachdem die Macht der Gegner mit militärischen Mitteln gebrochen wurde, in eine Periode der radikalen und oft peinlich gewaltsamen Umerziehung. Und so haben wir heute ähnlich wie in Konfuzius in Mao Tse-tung in erster Linie die Persönlichkeit eines großen Lehrers vor uns.[40] Nicht eines Propheten, denn dazu würde ein dahinterstehender, antrei-

---

39 Vgl. *Schilling* (1971), S. 239–42.
40 Auf Plakaten erscheint er als „der größte Lehrer, der größte Führer, der größte Feldherr und der größte Steuermann". Näher können Atheisten an das Wort „Gott" nicht herankommen.

bender und inspirierender Gott gehören. Und der Maoismus kennt keinen Gott.

Oder doch? Erinnern wir uns, daß im Buch Mêng-tzû (VII, B, 14) das Volk in einer berühmten Wertabfolge (1. Volk, 2. Boden- und Erntegötter, 3. Fürst) ganz klar an die Stelle des Himmels (T'ien) tritt. Und das Volk ist der Gott, den Mao Tse-tung repräsentiert. Allerdings nun wieder nicht das Volk schlechthin, sondern das im Sinn seiner Lehren umerzogene und umgeformte Volk. Dies ist Gott auch insofern, als der einzelne völlig in diesem neuen Gott aufzugehen hat, indem er seine Eigenpersönlichkeit zum Erlöschen bringt, so wie früher der Taoist bemüht war, durch Ausschalten seines Ich in Tao aufzugehen.[41]

Es dürfte an sich auch nichts Ungewöhnliches sein, daß der Prophet das Bild seines Gottes nach seinen Vorstellungen formt. Und bereits deshalb verlagert sich so wie in anderen Fällen ebenfalls beim Maoismus der Schwerpunkt von dem zwar als Masse sichtbaren, aber sonst auch recht ungreifbaren Gott Volk auf dessen Verkörperer Mao Tse-tung und seine assistierende Priesterschaft, die Partei.

Maoismus erscheint also zumindest als eine Quasi-Religion[42] vornehmlich des Hasses und des Kampfes. Das aber bedingt, daß alle „Friedensreligionen" als „verlogen" und, da sie, wie es heißt, für Bestehendes eintreten, als veraltet und irrig gebrandmarkt und verfolgt werden müssen. Und das ist denn auch weitgehend geschehen.

Bekanntlich herrscht in der rotchinesischen Volksrepublik „Religionsfreiheit", was allerdings zu verstehen ist als „die Freiheit, einer religiösen Gemeinschaft anzugehören, sofern das den Führern des kommunistischen Staates nicht mißfällt".[43]

Faktisch können sich Religionen in der chinesischen Volksrepublik nur behaupten, wenn sie sich unter Verleugnung ihres eigentlichen Charakters völlig in den Dienst des Maoismus stellen.[44] Oder wenn sie sich aus Instrumenten der „Volksverdummung" zu Instrumenten der „Volksüberwachung" machen lassen. Das aber bedeutet das Ende jeder auf echter Glaubensfreiheit beruhenden Religion in China.[45]

Am schlimmsten kam zunächst anscheinend der Taoismus weg. Schon daß sich sein Einfluß bei den nur schwer auszurottenden Geheimgesellschaften nachweisen ließ, machte ihn unerwünscht, und die alten Chêng-i-Praktiken ließen ihn überhaupt nicht als Religion, sondern als primitivsten Aberglauben erscheinen. Außerdem fehlte ihm jeder Rückhalt in anderen Völkern, was

41 *Schilling* (1971), S. 270.
42 Oder „Pseudo-Religion", s. *Schütte* (1957), S. 43 u. a. o. Dagegen *Bush* (1970), S. 424: „... Chinese communism is a religion."
43 *Schütte* (1957), S. 51.
44 AaO, S. 196–201.
45 Wie das im einzelnen vor sich ging, wird dargestellt von *Bush* (1970).

zum Beispiel dem Buddhismus und Islam eine gewisse politische Brauchbarkeit gab. Er wurde vom kommunistischen Regime mitsamt den Geheimreligionen restlos geächtet.[46] Nur der Ch'üan-chên-Taoismus scheint sich in kleinen Resten erhalten zu haben.

Dem Maoismus ist offenbar auch die Zerstörung des Ahnendienstes gelungen, an dem seinerzeit die christlichen Missionen scheiterten. Dies wurde schon zuwege gebracht durch das Verschwinden der landbesitzenden Großfamilien, deren Zusammenhalt durch die Feiern in der Ahnenhalle gegeben war. Die Ausrottung dieser Privatkulte ging unter dem Schlagwort „Abtrennung der Wurzeln des Feudalismus" vor sich.

Aber auch die Kleinfamilie ist bedroht, denn an ihre Stelle tritt allmählich die Kommune. Damit aber wird zugleich die Grundhaltung der alten chinesischen Religiosität überhaupt, nämlich die „Kindesfrömmigkeit" oder „Kindesliebe" *(Hsiao)*, erledigt. An ihre Stelle tritt die bedingungslose Opferbereitschaft für Mao Tse-tung und die Partei, eine Haltung, die uns wohl nicht völlig unbekannt ist.

46 *Guiliano Bertuccioli:* Il Taoismo nella Cina contemporanea, Cina II, Rome 1957. Dagegen taoistische Einflüsse im Ideengut Mao's, vgl. *Mao Tse-tung* (1963), S. 69 und 73, sowie *Bush* (1970), S. 404.

LITERATURVERZEICHNIS

(Diese Bibliographie erhebt keinen Anspruch auf Vollständigkeit. Übersetzung oder Inhaltsangabe der chinesischen Titel in eckigen Klammern. Bei der Anordnung wird zwischen Chun, Chün und Ch'un nicht unterschieden. O. J. = ohne Jahresangabe, o. O. = ohne Ortsangabe.)

AM = Asia Major.

BEFEO = Bulletin de l'École Française d'Extrême Orient.

Bareau, André: Der indische Buddhismus, in: Die Religion Indiens, III = Die Religionen der Menschheit, Bd. 13, Stuttgart 1964.

Bredon, Juliet, und *Mitrophanow, Igor:* Das Mondjahr, Wien 1937.

Broomhall, M.: Islam in China, New York 1966.

Bush, Richard C. jr.: Religion in Communist China, Nashville 1970.

Chan Hok-lam: The White Lotus-Maitreya doctrine and popular uprisings in Ming and Ch'ing China, Sinologica, Bd. 10 (1969).

Chang, Neander C. S.: Religious thought movements in China during the last decade, Peking 1927.

Chavannes, Edouard: Les Mémoires Historiques de Se-ma Ts'ien, I–V, Paris 1895 bis 1905.

– Le Dieu du Sol dans l'ancienne Religion chinoise, Revue de l'Histoire des Religions, Bd. XLIII, Nr. 1 (1901).

– Le T'ai chan, Annales du Musée Guimet, Bd. 21, Paris 1910.

– Le Jet des Dragons, Mémoires concernat l'Asie orientale, Bd. III.

Chên-kao des *T'ao Hung-ching* [Taoistisches Werk], Ausg. Ts'ung-shu chi-ch'êng.

Ch'ên Kuo-fu: Tao-tsang yüan-liu k'ao [Untersuchung über Entstehung und Überlieferung des taoistischen Kanons], Peiping 1948.

Ch'ên Mêng-chia: Ku wên-tzû chung shih Shāng Chou chi-szû [Die Opfer der Shāng und Chou auf alten Schriftdokumenten], Yenching Hsüeh-pao, 19 (1935).

– Shāng-tai ti shên-hua yü wu-shu [Mythen und schamanistische Praktiken in der Shāng-Dynastie], Yenching Hsüeh-pao, 20 (1936).

Ch'ên P'an: Chan-kuo Ch'in Han chien fang-shih k'ao-lun [Untersuchung über die Fang-shih], Academia Sinica Bulletin XVII (1946).

Ch'ên Yin-k'o: T'ien-shih-Tao yü pin-hai-ti-yü chih kuan-hsi [Über die Beziehung des T'ien-shih-Taoismus zur Seeküste], o. J., o. O.

Ch'ên Yüan: Buddhism in Yünnan and Kweichow at the end of the Ming dynasty, Catholic University of Peking Series Nr. 6, Peking 1940.

Ch'ên Yüan: New Taoist societies in the northern provinces of Southern Sung Dynasty, Peking 1941.

Cheng Te-k'un: Archaeology in China, vol. II. Shang China 1960, vol. III, Chou China 1963.

Chi-shih t'ung-chien [Umfassende Geschichte der taoistischen Götter und Heiligen], Ausgabe von 1700.

Chinn shu [Geschichte der Chinn-Dynastie], Ausg. I-wên yin-shu kuan.

Chiu T'ang-shu [Alte Geschichte der T'ang-Dynastie], Ausg. I-wên yin-shu kuan.

Chou-li chêng-shih chu [Ämterwesen der Chou-Dynastie], Ausg. Kuo-hsüeh ch'i-pên ts'ung-shu, Com. Pr.

Ch'ü Tui-chih: Shih Wu [Erklärungen zur Bezeichnung Wu, Schaman], Yenching Journal, Nr. 7 (1930).

Ch'ü T'ung-tsu: Law and society in traditional China (Le monde d'outre-mer passé et présent, 1. Ser., Etudes IV), Paris 1965.

Chung-kuo Fo-chiao fa-ling hui-pien [Umfangreiche Sammlung der auf den Buddhismus bezogenen Gesetze und Erlasse], Taichung 1958.

Chung-kuo t'ung-shih chien-pien [Abriß der Geschichte Chinas], Peking 1951.

ChWTTT = Chung-wên ta-tz'û-tien, The Encyclopedic Dictionary of the Chinese language, 40 Bde., Taipei 1962–1967.

Clennell, W. J.: The historical development of religion in China, London 1917.

Com. Pr. = Commercial Press, Shanghai etc.

Couvreur, Séraphin: Chou king, Hien Hien 1916.

Crespigny, Rafe de: The Last of the Han, Centre of Oriental Studies, Monograph 9, Canberra 1969.

Demiéville, Paul: La situation religieuse en Chine au temps de Marco Polo, Oriente Poliano, Rome 1957.

Dobson, W. A. C. H.: Early Archaic Chinese (EAC), Toronto 1962.

Doolittle, Justus: Social life of the Chinese, Vol. I und II. Original-Ausg., New York 1865, Neudruck Taipei 1966.

Doré, P. H.: Manuel des superstitions chinoises, Changhai 1926.

EAC siehe Dobson.

Eberhard, Wolfram: Das Toba-Reich Nordchinas, Leiden 1949.

– A history of China, Berkeley and Los Angeles 1960.

Edkins, Joseph: Chinese Buddhism, 2nd ed., revised, London 1893.

– Religion in China, London 1884.

Eichhorn, Werner: Materialien zum Auftreten iranischer Kulte in China, Die Welt des Orients, Bd. II (1959), Heft 5–6.

– Kulturgeschichte Chinas, Stuttgart 1964.

– Beitrag zur rechtlichen Stellung des Buddhismus und Taoismus im Sung-Staat, Leiden 1968.

Elliot, Alan J. A.: Chinese spirit-medium cults in Singapore, London 1955.

Erkes, Eduard: The god of death in ancient China, T'oung Pao, XXV (1939).

Fairbank, John K.: Chinese thought and institutions, Chicago 1957.

Forke, Alfred: Geschichte der neueren chinesischen Philosophie, Hamburg 1938.

– Me Ti, des Sozialethikers und seiner Schüler philosophische Werke, Berlin 1922 (Dazu Text in der Sammlung Chu-tzû chi-ch'êng, Shanghai 1954).

Franke, Otto: Geschichte des chinesischen Reiches, Bd. I–V, Berlin 1930–1937.

Franke, Wolfgang: Chinas kulturelle Revolution, München 1957.

– Das Jahrhundert der chinesischen Revolution 1851–1949, München 1958.

Fu Ch'in-chia: Chung-kuo Tao-chiao shih [Geschichte des Taoismus], Shanghai 1937.

Gernet, Jaques: Les aspects économiques du Buddhisme, Saigon 1956.

Giles, Herbert A.: A Chinese biographical Dictionary, London 1898.

Goltz, Freiherr von der: Zauberei und Hexenkünste, Spiritismus und Shamanismus in China, Mitteilungen der Deutschen Gesellschaft für Natur- und Völkerkunde Ostasiens, 51. Heft = Bd. VI (1893).

Granet, Marcel: La Religion des Chinoises, Paris 1922.

Groot, J. J. M. de: The religious system of China, vol. I–VI, Leiden 1907.

– Religion in China, New York 1912.

– Sectarianism and religious persecution in China, Original-Ausg. 1901, Neudruck Taipei 1963.

Gundert, Wilhelm: Bi-yän-lu, Meister Yüan-wu's Niederschrift von der smaragdenen Felswand, München 1960.

Hackmann, H., und *Nobel, J.:* Erklärendes Wörterbuch zum chinesischen Buddhismus, Lieferung 1–6, Leiden 1951–54.

Hamberg, Theodore: The visions of Hung-Siu-Tshuen and origin of the Kwangsi insurrection, Original-Ausg. Hongkong 1854, Neudr. New York 1969.

Han-shu pu-chu [Geschichte der Han-Dynastie], Peking 1959.

Hermann, Heinrich: Chinesische Geschichte, Stuttgart 1912.

Hermanns, Matthias: Schamanen, Pseudoschamanen, Erlöser und Heilbringen, Bd. I–III, Wiesbaden 1970.

Ho Kuang-chung: Li-tai sêng-kuan-chih k'ao [Historische Untersuchung über das System der Mönchsämter], Tung-fang hsüeh-pao, I, 1, o. J.

Hodous, Lewis: Confucianism and Taoism, The great Religions of the modern World, ed. by *Edward J. Jurji,* Princeton New Jersey 1967.

Homann, Rolf: Die wichtigsten Körpergottheiten im Huang-t'ing ching, Göppingen 1971.

Hou-Han shu und Hou-Han shu chih [Geschichte der Späteren Han-Dynastie], Peking 1957.

Hsü Ti-shan: Taoism, Religions of the Empire, London 1925.

Hsü T'ien-lin: Hsi-Han hui-yao [Staatsarchivmaterialien der Ersten Han-Dynastie], Shanghai 1955.

Hsü tzû-chih t'ung-chien des *Pi Yüan* [Fortsetzung des Tzû-chih t'ung-chien], Peking 1957.

Hu Hou-hsüan: Chia-ku-hsüeh Shâng-shih lun-ts'ung [Aufsätze zur Geschichte der Shâng aufgrund der Orakelknochentexte], 1944–45. Dazu auch der Aufsatz des Verf. im Fu-tan Hsüeh-pao, 1 (1956), S. 49–84.

Huai-nan tzû [Philosophisches Werk], Ausg. Shih-chieh shu-chü, Taipei 1965.

Hummel, Arthur W.: Eminent Chinese of the Ch'ing Period, Original-Ausg. Washington 1943, Neudr. Taipei 1967.

Kaltenmark, Max: Le Lie-sien Tchouan, Pékin, 1953.

– Ling-pao, Mélanges publiés par l'institut des Hautes Études Chinoises, Tome II, Paris 1960.

– Religion et politique dans la Chine des Ts'in et des Han, Diogène, 34 (1961).

– Lao tseu et le taoïsme, Paris 1965.

Karlgren, Bernhard: The Book of Odes, Museum of Far Eastern Antiquities, Stockholm 1950.

Kesson, John: The Cross and the Dragon, London 1854.

Köster, Hermann: Zur Religion in der chinesischen Vorgeschichte, Mon. Ser., XIV, (1949–55), S. 188.

Kramers, R. P.: Die Lao-tzu-Diskussionen in der Volksrepublik, Asiatische Studien, XXII (1968).

Ku Ying-t'ai: Ming-shih chi-shih pên-mo [Geschichte der Ming-Dynastie in Einzeldarstellungen], Ausg. Com. Pr., 1936.

Kubo Tokutada: Kōshin-shinko no kenkyu [Untersuchungen über die Kōshin-Religion], Tokyo 1961.

Kulp, Daniel Harrison: Country life in South China, Original-Ausg. New York 1925, Neudr. Taipei 1966.

Kuo Mo-jo: Pu-tz'û t'ung-tsuan [Kompendium der Orakelknochentexte], Peking 1933.

– Ch'ing-t'ung shih-tai [Das Bronzezeitalter], Peking 1945.

– Shih p'i-p'an shu [Zehn kritische Aufsätze], Peking 1954.

Kuo Ting-t'ang (Mo-jo): Hsien-Ch'in t'ien-tao-kuan chih chin-chan [Entwicklung der „Himmelsweg"-Idee in der Vor-Ch'in-Zeit], Shanghai 1936.

Kuo-yü [Reden aus den Ch'un-ch'iu-Staaten], Ausg. Com. Pr., Shanghai 1958.

Latourette, K. S.: A history of Christian Missions in China, Original-Ausg. London 1929, Neudr. Taipei 1966.

Legge, James: The Chinese Classics, vol. I–V, Hongkong 1861–65 (vol. V, Ch'un-ch'iu and Tso-chuan).

Li ki, Mémoires sur les bienséances et les cérémonies, traduit par *S. Couvreur,* Bd. I–II, Paris 1950.

Li Shih-yü: Hsien-tsai Hua-pei pi-mi tsung-chiao, Religions secretes contemporaines dans le Nord de la Chine, Chengtu 1948.

Liang Ching: Shang-ku tsung-chiao kai-kuan [Überblick über die altchinesische Religion], Chung-shan ta-hsüeh yü-yen ... yen-chiu-so chou-k'an, vol. VIII, Nr. 89/90 (1929).

Liebenthal, Walter: The immortality of the soul in Chinese thought, Mon. Ser., vol. VIII, 1–2 (1952).

Liu Kuo-chü: Liang Han shih-tai Tao-chiao kai-shuo [Taoismus unter den beiden Han-Dynastien], Chin-ling hsüeh-pao, I, 1 (1931).

Lü Chên-yü: Chien-ming Chung-kuo t'ung-shih [Kurze Geschichte Chinas], Peking 1955.

Mailla, Joseph-Anne-Marie de Moyrac de: Histoire générale de la Chine, Bd. VII und X, Paris 1778.

Mao Tse-tung: Ausgewählte Schriften übers. von *T. Grimm,* Frankfurt a. M. 1963.

Marcuse, Jaques: The Peking papers, London 1967.

Mason, J.: When and how Muhamedanism entered China, The China Society, London 1932.

Maspero, Henri: Les procédés de „Nourir le principe vital" dans la religion taoïste ancienne, Journal Asiatique 1937.

– Le Taoïsme, Paris 1950.

– Les religions Chinoises, Paris 1950.

– The Mythology of Modern China, Asiatic Mythology, herausgegeben von *P. L. Couchoud,* London 1923, Neudr. New York 1963.

Mayers, William Frederick: The Chinese Government, Shanghai 1897.

– The Chinese Reader's Manual, Original-Ausg. Shanghai 1874, Neudr. Shanghai 1924.

Mem. Hist. = Mémoires Historiques, siehe Chavannes, E.

Michibata Yoshihide: Chūkoku-bukkyō-shi [Geschichte des Buddhismus in China], Hō zō kan 1965.

Ming hui-yao des *Lung Wên-pin* [Staatsarchivmaterial der Ming-Dynastie], Peking 1956.

MIO = Mitteilungen der deutschen Akademie der Wissenschaften zu Berlin, Institut für Orientforschung.

Miyakawa Hisayuki: A Historical Study of the Six Dynasties Period, Vol. II. Religious History 1964.

Mon. Nippon. = Monumenta Nipponica.

Mon. Ser. = Monumenta Serica.

Monumenta Serindica vol. I Chinese Buddhist texts from Turfan, vol. 2 Chinese fragmentary Manuscripts on the social and economical system, Hozokan Kyoto 1958, 1959, 1960.

Moravia, A.: Die Kulturrevolution in China, München 1968.

Moule, A. C.: Christians in China before the year 1550. London 1930.

Oldenbourgs Abriß der Weltgeschichte, II. Bd., Abriß der Geschichte außereuropäischer Kulturen, München 1964.

Or. Ex. = Oriens Extremus.

Pao-p'u tzû [Philosophisches Werk], Ausg. Ssû-pu pei-yao, 4 Bde.

Parker, E. H.: Studies in Chinese Religion, London 1910.

Po Hu T'ung, the comprehensive discussions in the White Tiger Hall, a contribution to the history of classical studies in the Han period, by Dr. *Tjan Tjoe Som,* Leiden 1949.

Ratchnevsky, Paul: Die mongolischen Großkhane und die buddhistische Kirche, Asiatica, Festschrift für F. Weller, Leipzig 1954.

– Über den mongolischen Kult am Hofe der Großkhane in China, Akadémiai Kiadō, Budapest, o. J.

Reichelt, Karl Ludwig: Religion in Chinese garment, London 1951.

Reischauer, E. O.: Die Reisen des Mönches Ennin, Stuttgart 1963.

Rinaker ten Brock, J., and *Yiu Tung:* A Taoist inscription of the Yüan Dynasty, The Tao-chiao pei, Leiden 1950.

Rosenkranz, Gerhard: Der Nomos Chinas und das Evangelium, Leipzig 1936.

Rosthorn, Arthur: Geschichte Chinas, Stuttgart–Gotha 1923.

Rotours, Robert des: Traité des Fonctionaires et traité de l'armée. Traduit de la Nouvelle Histoire des T'ang (chap. XLVI–L), Leyde 1947.

Saeki, P. Y.: The Nestorian documents and relics in China, Tokyo 1951.

San-kuo chih [Geschichte der San-kuo-Periode], Shanghai 1964.

Saussure, Leopold de: Les origines de l'astronomie Chinoise, Ch'eng-wen Publishing Company, Taipei 1967.

Schilling, Werner: Einst Konfuzius heute Mao Tse-tung, Weilheim 1971.

Schindler, Bruno: Das Priestertum im alten China, Leipzig 1919.

– The development of the Chinese conception of supreme beings, A. M., Hirth Anniversary-Vol. (1923).

– On the travel, wayside and wind offerings in ancient China, A. M., vol. I, 1924 (Reprint 1964).

Schipper, K. M.: L'empereur Wou des Han dans la légende Taoïste, Paris 1965.

Schram, Stuart: Mao Tse-tung, Penguin Books 1966.

Schütte, Johannes: Die katholische Chinamission im Spiegel der rotchinesischen Presse, Münster 1957.

Seidel, Anna K.: La divinisation de Lao tseu dans le Taoïsme des Han, Publications de l'École d'Extrême Orient, vol. LXXI, Paris 1969.

Sheridan, James E.: Chinese Warlord, Stanford 1966.

Shih-chi [Geschichte vom Altertum bis zur Han-Dynastie], in Ser. Kuo-hsüeh ch'i-pên ts'ung-shu, Ausg. Com. Pr., und
Shiki-Kaichū-Kōshō, 1932.

Shih-chi T'ien-kuan-shu chin-chu [Kapitel über Astronomie im Shih-chi], Taipei 1965.

Shih-ching [Buch der Lieder] mit Kom. von *Chu Hsi,* 1178.

Smith, D. Howard: Chinese Religions, London 1968.

Soothill, William Edward, and *Hodous, Lewis:* A dictionary of Chinese Buddhist terms, Original-Ausg. London 1937, Neudr. Taipei 1969.

Staunton, G. Th.: Ta Tsing Leu Lee, The fundamental laws ... Original-Ausg. London 1810, Neudr. Taipei 1966.

Stein, R. A.: Jardin en Miniature d'Extrême-Orient, BEFEO, Tome XLII (1942).

– Remarques sur les mouvements du Taoïsme politico-religieux au II⁰ siècle ap. J. C., T'oung Pao, L (1963).

Steininger, Hans: Hauch- und Körperseele und der Dämon bei Kuan Yin-tze, Leipzig 1953.

– The religions of China, Historia Religionum, vol. II. Religions of the Present, Leiden 1971.

Sun K'ai: Ch'in hui-yao ting-pu [Materialien zur Regierung der Ch'in-Dynastie], Shanghai 1955.

Sun K'o-k'uan: Sung Yüan tao-chiao chih fa-ch'an [Geschichte des Taoismus zur Sung- und Yüan-Zeit], Taichung 1965.

– Yüan-tai Tao-chiao chih fa-ch'an [Geschichte des Taoismus zur Yüang-Zeit], Taichung 1968.

Sung-shih [Geschichte der Sung-Dynastie] von *T'o-t'o (Tokto),* Ausg. Ssû-pu pei-yao.

Sung-shih chi-shih pên-mo des *Fêng Ch'i* [Geschichte der Sung-Dynastie in Einzeldarstellungen], Ausg. Wan-yu wên-k'u, Shanghai 1931.

Sung-shih hsin-pien des *K'o Wei-ch'i* [Neu kompilierte Sung-Geschichte], Kambun-Ausg. 1836.

Sung hui-yao chi kao [Staatsarchivmaterialien der Sung-Dynastie], Photogr. Neudruck, Peking 1957.

Ta-Ch'ing hui-tien [Regulationen der Ch'ing-Dynastie], Neudr. der Ausg. 1899.

Ta-Ming hui-tien [Regulationen der Ming-Dynastie], Neudr. 1964 der Ausg. 1587.

T'ai-p'ing ching ho-chiao [Taoistisches Werk], Peking 1960.

Taishō shinshu daizōkyō, The Tripitaka in Chinese, Tokyo 1924–29, Neudr. 1964.

T'ang hui-yao [Staatsarchivmaterialien der T'ang-Dynastie] von *Wang P'u,* Shanghai 1955.

T'ang Yung-t'ung: Han Wei liang-Chin Nan-pei-ch'ao Fo-chiao shih, 2 vols. [Geschichte des Buddhismus von Han- bis T'ang-Zeit], Peking 1955.

Têng Chih-ch'êng: Chung-hua êrh-ch'ien nien-shih [Geschichte Chinas], 4 Bde. Peking 1954.

Tompson, L. G.: Chinese religion, an introduction, Belmont 1969.

Tjan Tjoe Som siehe Po Hu T'ung.

Tokiwa Daijō: Shina ni okeru Bukkyō to Jūkyō, Dokyō [Buddhismus, Konfuzianismus, Taoismus in China], Toyo Bunko Series, 1930.

Traité Manichéen = *Chavannes, Edouard,* et *Pelliot, Paul:* Un traité Manichéen retrouvé en Chine, Paris 1913.

Ts'e-fu yüan-kuei [Enzyklopädie], kompiliert unter Direktion des *Wang Ch'in-jo,* beendet 1012, Neudr. Peking 1960.

T'u-shu chi-ch'êng, Chinese Encyclopaedia, Ausg. 1884, Neudr. Taipei 1964.

T'ung-chien kang-mu [Chinesische Geschichte], Steindruck von 1887.

T'ung-chih lüeh [Abriß der chinesischen Geschichte in Sachgruppenordnung], Ausg. Wan-yu wên-k'u.

Tung Tso-pin: Yin li-p'u [Jahresliste der Yin-Dynastie], 1945, Nachdr. Taipei o. J.

Tung Yüeh: Ch'i-kuo k'ao [Historische Materialien der Vor-Han-Zeit], Peking 1956.

Tzû'chih t'ung-chien [Chinesische Geschichte von 403 v. Chr.–959 n. Chr.], Ausg. von 1816, Neudr. Peking 1957.

Waley, Arthur: The travels of an alchemist, London 1931.
- The real Tripitaka, London 1952.
- The Nine Songs, London 1955.
- Some references to Iranian temples in the Tun-huang region, Bulletin of the Institute of History and Philology, Academia Sinica, vol. XXVIII, Taipei 1956.
- The Book of Songs, New York 1960.
Wang Chih-hsin: Chung-kuo tsung-chiao szû-hsiang [Abriß der religiösen Ideen in China], Original-Ausg. 1933, Neudr. Taipei 1965.
Ware, James R.: Wei shou on Buddhism, T'oung Pao, 30 (1933).
- Alchemy, Medicine, Religion in the Chine of A. D. 320, Cambridge, Mass., und London 1966.
Watters, T.: A guide to the Tablets in a Temple of Confuzius, Shanghai 1879.
Weber, Max: Gesammelte Aufsätze zur Religionssoziologie, Bd. I–III, Tübingen 1963–66.
Wei Chin ssû-hsiang lun [Geistesgeschichte des 3. und 4. Jahrhunderts n. Chr.], Taiwan 1967.
Wei shu [Geschichte der Wei-Dynastie], Ausg. Szû-pu pei-yao, 2nd. ed.
Welch, Holmes: Taoism, the parting of the way, Boston 1966.
Wên-hsien t'ung-k'ao des *Ma Tuan-lin* [Historische Materialien vom Altertum bis zum 13. Jahrhundert n. Chr.], verkleinerter Neudruck der Ausg. 1748 von 1904.
Wên I-to: Shên-hua yü shih [Mythology und Liederdichtung], Peking 1956.
Werner, E. T. C.: China of the Chinese, London 1919.
(Die) Westinschrift des Chang Tsai übersetzt von *Werner Eichhorn,* Abhandlungen der Deutschen Morgenländischen Gesellschaft, Leipzig 1937.
(Die) Wiedereinrichtung der Staatsreligion im Anfang der Sung-Zeit von *Werner Eichhorn,* Mon. Ser., vol. XXIII, 1964.
Wieger, Léon: L'outre d'école, Chine moderne, Tome IV, Hien Hien 1923.
- A History of religious Beliefs and philosophical Opinions in China, transl. by *Edward Chalmers Werner,* Hsien Hsien 1927.
Wing-tsit Chan: Religious Trends in modern China, New York 1953.
Williams, S. Wells: The Middle Kingdom, vol. I–II, New York 1883.
Wright, Arthur: Buddhism in Chinese history, Stanford 1965.
Wu-tai hui-yao von *Wang P'u* [Staatsarchivmaterialien der Wu-Tai-Periode], Ausg. Wan-yu wên-k'u.
Yang Ch'ên: San-kuo hui-yao [Archivmaterial der San-kuo-Periode], Peking 1956.
Yang, C. K.: Religion in Chinese society, Berkley 1961.
Yao Yen-ch'ü: Ch'un-ch'iu hui-yao [Historische Materialien der Ch'un-ch'iu-Zeit], Shanghai 1955.
Yüan-shih chi-shi pên-mo [Geschichte der Yüan-Dynastie in Einzeldarstellungen], Com. Pr., Shanghai 1955.
Yün-chi ch'i-ch'ien [Enzyklopädisches taoistisches Werk], Ausg. Tao-tsang ching-hua.
Zürcher, E.: The Buddhist conquest of China, Leiden 1959.

NAMEN- UND SACHREGISTER

(Ohne die Namen und Titel der Bibliographie. Silben chinesischer Namen und Termini werden als Wörter betrachtet.)

A-lo-pên 256
Abahai 349
Abgabenfreiheit 246, 248, 287, 306, 312, 361
Agens, Agenzien s. Wu-hsing
Agenzienkaiser s. Wu-ti
Ahnendienst 37, 135, 162, 170, 176, 199, 218, 271, 315/16, 330, 333, 346, 350, 355–57, 365, 388, 392, 400
Ahnenordnung 135, 330-32, 355/56
Ahnentafel des T'ai-tsu 331/32, 333, 356
Ai-ti (Han-Kaiser) 127
Alchemie 119/20, 149, 209, 237
Alkohol 79, 80, 146, 203, 204, 231, 258, 300, 312, 376, 381
Altarstätten 131, 137, 167/68, 215/16, 217, 226/27, 230, 297, 351, 353/54
Alttextschule 132
Amida-Buddha 300
Amitābha 208, 210
Amnestieverkündigung 270, 275
Amoghavajra s, Pu-k'ung san-tsang
Amulettzeichen 143, 184, 188, 237, 239, 282, 307, 317, 335
An Fa-ch'in (Buddhist) 192
An Lu-shan 259, 261, 274
Anbieten 171/72, 214, 221, 227, 271, 328, 331
Antichristliche Bewegungen 364, 386/87, 388
Aśoka 192, 199, 242
Astronomie 258, 320, 346, 363/64
Atheismus 380
Augustiner 365
Avalokiteśvara 209

Begnadigungsrecht 312
Bekehrung der Barbaren durch Lao-tzû s. Hua-hu ching
Bhaiṣajyarāja 210
Blankoordinationsformulare 298
Blutopfer 176, 179, 195, 355
Boden und Erntegottheiten s. Sheh-chi
Bodenverehrung s. Sheh
Bodhi 210

Bodhidarma 210
Bodhisattva 209, 210, 253-55, 284, 301
Brāmī (Fan-shu) 192
Brandopfer s. Liao
Bücherverfolgung 307/08
Buddha, Buddhismus 156/57, 164, 176, 177, 179, 191, 193, 195, 197-201, 203, 206-09, 229, 231-35, 238, 239, 241, 242-44, 252/53, 255, 257/58, 262, 263/64, 266, 268, 276/77, 282/83, 284, 288/89, 290-95, 292, 299, 301/02 306/07, 309-312, 313, 324, 328, 335, 337-39, 346/47, 349, 352, 359, 362, 365, 367, 368, 370, 374, 375, 378, 384, 389, 391, 395-97, 400
Buddha der Gegenwart 196
Buddhadharma 195
Buddhaelemente (Yüan Fo-tzû) 342/43
Buddhafingerknochen 244/45, 251
Buddhastatuen 197-99, 203, 205, 208, 243/44, 247, 250, 252, 266, 291, 292, 306, 358
Buddhaverehrungsstätten 338
Buddhistenverfolgung 197/98, 199, 245, 249, 251, 265, 292
Bußübungen 188, 230

Čakravartin 196, 199, 241, 243, 310
Chai-t'ang-Hallen 259
Ch'an-Buddhismus s. Dhyāna
Ch'an-shu-Schriften 132
Ch'ang-an 76, 124-27, 129, 131, 144, 194, 197, 233, 237, 238, 245, 252, 255, 260, 276
Chang Chêng-sui 287
Chang Chio 142/43, 154, 158, 185
Ch'ang-ch'un 305
Chang Chün-fang 287
Chang Fei 384
Chang Hêng 134
Chang Lin 185
Chang Liu-sun 308, 318, 319
Chang Lu 141, 146/47, 154, 158, 184/85, 187, 188, 190
Chang Shun 135-37

408

413

Yüeh-ling (Mondauftrag) 109, 130, 135
Yün-han (Lied) 228
Yün-mêng (Landschaft) 94
Yün-shih (Wolkenmeister) 68
Yung (alte Hauptstadt von Ch'in) 89, 124/25
Yung-lo (Ming-Kaiser) 331

Yünnan 319/20, 338, 368
Zahlenmystik s. Hsiang-shu
Zeremonie, Zeremonialwesen s. Li
Zikawei 346
Zinnober 149, 151
Zölibat 238, 289
Zoroaster 260

Die Religionen der Menschheit

Herausgegeben von Christel Matthias Schröder